短編ミステリの二百年 2

チャンドラー、アリンガム他

本書は江戸川乱歩編『世界推理短編傑作集』とは異なる観点から短編ミステリの歴史をさぐっていく、刺激的で意欲に満ちたアンソロジーである。この第2巻では、1920年代から50年代にかけて書かれたさまざまなジャンル――都会小説、ハードボイルド／私立探偵小説、謎解きミステリ――の逸品を通して、短編ミステリが進化発展し多様性を得ていく過程を概観する。ハメット、チャンドラー、スタウト、アリンガム、クリスピン、ヴィカーズなど錚々（そうそう）たる作家による全11編をすべて新訳で収録。巻末には第1巻に続き、編者・小森収の評論を収めた。

短編ミステリの二百年２

チャンドラー、アリンガム他
小森　収　編

創元推理文庫

THE LONG HISTORY OF MYSTERY SHORT STORIES

volume 2

edited by

Osamu Komori

2020

目次

短編ミステリの二百年2

挑戦

バッド・シュールバーグ

The Dare　一九四九年

バッド・シュールバーグ Budd Schulberg（一九一四―二〇〇九）。アメリカの作家、脚本家。一九五四年の映画『波止場』（エリア・カザン監督、マーロン・ブランド主演）でアカデミー脚本賞を受賞。本編の初出は雑誌〈エスクァイア〉*Esquire* 一九四九年五月号。翻訳には短編集 *Some Faces in the Crowd*（一九六四）収録のテキストを用いた。

ポール・マックスウェルは、ライトグリーンの海を見つめていた。突堤の先端から数百ヤード離れた沖合で波を切って進む、小さな白いモーターボートを目で追いかけていた。そのすぐ後ろを、水上スキーの乗り手が金色にきらめく淡いかたまりとなってすべっていく。都会での単調な日常に戻ったあと、休暇の一齣（ひとこま）として思い出すのはこういう瞬間かもしれない。ポールはそんなことを考えていた。シャンパンのようにはじける海の緑色、小さなボートのエンジンの甲高い響き、白く泡だつ航跡、そしてその後ろでスキー板に乗って巧みにバランスをとり、海面すれすれを飛んでいるように見えるしなやかな体。

ポールは立ち上がり、その動きに目を凝らすため突堤の手すりから身を乗り出した。そこでようやく、日焼けした体の胸を隠す黄褐色のホルターネックに気づき、スキーヤーの性別がわかった。不意にモーターボートが水しぶきをあげて大胆にターンし、彼の方をめがけてまっすぐに向かってきた。このままではぶつかると思ったその刹那、舵がぐいと切られ、小さなボートは突堤をきわどく逸れて遠ざかっていった。けれどもその後ろから突っ込んできた娘――彼女の方はとてもよけきれそうになかった。あんなに自由で、あんなに完璧な生きものが、あたら無残な最期を迎えるなんて現実とは思えなかった。彼はパニックをきたしながら、すでに心のなかではぼろ切れのようになった死体を探して海に飛び込もうと考えていた。娘は笑っている顔が見えるまで近づいて――笑顔というより、恍惚の表情を浮かべていた――次の瞬間、スキー板の上で冷静に、ポールが思わず念じたのとは逆の方向に体を傾けると、はじかれたように突堤から離れ、ボートのまわりの水をえぐりとるように弧を描いたのち、またその後ろの位置に戻った。

そのあとさらに二度、ボートとスキーヤーは衝突が不可避と思える勢いで突っ込んできた。けれどもポールはもうだまされず、ボートと娘がどこまで突堤に近づけるかくり返し挑むさまを、慌てることなく魅いられたように見つめつづけた。

「最初のときには、もうだめだと本気で思ったよ、将軍」ポールは、窯に入れて焼いたままずっと放っておかれたみたいにかりかりに日焼けした、小柄なキューバ人に話しかけた。ボートやビーチ用具を貸し出す店を切り盛りしている男で、将軍というのは今では忘れられた南アメリカ戦争で授かった称号だった。

「ああ、ジェリー・ローフォードか。あの娘はいかれてるから」まるで誰もが普通に知っているかのような口ぶりだった。

「どんなふうに?」ポールは使われすぎて本来の切れ味を失った言いまわしを聞くたび、いつもそうきき返していた。

「とにかく半端じゃない」将軍は言った。「頭のねじがぶっ飛んでる」

もっと詳しくとキューバ人にせがむ必要はなかった。この二週間で、ポールは将軍というのがどういう男か、よくわかっていた。

「いつも突拍子もないことをしでかすのさ。去年も、ディンギーに乗って一人でキューバまで渡ろうとした。最後には沿岸警備隊が三十マイル沖で彼女を海から引っ張り上げたよ。万事そんな調子だ」

ポールはその話が気に入った。自分に冒険心がないぶん、かえってそうした連中に惹かれるのだ。

「彼女は何者なんだ？　どこから来た？」

「ああ、ジェリーはもう何年もキーウェストにいる」焼け焦げた肌の口のあたりがぱっくり開いて、人なつっこい笑顔になった。「自分はパーム・ビーチからの亡命者だって言ってる。向こうでは、今も家族が大きな屋敷で暮らしてるらしい。化粧品だかの会社を経営してる、本当の金持ちだ。十年くらい前、親たちがいかにもパーム・ビーチ流の豪勢な結婚式を挙げさせる段取りをつけた。どこかの公爵様だかと結婚することが決まってた。その男は、けっきょく自動車会社の跡取り娘と結婚して、よろしくやってるそうだ。それはさておき、結婚式当日の午後、ジェリーはここにやってきた。そのときおれが働いてたバーにふらっと入ってきた。その店はもうないよ。古い店はみんななくなっちまった。おっと、話してるのはジェリーのことだった。そのとき彼女がなんて言ったか、まだよくおぼえてる。〝わたしの妹のどれかと結婚させればいいのよ。妹だってきっと喜んで応じるわ。あいつの方は、小切手帳さえついてれば相手なんて誰でもいいんだから〟ってさ。

ただね、家族の小切手帳は、ここに来たあとのジェリーの役には立たなかった。父親が一セントたりともやらないと騒いでね。でも、ジェリーはへっちゃらだった。どこ吹く風で、好き勝手に楽しんでた」

「だけど、彼女は何をしていたんだ？　つまり、どうやって稼いでいたんだ？」ポールとしてはそこが気になった。ふだんから落ち込んだときなど、もし自分のイラストレーターとしての才能が急になくなったらどうするか、思い悩むたちだった。

将軍は少し考えた。「ジェリーがしてたのは――まあ、他の誰にもできないことだ。しばらくはチャーター船の助手だった。娘っ子がする仕事じゃないが、ジェリーはレッド・メリットをうまく言いくるめたんだ。それから景気がめちゃくちゃ悪くなって、この町がまるごと生活保護を受けなきゃならなくなったときには、WPA（公共事業促進局）の連邦美術計画に手をあげた。あの子、興が乗ると本当にいい絵を描くんだよ。そのうち、ちょっとした金が懐に入った――信託基金か何か、父親も止められないやつがあったのさ。それで自分の帆船を買って、その金がなくなるまであちこちの島をまわってた。ジェリーのことは、金であれ何であれ心配するだけ無駄ってもんだ。去年は、ハバナまでのヨットレースにクルーとして出た。彼女が乗ったヨットが勝って、持ち主の大金持ち夫婦と一緒にしばらくハバナにいたらしい。夫婦から五百ドルもらってカジノに行き、大勝ちして一年間困らないだけの金を儲け、秋にここに戻ってきた」将軍は小さく笑った。「いいかい、あのジェリーでも使いきるのに一年かかるくらいの金だよ」

手漕ぎボートを借りにきた客がいたので、将軍は軽々と舳にのぼり、乗り場まで一艘引き寄せながら話していた。将軍の話を聞いているあいだも、ポールはモーターボートとその航跡をすべる日焼けした娘を目で追いかけていた。今ではボートはアイドリングしていて、娘はスキー板を舷側から操縦士に渡し、突堤に向かって泳ぎはじめていた。ポールがなんとなく予想していたように、見事なオーストラリアン・クロールだ。彼女が全米体育協会の女性チャンピオンか、それこそオリンピックの金メダリストだと言われても、信じてしまいそうだった。というのも、顔を合わせる前からすでに、彼女がとてつもない離れ技を平然とやってのけ、まさかの連続が日常そのものになっている特別な人種だとなぜかわかったのだ。

ポールは彼女を熱心に見つめていたが、露骨になりすぎないよう、その背後でボートを岸に寄せている男の方にも意識してちらちら目をやった。彼女は梯子を勢いよく登り、曲芸のような身のこなしで突堤の縁を乗り越えた。きらきら光る髪に両手を添えて水を切るその姿は、彼の心に鮮やかに焼きついた。長くしなやかな筋肉がつくる左右対称のフォルム。すらりとしたハニーブラウンの体がまぶしい。顔は濡れて光り、目もとには意外にもアジア系の特徴がうかがえた。

彼は絵描きとしての目で彼女の動きを観察した。心惹かれる女性に思いがけず出会ったとき、男は決まって挑まれているように感じてしまうもので、そのせいで彼のまなざしはいっそう熱くなった。それでも、彼は根っからシャイだったので、もし彼女が頭を振って水を切ったあと顔を上げ、にっこり微笑みかけてこなかったら、きっとそのまま何も言えずにすれ違っただけになっていただろう。彼女の笑顔には、媚びもはにかみもなかった。それは、海辺で暖かい日射しを浴びながら、熱帯の島で過ごす冬の一日の至福にひたっているふたりが自然にかわしあう挨拶だった。

「いつからやってるんだ？」彼は思わずそう呼びかけていた。

「スキーのこと？」彼女の声は低く、活力がみなぎっていた。その顔にはまだ水滴がきらめいていた。「生まれたときからと言ったら信じる？　練習した記憶がないのよね」

彼女がこれまでしてきたことがすべてわかったように思えた。奇抜な振る舞いのすべてが。彼女にはもって生まれた才があるのだ。

「きみがやると、とても簡単そうに見える」

「じっさい簡単よ、もちろん人によるけれど。一カ月がんばっても、ボードの上で立つこともできない人もいた」

彼女は小さく笑った。ポールは、その笑顔をいつまでも忘れないだろうと思った。

モーターボートを操縦していた男が突堤に上がってきた。ポールは彼女とこれきりにならず、未来に可能性を残すには何を言えばいいか考えようとあせった。けれども、彼女がその悩みをあっさり解決してくれた。「明日の十時くらいにビーチにいたら、あなたもやってみるといいわ」彼女は言葉を切り、彼を試すように見た。「あなたは何でもできるくち？」

「たとえば、どんな……？」

「あら、わかるでしょ、普通のスキー、スケート、ダイビング」それから冗談で言い足した。

「綱渡り、空中ブランコ……」

「ああ、それくらいなら」彼は答えた。「ナイアガラの滝に綱を張って渡ったやつがいただろう、何を隠そうあれはぼくなんだ……」

彼女は笑ってくれた。まだ海水で濡れている唇は、とつぜんの驟雨(しゅうう)のあとの、血のように赤いブーゲンビリアを連想させた。

「じゃあ、たぶんまた明日」彼女がそう言って別の男と突堤を歩いていくのを、ポールはじっと見つめた。すでにして嫉妬に似た感情をおぼえていた。しょせんは、よくある休暇中の錯覚でしかないと興ざめな理性がいさめても、その気持ちは消えなかった。その男は若く、背が高く、ハンサムで、年に二、三週間とってつけたように日光浴をするだけのまがいものではなく、何年も日射しを浴びていないとなれない色に日焼けしていた。野性味あふれる、たくましい肉体派の男を前にしたとき都会の男が抱いてしまう劣等感におそわれ、日焼けしたアドニス、太陽神のようなあの男こそは彼女の理想の相手だと認めずにはいられなかった。煙草の広告や、水着のモデルでおなじみの見栄えのするカップル。商売柄、そうした男女のことは誰よりもよく知っていた——かれこれ十年、彼らを描いて食いつないできたのだから！

その夜、南に来てから初めて、彼は白い麻のスーツを着た。自分の愚かさにどこかあきれつつも、ネクタイの結び目を丁寧に整え、バスルームのドアについている姿見で自分の格好を念入りに確かめた。それから彼はビーチ・クラブでのダンスに向かった。今シーズンはどこでも流れている、『ビコーズ・ユー・アー・マイン』を楽団が演奏する中庭で、体を寄せて揺れているカップルたちを見ると、大学時代のプロムの興奮をまた追いもとめているように思えてきて、いっそう間抜けな気分になった。

太陽から飛び出して、きらめく海をすべってきたジェリー・ローフォードは、本当に存在しているのだろうか。ポールはふと、そんな思いにとらわれた。それとも、すべては都会の独り身の男が熱にうかされて見たまぼろしでしかないのか？　そもそも、たとえここで彼女を見つけたとしても、もし彼女が太陽神に抱かれて踊っていたらどうすればいいのだろう？

そのときジェリーが見えた。イエローゴールドに身を包み、アップの髪は漆黒の王冠そのもの、頭のてっぺんに色鮮やかなハイビスカスが一輪、飾られていた。くたびれたヒット曲のおざなりな調べがやがてサンバに変わったあとも、ポールは飽きず見つめつづけた。ジェリーは煙草の広告風の男を相手に、プロも顔負けなほど上手に、素人らしからぬ巧みさで熱く激しく踊っていた。そのあおりで、フロアにいる他のカップルたちは、踊っているのではなく、ただ体を押しつけあっているようにしか見えなかった。

彼女と踊ったらどんなふうだろう、強引に割り込んだらクラブのエチケットに反するだろうか、といったことを考えているうちに演奏が終わり、ジェリーと男は中庭から駐車場の方に歩きはじめた。夜はビュッフェのウェイターをつとめている将軍に話しかけられるまで、ポールは自分がどれほど露骨にふたりをじろじろ見ていたか、まったく気づいていなかった。「いつもあんな調子だよ――一曲か二曲踊って、すぐにいなくなる。じっとしていられないんだ」

「ふたりは戻ってくるかな、将軍？」

将軍はふっと笑った。ジェリーのでたらめさが、面白くてしかたないといったふうだった。

「ああした手合いの頭のなかなんて、誰にもわからんよ。今からたぶんカーサ・マリーナのカジノに行くつもりだろう。千ドル勝つか、千ドル負けるか、今夜最後にどうなってるかは知らないよ。キューバに飛んでるかもしれないし、モーターボートでキーズ諸島をまわってるかもしれない」

将軍は楽しんでいた。けれどもポールは惚れた男の弱みで、カジノに突撃することしか考えられなかった。

彼はテーブルをまわり、ジェリーをクラップスの台で見つけた。賭けている客は少なく、彼女の背後に近づくのは簡単だった。「ねえ」彼女はポールを見ると、まるで彼がそこにいるのが当然であるかのように言った。「一緒に賭けましょう。熱くなってるところ」

ジェリーがダイスを転がして、十が出た。胴元に有利な目だが、彼女は百ドル賭け、三度目のダイスでポイントをとった。ポールは彼女に五ドル賭けた。彼女はさらに三度パスして、勝ちつづけ、ついには百ドルを三千ドルにまで増やした。ポールは毎回彼女に乗って賭けたが、額はずっと控えめで、儲けは五十ドルほどといったところだった。彼女の豪快な賭けっぷりに自分のみみっちさをあざ笑われているようで、それこそは自分がまぼろしにたぶらかされている何よりの証拠に思えてしまい、彼は不意に落ち込んだ。

ジェリーはまだ賭けつづけ、ダイスは望み通りの目を出しつづけていたが、それから彼女はとつぜん興味を失った。

ルーレットのテーブルで、ジェリーが三十五倍の配当を狙い、直感にまかせて大胆に持ち金すべてを一目賭けするのを、ポールは賞賛と驚きがないまぜになったまなざしで見まもった。彼はといえば、赤か黒に五ドル置くか、せいぜい数字のセットに少額を賭けるのがせいいっぱいだった。今度は彼女につきはなく、十分たらずのうちに今夜の儲けをすべてはき出してしまった。やりとりされているのは金ではなく、ボードに投げられる色つきの小さなチップでしかないかのようだった。

「ついてなかったな」ポールが言った。「あそこでやめておくべきだった」

「あら、どうでもいいじゃない」ジェリーは言った。「勝つのも負けるのも同じことよ」

こうした恐いもの知らずの大胆さは、彼の理解を超えていた。だからこそ、これほどに惹かれるのだろう。「何か飲みましょう」彼女はそう言ってバーに彼を連れていった。そこには笑い声と絶望、ポールがこれまで関わらずにきたものがあふれていた。彼は将軍とのやりとりを思い出した。〝どんなふうにいかれてるか――頭のねじがぶっ飛んでる〟だが、それはどういうことなのか？　そこらによくいる変わり者たちと、拘束衣や電気椅子送りの連中とではまるで違う。

ジェリーの飲みかたは、彼がこれまでに目にした振る舞いかたそのままだった。ダブルで、ペースが速く、他の誰にも負けず、限界ぎりぎりまで。それから、ダンスとダイスに興味を失ったときと同じように、彼女はいきなり言った。「お酒はもういいわ。誰か泳ぎたいひと？」

ふたりより先にバーで飲んでいた、あの煙草の広告風の男が言った。「おいおい、勘弁してくれよ。またか？　おれは初めて二日酔いになった年齢に、月夜に泳ぐのはやめたんだ。あんなことはシーズンに一度でたくさんだ」

ポールは、さりげなく聞こえることを願いながら言った。「ぼくが付き合うよ」

「そう来なくちゃ。泳ぎは得意？」

「まあ、溺れない程度には」

「今夜は泳ぎたい気分なの。キューバまでだって泳げそう」

ポールはジェリーの衝動的な夜の旅に関する将軍の冗談を思い出し、去年の騒ぎのことを考えた。それに、彼女の連れが急に割り込まれて文句を言わないかも気になった。ポールはそのことについて何か口にしようとさえしかけたが、男が先まわりして言った。「やれやれ、真っ暗な海に誘い出されるカモが見つかってほっとしたよ。下手すりゃ、おれがまた行かなきゃならないところだった」

ポールとジェリーは、クラブの突堤の端に座った。杭の下に打ち寄せる波は黒々として、よそよそしかった。月夜だったらいいのに、とポールは考えていた。

「これまで、ぼくちに勝てたためしがないんだ」彼はしゃべっていた。「今日の午後、あそこできみを初めて見たときも、こんなふうにふたりきりになれるなんて万に一つもないと思っていた」

「計画なんて立てずに行動する人が好きよ」彼女は言った。

「ボブはそうしたタイプじゃないのか？」彼はホテルのバーに残っている、腰の重い太陽神のことをたずねた。

「ああ、ボブね……」半端に途切れたそのしゃべりかたが、すべてを語っていた。「ボブはわたしと似てるかも。でも、わたしほどじゃない。だから退屈なの。それに、わたしは何かしてる人が好き。ボブがこれまでにしたのは、遺産を相続することだけ。あの人は……」それから彼女は会話の舵を切った。「どうしてボブの話なんてするの。ボブなんてどうでもいいじゃない。あなたはどうなの？　金持ちのどら息子じゃないわよね。何かしていることはわかるわ」

「一年のうち十一カ月は、広告とかの絵を描いてる。腕には自信があるんだ。残りの一カ月はどこかに行く。去年はテワンテペク、今年はキーウェストで、自分のための絵を描こうとしてる。セントラルパークでボートを漕ぐ船乗りってとこさ。勝手に妥協して折り合いをつけてる」

「それでも、何もないよりましよ」ジェリーはそう言い返し、ふたりは絵を描くことについて少し話した。高尚な議論ではなく、具体的なテクニックや、光と湿度に関するその土地ごとに特有の問題の話で、彼女の言葉は予想していたよりもビジネスライクで実際的だった。

「長いこと描いてるんだね」彼は言った。ＷＰＡの連邦美術計画にしても、かなり前のことだ。

「わたしなんて、描いてるうちに入らないわ」彼女はつかのま沈黙した。「わたしは何もしていない」

「だけど、何もしない人は好きじゃないんだろう」ポールは言った。彼としては冗談のつもりだった。

「しらけちゃったわね、泳ぎましょう」

「たぶん自分が好きじゃないの」

それから彼女は唐突に会話にけりをつけた。「しらけちゃったわね、泳ぎましょう」

ジェリーは突堤の縁ですっと身構え、弧を描いて暗い海にきれいに飛び込んだ。それを見送ったあと、ポールもつづいて飛び込んだ。真っ暗な海で適当に水遊びをするつもりだった。けれども彼女はすでに波立つ海に頭を低く突っ込んで、ピッチの速いクロールで突堤から遠ざかりつつあった。ポールは並の泳ぎ手で、彼女についていくのは大変だった。突堤から五十回ほど腕をかいたあたりで、早くもこの泳ぎは不穏な様相を帯びてきた。百ヤード沖に浮かぶブイを越えたとき、ポールはこれが真夜中の浮かれた余興にはほど遠いことを悟った。はるかな暗い水平線をひたすら目指す泳ぎには切迫した気配が漂い、ポールは単なる物理的な距離では計れない深みへと引きずり込まれてしまったことに気づかされた。

息つぎであえいだはずみに海水が喉に流れ込み、彼の体は戻りたいと悲鳴をあげた。けれどもここであきらめてしまったら、今夜自分が手に入れたすべてを、この風変わりで素晴らしい娘を、彼のために海からやってきた水の妖精を、失うかもしれないのが怖かった。それでも忍耐力には限りがあり、彼は生まれて初めてその限界に近づきかけていた。次のひとかきで力尽きてしまうかもしれない恐怖に、彼の胃は締めつけられた。大海原に一人きり、彼はついにプライドを捨てて振り向き、ゆっくりと岸に戻りはじめようとした。まさにそのとき、ジェリーの顔がすぐそばに浮かんだ。

「ハロー」彼女は言った。その無邪気でいたずらっぽい顔を間近に見たとたん、彼は少しだけ元気になった。

「お腹がすいちゃった」彼女は言った。「戻りましょう」

海水をたっぷり飲んだせいで食欲などなかったが、ようやく突堤にたどり着いてジェリーの隣に這いのぼると、彼はわけもなく有頂天になった。もちろん腹が減っている。がつがつ食いたい。ジェリー・ローフォードについていけた。半端じゃないローフォードに。何でもこいといった気分だった。

彼らはデュヴァル・ストリートを飛びはねるように歩いた。やんちゃで幼いカップルのように足取りをはずませて終夜営業のキューバ料理店に着くと、ブラック・ビーンズとイエローライスを食べた。ジェリーはビールを瓶にじかに口をつけて飲んだ。「口唇期退行ね」彼女がそんなふうに言って、ふたりで笑った。ふたりは自分たちだけしか面白くないことに笑い転げ、ポールは人生にジェリー・ローフォードがいない人たちを不憫に思った。ジェリーと会う前の日々は、乾ききった不毛な砂漠ほどに単調な風景に褪せて見えた。

彼はジェリーをホテルまで歩いて送った。サザンモスト・ハウスという名前のそのホテルは、塔と立派なポーチを備えた、雰囲気のあるヴィクトリア朝風の建物で、メキシコ湾が大西洋と出会う海峡を一望できた。ふたりは寝る前に一杯やるため、海を望む古いオーク調のバーに立ち寄った。広いバルコニーでふと立ち止まって波音に耳を傾けたとき、この特別な夜に成し遂げたことに不意に勇気づけられ、彼はジェリーにキスし、彼女の唇から伝わる大胆さを受け止めた。それから彼女は例によって唐突に体を離した。

「朝になったらコンク貝を採りにいきましょう。できるだけ早く来て――そうね、八時か九時に。本当の採りかたを見せてあげる」

ドアが閉まってジェリーが急にいなくなり、まるで神隠しにあって目の前からふっつり消えたような余韻が残った。そもそもこれまでのことは現実ではなく、ふたりの夜は彼の白日夢のつづきでしかなかったとすら思えた。昼下がり、陽光にきらめく海を金色のかたまりが切り裂いていた、その輝きに心を満たされたまま、彼はゆっくりホテルに戻った。

キーウェストに来てからというもの、ポールはそれこそが休暇の醍醐味と心得て、朝はいつも好きなだけ寝ていた。けれども翌朝、彼は早い時間に目覚め、雲に裂け目ができて太陽が顔をのぞかせ、光を降り注ぐ様子を眺めた。ペリカンたちもまだ眠っていて、小さな群れをつくってぼんやりと漂い、波間に揺れていた。ポールはスポーツシャツにコットンパンツという格好で海岸まで降りていった。すると何の前触れもなく、まるで合図があったかのように、すべてのペリカンがいっせいに飛びたち、慌ただしく沖へと羽ばたいていった。ポールは、キーウエストに来てから初めて本当に生きているという実感をいだいた。彼はジェリーのことを思い、そして初めて、ずっと彼女と一緒にいたいと願った。唯一の問題は、ニューヨークにある彼のありふれたアパートメントに彼女がいる姿をどうしても思い浮かべられないことだった。それは、どこまでもつづく海で生きる野鳥を捕まえて家に連れ帰るのに少し似ていた。けれども彼は彼女に恋していた。それも、彼のような男にできるとは想像もしていなかったほど激しく。

彼は海岸をサザンモストまで歩いた。そしてポーチにジェリーがいないのを確かめたあと、階段を上がり彼女の部屋のドアをノックした。

「入って、ポール」呼びかけに応えて彼が部屋に入ると、ジェリーはくたびれたスウェットに白いコットンパンツという格好で、パンツの裾を膝までまくり上げていた。けれどもなぜかその服装は彼女の美しさを損なうどころか、逆に引き立てていた。彼女は床に座って、急いで描いた水彩画を仕上げていた。不思議なことに、それはポールが先ほど海岸で眺めていた風景そのもので、ペリカンの群れが薔薇色に染まる朝の海から編隊を組んで飛び去るところだった。素早く、流れるような筆づかいにより、薔薇色がいっそう赤く、強くなっていく。海辺でポールの心をとらえた平和で静謐(せいひつ)な風景が、心に刺さる色と乱暴な線に置き換えられていた。壁にはやはり海の風景を描いた絵が何枚か画鋲で留められていた。どれも輪郭はぼやけ、大胆に色が塗りたくられ、描写というよりも印象を伝える絵で、ジェリーが自らの行動に注ぎ込む奔放さと活力がにじみ出ていた。

「全部きみが描いたのか？」疑っているわけではなく、話をはじめるきっかけとしてそう呼びかけた。

「落書きよ」

「でも、すごくいい絵だ」

「やめて、ポール、ただの遊び。そんなに真面目な顔にならないで」

「だが、どれも――素晴らしい。この絵はどうにかすべきだ」

「それならどうにかするわ、ダーリン。あなたにあげる」

彼女はすっくと立ち上がり、茶化すように軽く膝を曲げてお辞儀をして、ポールに描きあげたばかりの一枚を渡した。「これを見たらわたしを思い出して」彼女は笑った。

彼は絵を受けとり、何か真面目なことを、けっして気障にならないように言おうとしかけたが、彼女がそれをさえぎった。「もうやめて。コンク貝を採りにいきましょう」

ふたりはニグロ・ビーチと呼ばれている、岩だらけの狭い岬まで歩いた。そしてごつごつした岩場に並べられているボートを一艘抱えて運び、海に押し出した。彼女は竿の使い方を彼に教え、少しだけ漕ぎ出たところで言った。「最初にロブスターを捕るわね」彼が竿をつっかい棒のように海底にあてて**ボート**を固定しているあいだ、彼女は長い三叉の扠を海面ぎりぎりに構え、ライトグリーンの水をすかして、ひと尋ほど下の浅瀬の縁をのぞき込んだ。次の瞬間、扠が鋭く突き入れられ、直後に引き上げられたその切っ先には小さな斑点が散らばる茶色いロブスターが刺さっていた。次にポールも試したが、海底にいるのが見えているのに、水中では光が屈折するせいで目測を誤り、扠は的をはずしてしまった。見かけよりもはるかに難しい。

彼女はもう一度試して、今度はもっと大きな獲物を仕止めたが、それきり扠にもあっさり興味を失ってしまった。

「コンク貝採りはもっと楽しいわ」ジェリーは言った。「どうやって採るか見せてあげる」彼女は大きな円形のゴーグルを顔にはめ、ボートの脇からいきなり飛び込んだ。きらめく緑色の水のなかを海底の岩まで潜っていく姿を、ポールは魅いられたように見つめた。スローモーションのようにゆっくり優雅に動く様子を眺めていると、またしても想像力をかきたてられ、彼女は深い水底からやってきた人魚なのだという夢想がよみがえった。

けれどもまさにそのとき、彼女は海面に浮かび上がってきて、「やったわ！」と叫ぶなり、大きなクイーンコンク貝を得意げに差し上げてみせた。

彼女はボートにするりと乗り込み、ポールにゴーグルを渡した。「いいことを思いついたわ。どっちが長く潜っていられるか勝負よ」子供じみた、とっさの思いつきのようだった。けれどもポールは昨夜の泳ぎを思い出し、笑えない苦行を強いられるかもしれないことを恐れた。

「でも時計がないよ、ジェリー」

「あら、数えればいいのよ、一、二って……」ジェリーは彼の反論を一蹴した。「ねえ、いいでしょ。海の底はきれいよ。あそこにいると楽しいわ」

ポールはゴーグルをしっかりはめ、こめかみがうずきはじめるまで息をためてから飛び込んだ。ジェリーの言う通りで、彼は想像していたよりも美しい、まばゆい緑色の世界に包まれた。体が浮いてしまわないよう海底の岩をつかんで這い進み、ジェリーの気まぐれに付き合えている喜びにひたった。どれくらいの時間がたったろう。ずっと数をかぞえていたのに、巨大な海草を大蛸と間違えてぎょっとしたせいで、途中で数がわからなくなってしまった。ゴーグルのゴムの縁から海水がじわじわしみ込んできて、目がひりひりしはじめた。やがて耳が痛み出し、四方から迫る緑色の壁に押しつぶされそうな恐怖をおぼえた。すぐ先にコンク貝が見えたように思ったが、今ではそれも遠すぎた。肺が破裂しそうだ。そう、ここで何かを証明するために死ぬのもいい。だが、何のために？ ジェリーにとって何の意味がある？ 彼は海面を目指して猛然と水をかきはじめた。はたして間に合うのかとあせりながら、両腕をめちゃくちゃにふりまわした。

やがてついに顔が水の上に飛び出して、彼は息をしていた。息をする、息ができるというのは、なんて贅沢なことだろう。

「九十三」ジェリーが呼びかけた。「ポール、さすがね」その賞賛、その笑顔、心地よい仲間意識が、ほんの少し前の喉をしめつけられるようなパニックをきれいに消し去ってくれた。

「今度はわたしの代わりに数えて……」彼女はゴーグルをはめると、すぐにまた舷側から飛び込んだ。そして穏やかな海面をほとんど乱すことなく、すっと潜って姿を消した。

五十……海底をゆっくり動いている姿が見える。七十五……九十……そろそろ彼の記録を超える。彼女が浮かんできて、勝利を高らかに宣言するのを待った。けれども彼女はまだ底にいる。百……百二十五……彼は不安にかられて目を凝らした。彼女はもう動いていなかった。じっと座っているように見える――また人魚のように――海の底の家に戻ったように。百五十……六十……七十五……しかも、彼の数えかたは秒針の動きより遅い――もう三分だ！　パニックで喉のあたりが脈拍ちはじめた……誰であれ、こんなに長く潜っていられるはずがない……泳いでいた者の手をはさみつけて離さない、巨大な貝の不気味な物語を不意に思い出した……海兵隊員がそんなふうにして南太平洋で命を落とした話をどこかで読んだ……

次の瞬間、彼はたまらず飛び込んで彼女をつかみ、ふたり一緒に海面まで一気に浮かび上がっていた。

「ジェリー――ジェリー――大丈夫か？」

「もちろん」彼女は笑った。「そろそろ上がろうとしていたところ。いくつまで数えた？」

「百七十五だ」

「二百を目指して、わたしに挑戦する？」

「どうかな」ポールは言った。「今朝はもう遠慮しておくよ。どうせきみは、沿岸警備隊が海底をさらいにくるまで満足しないだろう」

「わかったわ」彼女はあっさり引き下がった。「コンク貝は好き？　サザンモストを経営している夫婦は、わたしの友だちなの。これをあそこのキッチンに持っていったら、その場で料理してもらえるわ。逆さまにして揺すられても一セントも落ちてこなかったとき、そんなふうにしてひとシーズン乗り切ったわ」

その日、ポールはジェリーが海面をすべっていたのと同じように、スキーに乗って人生を突き進んでいるような疾走感を味わった。サザンモストのサンポーチでのランチ、町から突堤の釣り場までのそぞろ歩き、ビーチでの長話、日没のカクテル、一緒に酒を飲む楽しみ、親密さが増していく高揚感。そして最後はパティオでの月夜のダンス。ジェリー・ローフォードというぶっ飛んだ、予測できない、魔法のような娘がついに彼の腕のなかにおさまった。彼の唇は彼女の金色の頬にあてられていた。彼女の匂いは、丘で摘む新鮮な野苺の香りのようですらあった。今夜このあと、明日でもいい、彼女にこの気持ちを伝えよう。彼はすでに秘めたる思いを口に出して試していた。ただ一つの科白を完璧にしたくて稽古を重ねる端役の舞台俳優のように。ジェリー、挑戦は必ず受けると言ったね。それなら、ぼくと結婚してくれ。この挑戦を受けてくれ。

流れている曲はまた『ビコーズ・ユー・アー・マイン』だったが、今夜のポールにはその甘ったるさがむしろ心地よかった。ジェリーの唇が彼の耳をかすめるほど近づいて――彼の肌は歓びにうずいた――彼女はキスする気だ。けれどもそうではなく、彼女はささやきかけてきた。

「ねえ、泳ぎたい？　また泳ぎにいきましょうよ」

「ジェリー」彼は言った。「くたくたなんだ。今夜はもうやめにしないか？」

「泳ぎたいんだってば」彼女は言った。「夜中に泳ぐのが大好きなの」

「ベイビー、ぼくは――今夜は無理だ。きみを愛している。きみに夢中だ。きみと結婚したい。だけど、もし今から泳ぎにいったら、どうなるかわかっているだろう。きっときみは、どっちが遠くまで泳げるか挑んでくる。きみについていこうとしたら心臓が破裂して……」

「わかったわ、もういい。一人で泳ぐ。一人が好きなの」ジェリーは彼をにらみつけていた。これまでにない激しさに、彼は初めて将軍が何を言いたかったのか理解できたように思った。

「ジェリー、どうしてそんなに怒るんだ？　今夜は踊って、酒を飲もう。どうしてもというのなら、明日の夜また一緒に泳ごう」

「あなたとは泳ぎたくない」彼女は言った。「一人で泳ぐ。もう行くわ」

一瞬、ポールは彼女を追いかけようか迷った。けれどもそれから、ジェリーは神経過敏な気分屋で、いつもあんな調子でいないと突っ走れないのだろうと考えることにした。とりあえず放っておいて落ち着くのを待ち、朝になったら花を贈ろう。昼食の頃には、彼女はまた何か突拍子もないことを思いついてぼくを困らせるだろう。

翌朝、ポールはそれまで通りに戻って遅くまで寝ていた。朝食のため階下に降りていくと、誰もがそのことを話していた。沿岸警備隊がまだ死体を探している、と言う声が聞こえた。でも、彼女は泳ぎがとてもうまかったから、と言う声も聞こえた。いつだって気さくでご機嫌な娘だった、こんなことになるなんて信じられない、と言う声が聞こえた。

ポールはゆっくりと突堤の先端まで歩いて海を見渡した。日は高く、波は穏やかだった。どれくらいそこに立っていただろう。気がつけば真実が目の前にあった。その真実に気づいたとき、彼女が突堤にぶつかると思ったあの最初の恐怖と驚きの瞬間から、自分がそれを知っていたことがはっきりわかった。今にして思えば、とても単純だった。ジェリーの勇気は見せかけでしかなく、本物の勇気ではなかった。ただの死へのあこがれでしかなかったのだ。彼は火をつけるため煙草を両手で包み、その手がひどく震えていることに気づいた。彼はその朝、長いあいだ突堤に立っていた。

やがて太陽が水平線へと傾く頃、最初のショックは心を麻痺させる諦念、避けられない定めを前にした感覚に変わった。つかのま影の世界に迷い込んでいたのかもしれないとも思えてきた。ジェリー・ローフォードとの最初の日、二日目、そして最後の日が現実にあったことなのか、もはやよくわからなかった。人魚が、あるいは海の妖精が一日だけ生身の人間に姿を変え、また緑色の深海へと泳ぎ帰っただけなのかもしれなかった。

（門野集訳）

プライドの問題

クリストファー・ラ・ファージ

A Matter of Pride　一九四〇年

クリストファー・ラ・ファージ Christopher La Farge（一八九七―一九五六）。アメリカの作家、詩人。ハーバード大学を卒業後、建築デザイナーとして働くが一九二九年の世界恐慌を契機に退職。一九三四年に初の小説を書きあげ、その後は専業作家として高級雑誌（スリック・マガジン）を中心に活躍した。弟のオリヴァー・ラ・ファージも作家。本編の初出は雑誌〈ザ・ニューヨーカー〉*The New Yorker* 一九四〇年四月二十日号。

四月八日、ジョー・ウィルソンは次の月曜日が十五日なのに気づいた。彼はエディ・フリッセルに電話をかけて約束をした。かれこれ八年前から、解禁日に一緒に釣りにいくのがならわしになっていた。ジョーが銀行の役員になり、ときおり休みがとれるようになってからのことだ。昼休みの二時間に、彼は釣りと狩猟クラブが毎年出しているロードアイランド州の河沼地図を眺めた。いまいましいことに、青色で示されているディア川の禁漁区域がまた増えている。組合がまたしても陣地を広げたようだ。けれども、上流と下流を組合に奪われたとしても、まだそのあいだに狭いながらも州の土地が残っている。そして何より、彼とエディはこれまでずっとディア川では好き勝手に釣ってきた。今年もそうするつもりだった。

彼は上機嫌で家に帰り、まっすぐ二階の大きな寝室に上がった。妻はそこで机に向かっていた。

「帰ったよ」彼はそう呼びかけて、眼鏡を額に押し上げた妻にキスした。「いいかい、フェアリー、忘れないうちに伝えておくよ。来週の月曜日、エディと釣りにいく約束をした。解禁日なんだ。予定表に書いておいてくれないか?」

彼女はスケジュール帳を確かめた。「あら、ジョー! でもその日の夜は、メドフォード家の晩餐会よ」

「ちぇっ」彼は舌うちした。「まいったな。行くってもう返事をしたのか？」

「ええ」彼女は答えた。「もちろん」

「〝もちろん〟ってのはどういう意味だ？」彼は突っかかった。「なあ、どうして相談してくれなかったんだ？　そうしたら十五日は空けておくように言ったのに」

「まさか、メドフォードさんの誘いを断っていたとでも？」

「もちろん断っていたさ。もう十年近く、解禁日にはエディ・フリッセルと釣りに出かけてる。きみも知ってるだろう」

「そんなことを言うなら、メドフォード家はいつからわたしたちを夕食に招待してくれてるかしら、あなた？」

彼は肩をすくめ、長椅子まで歩いて、レースのカバーがかかっているクッションを五つ押しのけて座った。「とにかくだ」彼は言った。「電話して、ぼくは行けなくなったと伝えてくれ。ニューヨークに出張が入ったとか、適当な理由をつけて」

「あなた！」彼女は言った。「本気じゃないわよね？」

「もちろん本気だ」どこか自信なさげな声になった。

「でも、そんなことをしたらもう二度と招待してもらえないかも。断れないわ！　それこそ犯罪よ」彼女は言った。「あなたと銀行にとってもまずいでしょ。プロヴィデンスでいちばんの名士で、影響力があって——」

「よせよ」彼は言った。「そんなことはわかってる」

「それに、ヒルダは今度の夏、あの家のエレンとマチュナックで一緒なのよ。チェスターだって、フランクとデイ・キャンプに行くし。あの子はまだ十歳なのよ。わたしのことはあえて言いませんけど」

「もういい！」彼は言った。「晩餐会は何時からだ？」

「八時半よ」

「正装じゃないとだめなんだろうな」

「もちろん」彼女は答えた。「ブラック・タイ」

「どこで〝ブラック・タイ〟なんて言葉をおぼえたんだ？」彼は言い返した。「ぼくは昔からずっと、タキシードで通している」

「それならタキシード」彼女は微笑んだ。「あなたのタキシード姿はとても素敵よ、ジョー」

「よせよ」彼は言った。「八時半だな？ 釣りをしても間に合うな。早めに切り上げなければならないが」

「そうして」彼女は言った。「それと、ディア川では釣らないようにしてね、ダーリン」

「なんだって！」彼は乱暴に立ち上がった。「どこで食べて何を着るかだけじゃなく、どこで釣るかまで指図するのか？」

「もう、あなたったら！」彼女はそう言って、彼のそばに来た。「いちいち怒らなくてもいいじゃない。ねえ、あなたは若くて、ハンサムで、成功していて——今ではそれなりにお金もある。みんながあなたをうらやんでいる。あなたのためを思っているのに、わたしにあたらないで」

「だけど、それとディア川と何の関係があるんだ?」

「あら、メドフォードさんよ――このあいだお昼の集まりで聞いたばかりだけど――あの川を持ってる組合の会長だそうよ。晩餐会まで待って釣りの話をしたら、あそこで釣りをしたいかきいてくださるんじゃないかしら」

「何のためであれ、誰かにおもねるのはごめんだ」彼は思わずかっとなりかけたが、すぐに気をとりなおして、やれやれ、うちの女房は賢い女だ、と考えなおした。彼は笑って言った。

「とにかく月曜日の夜八時十五分、ウェイターみたいな服を着て、準備万端ここにいることとしよう」

「ディア川には行かないわね、ジョー?」

「心配するなって」彼は言った。「うまくやるよ、まかせてくれ」

彼は六時半にエディ・フリッセルを車に乗せ、コットレルトンで朝食をとった。それからウエスト・ハイウエイをカーペンター農場まで行き、そこからは土の道路に入って北に向かった。自運転しながら、ジョーはエディにメドフォード家での晩餐会に招かれていることを話した。自慢ではなく、予定を伝えただけだ。やがて州の実験圃場(ほじょう)を通り過ぎたあと、月桂樹の木立に入って決めてあった場所に車を停めた。よほど注意して見ないと気づかれない、とっておきの場所だ。そこで彼らはいよいよ静かになり、声をひそめて話した。ふたりとも、じわじわと気分が盛り上がってきた。

　ジョーが先に準備をととのえた。肩にびくをかけ、ストラップに餌箱をつるしてエディを見た。

「何を使うんだ、エド？」彼は呼びかけた。「毛針か？」

「ああ、試してみようと思ってね」

「攻めてきたな」ジョーが言った。「木の枝に引っかけるのがおちだぞ」

「どうかな」エディは受け流した。「はかばかしくないときは、いつでも慣れた餌釣りに戻るさ」彼は餌箱も持ってきていて、それをジャケットのループにつないだ。

「まずはカエデ沼に行こう」ジョーが言った。「あそこなら誰か来たらすぐわかる」

　エディはうなずき、ふたりは車から離れて月桂樹の木立のなかをくねって延びる小径に入った。やがていきなり目の前が開けて、川の手前にある、カエデに囲まれた沼地に出た。

「何がいらつくって」エディが小さな声で言った。「州の土地の向こう側にはいっさい道がないことだよ」

「ああ」ジョーが答えた。ふたりは深い草むらをかき分けてゆっくり進み、土手に出たところでひと息いれた。川は水かさが増していて、ジョーが予想していたよりも茶色く濁っていた。

「はじめよう」彼は呼びかけた。「これだけ濁ってちゃ、毛針は使えないかもしれないぞ」彼は針にミミズを刺し、小さなスプリットショットの錘（おもり）を糸につけて、川に入った。流れは深く、速く、冷たかった。ブーツを通して脚に伝わるその感覚に、彼は幸せな気分になった。

彼らは州が管理するカエデ沼の端から、下流に向かって釣りはじめた。ジョーは鱒を二匹釣った。そのうち一匹はまだ六インチしかなかったが、針が深く食い込んでいて川に戻すことができなかった。彼はしかたなくそれを土手のそばの苔のなかに隠し、近くの小枝を折って目印にした。そのあたりは心得たものだ。エディは何も釣れなかった。ふたりは湿原の縁(へり)に立ち、日射しを照り返して輝くその先の流れのゆるやかなあたりを眺めた。川面に枝を広げているカエデのなかでいちばん端の二本に大きくて新しい、白い札がかけられていた。あたりに人影はなく、川のせせらぎしか聞こえなかった。

「どうする?」ジョーが言った。

「行こう」エディが言った。彼はけっきょく毛針を餌針に替えていて、その針先にピンクのミミズを刺した。

彼らは下流へと向かい、無言で釣った。川が東に曲がる前にその幅を広げて流れが落ち着くあたりで、立派に太った鱒が二匹食いついてきて、ふたりともしばらく奮闘したのち釣りあげた。ジョーもエディも夢中になっていたので、「おはようございます。餌釣りですか?」と呼びかけられるまで、土手に立って見ていた男に気がつかなかった。

「やあ」ジョーが答えた。エディは何も言わなかった。

「免許証を拝見」男が言った。

「きみは誰だ?」ジョーが言った。

「ここの管理人です」男は答えた。「管理保護官の助手もつとめてます」彼はベストにつけているバッジを見せた。「ここは禁漁区域ですよ」彼は川の湾曲部にある手すりにつけられている大きな札を指さした。

「おっと」ジョーは驚いてみせた。「これはまずったな！ まったく気がつかなかった。てっきり州の土地だと思ってた」

「そうですか？」男は言った。「おふたりが通ってきた方にも、カエデの木に札を二枚かけてあるんですがね。上流に二枚、それにここにも一枚。すみませんが免許証を」

ふたりは免許証を取り出した。男は尻ポケットから鉛筆と黒い手帳を取り出して、几帳面に書き写した。

それから彼はそれをふたりに返した。「それでは魚をもらいます」

「このあとどうなる？」エディがたずねた。

「出頭していただきます」男が言った。「金曜日、チョグズ・コーヴ裁判所まで。普通は罰金五ドル、手数料は別です」

「どうだろう、今ここで払ってしまうというのは？」エディが言った。「そうだな、二十ドルで。お互いにおおいに手間が省ける」

男は微笑んだ。「お金はメドフォードさんからしかいただきません」そして言った。「さあ、その魚を」

エディがジョーをつついた。「言ってやれよ」ジョーは首を振った。ふたりは魚を渡した。

「これはカエデ沼で釣ったものだ」ジョーが言った。

「いいでしょう」男が言って、一匹だけ彼に返した。ジョーはそれをびくに戻した。

「このことをメドフォードに報告するんだろうね?」ジョーがたずねた。

「ええ、決まりなので」男が言った。「上流に戻ってください。白い札がついてる二本のカエデの木の百フィート北に、州の保有地の目印の石があります。その四分の一マイル北が境界です。西側の土手の二本の柳に倒れかかってるオークの木にも注意書きの札がついてるので、見逃さないでしょう。それでは」男はブルーベリーの茂みに戻って、姿を消した。ふたりはしばらく黙ったまま動かなかった。

「なあ」エディが口を開いた。「どうしてメドフォードと知り合いだって言わなかったんだ?」

「関係ないだろ」ジョーは振り向き、乱暴に水音を立てて上流に戻りはじめた。せっかくの一日が台無しになった。そのあと州の管理地では何も釣れなかった。見切りをつけてオッター川の開放水域に移ったが、やはり釣果はなかった。そこでは他に五人が釣っていた。四時になってプロヴィデンスに戻りはじめてから、ジョーは小さな魚を土手に置いたままなのを思い出した。あれを持っていなくてよかった、と思うしかない。

町に戻ると、彼は八時までクランストンのエディの家でライ・ウィスキーを飲みつづけ、それから急いで家に帰ってあわただしく着替えた。フェアリーは〝お帰りなさい〟と声をかけることもできなかった。メドフォード家へ行く途中も、彼はだんまりを決め込んで彼女をやきもきさせた。素晴らしい料理も、選りすぐりのワインも、すべて彼にとっては悪夢でしかなかった。首すじが熱くなって、何も考えることができなかった。まったく、フェアリーはこの話を聞いたらなんて言うだろう！　食事のあとはさらに悪く、男たち八人が書斎に集まってしばらくのあいだ煙草を吸い、酒を飲みつづけたが、話題は釣りのことばかりで、しかもたいていディア川がらみだった。メドフォードがそろそろ女性陣の相手をしなければと言って立ち上がったとき、ジョーも腰を浮かせながらすばやく決断をくだした。彼はメドフォードを追いかけて、その腕に触れた。

「どうしたね、ミスター・ウィルソン？」メドフォードが微笑みながら言った。

「すみません」ジョーは言った。「もっと早く話すべきでした。折り入ってお願いがありまして」

「ほう、いいでしょう」メドフォードが答えた。「どんなことかな？」

「ディア川での釣りのことです」ジョーは、相手の顔がこわばったのに気づいた。

「あいにく、わたしは共有者でしかないが」メドフォードが言った。

「わかってます」ジョーが言った。「誤解なさらないでください。実は今日、あなたたちの川で釣りをして、捕まったんです」

「ああ！」メドフォードはジョーを頭から足の先まで見た。それから彼は微笑み、ジョーの肩を軽く叩いた。「カーは優秀な管理人だ」彼は言った。「だが、心配しなくていい、ウィルソン。誰にも間違いはある。召喚を止めさせよう」

「いや、そうじゃないんです。ぼくはわかっててやったんです。お願いしたいのは、この件については何もしないでほしいということ、それだけです」

「明日カーに電話しておくよ」メドフォードが言った。

「召喚を止めてほしくないんです」ジョーは食い下がった。「その方がすっきりするので。奥様がぼくの妻を夕食に誘ってくださるというだけで、うやむやにしたくないんです。わかっていただけますか?」

「わからないな」メドフォードが言った。「いつでも釣りたいときに釣るといい。もちろんカーを止める。銀行の仲間だといって」

「お願いです」ジョーが言った。「成り行きにまかせてください」

「もういいだろう。女性陣がほうっておかれてじりじりしてる。行こう、諸君」メドフォードは広い居間へと歩きはじめた。

「ちくしょう!」ジョーはつぶやいた。首すじがいっそう火照った。彼には、パーティが永遠に終わらないように思えた。

帰りの車のなかで、フェアリーはジョーの方を向いて言った。「ねえ、あなたって本当にすごいわ! さんざんいちゃもんをつけて、しぶしぶ晩餐会に出て、そこで輝くんですもの」

「なんだよ、輝くってのは?」

「メドフォードさんがあなたのことをなんて言ったか知ってる?」

「いや」ジョーが言った。

「こう言ったの。〝あなたは特別なご主人をお持ちだ、ミセス・ウィルソン。実に好ましい。ぜひとも近々、一緒に釣りをしたいものだ〟って。どうかしら、ダーリン?」

「あの老いぼれ」

「まあ、ジョーったら!」彼女は声をあげた。「どうしてそんなことを?」

「あいつは自分のことしか考えてないってことさ」ジョーが言った。「それが理由だ」

「どういうこと?」フェアリーが言った。

「何でもない」彼は言った。「すべて最高だ。メドフォードは最高。ディア川も最高。鱒は最高も最高。ただ、ちっちゃなジョーだけが熱くなってる」彼は妻の膝を軽く叩いた。「わからなくていい。ただのプライドの問題だ。つまらないことさ」


(門野集訳)

チャーリー

ラッセル・マロニー

Charlie　一九三六年

ラッセル・マロニー Russell Maloney（一九一〇―四八）。アメリカの作家。マサチューセッツ州生まれ。ハーバード大学を卒業後、二十代で雑誌〈ザ・ニューヨーカー〉*The New Yorker* のコミック原案や、雑文コラム The Talk of the Town の書き手として文筆活動を開始。同誌を中心に精力的に活躍したが、過労がたたり三十五歳で断筆した。本編の初出は〈ザ・ニューヨーカー〉一九三六年七月十一日号。マロニーが同誌に発表した文章で初めて〝フィクション〟として掲載されたものである。

チャーリーは人のうしろから、〝違う〟肩を叩いて誰もいないほうへ振り向かせるのが好きだった。そうしておいて、自分は横で体を震わせて笑いをこらえているんだ。だから、たいていの人は彼とつき合っているうちに、心理学者の言う〝条件反射〟を起こすようになって、左の肩を叩かれると右を、右を叩かれると左を振り向くようになる。そうすれば、即座にチャーリーの顔を見て、「ひっかかるもんか」とにんまりしてやれるからね。もっとも、肩を叩いたのがチャーリーであれば、の話だ。チャーリーでなかった場合は、よくて間抜け、悪くすれば頭がおかしいと思われる。実際、母はぼくの右肩を叩いたら左を振り向いたものだから、神経の病気にかかったのではないかとひどく心配した。ちょうどハースト氏が発行する『アメリカン・ウィークリー』で、神経中枢が侵された患者はあらゆることを逆さまにやるようになるという記事を読んだところだったのだ。患者はなにもかもが鏡に映っているように見え(『アメリカン・ウィークリー』によれば)、病状が進行すると文章を鏡に映さないと読めなくなるそうだ。母にせっつかれて神経科を受診したら、結果はシロだった。もっとも、母はきっとほら、やっぱりと言うだろうが、それらしき症状がなくはなかった。眩暈(めまい)や寝汗、情緒不安定、こうした症状はチャーリーとの友情の代償だったのだろう。

チャーリーには、レストラン用のお気に入りの悪ふざけがいくつかあった。フォークかティースプーンをテーブルに押しつけて二つに折り曲げるのが、そのひとつだ。むろん、本当に曲げるのではなく、手のひらを合わせたなかにそろそろと滑り落としていくだけなので、あっけに取られて見ている客が大声を上げたりしたら、無傷のそれをすぐに出して騒ぎを収める。一番性質（たち）が悪いのは、一緒にテーブルを囲んでいる友人に毒を盛る真似をするやつだ。これには、砂糖かベーキングパウダーを睡眠薬のように薬包紙に包んで使う。相手の注意をあらぬ方向に逸らせておき、いかにも邪悪な表情を浮かべてそろそろと手を伸ばし、薬包紙の中身をコーヒーに入れるんだ。

それを見た客は薬物に中毒する場面なんか目撃するのはまっぴらだから、食事の途中でそそくさと退散する。だが、大都会の人情は知ってのとおりでも、犯罪を未然に防ごうとした人がたったひとりいた。それはアリス・フート・マクドガルのカフェレストランで、チャーリーがブロモセルツァー（制酸薬）をぼくのデミタスカップに入れて〝毒を盛った〟ときのことだった。近くのテーブルでシュリンプサラダを食べていた年配の婦人は、あわててバッグやらなにやらを手にして出口へ向かった。その途中、ぼくらのテーブルの横でわざとよろけて、コーヒーをぶちまけた。ごめんなさい、とぼくのズボンにこぼれたコーヒーを拭（ぬぐ）いながら、婦人はささやいた。「さっさと逃げなさい」いかにも、ダシール・ハメットの小説に出てきそうなシーンだよね。

チャーリーはめったに笑わないし、笑い声を聞いたこともない。一般的な意味でのひょうきん者ではないし、とくに陽気というわけでもない。だから、こうした悪ふざけをするのは、ロビン・グッドフェロー（いたずら好きの妖精、英民話）が干し草の山を燃やしたり、作物を枯らしたりするのと同じ理由なんじゃないだろうか。つまり、楽しみのためではなくて、混乱や騒動が起きているのがごく自然な状態だと感じるように生まれついたので、やらずにはいられないのさ。そう考えなければ、一九三二年の秋、ぼくが〝マックス・ベア（米のプロボクサー）がらみ〟につぎこんだ大金のことを心配しているなんて言い触らした理由の説明がつかない（たまたまその時期に歯の治療のことで心配はしていたけれど、マックス・ベアに金銭を賭けたことは断じてない）。オカルトにハマっている兄貴にいたっては、しまいにチャーリーがレプラコーン（いたずら好きの小妖精、アイルランド民話）だと信じ込み、心霊研究会に報告しなくてはと張り切る始末だった。兄貴の言い分は理解できるが、チャーリーは周囲の人を混乱させる才能が異常に発達しているだけで、やはり人間だと思う。

「ねえ、考えてみなよ」チャーリーはある日、言った。「窓口とかで、何十人も並んでいるとするだろ。それで、番が来るまでずいぶん待つだろうな、と覚悟していると、いきなりみんな蜘蛛の子を散らすようにどこかへ行ってしまって、前ががら空きになる。そうしたら、その人はどうするだろう?」ぼくは、わからないと答えた。「よし、どうするか試してみようじゃないか」チャーリーは言った。

結局それはなんだかんだと先延ばしになって、実行したのは夏になってケープコッドの小さな町で週末を一緒に過ごしているときだった。ニューイングランドでそうした心理学的実験をやるのは危険そうだし、きっとうまくいかないと警告したが、チャーリーは耳を貸さずに町で唯一のホテルや近所のコテッジに泊まっている友人知人に声をかけ、二十四人を集めた。そして正午になる少し前、二十四人全員が郵便局に行って、局留め郵便の窓口にずらりと並んだのだった。ぼくもつき合ったが、なんだかしきりに胸騒ぎがした。チャーリーがみんなを並ばせ終わってすぐ、町の住人の老婦人が入ってきて列の二十五番目についた。チャーリーの目が輝いた。正午きっかりに、局長が窓口を開けた。チャーリーが合図をしたとたん、老婦人の前にあった列は跡形もなく消え失せ、窓口までの四メートルほどがぽっかり空いた。全員が老婦人を見守った。

老婦人はその場に突っ立って、自分の前の空間をむっつりして眺めている。そのとき、ぼくらは悟った。チャーリーが標的の選択を誤ったことを。一瞬のち、老婦人は難なくチャーリーを悪ふざけの仕掛人と見破り、つかつかと歩み寄った。買い物袋の口紐を二本の指でつまむと頭上でブンブン振りまわし、缶詰やメイソンの広口保存瓶の入っているそれをチャーリーの左のこめかみにお見舞いした。チャーリーはばったり倒れた。老婦人は「ふんっ、避暑客ときたら――」とつぶやき、大の字になってのびているチャーリーをまたいで窓口へ行くと、四ドルを貯金してあとも見ずに帰っていった。

（直良和美訳）

クッフィニャル島の略奪

ダシール・ハメット

The Gutting of Couffignal　一九二五年

ダシール・ハメット Dashiell Hammett（一八九四―一九六一）。アメリカの作家。ピンカートン探偵社で調査員として働いたのち、第一次世界大戦に従軍。終戦後は作家を志し、一九二二年にデビュー。同年からパルプマガジン〈ブラック・マスク〉*Black Mask* に登場、同誌の看板作家となる。『血の収穫』『マルタの鷹』の二長編でハードボイルド作家として不動の地位を築くも、一九三四年で執筆活動はほぼ終了した。本編の初出は〈ブラック・マスク〉一九二五年十二月号。

クッフィニャル島は楔（くさび）の形をした、さほど大きくはない島で、本土とは近くて木造の橋でつながっている。島の西岸はサン・パブロ湾の海面からいきなりせり上がる、切り立った高い崖になっている。その崖のいただきから、島は東に向かって傾斜し、くだりきったところで丸い小石の浜に行きついてまた海に達する。浜にはいくつかの桟橋とクラブハウスがあり、プレジャーボートが舫（もや）われている。

クッフィニャル島の大通りは海岸と平行に延びていて、よくあるように銀行、ホテル、映画館、商店が並んでいた。ただ、似たような規模の通りの多くとは違って、ふつうよりも念入りに計画してつくられ、管理されていた。並木や生け垣、それに芝生をはった狭い区画があるかわり、派手な看板はいっさいなかった。建物はどれも周囲になじんでいて、まるですべて一人の同じ建築家が設計したかのようだった。そして店を覗けば、そこには都会の最高の店にも劣らない、上等な品物が置かれていた。

大通りと交叉する幾筋かの脇道のふもと近くでは、それらの両側に洒落たコテージが建ちならんでいる。それが崖に向かって登っていくうち、やがて生け垣のあいだを曲がりくねって進む道となる。登るにつれて隣の家との間隔が広がり、建物のつくりが大きくなっていく。こうした高台にある屋敷の住人こそが、この島の所有者であり支配者だった。彼らの多くは飽食の老紳士たちで、かつて若かりし日々に世の中から両手でかき集めた儲けを今もありあまるほどに蓄え、贅沢な食事を楽しみ、仲間うちでゴルフの腕前を磨きながら余生を楽しむため、この島に金をつぎ込んできたのだった。彼らは自分たちが快適に暮らすために必要なだけの店員や労働者、その他もろもろの下層民だけしか、この島に住むことを許さなかった。

これがクッフィニャル島だ。

真夜中を過ぎていた。おれはクッフィニャル島でいちばん大きい屋敷の二階の一室に座っていた。まわりには、合わせれば五万から十万ドルの価値がありそうな結婚祝いの贈り物が並べられている。

私立探偵のもとに舞い込むありとあらゆる仕事のなかでも（コンティネンタル探偵事務所が引き受けない、離婚関係は別として）、おれがもっとも好まないのは結婚式がらみだった。いつも避けるようにしてきたのに、今度ばかりは逃げ切れなかった。予定していたディック・フォリーが、前日になってたちの悪い掏摸に殴られ、目のまわりに青あざをつくってしまったのだ。それでディックが退場して、おれにお鉢がまわってきたというわけだ。この朝、サンフランシスコからフェリーと車で二時間かけてクッフィニャル島に着き、明日には帰るつもりだった。

よくも悪くもふつうの結婚式だった。式は丘をくだったところにある石造りの小さな教会で執りおこなわれた。そのあと屋敷に披露宴の客たちが集まりはじめた。客たちは途切れなくやってきて、やがて花嫁と花婿が東に向かう列車に乗るためにこっそり抜け出したあとも増えつづけ、しまいには屋敷からあふれるほどになった。

世界の縮図を見るようだった。イングランドの提督、それに伯爵が一人か二人。南米の、とある国の前大統領。デンマークの男爵。背の高いロシアの公爵令嬢と、彼女より身分が低い取り巻きたち。そのうちの一人が禿頭に黒髭をたくわえた、太った陽気なロシア人の将軍で、おれを相手にプロの拳闘の話を一時間はつづけていたが、そこまで興味があるにしては、ありえないほど知識がなかった。ヨーロッパ中部のどこかの国の大使。最高裁判所判事。それに肩書きのない、有名人や有名人もどきがどっさり。

理屈としては、結婚祝いを守る探偵は、他の客たちにまぎれて目立たないようにしているべきだろう。しかし実際には、とてもそうはいかない。常に贈り物が見える場所にいなければならないので、すぐに目についてしまう。おまけに、招待客のうち気づいただけでも八人か十人は事務所の依頼人か、かつての依頼人で、おれのことを知っていた。とはいえ、知られていてもさしたる違いはないというのが本当のところで、ここまでは何事もなく過ぎていた。

新郎の友だち数人が、ワインの勢いも借りて洒落のわかるところを見せつけようと、贈り物をこっそり持ち出して別の部屋のピアノのなかに隠そうとした。けれども、あいにくそうした月並みな悪ふざけは想定のうちだったので、そのせいで誰かが恥をかく前に始末をつけておいた。

日が暮れてほどなく、雨の匂いの風に乗って、湾の上空に嵐の雲がふくらみはじめた。遠来の客、ことに海を渡らなければならない人たちは、慌ただしく帰途についた。島に住む人たちは、雨粒がぱらぱらと落ちはじめるまで残っていた。やがて彼らも帰った。

ヘンドリクソンの屋敷は静かになった。楽士と臨時の手伝いは帰っていた。住み込みの使用人たちも疲れきり、そろそろ部屋に下がりはじめた。おれはサンドイッチと本を二冊、それに座り心地のよさそうな肘掛け椅子を見つけ、今では灰白色の布をかぶせてある贈り物が並ぶ部屋までそれらを運んだ。

花嫁の祖父――彼女は両親を亡くしていた――キース・ヘンドリクソンが、様子を見にドアの脇までやってきた。「何か足りないものがあったら言ってくれたまえ」

「大丈夫です、ありがとう」

彼はおやすみと言って、寝室に下がった――背が高く、少年のように華奢（きゃしゃ）な老人だ。

下に降りて窓とドアを順に確かめたときには、風雨ともに強まっていた。一階は何もおかしなところはなく、地下室も問題なかった。おれはまた二階に戻った。

おれは椅子をフロアランプのそばに引き、サンドイッチ、本、灰皿、拳銃、そして懐中電灯を脇の小さなテーブルに置いた。それから他の明かりを消し、巻き煙草に火をつけ、腰を下ろし、背中を椅子の詰めものにあてて心地よい姿勢におさまったところで本を一冊とり、寝ずの番をはじめることとした。

本は『海の王』という題名で、強くてタフな上に荒っぽい、ホガースという男の物語のようだった。この男の控えめな野望は、世界をその手におさめることだった。策略の応酬、誘拐、殺人、脱獄、偽造、強盗、帽子ほどの大きさのダイヤモンド、クッフィニャル島よりも大きい浮き要塞が出てくる話だ。こうして並べると荒唐無稽に響くが、本のなかではすべてが実にリアルだった。

ホガースがまだ活躍していたとき、明かりが消えた。

暗闇のなか、おれは煙草をサンドイッチに押しつけて火を消した。本を置くと、拳銃と懐中電灯をつかみ、椅子から離れた。

耳をすましてみたが無駄だった。嵐がたくさんの音を鳴らしている。確かめるべきは、どうして明かりが消えたかだ。家のなかの明かりはすべて、しばらく前に消されていた。そのため廊下の暗闇からは何もわからなかった。

おれは待った。おれの仕事はあくまで贈り物を見張ることだ。今のところ、まだ誰もそれに触れていない。騒ぎたてるようなことは何もない。

時間だけが過ぎた。十分ほどたったろうか。

足もとで床が揺れた。嵐よりも激しい力で、窓ががたがたと震えた。風と降りしきる雨の音をかき消すような、大きな爆発音がにぶく響いた。爆発は近くではないようだが、島の外というほど遠くもなかった。

窓に近づいて濡れたガラス越しにのぞいても、何も見えなかった。丘のはるか下に、いくつかぼんやりとした光が見えていいはずだ。それが見えないことで、一つはっきりした。ヘンドリクソンの屋敷だけではなく、クッフィニャル島の明かりすべてが消えたのだ。

その方がよかった。嵐で送電設備が故障して、そのせいで爆発が起きた――たぶんそれだけのことだ。

黒い窓の外を見つめているうち、丘をくだったあたりがひどく騒がしく、夜の闇が動いているような気配があった。けれども遠すぎて、たとえ明かりがついていたとしても見聞きできない距離なので、何もかも曖昧だった。いくら印象を語ったところで役には立たない。要するに何もわからないのだ。おれは宙ぶらりんな気分のまま、窓に背を向けた。

またしても爆音がとどろき、おれはすばやく窓に戻った。今度の爆発は近くのように思えたが、それは最初より規模が大きかったせいかもしれなかった。またガラスをすかしてのぞいたが、やはり何も見えなかった。そしてやはり下で大きな動きがあるような印象があった。

廊下から裸足で歩く音が聞こえてきた。不安げにおれの名前を呼ぶ声。おれはまた窓から振り向いて拳銃をポケットにおさめ、懐中電灯をつけた。キース・ヘンドリクソンがパジャマにバスローブを羽織り、これ以上ないほど痩せほそり老いた姿で部屋に入ってきた。

「今のは――」

「地震ではないでしょう」それがカリフォルニアの住民が最初に思い浮かべる災害なので、おれは言った。「少し前に明かりが消えました。ふもとで二度爆発があって、それは――」

おれは言葉を切った。立てつづけに三発の銃声が響いたせいだ。小銃のうちでも、口径が大きくなければ出ない音だった。それから、嵐のなか鋭く小さな音が聞こえてきた。遠くで拳銃を撃つ音だ。

「あれは何だ?」ヘンドリクソンがきいた。

「銃声ですね」

廊下からさらにいくつかの足音が聞こえてきた。裸足もいれば、靴を履いたのもいる。質問や驚きをささやきあう興奮した声。かしこまった、がっしりした体格の執事が、上着は羽織らずに火を灯した五枝の燭台を持って入ってきた。

「ごくろう、ブロフィ」執事が燭台をテーブルのサンドイッチの脇に置くと、ヘンドリクソンが呼びかけた。「何があったのか確かめてくれんか?」

「調べようとはしました。ですが、電話が壊れてしまったようでして。オリヴァーを下まで行かせましょうか?」

「いや、それには及ばん。それとも、深刻な事態なんだろうか?」彼はおれにきいた。

おれはそうは思わないと答えたが、そのあいだも彼より外の様子に気をとられていた。遠くで女性があげたかすかな悲鳴のようなものと、小さな銃が連射される音が聞こえていたのだ。激しい嵐の音でくぐもっていたが、先ほどと同じ大型の銃がまた撃たれはじめると、そちらははっきり聞こえた。

窓を開けてみたところで大量の雨が吹き込むだけで、よく聞こえるようにはなるまい。おれは窓ガラスに耳を寄せて、外で何が起きているのか見当をつけようとした。

別の音がおれの注意を窓からそらした。玄関の呼び鈴が鳴る音だ。やかましく、しつこく鳴りつづいている。

ヘンドリクソンがおれを見た。おれはうなずいた。「誰なのか見てきてくれ、ブロフィ」彼は言った。

執事はかしこまって出ていき、いっそうかしこまって戻ってきた。「ジュコーフスキー公爵令嬢がお見えです」彼はそう報告した。

女が部屋に駆け込んできた――披露宴で見かけた、背の高いロシア人の娘だ。興奮でその目は見開かれ、瞳の色は濃かった。顔はとても白く、濡れていた。青い防水のケープから水がしたたり落ち、フードで黒髪が隠れている。

「ああ、ヘンドリクソンさん！」彼女は両手で彼の手を握った。その声に外国人のなまりはなく、嬉しい驚きにうわずっているように響いた。「銀行が強盗に襲われて、あの――何て呼ばれてたかしら――警察の監督さんが殺されたわ！」

「何ですって？」老人は声をあげ、彼女のケープから垂れた水が裸足にあたったせいで、よろけるように飛びのいた。「ウィーガンが殺された？　それに銀行に強盗が？」

「そうなの！　とんでもないことだわ」まるで素晴らしいことが起きたかのような口ぶりだ。「最初の爆発で目が覚めて、将軍がイグナティに様子を見にいかせたら、下まで降りたところでちょうど銀行が爆発するのが見えたんですって。聞いて！」

おれたちが耳をすますと、激しく銃弾が飛び交う音が聞こえはじめた。

「将軍が着いたんだわ！」彼女は言った。「将軍はとても張り切ってました。イグナティが知らせを持ち帰るとすぐに、アレクサンドル・セルギイエヴィチからコックのイヴァンまで、家の男全員に武器を持たせて、一九一四年に東プロシアで一個師団をあずかっていたときよりも意気軒昂として、みんなを率いて出ていったの」

「それで公爵夫人は?」ヘンドリクソンがたずねた。

「もちろんわたしと一緒に家に残りました。わたしは、公爵夫人が生まれて初めてサモワールに自分で水を入れようとしているあいだに、こっそり抜け出してきたんです。こんな夜に家でじっとしていられるもんですか!」

「ふうむ」ヘンドリクソンは言った。どうやら彼女の言葉は耳に入っていないようだった。「銀行が!」

彼はおれを見た。おれは何も言わなかった。またしても一斉射撃の音が聞こえた。

「下の様子を確かめにいってもらうことはできるだろうか?」彼は問いかけてきた。

「できますが、ただ――」おれは覆いをかけられた贈り物を顎で示した。

「ああ、あれか!」老人は言った。「あれも気になるが、銀行も同じくらい気になる。それに、ここにはわたしたちがいればいいだろう」

「いいでしょう!」おれとしても、丘の下にはおおいに好奇心をかきたてられていた。「下に行ってみます。執事はこのままここにいさせ、運転手を玄関の内側に貼りつかせておくのがいいでしょう。できれば、二人には拳銃を持たせた方がいい。レインコートを借りることはできますか? 薄手の上着しか持ってこなかったもので」

ブロフィが、おれの体に合う黄色いレインコートを持ってきた。おれはそれを着て、その下に拳銃と懐中電灯を手際よくおさめ、帽子をとった。そのあいだにブロフィは自分の自動式拳銃に弾丸をこめ、混血の運転手オリヴァーにも小銃を用意した。

ヘンドリクソンと公爵の娘は、階下までおれについてきた。玄関で、彼女がおれを見送るだけではなかったことがわかった——一緒についてくるつもりなのだ。

「待ちなさい、ソーニャ！」老人が引き留めようとした。

「誤解なさらないで。馬鹿なことはしませんわ」彼女は答えた。「イリニア・アンドロフナのところに戻るんです。もう今頃はサモワールに水を入れ終わってるでしょうから」

「さすが、分別がおありだ！」ヘンドリクソンはそう言って、おれたちを雨と風のなかへと送り出した。

話ができるような天気ではなかった。背中に風と雨がたたきつけるなか、おれたちは生け垣にはさまれた道を無言でくだった。生け垣の最初の切れ目でおれは立ち止まり、黒ぐろと闇に浮かぶ建物を顎で示してみせた。

彼女の笑い声がおれをさえぎった。「あれがあなたの——」彼女はおれの腕をつかみ、そのまま道をくだるよう促した。「ヘンドリクソンさんが心配しないように、ああ言っただけ」彼女は打ち明けた。「まさか、これを見逃すわけにはいかないでしょう」

彼女は背が高く、おれは背が低くてずんぐりしている。彼女の顔を見るには、見上げなければならなかった——雨でけぶる夜にどれだけ見えるかは別として。「こんな雨のなかを駆けずりまわったら、ずぶ濡れになってしまいますよ」おれは言い返した。

「だから何だっていうの？　準備は万端よ」彼女は片足を上げて、ごつい防水のブーツとウールのストッキングをはいた脚を見せた。

「下がどうなってるかわからないし、こっちは仕事でいくわけなので」おれは食い下がった。

「あなたの世話をしている暇はないかもしれない」

「自分の身は自分で守るわ」彼女はケープをめくり、片手に握っていた角ばった拳銃をおれに見せた。

「足手まといになると言ってるんです」

「ならないわ」彼女は言い返した。「ひょっとしたら、逆に役に立てるかも。わたしはあなたと同じくらい強くて、あなたより敏捷だし、拳銃も使える」

押し問答をつづけているあいだ、まばらな銃声が伴奏をつとめていたが、さらに大型の銃を撃つ音まで響いてきて、それ以上の説得はあきらめるしかなくなった。彼女が一緒にいてはならない理由なら、まだいくらでも思いつけたのだが。とはいえ、よほどお荷物になるようなら暗闇にまぎれて離れてしまえばいいのだ。

「しかたない」おれはあきらめて言った。「ただし、どうなっても責任はとれませんよ」

「あなたはとても親切ね」また歩きはじめると、彼女はそう言った。今では背中にあたる風に押されて、自然と急ぎ足になっていた。

ときおり前方の道を黒い人影がいくつか動いたが、遠すぎて誰なのか見分けがつかなかった。ほどなくして一人の男がおれたちとすれ違い、丘を駆けのぼっていった――背の高い男で、ズボンからはみ出した寝間着がコートの下まで垂れているので、島の住民だとわかった。「やつらは銀行を出て、今はメドクラフトを襲ってる！」その男はすれ違いざまに大きな声で怒鳴った。

「メドクラフトというのは、宝石店よ」令嬢が教えてくれた。

足もとの坂が緩やかになった。家と家の――どこも暗いが、あちこちの窓に人の顔がぼんやりと見えた――間隔がしだいにせばまってきた。下では、ときおり拳銃が放つ閃光が見えた――雨のなかにオレンジ色の線を何本も引いている。

坂道をくだりきって大通りの低い方の端まで来たとき、断続的にたん、たん、たんという音が鳴りだした。

おれは令嬢をいちばん近くの家の戸口に突き飛ばし、そのあとから飛び込んだ。

雹が木の葉にたたきつけるような音がして、銃弾がまわりの壁にめり込んだ。

特別に大きな銃だろうと考えていたやつ――機関銃だ。

令嬢は隅に倒れて、何かとひどくもつれ合っていた。おれは彼女に手を貸して立たせてやった。その何かというのは、十七歳くらいの少年で、片足がなく松葉杖をついていた。

「新聞を配達してる子だわ」彼女が言った。「乱暴なことをするから、この子が怪我をしたじゃない」

少年は立ち上がりながらにたっと笑い、首を振った。「いいや、どこも怪我なんてしてないよ。でもたまげたよ、いきなり抱きついてきて」

彼女は自分が抱きついたわけではないこと、おれに押されたせいでぶつかったこと、そしてそれを自分もおれも申し訳なく思っていることを改めて説明した。

「いったい何が起きてるんだ?」おれは、話の切れ目をみはからって新聞配達にたずねた。

「もう何でもありだ」彼はまるで我がことのように自慢した。「やつらは全部で百人ってところで、銀行をぶっ壊して大きな穴を開けた。今はメドクラフトの店にかかってるから、あそこも吹っとばされるね。それにトム・ウィーガンが殺された。道の真ん中にとめた車に機関銃を乗せてる。今撃ってるのがそれだ」

「みんなはどこにいるんだ——ここの住民たちは」

「ほとんどは役所の裏に集まってる。でも、だからといって何もできないよ、機関銃のせいで近づけなくて、やつらが何を撃ってるのかも確かめられない。ビル・ヴィンセントのやつ、偉そうにしやがって、おれは片っぽ足がないから逃げろって言いやがった。撃つのは誰にも負けないのにさ。何か撃つものを持ってりゃなあ!」

「それはひどいな」おれは同情の言葉をかけた。「いいか、おれとしてはぜひ頼みたいことがある。ここで通りのこっち側を見張ってくれないか。そしてやつらがこっちにきたら、教えてほしい」

「うまいこと言って、おれを追いはらうつもりじゃないんだろうね?」

「違う」おれは嘘をついた。「見張りが必要なんだ。こちらのお嬢さんに頼むつもりだったが、おまえの方がうまくやれるだろう」

「そうよ」彼女はおれの意図を察して調子を合わせた。「こちらは探偵さんなのよ。頼みをきいてくれたら、他の人たちといるよりもずっと役に立てるわ」

機関銃の音がまだ聞こえていたが、今は別の方角に向けられていた。

「道を渡ってみます」おれは令嬢に言った。「もしあなたが――」

「住民たちのところにはいかないの？」

「ええ。彼らとやり合っているあいだに強盗たちの背後にまわれたら、何か仕掛けられるかもしれません。しっかり見張ってくれよ！」最後のひとことで少年に念を押してから、おれは令嬢と一緒に反対側の歩道まで走った。

銃弾を浴びることなく渡りきると、おれたちは建物沿いに数ヤード進み、路地に入った。路地の先は潮の香りと波の音が漂う、ぼんやりした暗闇になっている。

その路地を進むあいだに、おれは厄介な連れを追いはらう算段を頭のなかで組み立てた。彼女には安全な場所で適当に動きまわらせておけばいい。けれども、それを試す機会は訪れなかった。

大きな男の影が前方にぬうっと浮かび上がった。

おれは令嬢の前に出て、その男に近づいた。コートの下で、相手の腹を狙って拳銃をかまえながら。

男はじっと立っていた。最初の印象よりも大きい。なで肩で、樽のような腹の巨漢だ。両手には何も持っていない。おれはそいつの顔を懐中電灯でさっと照らした。髭はなく、濃い顔立ち、頬骨は高くてごつごつしている。

「イグナティ！」令嬢がおれの肩ごしに声をあげた。

男はロシア語らしき言葉で彼女に話しかけた。彼女は笑って答えた。男は大きな頭を頑固に振り、なおも言い張った。彼女は地面を踏みつけて、鋭く言い返した。男はまた首を振って、今度はおれに話しかけた。「プレシュスケフ将軍、いわれた、ソーニャさまつれてかえれて」

彼の英語は、ロシア語なみにわかりにくかった。その口調にまごつかされた。何かぜったいに必要なことがあって、そのせいでとがめられたくはないが、それでもするつもりだと説明しているようだった。

令嬢が彼にまた話しかけているあいだに、おれは事情がのみこめた気がしてきた。このイグナティという大男は、彼女を家に連れて帰るよう将軍に命じられ、必要とあらば抱きかかえてでもつとめを果たすつもりなのだ。その際におれと揉めないよう、いきさつを説明していたのだ。

「連れていくといい」おれはそう言って脇に動いた。

令嬢はおれをにらみ、笑った。「わかったわ、イグナティ」彼女は英語で言った。「帰ればいいんでしょ」彼女は踵(きびす)を返すと路地を戻りはじめ、大男がそのすぐあとにつづいた。

一人になれてこれ幸い、おれはさっそく逆方向に歩きはじめた。すぐに小石の浜に出た。踏みつけた小石が靴底にこすれ、大きな音をたてる。おれはもっと静かに歩けるあたりまで戻ってから、騒ぎの中心に向かって海岸を急いだ。機関銃がまだ吠えている。小さな拳銃の音も聞こえた。立てつづけに三回、空気が震えて——爆弾、手榴弾だとおれの耳と記憶が告げた。前方と左手の屋根の上に広がる嵐の夜空が、ピンクに染まった。爆発の衝撃が鼓膜を揺らした。見えないかけらがまわりに落ちてきた。宝石店の金庫が砕けた破片だろう。

おれは浜辺をじりじり進んだ。機関銃の音はやんだ。それより小型の拳銃がぱん、ぱんと鳴った。また手榴弾が爆発した。恐怖にまみれた男の叫びがあがった。

小石をふみしだく音が響くのを覚悟で、おれはまた波打ち際に戻った。海面には、船らしき影は一つとして見えない。午後にはこのあたりの浜に何艘もの船が舫われていた。靴に波がかぶるあたりまできても、船は見えない。嵐で流された可能性もあるが、そうは思えなかった。この浜は、島の西側の崖に守られている。ここでも風は強いが、激しくはなかった。

おれは波打ち際を、ときに小石を踏み、ときに海に足を入れながら進んでいった。やがて前方に一艘の船が見えた。黒い影がゆっくりと揺れている。明かりはついていない。甲板で動くものは見えない。それがこの浜辺で唯一の船だった。そこが重要だ。

一歩ずつ、おれは近づいた。

おれと建物の暗い壁とのあいだで、一つの影が動いた。おれは体をこわばらせた。その影は男の体の大きさで、おれが歩いてきた方へとまた動いた。

海を背にして自分が闇にまぎれているのか、どこまで見えているのかわからないまま、おれはじっと待った。なまじ隠れようとして、かえって姿をさらしてしまう愚はおかせない。

おれから二十フィートのところでその影は不意に立ち止まった。

見つかったのだ。おれは拳銃を影に向けた。

「出てこいよ」おれは低く呼びかけた。「こっちに来い。顔を見せてもらおう」

影はためらったが、建物を離れて近づいてきた。懐中電灯を使うのははばかられた。ハンサムで、どこか幼くいたずらっぽい表情、片頬に黒い汚れがついている顔が、ぼんやりと見えてきた。

「やあ、あなたでしたか」その顔の持ち主は美しいバリトンで言った。「今日の午後、披露宴にいましたね」

「ああ」

「ジュコーフスキー公爵のお嬢さんを見ませんでしたか？　彼女を知ってますか？」

「彼女なら、十分前にイグナティと家に帰った」

「よかった！」彼は汚れた頬を汚れたハンカチでふき、振り向いて船を見た。「あれはヘンドリクソンの船ですね」彼は声をひそめた。「やつらはあれを奪って、ほかの船を沖に流したみたいです」

「ということは、海から逃げるつもりなのか」

「おそらく」彼は答えた。「どうです――試してみませんか？」

「飛び乗るのか？」

「やれるでしょう？」彼はきき返してきた。「向こうは多くない。ほとんどは陸に上がってる。あなたは武器を持っている。ぼくも拳銃がある」

まずは最初によく見てからだ」おれはきっぱり答えた。「状況を見極めたい」

「いい考えですね」男はそう言って、建物の方へと戻りはじめた。

おれたちは建物の裏側の壁に貼りつきながら、船に忍び寄った。

闇のなか、船の輪郭が徐々にはっきりと見えてきた。船体は長さ四十五フィートほどで、艫を岸に向け、小さい方の桟橋につけて上下に揺れていた。艫から何かが突き出ている。おれには見分けられない何かが。ときおり、革靴の底が板張りのデッキにあたる音が聞こえた。ほどなくして、艫にある謎の物体の上に黒い頭と肩があらわれた。

ロシア人青年の目は、おれよりもよかった。

「マスクをかぶってますね」彼はおれの耳にささやいた。「ストッキングみたいなものを、頭からすっぽりと」

マスクの男はじっと立ったまま動かなかった。おれたちもその場から動かなかった。

「ここからあいつを撃てますか?」青年がたずねた。

「たぶん。だが夜で、しかも雨というのは、銃で狙うのによい条件ではない。いちばんいいのは、近づけるところまで近づいて、気づかれた時点で撃ちはじめることだ」

「いい考えですね」彼はまた言った。

次の一歩を踏み出したところで気づかれた。船の男が声をあげた。つられて、おれの脇にいた青年が前に飛び出した。その刹那、おれは艫から突き出ているのが何かようやく悟り、とっさに足を出して若いロシア人を転ばせた。彼は小石の上にばったりと倒れ込んだ。おれも彼の後ろに体を投げた。

艫の機関銃がおれたちの頭上に弾丸の雨を降りそそいだ。

「突っ込んだらだめだ」おれは言った。「転がって逃げるんだ！」

おれは離れたばかりの建物の裏手に向かって転がり、見本を示した。

船の男は海岸に向かって撃ちまくったが、狙いはでたらめだった。機関銃の閃光にやられて夜目がきかなくなっているのだろう。

建物の角にもぐり込んだところで、おれたちは体を起こした。

「あなたは命の恩人だ」青年はぽつりと言った。

「ああ。やつらは通りから機関銃を運んできたのだろうか。それとも——」

その答はすぐにわかった。大通りの方で機関銃が凶暴な声をあげ、船からの銃声とからみ合うように響いた。

「二挺あるのか！」おれは吐き捨てた。「敵の様子について、何か知っていることは？」

「やつらは多くて十人か十二人だと思います」彼は言った。「とはいえ、暗いなかで数えるのは簡単じゃありません。目にした何人かは、みんなすっぽりマスクをかぶってました——船の男みたいに。やつらは最初に電話線と電線を切って、それから橋を壊したようです。やつらが銀行を襲っているときに攻撃したんですが、なにせ向こうは自動車に機関銃を積んで正面にかまえてるもので、対等に戦うとまではとてもいかなくて」

「島の人たちは今どこに？」

「散り散りになって、ほとんどは隠れてると思います。プレシュスケフ将軍がまたみんなを集めるのに成功してたら別ですが」

おれは顔をしかめ、考えをまとめようとした。平和に暮らす島民と引退した資本家をいくら寄せ集めたところで、機関銃と手榴弾にかなうわけがない。どれほど巧みに指揮しても、どれほど武器を持っていたとしても、どうにもなるまい。そもそも、これだけ派手に暴れまくられては、誰であれお手上げだろう。

「きみはここに残って、あの船を見張っていてほしい」おれはそう頼んだ。「おれは、上の方がどうなっているのか確かめてくる。使えそうなやつを何人か集められたら、そのときは船の反対側から乗り込めるか試してみよう。まあ、あまり期待しないでくれ。やつらは船で逃げるつもりのようだ、そちらは賭けてもいい。それを阻む手は打てると思う。さしあたりは建物の角で地面に伏せて身を守り、船を見張ってほしい。ぎりぎりまで、相手の注意を惹くようなことはしたくない。そのときになったら、好きなだけ撃てばいい」

「素晴らしい！」彼が言った。「たぶん住民のあらかたは教会の裏にいるはずです。丘をまっすぐ登って、鉄の柵に突き当たったら右に行ってください」

「右だな」

おれは教えられた方角に向かった。

大通りに出ると、おれは道を渡る前に立ち止まって様子をうかがった。あたりは静まりかえっていた。見えているただ一人の男は、近くの歩道にうつぶせに倒れていた。

おれは手と膝をついてその脇まで這い進んだ。男は死んでいた。それだけわかると立ち上がって、通りの向こう側へと走った。

おれを邪魔するものはなかった。戸口の壁にぴったり貼りつき、目をこらした。風はやんでいた。雨はもう土砂降りではなかったが、しとしと降りつづいていた。クッフィニャル島の大通りは、捨て去られたようにひっそりしていた。

やつらは、もう船へと逃げはじめているのだろうか。歩道を銀行に向かって急ぐうちに、その疑問に対する答が丘の上から届いた。

ほとんど崖の縁に近いあたりから、機関銃が弾丸をまき散らす音が聞こえてきた。

機関銃のその咆哮に重なって、もっと小さい銃器の音、それに手榴弾が爆発する音も一度か二度聞こえた。

おれは最初の角で大通りを離れ、丘を急いで登りはじめた。男たちがおれの方に向かって駆けおりてきた。おれは「今度はどうした？」と怒鳴ったが、二人はそれを無視して走り過ぎていった。

三人目の男は立ち止まった。おれがつかんだからだ。ぜいぜいあえぐ太った男で、その顔は魚の腹のように白かった。

「機関銃を積んだ車が、おれたちを追いかけて上まで来たんだ」男の耳に向かって同じ質問を大声でくり返すと、彼は息を切らしながら答えた。

「拳銃もないのに何をしているんだ？」おれはたずねた。

「拳銃は――落としちまった」

「プレシュスケフ将軍はどこだ？」

「上のどこかだ。車を奪おうとしてたが、ぜったい無理だ。自殺行為だよ！　どうして助けが来ないんだ？」

おれたちが話しているあいだにも、何人かがばらばらと丘を駆けおりてきた。おれは白い顔の男を離して、他の連中ほどあたふたしていなかった四人を呼び止めた。

「今はどうなってる？」おれは彼らにたずねた。

「やつらは丘の上の屋敷を荒らしてまわってる」小さな口髭を生やし、小銃を手にした尖り顔の男が答えた。

「まだ誰も島の外に知らせに行ってないのか？」おれはきいた。

「行けないんだ」別の男が答えた。「やつらは最初に橋を壊しやがった」

「誰も泳げないのか？」

「あの風では無理だ。キャトランって若いやつが試した。肋骨を何本か折っただけで戻れたのは運がよかった」

「凪はおさまったぞ」おれは言ってやった。

尖り顔の男が小銃を別の一人に渡し、コートを脱いで名乗り出た。「おれがやってみる」

「頼んだぞ！　国じゅうをたたき起こして、サンフランシスコ港湾警察やメア島の海軍工廠に知らせるんだ。強盗たちは機関銃を持ってると伝えたら、きっと駆けつけてくれる。やつらが逃走用に、武装した船を待機させてることも教えてやれ。ヘンドリクソンの船だ」

泳ぎを志願した男は下に向かった。

「船だって?」二人の男が同時に声をあげた。

「そうだ。機関銃を一挺積んでる。何かやるなら、今しかない。おれたちがやつらと船とのあいだにいるうちが勝負だ。下で、男と拳銃をかき集めてくれ。できれば屋根から船を攻撃しろ。やつらの車が降りてきたら、撃ちまくれ。通りからよりも、建物からの方がいい」

三人の男は丘をくだっていった。おれは銃声が鳴り響いている前方へと登っていった。機関銃の音が断続的に聞こえる。た、た、た、たという音が一秒かそこら、それから数秒間途切れるくり返し。撃ち返す銃声は弱々しく、まばらだった。

おれはさらに何人かと会い、将軍が一ダース足らずの男たちとともに、まだ応戦していると聞かされた。おれは先ほどと同じ忠告をくり返した。情報を教えてくれた男たちは、下にいる一団と合流するために降りていった。おれは登りつづけた。

さらに百ヤード進むと、闇のなかから将軍の残兵たちが飛び出してきて、おれの脇を走り抜け、丘を転げるようにくだっていった。追いかけるように銃弾がばらばらと飛んできた。

道路は生身の人間がいる場所ではなかった。おれは二つの死体につまずき、生け垣を越える際にあちこちに擦り傷をつくった。柔らかくて濡れた芝を踏みしめ、丘を登る旅をつづけた。

丘の上の機関銃が鳴りやんだ。船の機関銃はまだ撃ちつづけていた。

前方の機関銃がまた撃ちはじめた。近くの何かを標的にしているにしては狙いが高すぎる。

下の大通りに展開している、仲間たちへの援護射撃なのだ。

おれが近づく前に、それも鳴りやんだ。エンジンがかかる音が聞こえた。車はおれの方に向かってきた。

おれは生け垣に転げ込んで地面にへばりつき、からみあう枝の隙間から目をこらした。大量の火薬が燃えたこの夜にまだ一発も撃っていないおれの拳銃には、六発の弾丸が残っていた。道路の、ほかより明るい箇所にタイヤがさしかかったとき、おれは拳銃を低くかまえて弾丸をすべて撃ちつくした。

車が走り過ぎた。

おれは隠れていた場所から飛び出した。

車は人気のない道路から不意にはずれた。

ぐしゃりという音が聞こえた。激突音。金属がゆがむ音。ガラスが砕ける音。

おれはそれらの音をめがけて走った。

エンジンがくすぶっている黒いかたまりのなかから、黒い人影が飛び出して——雨に濡れた芝を横切り走っていく。おれはそいつを追いかけた。つぶれた車のなかに残っている、他のやつらがくたばっていることを願いながら。

逃げていく男が生け垣を飛び越えたとき、おれはあとわずかまで迫っていた。おれは足が速くないが、そいつもそれは同じだった。芝は水をふくんで、すべりやすくなっている。

おれが生け垣を越えているあいだに、そいつはよろけた。お互いに体勢を立て直したときには、男の背に手が届きそうなところまで近づいていた。

おれはそいつを狙って拳銃を撃った。弾倉が空になっているのを忘れていた。ベストのポケットには弾丸を六発、紙にくるんで入れてあったが、こめなおしている暇はなかった。

そいつの頭をめがけて空の拳銃を投げつけたい衝動にかられたが、そんなことをしても無駄でしかない。

前方に建物が立ちはだかっている。逃亡者はその角を右に曲がろうとした。

左手から大型の散弾銃を撃つ音が響いた。

逃げる男は家の角を曲がって消えた。

「やれやれ！」プレシュスケフ将軍のまったりした声が聞こえてきた。「散弾銃ってのは、遠くの的にはどうやってもあたりゃせん！」

「そっちからまわってくれ！」おれは怒鳴りながら、獲物を追いかけて猛然と角をまわった。

男の足音が前方で響いている。姿は見えない。将軍が家の反対側から息を切らしてやってきた。

「捕まえましたか？」

「いや」

目の前には石垣があり、その上が小径になっていた。おれたちの左右には高くて頑丈な生け垣がつづいていた。

「妙だな」将軍がつぶやいた。「あいつはどうやって——？」

上の小径にぼうっと白っぽい三角形が浮かんだ――ベストの下からのぞいているシャツに違いなかった。

「ここでしゃべっていてください！」おれは将軍にささやきかけ、そっと前に進んだ。

「どうやらもと来た方に逃げたらしい」将軍は調子を合わせて、まるでおれが隣にいるかのようにしゃべりつづけた。「こっちに来ていたら鉢合わせたはずだし、生け垣か石垣を登ったなら、どちらかがぜったい見つけたろうから……」

彼がしゃべりつづけているあいだに、おれは小径がある石垣の下に身を潜め、ごつごつした石に爪先をかけてよじのぼった。

小径にいる男は、茂みを背にして身を縮こまらせながら、しゃべっている将軍を見ていた。おれが小径に足を踏み出したとき、ようやく男はおれを見た。

男は飛びあがり、片手を上げた。

おれは両手を広げて飛びかかった。

踏みつけていた石が足の下で動き、おれはよろけて足首をひねったが、そのおかげで男が頭を狙って撃った銃弾をかわすことができた。

おれは倒れ込みながら左腕を振りまわして男の両脚をなぎはらった。男はおれの上に崩れてきた。相手を一度蹴り、拳銃を持っている腕をつかみ、嚙みつこうとしたそのとき、将軍があえぎながら土手の縁を乗り越えてやってきて、散弾銃の銃口を男に突きつけおれから離れさせた。

おれは立ち上がろうとして、まずいことになったのに気づいた。くじいてしまった足首が、百八十ポンドの重みを支えたくないと駄々をこねている。しかたなく体重を反対の足にかけながら、おれは捕まえた相手を懐中電灯で照らした。

「やあ、フリッポ！」思わず声が出た。

「ああ！」おれだとわかっても嬉しそうではなかった。

二十三歳だったか二十四歳だったかの、ずんぐりしたイタリア人の若者だ。四年前、おれはこいつが給料強盗の共犯でサン・クウェンティン送りになるのを手伝った。たしか仮釈放されてからまだ数カ月のはずだ。

「刑務所の委員会は、これを知ったら喜ばないかもな」おれは彼に言った。

「勘違いしないでくれよ」彼は訴えた。「おれは何もしちゃいない。ここには友だちに会いに来ただけだ。そしたらこんな騒ぎになっちまったんで、隠れなきゃならなかった。前科（まえ）がある身なもので、捕まったら最後、余計な罪まで背負わされちまう。どうだい、あんただっておれがからんでるって思ってるだろ！」

「心が読めるようだな」おれは彼に答え、将軍にたずねた。「こいつをしばらく閉じ込めておける、鍵のかかる部屋はありますか？」

「屋敷のなかに、ドアが頑丈で窓がない物置がある」

「それでいいでしょう。歩くんだ、フリッポ！」

プレシュスケフ将軍はフリッポの襟首をつかみ、おれは足を引きずりながら背後にまわって彼の拳銃を確かめた。おれに向けて撃った一発のほかは弾丸が残っていた。おれは自分の拳銃に弾丸をこめなおした。

彼を捕まえたのはロシア人の敷地のなかだったので、それほど歩かずにすんだ。

将軍が玄関のドアをたたいて、国の言葉で何か呼びかけた。ボルトが音をたててきしみ、もじゃもじゃ髭のロシア人の召使いがドアを開けた。その後ろには公爵の娘と、どっしりした体つきの年配の女が立っていた。

将軍は捕り物劇の顚末を家の者たちに話しながら屋敷に入り、おれは捕まえた男を物置に連れていった。おれは彼の体をあらため、ポケットナイフやマッチを取り上げてから――逃げるために使える武器はほかになかった――物置に閉じ込め、ドアに板を渡してしっかりと固定した。それからまた階下に戻った。

「怪我をしてるわ！」おれが足を引きずって歩くのを見て、公爵の娘が言った。

「足首をくじいただけです」おれは答えた。「ただ、いささか困ってます。バンデージのようなものはありませんか？」

「あるわ」彼女に命じられ、髭の召使いが部屋から出ていき、ほどなくしてガーゼひと巻きとバンデージ、それに熱い湯を入れた洗面器を持って戻ってきた。

「そこに座って」公爵の娘はそれを受けとって言った。

けれどもおれは首を振り、バンデージに手を伸ばした。

「冷たい水を使わせていただけますか。すぐにまた雨のなかに出ていかなければならないので。

バスルームの場所を教えてもらえれば、自分で適当にやりますから」

そのあと押し問答になったが、結局おれはバスルームに案内され、そこで足首から下に冷たい水をかけ、血のめぐりが悪くならないよう気をつけながらバンデージをきつく巻いた。濡れた靴をまた履くのは難儀だったが、とにかく履いてしまえば怪我をした方の足はまだ少し痛むものの、しっかりと立てるようになった。

家の者がそろっている部屋に戻ったときには、もう銃声は丘まで届かなくなっていて、雨音も弱まり、おろしたブラインドの下から夜明けの灰色の光の筋が差し込んでいるのが見えた。おれがレインコートのボタンを留めているとき、玄関のノッカーが鳴った。ロシア語の話し声が聞こえ、先ほど浜辺で会ったロシア人の若者が入ってきた。

「アレクサンドル、あなた――」どっしりした婦人が彼の頬に血がついているのを見て叫び、気を失った。

若者は彼女が気を失うのには慣れているのか、平然としていた。

「やつらは船に乗り込みました」娘と男の使用人二人がその女性を抱き上げてオットマンつきの椅子に寝かせているあいだに、彼はおれに言った。

「人数は？」おれはたずねた。

「十人まで数えました。見落としたとしても、あと一人か二人です」

「男たちを下に行かせたんだが、やつらを止められなかったのか？」

彼は肩をすくめた。「無理ですよ。機関銃に向き合うにはよほど肝がすわってないと。みんな、最初から腰が引けてました」

失神した婦人は早くも意識を取り戻していて、若者にロシア語で不安げに質問を投げていた。公爵の娘が青いケープを羽織りはじめた。婦人は若者に話しかけるのをやめて、令嬢に何かたずねた。

「騒ぎはおさまったんでしょ」令嬢が言った。「下がどうなったのか見にいこうと思って」

誰もがそれはいい考えだと思った。五分後には、使用人たちも含めて全員が丘を降りはじめていた。今ではかなり弱まった霧雨のなか、おれたちの後ろにも、まわりにも、そして前方にも丘を急いでくだっていく人たちがいた。冷たい朝の光を浴びているどの顔にも、疲れと興奮がにじんでいた。

なかほどまで降りたところで、横道から女が飛び出してきておれに何やら話しはじめた。ヘンドリクソン家のメイドの一人だった。

彼女の言葉が切れ切れに聞きとれた。

「贈り物がなくなりました……ブロフィさんが殺されて……オリヴァー……」

「先に行っていてください」おれは他の者たちに呼びかけ、メイドのあとを追った。

彼女はヘンドリクソンの屋敷まで走って戻っていった。おれは走るどころか、早足で歩くことさえできなかった。ようやく着いたとき、玄関のポーチには彼女とヘンドリクソン、それに他の使用人たちが集まっていた。

「オリヴァーとブロフィが殺された」老人が言った。

「どういうことです？」

「わたしたちは屋敷の裏の、二階の部屋から下で撃ち合ってる光を見ていた。オリヴァーは玄関のすぐ内側、ブロフィは贈り物を置いた部屋にいた。そこに銃声が聞こえ、すぐあとに部屋の入口に男があらわれて二挺の拳銃でわたしたちを脅し、閉じ込めた。十分くらいそうしていたろうか、そのあと男はドアを閉めて鍵をかけ、行ってしまった。わたしたちはドアを破った――そしてブロフィとオリヴァーが死んでいるのを見つけたのだ」

「ふたりを見せてください」

運転手は玄関のすぐ内側で仰向けに倒れていた。茶色い喉を正面からまっすぐ左右に、骨の近くに達するまで深く切り裂かれていた。彼の小銃は体の下にあった。おれはそれを引き抜いて調べた。一発も撃っていなかった。

二階では、執事のブロフィが贈り物が並べられていたテーブルの脚に寄りかかるようにしてうずくまっていた。彼の拳銃はなくなっていた。おれは彼をひっくり返し、仰むけにして寝かせ、胸にぽっかりと銃痕があいているのを見つけた。上着は、その穴のまわりの広い範囲が焼け焦げていた。

贈り物はほとんどがまだそこにあった。ただ、とりわけ高価な品物だけがなくなっていた。それ以外は包装がはがされ、あちこちに乱雑に転がっていた。

「あなたが見た男は、どんなやつでしたか？」おれはたずねた。

「それが、よくわからないんだ」ヘンドリクソンが答えた。「部屋の明かりは消えていた。男は廊下に灯るろうそくの光を背にして、暗い影になっていた。黒いゴム引きのレインコートを着た大男で、頭と顔は目のところに小さな穴があいた黒いマスクで覆われていた」

「帽子はかぶっていなかった？」

「ああ、首から上をマスクで隠していただけだ」

階下に戻ったあと、おれはヘンドリクソンにこの屋敷を出たのちに自分が見たり、聞いたり、したりしたことを短く説明した。話が長くなるだけの材料はなかった。

「きみが捕まえた男の口から、一味のことを聞き出せるだろうか？」おれが出かける用意をはじめると、彼はたずねた。

「いいえ。ですが、それでもやつらを捕まえられると思います」

おれが足を引きずり戻ったとき、クッフィニャル島の大通りには人があふれていた。メア島の海兵隊の分隊や、サンフランシスコ湾岸警察の連中がいた。そのまわりでは、興奮した住民たちが着の身着のままで騒いでいた。自分の冒険や勇敢な行動や被害、夜のあいだに目にしたことをそれぞれが勝手にしゃべっている。機関銃、爆弾、強盗、車、銃撃、ダイナマイト、殺された、といった言葉がとりどりの声や口調でくり返されていた。

銀行は金庫室を吹き飛ばされ、建物が完全に崩れていた。宝石店も瓦礫の山と化していた。向かいの食料品店が野戦病院として使われていた。そこでは二人の医師が、怪我人の応急手当に奮闘していた。

おれは、制帽をかぶったなかに見知った顔があるのに気づいた——湾岸警察のロッシェ巡査部長だ――おれは人の群れをかき分け、彼に近づいた。

「ここに着いたばかりか?」彼は握手しながら言った。「それとも、ずっと特等席で見ていたとか?」

「ずっといた」

「何を知ってる?」

「すべてを」

「私立探偵はいつだって何でも知っているもんな」彼は茶化した。おれは彼を人の群れから引き離した。

「湾内で、誰も乗ってない船に出くわさなかったか?」まわりに誰もいないあたりまで来ると、おれはたずねた。

「無人の船なら、夜のあいだ湾のあちこちに浮かんでいた」彼は言った。

それは想定外だった。

「警察の船は今どこにいる?」おれは彼にたずねた。

「盗賊を追いかけてる。おれはここで手を貸すために、何人かと残った」

「あんたは運がいい」おれは彼に言った。「いいか、道の向こう側をこっそり見てくれ。薬局の前に、恰幅のいい黒髭の年寄りが立ってるだろう」

そこにはプレシュスケフ将軍が、気絶した婦人、彼女を気絶させた頬に血のついているロシア人の若者、それに披露宴で一緒にいた、四十かそこらの色白で太った男といた。少し離れたところに大男イグナティ、屋敷で見かけた二人の男の召使い、それに明らかに使用人と思われる男がもう一人いた。彼らはお互いに話しながら、赤ら顔の地主が興奮して騒いでいる様子を眺めていた。その地主は、盗賊が盗んで機関銃を乗せたのは自分の私用車だ、このままじゃおかないと無愛想な海兵隊の大尉にまくしたてていた。

「ああ」ロッシェが言った。「髭を生やしたじいさんがいるな」

「いいか、あいつがあんたの獲物だ。そばにいる女と二人の男もそうだ。少し離れて左にいる四人のロシア人も一味だ。一人欠けてるが、そいつはおれにまかせてくれ。大尉に伝えて、あいつらが油断しているうちに捕まえるといい。今ならあいつらは、自分たちは天使ほどに安全だと思っている」

「たしかなのか？」巡査部長がきき返した。

「つまらんことをきくな！」おれは、まるでこれまでの人生で一度も間違いをおかしたことがないかのように吐き捨てた。

おれはそれまでずっと、まともな方の足に体重をかけて立っていた。巡査部長と別れ、背を向けようとして重心を移したとき、腰まで痛みがはしった。おれは奥歯を食いしばり、痛みをこらえながら人々をかき分けて、通りの反対側に渡りはじめた。

公爵の娘はこのあたりにはいないようだった。おれの考えでは、彼女こそがこの事件における、将軍に次いで最も重要な黒幕だ。もし彼女が屋敷にいたら、そしてまだ何も疑っていなかったら、騒がれる前に近づいてとりおさえることができるかもしれない。

歩くのは拷問のようだった。体が熱くなった。汗が滝のように流れた。

「ねえ、誰もあっちからこなかったよ」

片足の新聞配達がおれのすぐ脇に立っていた。おれは、まるで給料を受けとるように彼を歓迎した。

「一緒にきてくれ」おれは彼の腕をとった。「よくやった。いいか、おれのためにもうひと肌脱いでほしいんだ」

大通りから半ブロック歩いたところで、おれは彼を黄色い小さなコテージのポーチに立たせた。その家の玄関は開けっぱなしだった。家の住人が警察と海兵隊を歓迎するため飛び出していったままなのだろう。ドアのすぐ内側、廊下の棚の脇に、籐椅子があった。おれは不法侵入を承知で、その椅子をポーチに引きずり出した。

「座るんだ」おれは少年に呼びかけた。

彼は言われた通りにし、そばかすの顔をいぶかしげにおれに向けた。おれは少年の松葉杖をつかんで、その手から奪いとった。

「借り賃の五ドルだ」おれは言った。「なくしたときは、象牙と金でできたやつを買ってやる」

そしておれは松葉杖を脇にはさみ、丘を登りはじめた。

松葉杖を使うのは初めての経験だった。記録を破る速度は出せなかった。けれども、支えもないまま痛めた足でよたよた歩くよりは、はるかにましだった。

丘はそのへんにある山よりも高くて険しかったが、やがてついにロシア人の屋敷につづく砂利道を踏みしめることとなった。

　ポーチまであと少しのところで、ジュコーフスキー公爵の娘がドアを開けた。

「まあ！」彼女は叫んだが、すぐに驚きから立ち直った。「足の怪我がひどくなってるわ！」

彼女は階段を駆けおりてきて、登るのに手を貸してくれた。近づいてくるとき、グレイフランネルのジャケットの右ポケットに何か重いものが入っていて揺れているのにおれは気づいた。

　彼女は片手をおれの肘に添え、もう一方の腕を背中にあてて、階段を登りポーチを歩くあいだ支えてくれた。それで、おれがこの事件の全容を見抜いたとはまだ思っていないことがわかった。もしそれに気づいていたら、おれの手の届く範囲に身をおいたりしなかったろう。それにしても、どうして他の連中と一緒に丘を降りかけてから、途中で一人だけこの屋敷に引き返したのだろう。

　その疑問に対する答が浮かばないまま屋敷のなかに入ったあと、彼女は大きくて柔らかい革張りの椅子におれを座らせた。

「夜のあいだずっと大変だったから、きっとお腹がすいているでしょう」彼女は言った。「何かないか――」

「いや、座ってください」おれは向かいの椅子を顎で示した。「あなたと話したい」

　彼女は座り、細く白い手を膝の上で組んだ。顔にもしぐさにも、神経をとがらせている気配はなく、好奇心のかけらすらなかった。さすがにやりすぎだ。

「奪ったものはどこに隠したんです？」おれはたずねた。

彼女の顔の白さは何も語ってはいなかった。その顔は、最初に見たときから大理石のように白かった。瞳の色あいも自然だった。他の表情もいっさい変わらなかった。声は落ち着きはらっていた。

「ごめんなさい」彼女は言った。「質問の意味がさっぱりだわ」

「端的に言おう」おれは答えた。「あんたをクッフィニャル島の略奪と、それにともなう殺人の共犯として告発してるんだ。それで、ぶんどった品をどこに隠したのかときいている」

彼女はゆっくりと立ち上がり、顎をつんとそらし、はるかな高みからおれを見おろした。

「なんて無礼な！ ジュコーフスキー家の者に向かって、よくもそんな口がきけたものね！」

「あんたがスミス・ブラザーズ（アメリカで最初にのどあめを売り出した会社。創業者スミス兄弟の顔イラストの広告が有名）の一人だろうが関係ない！」身を乗り出したはずみに、くじいた足首が椅子の脚にぶつかった。その痛みも、おれの気分をよくしてはくれなかった。「肝心なのは、あんたが泥棒で人殺しだということだ」

彼女の細くて芯の通った体が、身構えた動物のしなやかな体にすがたを変えた。白い顔は怒れる獣の貌（かお）になった。片手が――いや、かぎ爪だろうか――ジャケットのふくらんだポケットにそっと入れられた。

しかし、まばたきする間もなく――おれの命は、まばたきしないことにかかっているように思われたが――野獣は消えていた。そのあとに――今なら、古いおとぎ話の書き手がどこから着想を得たのかわかる――怜悧（れいり）ですっと背の伸びた公爵令嬢がふたたびあらわれた。

彼女は腰を下ろし、くるぶしを重ね、椅子の袖に肘をつき、手の甲に顎を乗せ、不思議そうにおれの顔を見つめた。

「おかしいわねえ」彼女はつぶやいた。「どんなわけがあって、そんな奇妙で夢物語みたいな結論にたどり着いたりしたのかしら？」

「わけならある。それに、奇妙でも夢物語みたいでもない」おれは言った。「たぶん、あんたに不利な事実を順にあげたら、時間と手間が省けるだろう。そしてあんたも自分の立場がのみこめて、無実を訴えてその知恵を無駄に使わずにすむだろう」

「感謝するわ」彼女は微笑んだ。「とっても！」

おれは松葉杖を膝と椅子の袖のあいだにはさみ、指を折って要点を数えるために両手をあけた。

「一つ——昨夜の計画をたてたのが誰であれ、そいつはこの島のことを知っていた——よく調べたという程度ではなく、隅々まで知り尽くしていた。それは疑いの余地がない。二つ——機関銃を積んだ車は、この島の住民から盗んだものだ。逃げるのに使ったと思われている船もそうだ。やつらが島の外から来たとしたら、機関銃や爆弾、手榴弾をここまで運ぶために車か船が必要だったはずだし、だとしたらわざわざ盗まずとも、それをそのまま使わない手はない。三つ——この事件には、プロの犯罪者の特徴のかけらもない。あえて言わせてもらうなら、最初から最後まで軍人のしわざだ。この世で最低の金庫破りでも、銀行の金庫室に押し入り、宝石店の金庫をこじ開けるために建物をまるごと壊そうとはしないだろう。四つ——島の外から来たのであれば、橋は壊さなかっただろう。ふさいだかもしれないが、壊すはずがない。いざというときの逃げ道を確保するために残しておくはずだ。五つ――船で逃げるつもりでいたなら、短期決戦を狙ったはずで、一晩じゅう暴れつづけたりしなかっただろう。なのに、サクラメントからロサンゼルスまで、カリフォルニアじゅうをたたき起こすような騒ぎになった。実際には一人を船に乗せて銃を撃たせただけで、その男も遠くまでは行かなかった。安全な距離まで離れるとすぐに船を降りて、島まで泳いで戻ったんだ。大男のイグナティなら、それくらいたやすくやってのけただろう」

それで右手の指は使いきった。おれは今度は左の手で数えはじめた。

「六つ――おれはあんたらの仲間の若者と浜辺で出会った。あいつは船から降りたところだったんだな。そして船に飛び乗ろうと提案してきた。おれたちは船から撃たれたが、銃を撃っていたやつは実のところ遊んでいた。本気ならいつでも蜂の巣にできたのに、わざとおれたちの頭の上に向かって撃ちやがった。七つ――おれの知る限りでは、逃げていく一味の姿を見たのは島のなかであの若者だけだ。八つ――あんたの仲間たちは、みんなおれに対してやたら親切で、将軍に至っては午後の披露宴で一時間もしゃべりつづけていた。それこそは、素人の犯罪者の何よりの特徴だ。九つ――機関銃を積んだ車がぶつかって壊れたあと、おれは乗っていたやつを追いかけた。そしてそいつをこの屋敷のそばで見失った。捕まえたイタリア人は、そいつとは別人だ。おれに見られずにあの小径に登るのは不可能だったから。だが、将軍がいた側に走って逃げて、そのまま屋敷のなかに隠れることはできたろう。将軍がそいつの味方で、手を貸しさえすればね。そのからくりがわかったのは、将軍が散弾銃で目の前にいる標的を撃ち損じるという、信じがたい奇跡を演じてくれたおかげだ。十──あんたはおれをヘンドリクソンの屋敷から引き離すために、わざわざあの屋敷を訪ねてきた」

それで左手も使いきった。おれは右手に戻った。

「十一──ヘンドリクソン家の二人の使用人は、よく知っている、信用していた相手に殺された。どちらも至近距離から、反撃する間もなく殺されている。あんたがオリヴァーになかに入れてもらい、話をしているあいだに、仲間の一人が背後からその喉をかき切ったんだ。そのあとあんたは二階に上がって、何も疑っていなかったブロフィを自分で撃った。ブロフィはまったく警戒していなかったはずだ。十二──いや、これでもう十分だろう、それにしゃべりすぎて喉が痛くなってきた」

彼女は顎を手から離し、黒い薄手のケースから白い太巻き煙草をとって口にくわえ、おれはマッチをすってその端に近づけた。彼女は煙草をふかぶかと吸い──一度に三分の一が灰になるほど吸い込んで──煙を膝のあたりに吐き出した。

「もうけっこうよ」彼女は悠然と言いはなった。「ただし、わたしたちにそんなことができなかったのは、あなた自身がよくご存じのはずよ。わたしたちを見なかった？──みんなが見ていなかった？──何度も何度も」

「簡単なことだ！」おれは言い返した。「機関銃が二挺、それに手榴弾がどっさりあって、この島を上から下まで知り尽くし、暗闇と嵐のなかであたふたしている住民たちが相手なら──いともたやすかったろう。あんたたちは、おれの知っている限りでは九人いる。女二人を含めてだ。いったんはじめてしまえば、五人が仕事にかかっていればよく、そのあいだに残りがあちこちで姿をさらして、アリバイをつくればいい。それがあんたたちのしたことだ。順番に抜け出して、アリバイづくりに精を出したのさ。おれは行くさきざきで、あんたたちの一人と出くわした。とりわけ将軍ときたら！　あの髭のペテン師は、あちこち駆けまわって罪のない住民たちを戦わせつづけたんだ！　たくさんの住民が巻き添えを食った。そのうちの誰であれ、今朝もまだ生きていたら本当に幸運だ！」

彼女は煙草を最後にもう一度吸ってからラグに落とし、片足で火をもみ消すと、つまらなそうにため息をつき、両手を腰にあててたずねた。「それでこのあとは？」

「略奪品をどこに隠したのか知りたい」

彼女があっさり答えたことにおれは驚いた。

「ガレージの下よ。何カ月か前こっそり掘った穴蔵があるの」

おれはもちろん信じなかったが、のちにそれが真実であることがわかった。

ほかにはもう話すことはなかった。おれが借りものの松葉杖を慣れない手つきでいじって立ち上がろうとすると、彼女は片手を上げて穏やかにそれを制した。「ちょっと待って、お願い。提案があるの」

おれは半立ちのまま身を乗り出して、彼女の脇に手を伸ばした。

「拳銃をもらっておこう」おれは言った。

彼女はうなずき、おれがその拳銃を自分のポケットにしまって座るまで、じっとしていた。

「さっき、わたしが誰であろうと関係ないと言ったわね」彼女はすぐに話しはじめた。「でも、あなたには知ってほしい。かつてはそれなりの名士だったのに、今ではすっかり落ちぶれたロシア人はたくさんいるし、誰もが聞き飽きた話をいまさらくり返して、あなたを退屈させるつもりはない。でも、そのうんざりするほど退屈な物語が、当事者であるわたしたちにとっては現実そのものであることはおぼえておいて。とにかく、わたしたちは持てる限りの財産を持ってロシアから逃げてきた。幸いにも、その貯えのおかげで何年かはそこそこの暮らしができていた。

ロンドンではロシア料理のレストランを開いたけれど、あっというまにロシア料理のお店が増えて、わたしたちの店はいつのまにか稼ぐための手段ではなく、損をするための道具になってしまった。音楽とか語学を教えようともした。要するに、ロシア人の亡命者たちが思いつく、生活費を稼ぐための方法はすべて試してみた。そしてそのたび、どの商売も競争相手が多すぎて、儲けるなんて無理なことに気づかされた。けれども、ほかにわたしたちは何を知っていたかしら——何ができたかしら？

あなたを退屈させないと約束したわね。そう、蓄えは日ごとに減りつづけ、みすぼらしく、ひもじい暮らしが、この国の新聞の日曜版の読者にはおなじみの、かつて公爵の娘だった掃除婦とか、使用人に落ちぶれた公爵とかになる日が近づいてきた。この世界にわたしたちの居場所はなかった。はぐれ者はたやすく犯罪者になる。そうでしょう？　それなのに、世間に忠誠を誓うべきだなんて言えるかしら？　世間なんてものは、わたしたちが土地や財産や国を奪われるのをぼんやり座って眺めていただけじゃなかったかしら？

わたしたちは、クッフィニャル島の噂を聞く前から計画をたてていた。お金持ちが集まる、それでいてうまい具合に孤立している小さな町を見つけることができたら、そこに移ってしばらく暮らしたあと、襲いかかって財産を奪いとろうって。クッフィニャル島は、見つけたとき理想的な標的に思えた。この家を半年借りると、機が熟すのを待つあいだ不自由なく暮らす、ぎりぎりのお金しか残らなかった。わたしたちは四カ月かけてここに馴染み、武器と弾薬を集め、計画を練りあげ、条件がそろう夜を待った。昨日がその夜と決めて、どんな不測の事態にも対応できるはずだった。けれどももちろん、あなたみたいな天才の存在には準備ができていなかった。予期せぬ不運としか言いようがないわ。そのせいで、わたしたちの運命は永遠に変わってしまった」

彼女は言葉を切り、悲しげな大きな瞳でおれのことをじっと見つめた。そのせいでおれは落ち着かない気分になった。

「おれを天才と呼ぶのは間違ってる」おれは反論した。「実のところは、あんたたちが最初から最後まで下手をうってたというだけだ。軍隊で訓練を受けたこともないのに部隊を指揮しようとしている男を見たら、あの将軍なら大笑いするだろう。けれども、あんたたちときたら、最高の犯罪技術が求められる大仕掛けをたくらみながら、まったく犯罪の経験がなかったんだ。おれのまわりで演じてた小芝居ときたら！　素人まるだしだ！　少しでも知恵のまわるプロの悪党なら、おれのことは放っておくか、さっさと始末していただろう。失敗して当然だ！　それ以外のことについては——あんたたちの悩みとやらについては——おれにはどうすることもできない」

「どうして?」とても甘い声だった。「どうしてできないの?」

「おれには関わりのないことだ」おれは素っ気なく答えた。

「このことは、あなたしか知らない」彼女は身を乗り出して、おれの膝に白い手をあてた。「ガレージの下の地下室にひと財産あるわ。ほしいものは何でも手にはいる」

おれは首を振った。

「もったいぶらないで!」彼女は抗議した。「いいかしら——」

「この際、はっきりさせておこう」おれはさえぎった。「おれなりの正直さ、雇い主に対する忠誠心、そういったことは無視しよう。あんたはそうしたことを疑うかもしれないから、はじめからないものとしておこう。今のおれが探偵なのは、この仕事が好きだからだ。それなりの給料をもらってるが、もっと割のいい仕事を見つけることもできる。月に百ドル増えれば、年に千二百ドル。今から六十歳の誕生日までのあいだには二万五千から三万ドルの違いになる。

その気になれば手にはいる、そのまっとうな金になびかずにいるのは、探偵でいることが好きで、この仕事が好きだからだ。そして仕事が好きだと、それをできる限りうまくやりたいと思うようになる。そうでなければ嘘だろう。おれはそういう枠のなかで生きている。ほかのことは何も知らないし、楽しまないし、知りたいとも楽しみたいとも思わない。どんなに金を積まれても交換できないものがある。金はいいものだ。それは否定しない。だがこの十八年、おれはずっと悪党を追いかけ、謎と取っ組み合うのを楽しんできたし、悪党を捕まえ、謎を解決することに満足をおぼえてきた。それはおれが知っている唯一の生きがいだ。それをあと二十年ばかりつづけること以上に楽しい未来は想像できない。それをぶち壊すつもりはない！」

彼女はゆっくりと首を振り、うつむいた。弓なりの薄い眉の下から、黒い瞳がおれを見上げた。

「お金のことしか話さないのね」彼女は言った。「わたしは、ほしいものは何でも差し上げると言ったの」

うんざりだ。女というものがどこでそうしたことを思いつくのか、おれにはさっぱりわからない。

「あんたにはどうやっても話が通じないらしい」おれはげんなりして答えた。立ったまま、松葉杖をもちなおした。「おれが男であんたが女だと思っている、それが間違いだ。おれは人狩りで、あんたはおれの前を逃げる獲物でしかない。そこには人間の感情はいっさいない。猟犬が捕まえた狐といちゃつくことを期待しちゃだめだ。とにかく、おれたちは時間を無駄にしている。おれは警察か海兵隊がここまで来て、歩く手間を省いてくれるのを待ってたんだ。あんたの方は、仲間が戻ってきておれを捕まえるのを待っているんだろう。教えてあげよう、やつらはおれが下で別れたあと、逮捕されたはずだ」

そのひとことで彼女は動揺した。彼女は立ち上がっていた。それがよろけて一歩下がり、後ろの椅子に片手でつかまって体を支えた。その口からおれには理解できない叫び声がもれた。

ロシア語だと思ったが、イタリア語だったとすぐにわかった。

「手を上げろ」フリッポのかすれた声が聞こえた。フリッポはドアのそばに立ち、自動式の拳銃をかまえていた。

おれは支えの松葉杖がはずれないようにしながら、できるだけ高く両手を上げた。この娘と話しているあいだ拳銃を手にしていなかった自分の不注意と愚かさをののしった。

なるほど、これが彼女が屋敷に戻った理由だったのだ。このイタリア人を逃がしてしまえば、やはり強盗に関わっていたのだとみんなが信じ込み、こいつの友人たちのしわざだと思ってくれるだろうと考えたのだ。捕まえたままにしていたら、こいつは当然ながら無実を訴えたはずだ。それで拳銃を持たせた。それを使って逃げてもいいし、逃げようとして殺されたところで、同じくらい好都合なわけだから。

おれが頭のなかでそうした見取り図を描いているあいだに、フリッポは背後にまわってあいている方の手でおれの体を探り、おれ自身と彼の拳銃、そしておれが娘から取り上げた拳銃を抜きとった。

「取り引きだ、フリッポ」彼が少し離れて脇に立ち、娘とおれとを結ぶ三角形ができあがると、おれは呼びかけた。「おまえは仮釈放中で、まだ刑期が何年か残っている。なのに拳銃を持っているところを捕まった。それだけでもあそこに戻る十分な理由になる。一方で、おまえがこの騒ぎに関わっていないことはわかっている。思うに、もっとせこい悪さをするためにここに来たのだろうが、おれにはそれを証明できないし、したいとも思わない。中立を決め込んで、ここから一人で出ていけ、そうしたらおまえを見たことは忘れてやる」

若者の丸く濃い色の顔に、うっすらとしわが刻まれた。

公爵の娘が彼に一歩近づいた。

「わたしがこの人に持ちかけた提案は聞こえた？」彼女はたずねた。「ねえ、同じことをあなたにも約束するわ、もし彼を殺してくれたら」

若者の顔の悩ましいしわが深くなった。

「選ぶのはおまえだ、フリッポ」おれは説得を試みた。「おれがおまえにやれるのは、サン・クウェンティンからの自由だけだ。こちらのお嬢さんは、しくじった強盗の分け前を気前よくくれるそうだ。おまえ自身が首をくくられる見込みもたっぷりおまけにつけてな」

娘はおれより有利な武器を思い出し、イタリア語で彼になまめかしく語りかけた。おれが知っているイタリア語は四つだけだ。二つは冒瀆（ぼうとく）の言葉、あとの二つは卑猥な言葉だ。おれはその四つすべてを口にした。

フリッポは屈しかけていた。もしあと十歳年齢（とし）をとっていたら、おれの提案を受け入れ、おれに感謝もしただろう。けれども彼は若く、彼女は——今になって思えば——美しかった。彼がどう答えるかはたやすく見当がついた。

「だけど、こいつをばらすのはだめだ」彼はおれのために、英語で彼女に答えた。「おれが入れられてた部屋に閉じ込めよう」

フリッポは、殺しを忌み嫌っているわけではないはずだ。ただ、この殺しは不必要だと思っているだけだ。抵抗されるのがいやで、おれを油断させようとしているのではない限り。令嬢は彼の代案には満足しなかった。彼女はいっそう熱いイタリア語を浴びせかけた。彼女の攻勢は揺るぎなく見えて、その実は欠陥があった。戦利品をもらえると信じ込ませることができなかった。それで、言いなりにするためには自分の魅力に頼るしかなかった。そしてそれは、彼女がフリッポの目を見つめていなければならないことを意味した。

フリッポはおれから遠くないところにいた。

令嬢は彼に近づいた。彼の丸い顔に歌うように語りかけ、イタリア語の言葉をささやきかけた。

そして彼を手に入れた。

彼女は肩をすくめた。フリッポの顔には大きな文字でイエスと記されていた。彼は振り返り――

おれは借りた松葉杖を彼の頭に振り下ろした。

松葉杖が砕けた。フリッポの膝が曲がった。ぴんと体が伸びた。床にうつぶせに倒れ込んだ。そのまま横たわり、死んだように動かなくなった。髪の毛のなかから、細い虫のような血の筋がラグを這い進みはじめた。

一歩進むか、よろけるか、膝をついて手を伸ばすだけで届くところに、フリッポの拳銃があった。

娘はおれから飛びのいて、おれが拳銃をつかんで体を起こしたときにはすでにドアまでなかばとなっていた。

「止まれ！」おれは命じた。

「止まらないわ」彼女は答えたが、それでもそのときだけは立ち止まった。「わたしは出ていく」

「出ていくのは、おれに捕まったときだ」

彼女は笑った。自信たっぷりの、低く楽しげな笑い声だった。

「その前に出ていくわ」彼女はほがらかに言いきった。おれは首を振った。

「どうやってわたしを止めるつもり？」

「止める必要があるとは思ってない」おれは彼女に言った。「あんたには、拳銃を向けられているのに逃げないだけの分別があるはずだ」

彼女はまた笑った。愉快そうなさざ波がたった。

「むしろ、ここにじっとしていないだけの分別があるの」彼女は言い返した。「松葉杖は壊れてしまったし、あなたは足を怪我してる。走って追いかけて捕まえることはできない。撃つふりをしているけれど、そんな脅しは信じない。もちろんわたしが襲いかかりでもしたら撃つでしょうけど、わたしはそんなことはしない。撃ちたいと思っていても、あなたは撃たない。すぐにわかるわ」

彼女は振りかえり、暗い瞳をおれに向けてきらめかせてから、ドアへと一歩踏み出した。

「後悔するぞ！」おれは脅した。

それに答えて、彼女はくっくと笑った。そしてまた一歩。

「止まるんだ、この馬鹿！」おれは彼女に怒鳴った。

彼女は振り向いておれを笑った。急ぐこともなくドアへと歩いていく。グレイフランネルの短いスカートが、踏み出した足とは反対の、灰色のウールのストッキングに包まれたふくらはぎの形を浮かび上がらせた。

おれの手のなかの拳銃は汗でべったり濡れていた。

右足が敷居にかかったとき、彼女の喉から小さなふくみ笑いがもれた。

「さよなら（アデュー）！」彼女は軽やかに言った。

そしておれは、彼女の左足のふくらはぎに銃弾をぶちこんだ。

彼女はへたりこんだ——ぺたん！　白い顔には驚きだけが広がった。まだ痛みは感じていないのだ。

おれはこれまで一度も女を撃ったことがなかった。とても奇妙な気分だった。

「おれが撃つのはわかっていたはずだ！」おれの声は険しく、乱暴で、他人の声のように響いた。「片足がないやつの松葉杖を取り上げるような男なんだ」


（門野集訳）

ミストラル

ラウール・ホイットフィールド

Mistral　一九三一年

ラウール・ホイットフィールド Raoul Whitfield（一八九八—一九四五）。アメリカの作家。別名義にラモン（レイモン）・デコルタがある。第一次世界大戦では空軍のパイロットとして活躍。終戦後に新聞記者を経て作家としての活動を開始する。パルプマガジン〈ブラック・マスク〉*Black Mask* で重用され、看板作家になるとともに、同じく常連であったダシール・ハメットとは終生の親交を結んだ。代表作は『グリーン・アイス』『ハリウッド・ボウルの殺人』。本編の初出は雑誌〈アドベンチャー〉*Adventure* 一九三一年十二月号。

最初に目を引かれたのは、男のスパゲッティの食べ方だった。おれは多少なりともしらふの状態のレミングスを〈コンテ・グランデ〉に乗せ、帆船は正午にはジェノヴァ港を出ていった。ひどく腹が減っていたので、レストランを探して埠頭をぶらぶらした。選んだ店は外れだった。ひどいにおいだったし、蠅がわんさといた。やつらはしつこくて、やかましく、イタリア料理が好物らしかった。だが、スパゲッティはうまかった。それをフォークに巻きつけながら、薄汚れた狭い店内を見回したとき、その男が目に留まったのだ。男もスパゲッティを食べていたが、それをナイフで切っていた。ジェノヴァではどこか場違いに見えたので、上等のパルメザンチーズをたっぷりとかけたスパゲッティを二皿平らげたあと、ただの好奇心からその男を眺めた。

大柄で浅黒い。目は黒く、顔は痩せている——体の割に痩せすぎていた。顔つきは険しいが、目は穏やかだった。一度、男が天井についた蠅の糞を見上げたとき、顎の下の傷があらわになった。白い肌に、傷跡がくっきりと浮かんでいた。ナイフの傷を見たことがあるが、それによく似ていた。長く、少しカーブしていて、嫌な赤色をしている。そう古い傷ではなさそうだ。

スーツは灰色の、地味なものだった。体にぴったりと合っている。イタリア人ではないだろう。男はおれが見ているのに気づき、それが気になっているようだった。次に見たとき、相手は見ないふりをしてこちらをうかがっていた。手が神経質に動き、口元の筋肉は引きつっていた。

ひどい味のコーヒーを飲んでいると、彼がこういうのが聞こえた——。

「うるさい蠅どもめ！」

声は太かったが、なまりはなかった。この日、アメリカからは二隻の船がジェノヴァに来ていた——大きな船と小さな船だ。男はアメリカ人で、着いたばかりに違いない。彼は勘定を払い、リラで計算しているおれの前を通って出ていこうとした。おれは軽くほほえみ、相手も笑みを浮かべそうになった。だが、気が変わったようだ。戸惑ったように顔をしかめ、顔をそむけた。身長は六フィート以上あり、肩幅はとても広かったが、歩くときには猫背になっていた。国境の町ヴェンティミーリアへ車を走らせながら、何度か男のことを思い出した。サンレモで、車の後部座席から水着を出し、地中海で泳いだ。午後三時頃で、暑い日だった。国境を越えてフランスに入り、モンテカルロへ着くまで、傷跡のある男のことは忘れていた。カジノの前で車を停め、煙草に火をつけたとき、黄色い大型車が停まった。イタリア車だ——かなりの高級車だ。運転手はイタリア人だった。そして、後部座席からあの傷の男が降りてきた。運転手に話しかけた彼は、こっちを見なかった。彼がカジノに入るときには、おれは背中を向けていた。おれはひどく興味をそそられた。蠅だらけの埠頭の食堂で、ナイフでスパゲッティを切り、高級車に乗る——その組み合わせには妙なものがあった。

男についてカジノに入ったおれは、彼がここへ来たのは初めてなのだとすぐに見て取った。

途方に暮れた様子で、目の前にあるきらびやかなレセプションも、何の助けにもならない。入ればすぐにギャンブルのテーブルが並んでいると思っていたらしく、戸惑っていた。係が彼に近づき、フランス語で話しかけた。ご用件は、と尋ねただけだが、傷の男には通じないようだった。

彼のすぐそばにいたおれは、とっさに行動していた。隣から笑いかける。

「左で入場券を買うんだ」おれはそういって、低いカウンターと、その奥の会計係を示した。

おれをじっと見る黒い瞳が、ひどく冷たくなった。あまりに急に温かみが消えたので、背を向けようとした。だが、男はこういった——。

「どうも」

おれはうなずいた。間違いなく彼はアメリカ人で、フランス語がわからず、何かに怯えている。興味を引かれたが、それを表に出せば、何も得られなくなるのはわかっていた。そこで、おれはゆっくりと左手へ向かい、チケットカウンターに近づいた。パスポートと十フランを渡し、名前とパスポート番号を書きつけられてから、入場券を渡された。すべてが速やかに終わった。振り返ったとき、傷の男の声が聞こえた——。

「入場券を一枚——」

カウンターの奥のフランス人は笑みを浮かべ、パスポートを要求した。だが、傷の男には通じなかったので、おれはまた助け船を出した。

「パスポートを確認する必要があるんだ。ここでの手続きだ」

黒い瞳が大きくなり、男の右手がグレーの上着の内ポケットに向かった。赤いパスポート入れがちらりと見えたが、そこまでだった。それは再び視界から消え、傷の男は悪態をついた。

「忘れてきたようだ」やや太い声で彼はいった。

ずいぶん下手な嘘だった。おれには目も頭もついていないと思っているらしい。だが、おれは男に向かってほほえんだ。

「それでも中に入ることはできる。名前と、別荘かホテルの名前をいえばいい。どうしても遊びたいというんだな――何だかついているような気がすると。笑顔でね」

フランス語は話せないから助けてくれといわれるだろう。そうしたら、カウンターの後ろのあの男は五か国語を流暢に話せるし、英語もそのひとつだと教えてやるつもりだった。だが、予想は裏切られた。傷の男はカウンターの奥の男に笑いかけ、パスポートはホテルに忘れてきたが、ついている気がするので、ルーレットをやりたいといった。

カジノの従業員は笑みを返し、パスポートを置いてくるのは感心しませんねといったあと、名前を訊いた。傷の男はいった――。

「トム――トマス・バークだ」

偽名なのはわかった。カウンターの奥の男は笑みを浮かべたまま、ミスター・バークが滞在しているホテルと町の名前を尋ねた。傷の男はいった――。

「カンヌに滞在している。グランド・ホテルに」

グランド・ホテルというのはなかなか無難な選択だ。フランスやイタリアの海辺の町にはたいていグランド・ホテルがひとつはあるし、一時はふたつあった町も知っている。だが、あいにく今日は八月三日で、カンヌのグランド・ホテルはまだ開業して三日目だった。滞在客はごく少ない。冬のシーズンのほうがずっと盛況になるのだ。経営者とは知り合いだった。ゆうべもそのホテルに立ち寄っていたし、トマス・バークという男が宿泊していないのは間違いなかった。

傷の男は入場券を受け取った。ルーレットはできるが、バカラは不可のチケットだ。男は立ち止まり、アメリカでは非常に人気のある煙草に火をつけた。箱の色が、部屋に巡らされている鏡に映っていた。おれはサロンに入り、あまり混んでいないテーブルについた。

ボールは立て続けに四回、赤の数字に入った。両替のブースへ行き、四千フランを楕円形のチップに替えた。テーブルに戻り、四十ドル分のチップを黒に賭ける。ボールはホイールの回転に逆らって転がり、最後には黒の数字の溝に落ちた。ディーラーが楕円形のチップを一枚、レーキでおれが賭けたチップのそばに押しやった。おれは両方のチップを取り、席を立った。一度のプレーで四十ドルの儲けだ。おれの流儀では、これで勝負に勝ったことになる。最初のプレーで四十ドル儲かることはそうないが、一度勝ったあとでチップを四、五枚失うのはよくあることだ。

だからおれは、一度勝ったら——そこでやめにする。カジノの無尽蔵な資金を相手に、限りある資金で勝負するつもりはない。それに、リヴィエラ一のギャンブラーに、こんなことを聞いたことがある。カジノで遊んでいる連中が、みんなおれのような遊び方をしたら、モンテカルロには大打撃だろうと。ちょっぴりの金で大金をせしめ、カジノを破産させてやると息巻いている連中のほうが、カジノにとってはやりやすい客なのだ。

いつものように、おれは気をよくした。チップを換金し、傷の男を探す。大きなサロンなので、すぐには見つからなかった。ようやく見つけ、彼がついているテーブルにぶらぶらと近づいた。男の前には七百から八百ドル分のチップが積まれていて、今はふたつの数字の間に千フラン分のチップを置いていた。見ている前で彼は勝ったが、表情は変わらなかった。世界一のカジノも、今の彼には恐れるに足りなかった。彼は博打をしていた。そして、博打に慣れているのはすぐにわかった。

おれがその場を離れる前に、男はまた勝ったが、笑顔はなかった。支払いは、彼のチップ一枚に対して十八枚だった。七百二十ドル。しかも彼が十八倍の賭けに勝ったのは、この数分の間に二度目だった。

カジノの外にしばしたたずみ、さっき見たパスポートを思い出していた。傷の男はいかさま師で、危険なことはしたくなかったのだろう。

男が持っていたパスポートは偽物で、モンテカルロの記録に残りたくないのか、それとも本物で、身元をばらしたくなかったのか。あるいは、これから何かが起こって、カジノが調べられるのを恐れたのか。

国境でパスポートを見せるのとはわけが違うのだろう。傷の男が大物で、正体がばれればプレーさせてもらえないという可能性も、ごくわずかだがあった。モンテカルロではそういうことがあるのだ。カジノ経営者というのは、ある部分では非常に注意深いが、誰もが知っているように、ほかの部分では実に軽率なのだ。

グランド・コルニッシュを走っている間、男のことは忘れていた。ひどく暑い日だった。風はそよとも吹かない。それから、ニースの〈フリゲート・バー〉に立ち寄り、シャンパン・カクテルを飲んだ。ニースとカンヌの間の狭いビーチで、小さな車の後部座席から濡れた水着を出し、もう一度泳いだ。ドライブを再開し、ジェノヴァから帰国の途についたレミングスは、まだしらふだろうかと考えた。たぶん、それはないだろう。

カンヌの東側の突端へ向かううちに、少し涼しくなってきた。町は半円形を描いている。目の前に三日月形の海岸線が見えた。遠くでは、エステレル山塊が海に落ち込んでいる。いい眺めだった。耳障りなクラクションの音が後ろからして、おれはクロワゼット通りに注意を戻した。すると、またもクラクションの音を響かせ、大きな黄色い車がスピードを上げて追い越していった。車と運転手には見覚えがあった。そして、後部座席には傷の男がいた。満面の笑みを浮かべている。相当勝ったのだろう。だが、なぜ連勝が途切れるまで粘らなかったのだろう?

グランド・ホテルはクロワゼット通り沿いにあり、おれの小さなホテルに通じる曲がり角は、それよりもはるかに手前にあった。だが、おれは曲がらなかった。ゆっくりと車を走らせ、グランド・ホテルから一街区(スクエア)ほど離れたところで、のろのろ運転の巨大な黄色い車を追い越した。運転手はにやにやしていた。

ホテルの近くに車を停め、煙草を吸った。中に入ったときには傷の男の姿はなかったが、友人の経営者がいた。狭いオフィスに入り、四方山話をしたあと、傷の男の話になった。ああ、来ているよ。ひどく軽装で、ハイヤーで旅している。鞄ふたつだけで、シールもべたべた貼られていない。名前はアンソニー・セナ。アメリカのニューオーリンズから来た。泊まっているのはバス付きだが、地中海に面してはいない部屋だ。

おれが眉を上げると、友人はにやりとした。

「金の問題じゃないと思う」彼はいった。「風の問題なんだ」

「風？」

友人の経営者はうなずいた。

「ムッシュー・セナは風が嫌いだそうだ。夜中に目が覚めるのがわずらわしいとさ。それに、ミストラルなら、知っての通り大風になる。ひどい風にね」

確かに、ミストラルの風はひどい。三日から六日、ごくたまに九日間、風が吹き荒れるのだ。それは雲ひとつない空から発生し、地中海から直接吹き上げ、クロワゼット通りを砂だらけにする——洒落たバーや店が立ち並ぶ、ビーチに沿った湾曲した道路を。それは日よけを切り裂き、コンクリートの防波堤につながれている洒落たヨットを小さな港に押し流す。砂の上には十フィートの波が押し寄せ、クロワゼット通りから一スクエア離れていても、唇に塩辛いしぶきがかかる。その間、ずっと空は青いのだ。

そして、モンテカルロではトマス・バーク、カンヌではアンソニー・セナと名乗った傷の男は、風が嫌いだった。話すときには冷たい目になり、ジェノヴァの海岸沿いの薄汚れた食堂で、スパゲッティをナイフで切り、モンテカルロでは数千フランの勝負をし――風が吹くと眠れない。

「しばらく滞在するのかな?」おれは友人に訊いた。

経営者は肩をすくめた。

「リヴィエラじゃ、いつまでいるかなんて誰にもわかりっこないさ」彼はいい返した。「だが、部屋は最上階の、裏手に面した角部屋だ」

「裏手に面した角部屋?」おれは戸惑いながら繰り返した。

というのも、グランド・ホテルの最上階の角部屋には、奇妙なことに裏手に面したふたつの窓しかないからだった。側面の窓はない。それに、隣は部屋でなく、大きなリネン室なのだ。この時期にはおそらく暑くなる――ひどく暑くなるだろう。

経営者はうなずいた。おれはいった――。

「ほかの部屋も見たんだろうな?」

おれが興味を示したことに、友人は少し驚いているようだった。だが、おれたちはしょっちゅう、どうでもいいことを話していた――おれたちにとってはどうでもいいことだが、ほかの連中にはとても大事なことを。

「ムッシュー・セナはいくつか部屋を見て、東の角部屋に決めた」経営者はいった。

「まあ、ミストラルが吹いても、そこなら少しくらいの風の音しか聞こえないだろうな」

友人は同意した。

「壁はとても厚いし、網戸もしっかりしている。ミストラルの音もほとんど聞こえないだろう」

パリから電報が来て、翌日サン・ラファエルへ向かった。おれはシュミットというドイツ人を探していた。ベルリン近郊の小さな町の銀行から大量のマルクを盗み、おれとつながりのある組織のパリ支局が、そいつがフレンチ・リヴィエラの町にいると聞きつけたのだ。サン・ラファエルのシュミットは、ドイツ人の強盗に少しだけ似ていたものの、支局の間違いだったようだ。こちらのシュミットは気のいい男で、何杯か一緒に立ち飲みしたあと、彼と別れてエステレル山塊を越え、カンヌに向かった。風が吹いてきた。道路の一番高いところ、地中海をほぼ千フィート下に見下ろすあたりを走っていると、吹きすさぶ風に車が揺れた。

「ミストラルだ」おれはいった。「始まったな」

それから、顎に傷のある相棒のことを思い出した。温かい目が急に冷たくなる男のことを。スピードを上げ、四時頃にはカンヌに着いた。風は強さを増していた。日よけは巻き取られ、ヨットはコンクリートの防波堤の後ろの小さな港に押し寄せていた。砂はクロワゼット通りの上で渦を巻いていた。常連客が最も多い海辺のバー、〈ミラマー〉と〈チャタム〉はがらがらだった――カクテルタイムまではまだ三時間ある。

おれはホテルへ戻り、写真をおさめたファイルを手に取った。特製のケースに入った大きなファイルで、ゆうべは二百枚に目を通した。さらに五十枚見たところで手を止めた。右手に持っているのが、傷の男に似ていた。傷はなく、髪形も違っていた。だが、あの男だった。おれは写真を裏返して読んだ。

アンソニー（トニー）・セナ。シカゴ、一九二六年九月、ジャッキー・マークスがマシンガンで撃たれるまで彼のボディーガードを務める。一九二七年三月、殺人容疑。三度の起訴――有罪にはならず。ビール党。スペンサー・トレイシーの殺人に関与。不起訴。一九二八年初頭から行方をくらませる。一九二九年二月、シカゴの警官殺しの容疑で裁判にかけられたあと、一九三〇年六月、ロサンゼルスの賭博船に現れる。それから三カ月後、アル・フェスが殺害される。セナは殺人容疑で裁判にかけられるも、有罪にはならず。大金を使って無罪を勝ち取る。その後の記録なし。

そこには、傷の男が手を加える前の姿があった。体重を増やし、髪形を変え、セナという名は必要に迫られたときしか使わないのだろう。身分証明書を見せろといわれることがあるのを知っているのだ。それに、警察がホテルで名前を訊くことを。パスポートは本物に違いない。だが、モンテカルロの記録にセナという名を残したくなかったのだろう。グランド・ホテルでは安全策を取った。何らかのアクシデントがあって、警察にパスポートを確認されるのを恐れたのだ。

やつが何者なのかこれでわかった。アル・フェスがシカゴの大立者だったことを思い出す。だが、フェスはカポネに追い出され、ホレス・グリーリーの忠告を聞いて西へ行ったのだ（一八六五年に新聞掲載された「西部へ行け若者よ」という、開拓をうながす有名な論説のこと）。そして、三マイル海域の外で巨大な賭博船を経営しはじめたことで、物事が悪いほうへ傾いていった。一度は爆弾を仕掛けられ、別のときには放火されたのを覚えている。それからまもなく、フェスは射殺された。傷の男は起訴され、裁判にかけられた。だが有罪にはならなかった。裁判は九月か十月だっただろう。一年ほど前だ。

おれは写真をファイルに戻し、煙草を二本吸った。風は今や暴れ回っていたが、気にならなかった。部屋の三つの窓についている網戸がガタガタいい、軒蛇腹（のきじゃばら）のどこかが緩んだらしく、断続的に叩きつける音がした。おれはセナが選んだ部屋のことを思い出し、苦笑した。

おれが一番気に入った筋書きはこうだ。セナは一年前、アル・フェスを殺した。そして裁判後、しばらく身を隠していた。フェスはかなりの大物だ。おそらくセナは、アメリカじゅうを逃げ回っただろう。だが、それはあまりにも荷が重すぎた。そこでジェノヴァにやってきた。それでも不安は消えない。分厚い壁の、隣がいない部屋を選んだ。最上階の部屋を。彼は孤独で、知らない国にいながら、他人を恐れている。つまり、トニー・セナは追われる男なのだ。

しばらくして、おれは刻々と荒れていく海で泳いだ。波は三、四フィートの高さになり、地中海らしく、ごく短い間隔で次々と押し寄せてきた。ひと泳ぎしてホテルに戻ったときも、ミストラルはいよいよ強さを増していた。おれは薄いフランネルに着替え、コルト・オートマチックをズボンの深い尻ポケットに忍ばせた。セナをどうしたいのか、まだ決めかねていた。つまり、彼と話がしたいのか、話してみたいだけなのか。ただの好奇心から——話をしたがらない男と。

ボーイがまた電報を持ってきた。チップのフランを受け取り、戻っていく。おれは電報を読んだ。簡単な暗号で書かれている——パリ支局からだ。当面、シュミットのことは忘れろという。パリの依頼人が、アンソニー・セナの行方をとても知りたがっている。昨日、ジェノヴァに上陸したと思われる。暗号でセナの特徴が書かれており、それには傷のこともあった。おれはセナの行方を突き止め、支局に電報を送る。それだけでいい。そのほかに、V.I.という文字が書かれていた。「きわめて重要（ベリー・インポータント）」ということだ。

おれはもう一本煙草に火をつけ、レミングスを〈コンテ・グランデ〉に乗せたことで訪れたチャンスににやりとした。そして、少しセナが気の毒になった。いずれにせよ、セナは十分遠くまで逃げなかったか、あるいは間違った場所へ逃げてきてしまったのだ。ビジネスはビジネスだ。おれはフランスの電報局へ行き、暗号化した電報をパリに送った。探している人相に合致したアンソニー・セナという男が、フランス、カンヌのグランド・ホテルにいるという内容だ。

この迅速さに、パリはさぞ驚くだろうと考えたとき、一杯か二杯やってもいいのではないかという気になった。そこで、強まる風の中車を走らせ、〈チャヤタム〉のそばに停めた。セナはいなかった。七時過ぎで、バーは混雑していた。女たちが着ているリゾートウェアはいつものように華やかだったが、とうの昔に驚かなくなっていた。おれはミストラルの風に邪魔されてドアを開けるのに苦労したあと、外に出て〈ミラマー〉へ向かった。

最初、目当ての男は見当たらなかった。こっちのバーのほうが広く、騒がしく、混雑していた。おれは薄暗い隅の小さなテーブルへ向かった。すると、トニー・セナが目に入った。肘掛椅子に前屈みになって座っている。大きな体が前に沈み、腕は両側に置かれていた。そこからは、バー全体と入口が見わたせる。前のテーブルにはビールのグラスがあった。彼は顔をしかめていた。打ちひしがれているように見える。

おれの顔を見ると、少し背筋を伸ばした。笑みを浮かべようとしている。おれは何気なく手を振り、相手の目が険しくなるのを見た。だが、そんな表情はすぐに消え、笑顔めいたものになった。少しためらってから、彼は太い声でいった――。

「ひとりなんだ――一緒にどうだい？」

おれは躊躇（ちゅうちょ）した。探偵をやっていると、ユダになったような気持ちにさせられるときがある。このときがそうだった。自分が売った男に、一緒に飲もうと誘われている。

おれはいった――。

「いいとも――もちろん」

おれはテーブルを挟んだ向かいの肘掛椅子に座り、身を乗り出した。

「おれはベン」相手が偽名を使うだろうと思って、こちらも偽名を使った。

「おれはバークだ」彼は答えた。「トム・バーク。カジノでは世話になったな。あそこでは気後れして、失礼なことをしたかもしれない」

おれは手を振ってそれを退けた。ミストラルの風のひと吹きが、外のものを騒がせ、揺さぶった。大男は身震いした。

「ミストラルだ」おれは愛想よくいった。「始まったな」

男は悪態をついた。

「風は嫌いだ。気に障る。ミストラル？　いったい何なんだ？」

おれはウィスキー・サワーを注文した。

「ただの風だ」おれはいった。「これが本当にミストラルなら、三日から六日は続く――あるいは九日。九日というのはめったにないが」

男は身を起こし、おれに向かって目をしばたたいた。

「こんなのが――九日間も！」彼はつぶやいた。「何てこった――おかしくなっちまう」

おれはうなずいた。

「そうなる人間もいる。フランスには一種の不文律がある――一緒に暮らす男女に当てはまる不文律が。八日目か九日目にどちらかが相手を殺しても、罪には問われない」

セナはおれをじっと見た。

「冗談だろう？」とつぶやく。

「そういう話だ――この手の事件を罪に問うのはひどく難しい。四、五日もすると、風が神経に障ってくる。九日というのは見たことがないが、六日は二度経験がある」

彼は何やら聞き取れないことをいい、ビールを飲んだ。数秒おきに入口のほうを見る黒い目は鋭かった。誰が入ってきても見逃さないだろう。おれは送ったばかりの電報を思い出し、妙な気持ちになった。探偵というゲームには、うんざりさせられるときがある。

ウェイターが運んできたウィスキー・サワーを手に、おれは陽気にいった――。

「犯罪に乾杯！」

男はそれを聞いてにやりとし、ビールのグラスを上げた。おれは顔をしかめた。

「ビールなんてろくでもない」おれはいった。「時間の無駄だ」

すると、彼は深く考えもせず、険しい顔でいった。

「ああ、だが、目や神経にあまり影響がないのでね」

おれは傷の男がどこか好きになっていた。なぜなのか、いちいち考えはしなかった。たぶん、少し哀れに思ったのだろう。彼に死が迫っているという強烈な予感がした。男の様子も、その予感を少しも変えなかった。怯えてはいないが、神経を尖らせている。知りたいことがあったので、探りを入れてみた。

「ここには来たばかりなんだろう？」そう訊きながら、心配そうな声にならないよう気をつけた。

男はおれをじっと見た。

「技師なんだ」彼はいった。「メキシコにいた――ずっとひとりで。二カ月の休暇をもらえたので、貨物船でジェノヴァに来たのさ。ただの思いつきでね」

おれはうなずいた。技師だというのは信じられなかったが、メキシコにいたことと、ひとりだったことは信じられた。彼はそこに嫌気がさして、リヴィエラとカンヌを選んだ。それが失敗だった。そして、自分に目をつけ、正体を暴いた男と一緒に飲んでいる。

カウンターの奥でグラスが割れる音がした。入口のドアが開き、グループが笑いながら入ってきて、風を持ち込んだ。セナはまた椅子の上で身を低くした。

「風は嫌いだ」彼はつぶやいた。「この町を出ようと思う」

電報のことを思い出し、それはまずいと思った。そこでいった。

「こいつはリヴィエラじゅうを吹いている。この風を避けたければ、相当山奥に引っ込まなきゃならない。当てにはならないさ——長くは続かないかもしれない。明日の朝にはそよとも感じないかもしれない」

皮肉な気分だった。特別機なら、パリからカンヌまで五時間もしないうちに着く。定期便でも六時間だ。セナにどうしても会いたいやつがいて、おれの知識と勘に誤りがなければ、夜中の十二時にはグランド・ホテルに着くだろう。性能のいい飛行機なら風をかいくぐり、問題なく着陸できる。

セナがいった——。

「やむことがあると思うか?」

おれはうなずいて、ウィスキー・サワーを飲み干した。

「ああ」おれはいった。「おれのおごりで一杯どうだ?」

男はもう一杯ビールを飲み、おれはウィスキー・サワーを飲んだ。もう少し腹を割って話したかったが、相手は話をしたくないようだ。常に入口のドアと、そばを通り過ぎる人物の顔に目を光らせている。おれはいった――。

「カジノで遊んだんだろう――ついてたか？」

相手は白い歯を見せてにやりとした。それから黒い目を険しくし、顔をしかめた。

「ああ――たぶん、つきがよすぎたかもしれない」彼はそういった。

おれは戸惑った顔をした。

「つきがよすぎた？」

彼はどこか間の抜けた笑みを浮かべてみせたが、少しも間抜けでないことは確かだった。しばらく沈黙が続いてから、彼はどこかぞっとするような口調でいった。

「あれほどついていたのは、人生でほんの数回のことだ。そして、その直後には――つきをなくす。どんなものか、あんたにもわかるだろう」

おれは二杯目のサワーを飲み終え、立ち上がった。

「ああ、わかるよ」おれはいった。「よくあることだ。またな」

急に席を立ったことにも、男は驚かない様子だった。

「ああ。じゃあな」

風の中に出て、ミラマー・ホテルの電話を借り、町外れの小さな飛行場のオフィスに電話をかけた。そこではおれはジェイ・ベンで通っていて、ドイツやスイス、スペインに急ぐときによく使っている。カンヌでは、おれはとても気のいいアメリカ人で、金は持っているが持ちすぎでもなく、このあたりの海岸を気に入っている男だと思われていた。

電話でレオン・デモーニュを呼び出し、夜中に飛行機が到着したら連絡をくれるように頼んだ。そうしてもいいが、今、パリから一機向かっていると彼はいった。高速単葉機で、操縦士を除いて乗客はふたりだという。おれはその飛行機ではないと思うといった。彼は飛ばないほうがいいと電報でアドバイスしたが、それでも来たようだという。大事なデートの真っ最中の、いかれたアメリカ人のカップルだろうと、彼は最後にいった。

たとえフランスでも、彼の意見が正解だとは思えなかった。飛行機に乗っているのがふたりのアメリカ人なのは確かだ。だが、レオンが考えるような大事なデートではないだろう。それに、いかれてもいないのは間違いない。

おれは小さなロシア料理のレストランで、ひとりで夕食をとった。黒パンはいつもと違ってうまく感じられなかった。気になるのは、トニー・セナを追っているのは決して警察ではないということだ。よくあることだが、悪党どもが評判のいいエージェントを使って別の悪党を追っているのだ。おれは自分がその立場にセナを追い込んだ気がして、嫌な気分になった。彼は殺し屋で、ほかにもいろいろなことをしてきたのだろうが、やつに見込みはほとんどないだろう。銃声が聞こえるようだ——そして、傷のある大男が倒れるのが目に見えるようだった。全部間違いかもしれないが、そういうものと決まっているのだ。

十時にホテルに戻り、期待していた電報を受け取った。局長のマッキーからで、短いものだった。「素早い対応に依頼人も喜んでいる。これ以上のセナの調査は不要」暗号で書かれていた。これを読んで、あの大男に死が迫っているのを確信した。調査を外されたのはいつもの手続きとは違っていた。依頼人は自分たちでやるつもりだ。そして、彼らは喜んでいる。

ベッドに横になり、ミストラルが吼えるのを聞いた。おれの神経にも障りつつあった。三十分ほどしたところで、心を決めた。ビジネスはビジネスだ。だが、その中には自尊心をはなはだしく損なうものもある。おれはグランド・ホテルへ車を走らせた。セナはいなかった。〈ミラマー〉へ行くと、彼はおれが席を立ったときと同じ場所にいた。サンドウィッチを食べ、まだビールを飲んでいた。おれを見てにやりと笑った。

「こんなありさまじゃ外に出られなくてね」彼はいった。「それで、ずっとここにいたんだ」

おれはうなずき、彼のそばに椅子を引き寄せた。コーヒーだけ注文する。男は黒い目を細くしてこちらを見た。

「いまいましいミストラルめ！」彼はつぶやいた。「三日か、ひょっとしたら六日続くといったな？」

おれはいった。

「そいつは誰にもわからない」それから、ずばりと切り出した。「いいか、セナ」相手が驚くのにも構わず、穏やかにいった。「ジェノヴァに来たのは運が悪かった。たまたま同じ店で食事をして、あんたを見かけたんだ。モンテカルロのカジノで、パスポートをちらっと見た。それでわかったんだ。おれの名前はベンじゃない——そして、国際的な探偵事務所とつながりがある。支局からあんたのことで電報を受け取り、あんたがカンヌのグランド・ホテルにいると返事した。アメリカ人がふたり、飛行機でこっちへ向かっている——パリ支局の依頼人だ。あんたに会いにくるんだ。真夜中には着くはずだ。事情がわかるまでしばらくかかったが、あんたはサンタモニカの賭博船でアル・フェスを殺し、目をつけられているんだろう。おれは自分がしたことが気に入らない。だから警告している。それだけだ」

テーブルの端をつかんだ男の大きな手が、白くなっていった。黒い目が細く、冷たくなる。

おれは右手をコルトのグリップから離さなかった。

「セナ、あんたがこの世の誰よりも清廉だとは思わない」おれはいった。「それに、おれは今銃を握っている。だから、間違った真似はするな。わかってほしいのは、おれの直感では、あんたを追っているのは法の番人ではないということだ。おれの信じる法じゃない。あと二時間ほどあるし、風も嫌いなんだろう。おれのことは心配ない。おれは、あんたがグランド・ホテルにいると電報を打ち、あんたはそこにいた。ハイヤーを雇って——」

おれは言葉を切った。セナは白くなったこぶしをテーブルからどけた。大きな椅子の中で力を抜き、顔にはぞっとするような笑みを浮かべている。彼はくすくす笑った。おれが見ている前で、ゆっくりと首を振る。

「何とね！」男はつぶやいた。「探偵に警告されるとは！　想像できるか！」

おれは少し笑ったが、何もいわなかった。男は首を振りつづけていた。しばらくして、彼は煙草に火をつけた。

「ぐずぐずしている暇はないぞ、セナ」おれはいった。「この風でも、そう飛行機を遅らせることはできないだろう」

男は大きな頭を振った。

「おれは逃げないよ、ベン——いや、何て名前か知らないが」彼はゆっくりと、感情のない声でいった。「もう長いこと転々としてきた。あちこち——遠くへ。行きたくもない場所へね。ずっと追われているんだ。フェスを殺ったといってるんじゃない。だが、少しでも怪しいところがあれば、犯人ってことになっちまう。わかるだろう? だけど、おれはここにいる」

「馬鹿なことはいうな、セナ。警察は別に——」

男は急に疲れたように見えた。

「あいつらは警察よりたちが悪い、ベン」彼はうんざりしたようにいった。「いっただろう、逃げるのには疲れたんだ。おれはここにいる。あんたは——」彼は大きな人差し指をおれに突きつけた。「さっさとここを出ていくんだ!」

おれはゆっくりと立ち上がりながらいった。

「とにかく警告はした。全部おれの勘違いかもしれないが——注意するだけはしたぞ、セナ」

彼の目には皮肉な表情が浮かんでいた。

「そうとも、ベン」彼はいった。「さあ、おれを放っといてくれ」

飛行機が来たのは、おれの腕時計で十二時二十分だった。照明のついた飛行場を三度旋回したあと、ひどい風をついて着陸した。旅客機タイプの小さな単葉機だ。おれはフレジュス通りに車を停め、ライトを消していた。十分ほどしたところで、飛行場で待っていた一台の車が大通りをカンヌへ向かった。ついていくには相当なスピードを出さなくてはならなかった。何スクエアか離れてついていくと、車はグランド・ホテルで停まった。風はクロワゼット通りのヤシの木を猛烈にざわめかせていた。着実に威力を増しているようだ。

おれは一スクエア離れたところに車を停め、脇の入口からホテルに入った。メインロビーに入ったときには、コンシェルジュのほかには誰もいなかった。彼とは顔なじみだった。ふたりの紳士が来て、ムッシュー・セナの邪魔をしたくはないが、部屋にいるかと訊いてきたそうだ。コンシェルジュは、ムッシュー・セナは〈ブルー・フロッグ〉にいると伝えた。すると彼らは礼をいって、立ち去った。部屋は取らなかったし、荷物はひとつも持っていなかったということだ。

「なぜムッシュー・セナが〈ブルー・フロッグ〉にいると知っている？」おれは訊いた。

コンシェルジュは肩をすくめた。

「そこへ行くとおっしゃっていたものですから」彼は答えた。「静かに飲める場所はないかと訊かれたんです。音楽があって、でも人のあまりいないところで。それに、明かりがまぶしすぎないところで」

「なるほど（セ・サ）」おれはむっつりといった。

彼のいう通りだ。〈ブルー・フロッグ〉はダンスもできる小さな店だった。小編成のオーケストラがいて、明かりは薄暗い。洒落た店ではないので混みはしない。薄暗い明かりは、セナに有利に働くだろう。客が少なければ、当事者以外が流れ弾に当たる可能性は低くなる。セナが他人のことを気づかっているかどうかはわからないが、誰しも、自分なりに道義心と呼べる規範を持っているものだ。セナも例外ではない。

〈ブルー・フロッグ〉は、カンヌの東端に当たる主要なビジネス街、アンティーブ通りから少し引っ込んだところにあった。ヤシの木の間に隠れ、近くに建物はない。おれは車を飛ばし、半スクエア離れたところに停めて、先を急いだ。脇のドアから入ると、すぐにセナが目に入った。おれを見て目を細くし、笑みを浮かべた。今回は肘掛椅子で身を低くしているのではない。小さな木の椅子に座っていた。肘掛けはない。両手は薄手のスーツの上着のポケットに入っていて、テーブルのやや左寄りに座っていた。脇のドアとまともに向かい合っていて、正面のドアは彼の大きな体と一直線になっている。

おれはしばらくその場で彼を見ていた。それからカウンターへ向かった。スコッチのストレートを注文する。小編成のオーケストラが「アイ・ヤイ・ヤイ」を演奏していて、ギターがピアノをリードしていた。店には数人しかいなかった。ミストラルのせいで外に出ないのだろう。それも好都合だ。

飲み物を取ったとき、指がかすかに震えた。カウンターの奥に鏡があり、おれはそれを見た。正面のドアが映っている。バーテンはおれの震える指を見て誤解したようだ。ミストラルはよくないな、神経がおかしくなると彼はいった。おれは同意し、スコッチをぐいと飲んだ。カウンターにグラスを置いた拍子に鏡に目が行き、背の高い、険しい顔をした男が入ってくるのが見えた。振り返って脇のドアを見た。それよりも背が低く、がっしりした男が、一陣の風とともに薄暗い店内に入ってきた。女がけたたましい笑い声をあげ、オーケストラは速いリズムで演奏を続けていた。

どちらの男も、すぐにセナに気づいたようだ。これほど人が少なければ、そう難しいことではない。背の低いほうの男が身をこわばらせ、上着の裾がめくれたのが見えた。二発の恐ろしい銃声がした。マキシム・サイレンサーのついていない銃だ。悲鳴が起こった。背の低いほうの男は一歩前に出て、それから床に崩れ落ちた。

振り返ってセナを見た。また銃声がして、大きな体が痙攣(けいれん)した。だが、彼は右手を上げた。左側でめちゃめちゃになっているテーブルをよそに、正面ドアの、背の高い険しい顔の男に近づく。また銃声がして、セナの左腕がだらんと垂れた。だが、右手の銃はまっすぐに伸びていた。彼は歩きつづけていた。その顔は恐ろしい笑みに歪んでいた。背の高い男は彼をじっと見た。もう一発撃ったが、弾はそれた。それはセナの後ろの壁に当たり、造花を引き裂いた。続いて、セナが撃った。何度も何度も。四発まで数えたところで、すべての音がひとつのすさまじい轟音になった。音がやんでから、おれはドアのそばに倒れている、動かないふたつの体に近づいた。背の高い男は死んでいた。セナは生きていた。身をかがめたおれに、弱々しくいう。

「あいつらは――仕留めたか？」

おれはその場を離れ、脇のドアに近づいた。がっしりしたほうの男も死んでいた。銃弾は口から上へと貫通していた。おれは戻って、セナの横に膝をついた。

「どっちも死んでいる」

彼は笑みを浮かべようとしたが、とうてい無理だった。ひどく弱々しい声で彼はいった。

「ああ――おれが――アル・フェスを殺った」しばらくして、またいった。「くそっ――聞こえない――いまいましい風の音が――」

「楽にしろ、セナ――」

ほかに何といったらいいかわからなかった。彼は目を閉じ、しばらくして、また弱々しい声で続けた。

「おかしなものだ――あの風がなかったら――たぶん――また逃げていただろう。なのにあれが――おれの心を痛ませ――ここにとどまる気にさせたんだ――」

彼はそれ以上何もいわなかった。興奮しきった憲兵が来て、矢継ぎ早に質問してきたときには、彼はもう死んでいた。おれは適当に質問に答え、カウンターへ行ってもう一杯注文した。納得するにはしばらくかかった。酒を飲みながら、セナが本当に風に奇妙な思い入れを持っていたとすれば、それはそれでよかったのかもしれないと思った。いつまでも逃げてはいられないからだ。

ミストラルは三日間続き、終わってからは太陽が熱く照りつけた。

〈ブルー・フロッグ〉は大流行りだった。経営者はセナに当たり損ねた銃弾が壁に空けた穴に額縁をつけたのだ。物見高い連中がそれを見にきて、地元のフランス人も足を運んだ。経営者は、トニー・セナの弾にも額縁をつけたかったといったが、それは無理な相談だった。セナの弾は一発もそれなかったからだ。

（白須清美訳）

待っている

レイモンド・チャンドラー

I'll Be Waiting　一九三九年

レイモンド・チャンドラー Raymond Chandler（一八八八―一九五九）。アメリカの作家。一九三三年、パルプマガジン〈ブラック・マスク〉*Black Mask* に短編「脅迫者は射たない」が掲載されデビュー。一九三九年に『大いなる眠り』で登場させた私立探偵フィリップ・マーロウはハードボイルドを代表するキャラクターとなった。代表作は『さよなら、愛しい人』『ロング・グッドバイ』など。本編の初出は雑誌〈サタデー・イブニング・ポスト〉*The Saturday Evening Post* 一九三九年十月十四日号。

午前一時、ウィンダミア・ホテルのメイン・ロビーでは、夜勤のボーイのカールが、最後に残った三つのテーブルランプの明かりを弱めてまわった。カーペットのブルーの色合いが、一段階か二段階、濃さの度合いを増し、周囲の壁が遠のいていった。配置された椅子はどれも、くつろいでいる客たちのおぼろげな影で埋まり、部屋の隅々には、その日の記憶が蜘蛛の巣よろしくからみついている。

トニー・リセックはあくびをした。首をわずかにかしげ、ロビーの向こう端、薄暗いアーチの奥のレディオ・ルームから聞こえてくる、かぼそくさえずるような楽の音(ね)に耳をすます。そして眉をひそめた。午前一時以降、あのレディオ・ルームはこの自分だけのレディオ・ルームであるはずだ。他人に立ち入ってもらいたくはない。あの赤毛女めが、せっかくのおれだけの夜を台なしにしようとしている。

だがすぐに渋面(じゅうめん)は消えて、かわりに、かすかな笑みらしきものがくちびるの両端をぴくつかせた。ゆったりとすわりなおす。短軀で、青白い顔、腹のつきでた中年男だが、大鹿の歯を飾りにつけた時計の鎖の、その鎖の上で組みあわされた両手の指は、見るからに長く、繊細らしい造りだ。いってみれば、手品師のそれのような、長く、器用そうな指――爪はつやつやと光って、形よくととのえられ、指の第一関節から先はすんなりととがって、指先はさながら小さな篦（へら）を並べたかのよう。ほれぼれするような、美しい指だ。その指をトニー・リセックは静かに揉みあわせた。海水にも似たブルーグレイの目は、どこまでも穏やかに澄んでいる。

だがそこで、すぐにまた渋面がもどってきた。音楽が気にさわる。立ちあがった。奇妙になめらかな、全身が一個のピースとして連動しているかのような動き。組んだ両手は、時計の鎖の上から離れさえしない。いまのいままで、くつろいで椅子にもたれていたのが、つぎの瞬間には、もう立ちあがって、ゆらりとも動かない。むしろ、見ているほうがなにか見落としたのではないか、目の錯覚ではなかったのか、とわが目を疑いたくなるほどだ。

小さな磨きあげた靴を優雅に運んで、ブルーのカーペットの上を横切っていった彼は、アーチをくぐった。楽の音が一段と大きくなった。熱っぽく、耳に突き刺さるような、強烈な騒音だ。聞くものの神経をかきみだすようにくりひろげられる、狂躁的なジャムセッション。それにしても、音が大きすぎる。赤毛の女がそこにすわって、目の前の大きなキャビネット型ラジオにはめこまれた、格子細工（フレット）の部分を無言で見つめていた。あたかもそうやって見つめていると、演奏しているバンドマンたちの、顔に貼りついたような愛想笑いだの、彼らの背中を流れる汗だのが見てとれる、とでも言いたげに。両脚を折り曲げて、長椅子に横座りになっているが、その長椅子たるや、部屋じゅうのクッションをぜんぶ積みあげたかのようにふくれあがっていて、そのクッションの山に埋もれるかたちで、彼女はちんまりおさまっていた。見た目はさながら、花屋の薄い包装紙にくるまれたコサージュといったところ。

近づいていっても、彼女はふりむかなかった。薄桃色の膝頭に、小さく握りしめた片手を置いて、ただそこにもたれているきり。身につけているのは、ゆるやかなラウンジパジャマ、どっしりした畝織りのシルクの地に、黒い蓮華模様の刺繍がほどこしてある。

「グッドマンがお好きなんですね、ミス・クレッシー？」トニー・リセックは話しかけた。女はものうげに目だけを動かした。部屋の照明は落とされているが、その目の帯びた菫色は強く、ほとんどこちらの目に痛いほどだった。大きな、深みのある目なのに、その奥にある思いは、かけらほどもうかがわれない。古典的にととのった顔だちでありながら、表情らしきものはまったく欠けている。

彼女は返事もしなかった。

トニーは軽くほほえむと、組んでいた指を一本一本、その動きを意識しながら体の脇へと移した。それから、穏やかにくりかえした。「グッドマンがお好きなんですね、ミス・クレッシー？」

「泣いて喜ぶってほどでもないけど」抑揚のない口調だ。

トニーは足の踵に重心をかけて体をそらせると、彼女の目を見据えた。大きくて、深く、そのくせうつろな目。いや、ほんとうに空虚なのだろうか？ つと手をのばすと、彼はラジオの音を低くした。

「誤解しないでね」女は言った。「グッドマンはお金を稼いでるわ。そしてきょうび、まともな稼業でお金を稼いでるひとって、それだけで尊敬にあたいすると思うのよ。それでも、このジルバっていうのかしら、こういう騒々しいだけの音楽って、どこかのビアホールの背景音みたいにしか感じられない。あたしはもっと華のあるもののほうがいいわね」

「だったら、モーツァルトなんか、どうです？」トニーは返した。

「からかうつもり？　ならばいくらでもどうぞ」女も言いかえしてきた。

「からかってなんかいませんよ、ミス・クレッシー。モーツァルトこそは、古今を通じてもっとも偉大な人物だとわたしは思ってます——そしてトスカニーニは、その彼の福音を伝える預言者だと」

「あなたのこと、このホテルの雇われ探偵だとばかり思ってたけど」もとどおりクッションに頭をあずけなおすと、彼女はまつげの奥からじっとトニーを見つめた。「じゃあそのモーツァルトとやらのことを、もうすこし教えてちょうだい」と、つけくわえる。

「もう遅すぎる」トニーは吐息した。「いまさら聞きかえそうとしても、そうはいかない」

　ここでまた彼女は、持ち前の澄んだまなざしを長々と彼に向けてきた。「あなた、あたしに目をつけてたでしょ、探偵さん？」そう言って、低く笑う——ほとんど吐息と変わらないくらいに。「このあたしが、なにか悪いことをした？」

　トニーも小さく、持ち前の真似事めいた笑みを返した。「なにもしちゃいませんよ、ミス・クレッシー。まったくなにひとつ。ただしあなたには新鮮な空気が必要だ。これで五日間、このホテルに滞在しておいでだが、そのかん一歩も外に出ていない。しかも、お泊まりなのが、あのタワー階の部屋ときている」

彼女はまた笑った。「なにか事情がありそうね。それを聞かせて。退屈してるの」

「以前、やはり若い女性が泊まりましてね――いまあなたがお泊まりの、あのスイートに。まる一週間、その部屋にいた。あなたとおなじに。つまり、ぜんぜん外に出ることなしに、という意味です。おまけに、ほとんどだれとも口をきかなかった。で、あげくに、彼女がなにをしたと思います?」

真顔になって、彼女は彼を見据えた。「宿泊費を踏み倒して逃げた、とか?」

無言のまま、彼はその長く、繊細な造りの手を片方だけ前に出すと、指をひらひらさせながら、ゆっくりと手のひらを返した。あたかも寄せ波がものうげに岩に砕け散るような、そんなさまを連想させる動きだ。「いいや。宿泊費のほうは、請求書を持ってこさせて、その場で支払った。ついでにそのボーイに、三十分したらもう一度、荷物をとりにきてほしいと言いつけた。それから、部屋のバルコニーに出ていった」

女はわずかに身をのりだした。依然として厳粛な面持ちをくずさず、片手は薄桃色をした膝頭をかたくつかんでいる。「ええと、あなた、名前はなんといいましたっけ?」

「トニー・リセック」

「スラヴ系かバルト系みたいな名」

「おっしゃるとおり」トニーは言った。「ポーランド系です」

「つづけて、トニー、お話の先を」

「タワーのスイートには、どれも専用のバルコニーがついてますよね、ミス・クレッシー。おまけに、地上十四階の高所にしちゃ、手すりも低すぎる。暗い夜でしたよ、その夜は。高空はほとんど雲におおわれていた」ここまで言って、トニーはいきなり手をおろした。これが最後というような、別れの挨拶にも似たしぐさ。「彼女がとびおりるところは、だれひとり見ちゃいない。しかし、体が地上に激突したときには、大砲でもぶっぱなしたような音がした」

「それ、作り話でしょ、トニー?」そう言う声は、かさかさに乾いたささやき声だった。

トニーはいつもの真似事めいた笑いをもらした。その穏やかな、海水にも似たブルーグレイの目、それはそのままその視線で、女の長くウエーヴした髪を愛撫しているかのようだった。

それから、ほとんど詠嘆調とも聞こえる口調で、彼はつぶやいた。「イヴ・クレッシーか。夜明けの光明がさしてくるのを待っている、そんな名だ」

「待っているのはね、トニー、男よ——背が高くて、髪は黒っぽい、やくざな男。なぜ待ってるのか、それはあなたには関係ない。以前、その男と結婚してたことがあるの。で、いままたそのおなじ男と、よりをもどすかもしれない、そんなところにきているわけ。人生なんてたった一度なのに、まちがいは何度でも犯せるみたいね」膝頭に置いた手がゆっくりとひらき、指が反りかえって、これ以上は反らないというところまでひらききった。と、その手はふたたびすばやく、かたく握りしめられ、薄暗がりのなかでさえ、指関節が磨きあげた小さな骨片のように光って見えた。「あたしね、以前その男にひどい仕打ちをしたことがあるの。暗いところへ送りこんじゃったのよ——自分ではそんなつもりはなかったんだけど。でも、これもまたあなたには関係のないことよね。ただ、あたしにはその男にたいして、ちょっとした負い目があるというだけ」
トニーはそっと身をのりだすと、ラジオのつまみをまわした。ワルツがあたりの空気に乗って、かすかに流れてきた。いかにもな、安っぽいワルツ。だが、ワルツはワルツだ。彼はボリユームをあげた。楽の音が空虚なメロディーの渦巻きとなって、どっとばかりにスピーカーからあふれでてきた。かつてのウィーンが死滅して以来、ワルツもまた名ばかりの、優雅とは縁遠いものに成りさがってしまった。

女は首をいっぽうにかしげ、ラジオに合わせて三、四小節をハミングしたが、すぐにそれもやめて、口をかたく引き結んだ。

「イヴ・クレッシー。これでもこの名で一度は脚光を浴びたこともあるのよ。場末のお粗末なナイトクラブというか、もぐり酒場だったけど。でも、警察の手入れがあって、そのライトも消えちゃったわけ」

彼はほとんど茶化すような笑みを彼女に向けた。「いや、もぐり酒場ってことはないでしょう、ミス・クレッシー、あなたが出ていたからには――このワルツ、オーケストラが始終、流していた曲ですよ。制服の胸に、勲章をいくつも飾った老いたポーターが、胸を張ってホテルの入り口を行ったりきたりしている場面で。『最後の人』[1]。主演エミール・ヤニングス。あなたの年齢じゃ、覚えているはずもないだろうけど、ミス・クレッシー」

「『春よ、爛漫の春よ』でしょ?」女は言った。「あいにく映画は見てないけど」

トニーはあとずさって、三歩ほど彼女から離れ、背を向けた。「さて、わたしはそろそろ上の階へ行って、客室の戸締まりを見てまわらなけりゃならない。お邪魔しました。あなたももうお部屋にひきとられたほうがいい。夜もふけました」

空虚なワルツの音がやんで、人の声がしゃべりだした。その声にかぶせるように、女が言った。「ねえ、本気でそんなこと、気にしてたわけじゃないんでしょ?——つまり、バルコニーのことだけど?」

トニーはうなずいた。「してたかもしれません」と、低い声で言う。「いまはもう、気にしてはいませんが」

「だいじょうぶよ、トニー、そんなこと、起こりっこないから」だがその笑みは、はかなげな病葉(わくらば)のようだった。「ねえ、行かないで。もうすこしお話を聞かせてよ。赤毛の女はね、とびおりたりしないの。がんばって咲きつづけて——最後はしおれてゆくだけ」

そう言う彼女を一瞬、重々しく見つめてから、ポーターが立っていた。彼はカーペットを踏みしめて歩み去った。メイン・ロビーに通ずるアーチの下に、ポーターが立っていた。そこまでトニーはアーチのほうを見ずにきたが、それでもそこにだれかがいるのはわかっていた。だれであれ、他人が近くにいるときは、気配でそれが感知できる。『青い鳥』に出てくる驢馬(ろば)ではないが、草が伸びる音さえも、聞きとることができるのだ。

ポーターはしきりにこちらにむけてあごをしゃくっていた。制服の上の盤広(ばんびろ)の顔は、じっとり汗ばんで、興奮のていがうかがわれる。トニーはそばへ近づいてゆき、ふたりはともにアーチをくぐって、仄暗(ほのぐら)いロビーのまんなかへ出た。

「なにかトラブルでも？」トニーはうんざりした口調でたずねた。

「あんたに会いたいというやつが、外にきてるんだ、トニー。だが、どうしてもなかに入ろうとはしない。おれがドアのガラスを磨いてると、そいつが近づいてきた。背の高い男だ。それが口のはたをひんまげて、『トニーを呼べ』って、そう言いやがる」

「ほう、そうか」と相槌を打ってから、トニーは相手の薄青い目を正面から見据えた。「で、なんというやつだ？」

「アル。そう言えばわかると言ってた」

トニーの顔つきが変わり、練ったパン生地のかたまりよろしく無表情になった。「わかった」そう言い捨てて、歩きだそうとする。

ポーターがその袖をつかんだ。「なあトニー、あんた、敵がいるわけじゃないよな？」

トニーは丁重に笑ってみせたが、顔つきは依然として練り粉のかたまりそのままだ。

「聞いてくれ、トニー」ポーターはかたく袖をつかんだ手を放そうとしなかった。「このブロックをすこし行った先に、黒い大型車が停まっている。タクシー乗り場とは逆の側だ。車のそばに男がひとりいて、車のステップに片足をかけて立っている。おれに声をかけてきたのがそいつだ。黒っぽい色の、襟の高いラップアラウンド式のコートを着て、その襟を耳もとまで立てている。帽子も目深(まぶか)にかぶっていて、顔はほとんど見えない。で、『トニーを呼べ』だ、ひんまげた口のはたから。なあトニー、あんた、ほんとうに敵はいないんだな？　だいじょうぶなんだな？」

「いるとしたら金貸しだけさ」トニーは言った。「よし、ご苦労だった」

ブルーのカーペットを横切って、ゆっくりと、いくぶんぎくしゃくした歩様で歩きだす。三段の浅い階段をあがり、エントランス・ロビーに出る。ロビーのいっぽうには、エレベーターが三台、もういっぽうにはフロントのデスクそのほか。エレベーターのうち、稼働ちゅうなのは一台だけで、あけはなたれたそのドアのそばに、夜勤のエレベーター・ボーイが腕組みをして立っている。銀の縁飾りのついた、こざっぱりした紺の制服姿。痩せこけて、色の浅黒いメキシコ人で、名はゴメス。新入りで、仕事を覚えさせるため、夜勤の当直につかされている。

ロビーの反対側には、フロントのデスク。薔薇色大理石製で、夜勤のフロント係が気どった姿勢でそれにもたれている。小柄な、身ぎれいな男で、鼻下にはちょぼちょぼと赤みがかった口髭。頬が異様に紅潮していて、頬紅でもさしたのではないかと思われるほどだ。近づいてくるトニーを見つめて、指の爪で鼻下の口髭を掻いた。

トニーはその相手にぴんとのばした人差し指をつきつけた。ほかの三本の指は手のひらに握りこみ、立てた親指だけを人差し指の上で上下させてみせる。フロント係は、口髭を掻いていた手を逆の側に移しただけで、ほとほとうんざりしきったという表情は変わらない。

そのまま歩きつづけたトニーは、いまはしまって、明かりも落としているニューススタンドの前を通り、つづくドラッグストアの横手の入り口も通り過ぎて、真鍮の枠で補強された一枚ガラスのドアまで行った。そのドアのすぐ手前で立ち止まり、ひとつ大きく、強く息を吸う。それから、肩をそびやかして、ドアを押しあけると、冷たく湿った夜気のなかへ歩みでた。

通りは暗く、しんとしていた。二ブロック離れたウィルシャー通りから、行きかう車の騒音が低く聞こえてくるが、その音に実体はなく、意味もない。左手には、タクシーが二台。二台の運転手たちは、肩を並べてフェンダーにもたれ、煙草を吸っている。反対側へトニーは歩きだした。黒い大型車は、ホテルの入り口から三分の一ブロックほど離れたところに停まっていた。ライトは弱めてあり、車の静かなエンジン音が聞こえてきたのも、車体のすぐきわまで近づいてからだった。

長身の人影がその車体を離れて、ぶらぶらとこちらへ近づいてきた。襟を立てた黒っぽいコート、両手はそのポケットにつっこまれている。口からぶらさがった煙草の先端が、つやのない真珠よろしく、かすかに光っている。

双方は二フィートほど離れて向かいあった。

長身の男が言った。「よう、トニー。久しぶりだな」

「そうだな、アル。どうしてた？」

「まあまあさ」長身の男は右手をコートのポケットから出しかけたが、そこで手を止めて、低く笑った。「忘れてたよ。おまえさん、握手は好かないんだったっけ」

「なんの意味もないからな、握手なんてもの」トニーは応じた。「猿だって握手ぐらいする。で、なんの用だ、アル？」

「見た目は滑稽（こっけい）なチビの肥っちょ、そこは変わらないってわけか、トニー？」

「らしいな」トニーは強く目をしばたたいた。喉には硬いかたまりがつかえている。

「いまの仕事も気に入ってる、ってか？」

「仕事は仕事だ」

アルはまたも声をたてずに笑った。「おまえさんは慎重派だよな、トニー。おれは何事も性急にやる。そこでさっそくだが、仕事だ。仕事となれば、そっちもわやにしたくはない、と。オーケー。イヴ・クレッシーという女が、いまおまえさんのいたって平穏なホテルに居すわってるはずだ。その女をホテルから出せ。それも、いますぐ、早急にだ」

「なにが問題なんだ？」

長身の男は通りの左右を見わたした。彼の後ろに停まっている車のなかで、男が軽く咳払いするのが聞こえた。「たちの悪い男とかかりあいになってるのさ、その女。女自身にはなんの恨みもないんだが、このままだと、おまえさんにもとばっちりがくるかしれん。だから、出すんだ、トニー。そうさな、一時間の余裕をやろう」

「なるほど」トニーは漠然と言った。言葉に意味もこめなかった。

アルは片手をポケットから出すと、その手をトニーの胸もとにつきつけた。そして軽く、けだるげに押した。「いいか、チビの肥っちょの兄さんよ、伊達や酔狂で言ってるんじゃないんだぜ。女をホテルから出せ」

「オーケー」トニーは言った。抑揚のまったく欠けた声だった。

長身の男は手をひっこめると、その手を車のドアにかけた。ドアをあけ、ほっそりした黒い影さながら、車にすべりこもうとした。

だがそこで動きを止めると、車内の男たちになにか声をかけ、また降りてきた。トニーが無言で立ちつくしているところまでひきかえしてくる。淡いブルーの目に、薄暗い通りの明かりがわずかに反射した。

「いいか、トニー。おまえさんは、いつだってうまくごたごたを避けてきた。たいした腕前のお兄(あに)いさんだよ、トニー、おまえさんは」

トニーは無言をつらぬいた。

ここでアルが身を寄せてきた。長く、切迫感を感じさせる影。立てた襟が、耳に触れそうなほど近々と。「これには厄介な事情があってな、トニー。ほかの連中は喜ぶまいが、おれとおまえさんの仲だ、聞かせてやろう。そのクレッシーというのは、ジョニー・ロールズという野郎の女房だった女だ。そのロールズが二、三日前、いや、一週間ほどになるか、サン・クエンティンの刑務所を出た。過失致死罪で三年ばかりお勤めしてたんだが、じつはそいつをムショに送りこんだのが、ほかでもないその女なのさ。ある晩、やつは酔っぱらって、どこかの爺さんを轢き殺した。女もいっしょだった。やつは車を停めずに、逃げた。女はやつに自首して出て、罪を認めるかどうにかしろ、そうすすめた。やつはしたがわなかった。だもんで、ポリ公のほうからやってきた、とまあそういうわけだ」

「そいつはまずいな」トニーは言った。

「それが法ってものさ。おれの仕事ってのは、そういうことをいろいろ嗅ぎだすことでね。ロールズという野郎は、ムショでさかんに吹聴(ふいちょう)していやがったそうだ——ここを出たら、女が待ってくれる、いっさいを水に流してやりなおそうと言ってくれてる。だから、出獄したら、まっすぐ女のところへ行くつもりだ、と」

トニーは言った――「あんたがその男とどういうかかわりがあるんだ？」そういう声は、乾ききった厚紙のようにかさかさして、ひびわれていた。

アルは声をあげて笑った。「おれじゃあない、組のお兄さんがたがやつに会いたがってるのさ。やつはサンセット大通りのある賭場で、テーブルをひとつまかされてたんだが、そこでよくない考えを起こしやがってな。べつの男を抱きこんで、店の金（かね）を五万ドルがとこくすねやがった。もうひとりの男はとっつかまえて、ぜんぶ吐きださせたが、まだジョニーの二万五千ドル分がそのままだ。お兄さんがたは、そういうことを忘れるために、組で養われてるわけじゃないんだからな」

トニーは暗い通りの左右を見わたした。タクシー運転手のひとりが、煙草の吸い殻を遠くへはじきとばした。それが片方のタクシーの上を越えて、向こうの舗道に落ち、火花を散らすのをトニーは見まもった。大型車の静かなエンジンのうなりに耳をすませもした。

「そんな問題にかかわりたくはないな」と、彼は言った。「女を出すよ」

アルはうなずきつつ彼の前から離れた。「それがお利口さんというものだ。ときに、おふくろさんは近ごろどうしてる？」

「オーケーさ」トニーは答える。

「おれが気づかってたと伝えてくれ」

「気づかってもらっても、どうにもなるものじゃないけどな」と、トニー。

アルはすばやく身をめぐらすと、車に乗りこんだ。車はブロックのまんなかでゆっくりと向きを変え、通りの角へむけて流れるように走りだした。弱められていたライトが明るくなり、角の建物の壁を照射した。車は角を曲がり、見えなくなった。その後もあたりには排ガスのにおいが消え残り、それがトニーの鼻をかすめて流れていった。彼は向きを変えて歩きだし、ホテルまでもどると、なかに入って、まっすぐレディオ・ルームへ向かった。

ラジオはいまも小さく鳴っていたが、キャビネットの前の長椅子に、女の姿はなかった。押しつぶされたクッションには、彼女の体の輪郭が、くぼみになって残っていた。そっと手をのばし、くぼみに触れてみる。まだ温かいような気がした。ラジオを消し、しばらくその場に立ちつくす。たたずんだまま、片手を腹にぴったりあてがい、親指だけをゆっくりまわす。ややあって、ロビーを抜けてひきかえすと、エレベーター乗り場まで行き、白砂を焼きかためたマジョリカ焼きの壺のそばに立った。向かいに見えるデスクでは、梨子地(なしじ)ガラスの衝立(ついたて)の奥で、フロント係がせかせか動きまわっている。空気は死んだように動かない。

エレベーター乗り場は暗かった。三台並んだ中央の箱の表示盤を見あげると、十四階で停止している。

「寝たんだな」だれにともなくつぶやいた。

乗り場の脇のボーイ控え室のドアがあいて、痩せたメキシコ人の夜勤エレベーター・ボーイが、私服姿で出てきた。乾燥させた栗の実にも似た色の目で、横目づかいにそっとトニーをうかがう。

「おやすみなさい、ボス」

「ああ」トニーはうわのそらで応じた。

チョッキのポケットから、細い斑入りの葉巻をとりだすと、においを嗅いだ。形のよい指先でそれを左右にまわしながら、入念にためつすがめつする。横腹に小さな裂け目がひとつ。その裂け目を渋面で一瞥してから、葉巻をまたポケットにもどした。

どこかで遠い音がした。エレベーターの表示盤の針が、ブロンズの盤面をひそやかにまわりはじめた。シャフトのなかに明かりがともり、エレベーターの箱の底面が、階下の暗闇のなかに溶けこんだ。と、箱が停止して、ドアがひらき、ボーイのカールが出てきた。

こころもちびくっとしたようすでトニーの目をとらえると、彼はこちらへ歩み寄ってきた。頭をいっぽうにかしげ、薄桃色の上くちびるの上には、うっすらと汗が光っている。

「聞いてくれないか、トニー」

トニーはそう言うカールの腕をすばやくがしっとつかむなり、向こうを向かせた。足早に、だがさりげなく相手を押しやって、三段の階段を降り、薄暗いメイン・ロビーの一隅まで連れてゆく。そして手を放す。思いあたる理由などなにもないのに、またも喉が詰まって、息苦しさがつのってきている。

「で、なんだ？」不機嫌に言った。「なにを聞いてくれというんだ？」

ボーイはポケットに手を入れると、一ドル札を一枚つかみだした。「もらったんだ」と、漠然と言う。ちかちか光る目が、トニーの肩ごしにあらぬかたを見ている。その目が忙しくまたたいた。「氷とジンジャーエールを届けたときに、だけど」

「先を話せ、さっさと」トニーはうなるように言った。

「一四Bのお客だよ」と、カール。

「ちょっとおまえの息を嗅がせろ」

カールは従順にトニーのほうへ身をかがめる。

「酒くさいぞ」トニーは手きびしく決めつける。

「お客が飲ませてくれたんだ」

トニーはドル札を見おろした。「一四Bに客はいないはずだぞ。おれのリストでは空室になってる」

「ああ。でも、いるんだ、それが」カールはくちびるをなめ、何度か目をしばたたいた。「のっぽの、髪の黒い男」

「よしわかった」トニーはむすっとして言った。「つまり、こういうことだな。一四Bにのっぽの、髪の黒い男がいて、おまえに一ドルくれてよこし、酒も飲ませてくれた、と。で、ほかには?」

「脇の下にハジキを吊ってた」カールは言って、目をぱちぱちさせた。

トニーはにんまりしたが、そのじつ、その目に宿ったのは、厚い氷の層のような、生気のない輝きでしかなかった。「ミス・クレッシーを部屋まで送ったの、おまえだな?」

カールはかぶりをふった。「いや、それはゴメスだ。あいつが乗せて、あがっていくのを見た」

「よし、もう失せろ」トニーは歯のあいだから押しだすように言った。「いいか、今後は二度とお客さんに酒をおごってもらったりするんじゃないぞ」

カールがエレベーター脇の控え室にもどり、扉をしめきってしまうまで、トニーはその場を動かなかった。ややあって、音もなく三段の階段をあがり、フロント・デスクの前に立つと、デスクの石目入りの薔薇色大理石をながめ、オニキスの筆記セットや、レザーのフレームに入った未使用の宿泊カードを見やった。それから、片手をあげるなり、その手をデスクの大理石に強くたたきつけた。フロント係が巣穴からとびだす縞栗鼠(しまりす)よろしく、ガラスの衝立の向こうからとびだしてきた。

トニーは胸ポケットから薄い複写紙の写しをとりだし、デスクの上でひろげた。「一四Bが抜けてるぞ」と、苦りきった口調で言う。

フロント係は上品なしぐさで口髭をひねった。「これはまことに失礼。あんたが食事にでも出てる隙にチェックインしたんだろう」

「何者だ?」

「サンディエゴのジェームズ・ウォタスン、そう記帳してるがね」そう言って、フロント係はあくびをした。

「だれかを探してるようなことを言わなかったか?」

フロント係はあくびを途中でやめ、トニーの頭上のどこかに目をさまよわせた。「ああ、言ってた。スウィング・バンドを探してるとか。なぜ?」

「ふん、当意即妙の答えってやつだな。しかも、笑える」トニーは応酬した。「まあおまえさんがそんなふうにふるまいたいんなら、それでもいい」トニーは自分の複写紙にその記入を書き写すと、紙をポケットにもどした。「じゃあおれはこれから上の階へ行って、各室の戸締まりを確かめてくる。タワーにはまだ四室、空室があるしな。おまえも油断するなよ。どうもいくぶんたがゆるんでる感じだぞ」

「まあなんとか切り抜けるさ」フロント係はものうげに答えると、中断したあくびを終わらせた。「それにしても、早くもどってきてくれよな、先輩。ひとりじゃ退屈をまぎらすのに苦労しそうだ」

「だったら、その鼻の下のピンクの産毛(うぶげ)でも剃ってることだ」トニーは言い捨てると、ふたたびエレベーター乗り場へと向かった。

暗い箱のドアをあけ、室内灯をともし、一気に十四階まであがる。明かりを消し、降りて、ドアをとざす。ここのロビーは、すぐ下の階のそれを除けば、ほかのどの階のよりも狭い。エレベーター側を除く他の三方の壁面には、青いパネル張りのドアが一カ所ずつあるだけだ。ドアにはそれぞれ、ゴールドの数字と文字、それがゴールドの花環でかこんである。トニーは一四Aのドアまで歩いてゆくと、パネルに耳を押しあてた。

なにひとつ物音は聞こえない。イヴ・クレッシーは、すでにベッドに入ったのか、それともバスルームにいるのか、でなくばひょっとして、バルコニーに出てでもいるのか。あるいはまた、部屋のなかに、このドアからほんの数フィートのところにひっそりすわって、壁を見つめているだけなのかも。もしそうだとしても、すわって、壁を見つめているだけなら、気配などどっちにしても聞こえるわけはないが。

トニーはそこを離れ、一四Bのドアへ行って、おなじようにパネルに耳をあてた。ここはようすがちがっていた。室内で音がする。男の咳払い。なぜか孤独な咳払いに聞こえる。ほかに声はしない。ドアの脇の、小さな真珠色に光るボタン、トニーはそれを押した。

急ぐふうもなく、足音が近づいてきた。濁った声がパネルごしに応答してくる。トニーは答えず、音もたてなかった。濁った声がくりかえし誰何(すいか)してきた。トニーはもう一度、軽く、わざとらしく、ボタンを押した。

普通ならば、サンディエゴのジェームズ・ウォタスン氏も、ここらで業(ごう)を煮やしてドアをあけ、怒声を浴びせてきても不思議ではない。だがそうはしなかった。ドアの向こうには、静寂があるばかり――氷河の静けさにも似た、深沈(しんちん)たる静寂が。トニーはあらためてドアのパネルに耳を押しあてた。沈黙だ、どこまでも。

チェーンにつけたマスター・キーをとりだして、慎重に鍵穴にさしこんだ。キーをひねり、三インチほどドアを押しあけてから、キーを抜く。そして待った。

「よしわかった」ざらついた声が言った。「肚(はら)を決めて、入ってきやがれ」

ドアを大きく押しあけたトニーは、そのまま戸口で立ち止まり、ロビーからさす明かりを背景に、額縁入りの絵姿よろしく、全身をさらした。室内の男は、長身で、髪は黒く、骨ばった体つき、色白の顔。手には拳銃。それをいかにも慣れきった手つきで構えている。

「入ったらどうだ」ものうげな口調だ。

トニーは戸口を抜けてなかに入り、ドアを肩で押してしめた。両手は体の脇からわずかに離した位置に保ち、指は器用らしさを隠すように、力を抜いて、軽く曲げておく。それから、持ち前の穏やかな、小さな笑みを浮かべてみせた。

「ミスター・ウォタスン?」

「だったら? まだ先があるんだろ?」

「わたし、ここの専属探偵でね」

「へええ、こりゃまた驚いたもんだ」

長身で、色白の、見かたによっては男前とも、そうではないとも見える男は、ゆっくりと部屋の奥へとあとずさった。広い部屋で、角部屋、二面に低いバルコニーがめぐらされている。このタワー階では、各室にこうした小さいながらも専用の、露天のバルコニーがついているのだが、それに面したフレンチドアは、いまあけはなたれている。すわり心地のよさそうな長椅子の前には、一枚板の衝立、そのかげに、薪で焚く方式の暖炉。水滴のついた高いグラスがひとつ、ホテルのトレイにのせたまま、深々とした安楽椅子のかたわらに置かれている。その椅子のほうへとあとずさった男は、椅子の手前で立ち止まった。底光りする大型の拳銃は、いつしかだらりとおろされて、銃口は下を向いている。

「実際、驚いたもんだ」と、くりかえす。「この安宿にチェックインして一時間とたたないってのに、早くもおかかえ探偵さんのお出ましときた。オーケー、勝手にしろ。クローゼットでも、バスルームでも、勝手にあけて見やがれ。女なら、ついさっき出てったばかりだがね」

「じゃあまだ彼女には会っていないんだ」トニーは言った。

洗いざらしたように肌の白い顔が、意表を衝かれた驚きにゆがみ、皺が幾重にも刻まれた。濁声が一段と濁って、けもののうなりにも似てきた。「なんだと？　だれにまだ会っていないというんだ？」

「イヴ・クレッシーという女性にだ」

男はごくりと唾をのんだ。手にした銃をテーブルの上、トレイのそばに置く。それから、後ろ向きにそろそろと椅子にへたりこんだが、そのぎくしゃくした動きはさながら、疝痛でも起こしたかのようだ。すわりこむと、あらためて両手を膝頭にかけて身をのりだし、わざとらしく歯を見せて、にっと笑った。

「すると、彼女はここにきてるんだ、な？　まだだれにも訊いちゃいないんだよ、彼女のことは。こう見えても、用心ぶかいたちでね、そのへんのことは、なにも訊いていないんだ」

「もう五日も前からここにきている」トニーは言った。「ずっとおたくを待ちつづけてる。一分たりと、外に出ようとしない」

男のくちびるがわずかに動いた。またもにっと笑ったが、今度の笑いはどこか、訳知りめいたものを含んでいるようだった。

「北部でちいっと手間どっちまってさ」すらりと言ってのける。「まあ察しはつくだろ。むかしの友達を訪ね歩いたり、いろいろ。にしても、探偵さんよ、あんた、こっちの事情にずいぶん詳しいみたいじゃないか」

「ああ、たしかにね、ミスター・ロールズ」

やにわにがばと立ちあがるなり、男は拳銃をひっつかんだ。だがそれでいて、ただ前かがみになって、テーブルに置いた銃をつかんだまま、視線をそこに落としているきりだ。そして言った――「女ってやつはおしゃべりだからな」と、くぐもった声で。なにかやわらかなものを口に含んでいて、それをくわえたまましゃべっているみたいな。

「ご婦人じゃないよ、ミスター・ロールズ」

「なに?」銃がずずずとテーブルの硬い木の表面をすべった。「すっかり話してくれ。おれのマインド・リーダー、いま急に故障しちまいやがったみたいだ」

「ご婦人の口から聞いたんじゃない。男どもからだ。銃を持ったお兄さんがたさ」

あの氷河のような静寂が、いま一度、双方のあいだにひろがった。男はのろのろと身を起こした。顔からは、表情という表情が洗い流されたように消えていたが、逆に目は憑かれたように燃えている。トニーはそんな相手のほうに身をのりだした。どちらかというと小柄で、小肥りの体つき、穏やかで、青白い、親しみの持てる顔、そしてまなざし――森の奥の泉のように澄み、いっさいの邪気を感じさせない目。

「やつらはけっして燃料切れになることはない――組の連中のことだがね」ジョニー・ロール

ズが言って、ぺろりとくちびるをなめた。「遅かれ早かれ、やつらは動きだす。ああいう古い機関ってのの、休眠することはぜったいにないんだ」

「敵の正体はわかってるってことだな？」トニーはそっと言った。

「まあ九通りぐらいは想像がつく。で、そのうち十二通りぐらいは的中してるだろう」

「面倒なお兄さんがたというわけか」トニーは言って、持ち前のこわれやすそうな笑みをちらっと見せた。

「で、どこにいるんだ、彼女は？」ジョニー・ロールズがざらざらした声音で言った。

「このすぐ隣りの部屋だ」

相手は銃をテーブル上に置き去りにしたまま、壁ぎわまで歩いていった。壁の前に立ち、いっとき壁面をじっと見つめる。それから、フレンチドアごしに手をのばし、バルコニーの手すりの鉄格子をがっきとつかんだ。その手をおろし、こちらへ向きなおったときには、顔の皺の一部が消えていて、目のぎらつきも多少やわらいでいた。トニーのそばにもどってくると、のしかかるように前に立った。

「元手なら多少はあるんだ」と言う。「イヴがいくらか送ってくれたし、北部でつてをたどって、いくらかふやしもした。つまり、まさかのときに備えて、ってことだ。組の連中は、二万五千ドルがどうとか言ってるみたいだがね」ふっとゆがんだ笑みをもらす。「あいにく、いまのおれには有り金ぜんぶはたいても、五百がせいぜいってところさ。だがそれを連中に信じさせようとすれば、えらく愉快なことになるのは知れてる」

「二万五千はどうなったんだ？」トニーはとくに関心もなげにたずねた。

「そんな金ははじめから手にしちゃいない。まあそう受け取っといてくれや、探偵さん。そんな言い分を信じるのは、広い世間に当のおれひとり、それぐらいはわかってるけどな。要するに、ちょっとしたヤマを踏んで、おれはまんまとはめられただけなのさ」

「信じるよ、わたしは」トニーは言った。

「連中はめったに殺しはやらない。それでもいざとなれば、とてつもなくタフになれる」

「ごろつきだよ」トニーはとつぜん口調を変え、苦い軽蔑をこめて言いきった。「銃にものをいわせたがるやつら。ごろつき以外の何者でもない」

ジョニー・ロールズはテーブルのグラスに手をのばすと、一気に飲み干した。グラスを置くとき、残った氷がかすかにちりりと鳴った。つづいて彼は拳銃をとりあげ、手のひらで二、三度はずませてから、銃口を下にして、胸の内ポケットに押しこんだ。そして足もとのカーペットをじっと見つめた。

「なあ探偵さんよ、なんでそこまでおれに話してくれるんだ？」

「おたくなら、今後の彼女になにか転機をもたらしてやれるかも、そう思ったものでね」

「で、おれにそうする気がなかったら？」

「あるという気がするんだよ、わたしは」トニーは言った。

ジョニー・ロールズは物静かにうなずいた。「おれはここから出ていけるのか？」

「業務用エレベーターで駐車場まで降りられる。そこで車も借りられる。駐車場の係に、わたしの名刺を渡すといい」

「あんたも変わった男だな」ジョニー・ロールズが言った。

トニーはくたびれた駝鳥革の紙入れをとりだすと、印刷された名刺に走り書きした。ジョニー・ロールズはそれに目を通し、名刺を手にしたまま、それで親指の爪を軽くたたきつつ、しばし立ちつくした。

それから、思案げに目を細めて言った。「彼女も連れていけるよな」

「ふたりいっしょに洗濯物の籠で脱出する気があれば、だがね」トニーは言った。「さっきも言ったが、もう五日もここにいるんだ、彼女は。とっくに目をつけられてる。じつは、さいぜんある知り合いから外に呼びだされてね、彼女をここから出せと言われた。ついでに事情もすっかり聞かされた。それで、かわりにおたくを出してやろうともくろんだわけだ」

「連中にしたら、もっけのさいわいじゃないか」と、ジョニー・ロールズ。「あんたに菫の花束でも贈ってよこすかしれん」

「だったらこっちも非番の日にでも、そいつを抱いて涙にかきくれるとしよう」

ジョニー・ロールズは手を裏返し、じっと手のひらを見つめた。「どっちみち、彼女には会えるわけだ。ずらかる前に。すぐ隣りの部屋だ、そう言ったよな？」

トニーは踵を返してドアへ向かった。途中、肩ごしに声をかける。「あんまり時間を無駄にするなよ、色男。そのうちこっちの気が変わるかもしれん」

相手も言いかえす。ほとんど紳士的とも言える口調で――「それを言うなら、げんにもういま、おれを売ってるとも考えられる」

トニーはふりむきもしなかった。「それくらいはいちかばちか、覚悟してもらわないとな」

そのまま戸口に向かい、部屋を出た。ドアを慎重に、音もなくしめると、最後にもう一度、一四Aのドアに目を向け、きたときとおなじ暗いエレベーターに乗りこんだ。洗濯室のあるフロアまで降りると、箱を出て、その階で業務用エレベーターの扉をあけはなしにしておくために床に置かれている、洗濯物の籠をどけた。扉は静かにすうっとしまった。しまったときに音をたてぬよう、トニーはしまろうとする扉を手でおさえた。廊下の先の清掃係主任の部屋は、ドアがひらいていて、明かりが漏れていた。トニーはひきかえして、乗ってきた箱にもどり、ロビー階まで降りた。

小柄なフロント係は姿が見えなかった。梨子地ガラスの衝立の向こうで、きょうの会計を検めているようだ。トニーはまっすぐメイン・ロビーをつっきり、レディオ・ルームに入った。またラジオがついていて、音が低く流れている。そこに彼女はいた。今度もまた、長椅子に丸くなっている。スピーカーが彼女にむけてぼそぼそささやきかけているが、音が低すぎて、言葉にはならず、木々のざわめきのようにしか聞こえない。彼女はゆるゆると頭をめぐらすと、トニーにほほえみかけた。

「戸締まりを確かめるの、もう終わったの？　ぜんぜん眠れなくて。それでまた降りてきちゃった。かまわないでしょ？」

トニーはほほえみ、うなずいてみせた。緑色の椅子を選んで腰をおろし、そのふくらんだブロケードの肘かけをぽんとたたいて、言った。「かまいませんとも、ミス・クレッシー」

「待つ身にはつらいわよね、ただ時間を過ごすだけっていうの。あなた、このラジオに言い聞かせてやってくれない？　プレッツェルをぽきぽき折ってるみたいな音しかしないの」

つまみをあちこちまわしてみたが、思わしい番組は出てこない。あきらめて、トニーはまたもとの局にもどした。

「この時間にラジオを聞いてるのなんて、ビアホールの飲んだくれぐらいのものでしょう」

彼女はまた彼にほほえみかけた。

「わたしがやってきて、お邪魔じゃなかったでしょうね、ミス・クレッシー？」

「いいえ、ぜんぜん。あなたって、やさしいし、かわいいもの、トニー」

彼はぎこちなく視線を床に落とした。さざなみが背筋を走り抜ける。それが消え去るのを、体をかたくして待つ。のろのろとしか消えてゆかない。ようやく消えると、あらためて体を起こし、すわりなおして、リラックスした。それでも形のいい指は、時計の鎖につけた大鹿の歯をしっかと握りしめている。彼は耳をすました。ラジオに、ではない——どこか遠い、不確かななにか、脅威を感じさせるなにかにだ。それとも、いま聞きとろうとしているのは、なじみのない夜のなかへ無事に走り去ってゆく車の、その車輪のささやきだったかもしれない。

「根っからの悪人なんて、世のなかにはいないものだ」つい独り言が声に出た。

女はものうげな目を彼に向けた。「だったら、これまでに出あった二、三人については、あたしが思いちがいをしてたってこと？」

彼はうなずいた。「まあね」と、慎重に答える。「そういう手合いも、たしかにいないじゃないでしょうが」

女はあくびをし、濃い菫色の目が、なかばとじられた。あらためて深々とクッションに身をうずめる。「トニー、しばらくそこにいてくれる？　なんだか眠れそう」

「いいですよ。さしあたって、しなきゃならないこともなし。これでよく給料がもらえるなと思うくらいで」

彼女はあっというまに眠りこんだ。そのまま子供のように身動きひとつせず、眠りこけている。ほぼ十分あまり、トニーはほとんど呼吸を忘れていた。わずかに口をあけ、ひたすら眠る女を見つめて。持ち前の曇りのない目には、あたかも神聖な祭壇でも見あげているような、一種の清澄(せいちょう)な恍惚感があった。

ややあって、どこまでも動作に気を配りながらそっと立ちあがると、アーチをくぐって、エントランス・ロビーへ行き、フロントのデスクへと向かった。デスクの前に立って、しばし耳をすます。見えないところで、ペンを走らせる音がする。デスクの角をまわり、ホテルの内線電話の並ぶところまで行った。電話はそれぞれ小さなガラス張りの仕切りにおさまっている。そのうちのひとつをとりあげると、彼は夜勤の交換手に駐車場につないでもらった。

三、四回、呼び出し音が鳴ってから、少年っぽい声が答えた。「ウィンダミア・ホテル。駐車場係です」

「トニー・リセックだ。ウォタスンという男にわたしの名刺を渡しておいたが、その男、もう出たか?」

「ええ、トニー、まちがいなく。半時間も前ですが。料金はあなた持ちでいいんですね?」

「ああ」トニーは答えた。「わたしの客だ。ご苦労さん。じゃ、あとでな」

電話を切り、なんとはなしに首筋を掻いた。それからフロントにもどると、ぴしゃっとデスクをたたいた。フロント係が衝立の向こうから、ふわりとした動きであらわれた。営業笑いを浮かべていたが、トニーを目にすると、その笑いは消えた。

「ここじゃ仕事の遅れをとりもどすことも許されないのかな?」ぶつくさ言う。

「一四Bの部屋だが、従業員割り引きだと、いくらだ?」

フロント係はむっつり顔でトニーを見つめた。「タワーの客室には、従業員割り引きは設定されていないよ」

「じゃあ設定してくれ。客はもう出た。部屋にいたのは、ほんの一時間かそこらのものだ」

「おーやおや」フロント係は快活に言ってのけた。「すると今夜は、あんた一流の客種を見分ける勘、そいつが働かなかったってわけだ。踏み倒されたってことだな、宿代を」

「五ドルで勘弁してもらえるか?」

「あんたの友達かい?」

「いや。ただの誇大妄想狂の酔いどれ、しかも文なしだ」

「となると、ここは目をつむるしかないんじゃないか、トニー? にしても、どうやって出てったんだ?」

「おれの一存で、業務用エレベーターで降ろしてやったのさ。あんたは眠ってた。なあ、五ドルじゃ不足か?」

「なんかわけがありそうだな」

くたびれた駝鳥革の紙入れがあらわれ、よれよれの五ドル札がデスクの大理石の上をすべっていった。「あいつに行動を起こさせようとすれば、こうするしかなかったのさ」トニーは投げやりに言ってのけた。

フロント係は五ドル札を手にとり、腑に落ちないという顔をした。それから、「ま、ボスはあんたなんだから」そう言って、肩をすくめた。ここでデスクの上の電話がけたたましく鳴りだし、フロント係は受話器をとって、ちょっと耳を傾けたが、すぐに電話機全体をトニーのほうへ押してよこした。「あんたにだ」

受話器を受け取ったトニーは、それを胸の前にかかえこむような姿勢になった。口もとすれすれまで送話口を近づける。聞こえてきた声は、聞き覚えのないものだった。金属的な響きがあり、音節ごとに区切ったぽきぽきしたしゃべりかたも、話者の身元をさとらせまいと、入念に配慮したもののようだ。

「トニーか? トニー・リセックだな?」

「そうだが」

「アルから伝言だ。いいか?」

トニーはフロント係を見やった。「はずしてくれるか?」送話口をおさえて言う。フロント係は小さく陰険な笑みを向けてきただけで、ぷいと立ち去った。「言ってくれ」トニーは電話の相手に言った。

「おれたち、おまえさんのところに泊まってる野郎に、ちょいとした用があってな。そいつがずらかろうとしてるところを、まんまと見つけたわけだ。アルははじめから、おまえさんがこっそりそいつを逃がそうとするんじゃないかと踏んでた。で、そいつの車を追いかけて、歩道ぎわまで追いつめた。ところが、思惑どおりには運ばなかった。逆襲を食らったんだ」

トニーはかたく、かたく受話器を握りしめた。こめかみににじんだ汗が、ひんやり感じられた。「つづけてくれ」彼は言った。「まだ先があるんだろ?」

「あとはわずかだ。野郎、うちの親分を殺(や)っちまいやがった。大失態さ。アルは――アルはおまえさんに、あばよと伝えてくれ、そう言ってた」

トニーは強くデスクにもたれかかった。口がぱくぱくして、言葉にならない声がもれた。

「わかったな?」金属的な声は、じれったそうにも、いくぶんうんざりしているようにも聞こえた。「その野郎、ハジキを持っていやがったんだ。それを使ったわけだ。アルは、もうこれっきり、二度とだれにも電話することはあるまいよ」

トニーはよろけて、電話機にぶつかった。薔薇色大理石の上で、電話が土台ごとぐらぐら揺れた。口のなかは、一個の硬く乾ききったかたまりと化していた。

先方の声が言った――「伝言ってのは、これだけだ。じゃあな。切るぜ」

電話はかちりと切れた。そっけない、壁に小石をぶつけたような音がしただけだった。

トニーはそろそろと受話器を架台にもどした——慎重なうえにも慎重に、どんな音もたてまいと用心しながら。それから、握りしめた左の手のひらを見て、ハンカチをとりだし、それで手のひらをそっと拭うと、べつの手で、折り曲げた指を一本また一本、立てて、のばしていった。そのあとで、ようやくひたいを拭った。フロント係が衝立の向こうから舞いもどってきて、暗く光る目でこちらを見ていた。

「こちとら、金曜日が非番でね。ものは相談だけど、いまの電話の相手、貸してくれる気はないかな?」

トニーは彼にうなずいてみせ、いつものかすかな、はかなげな笑みをちらりと見せた。ハンカチをたたみ、ポケットにしまうと、そのポケットを上からぽんとたたいた。向きを変え、デスクを離れて歩きだし、エントランス・ロビーをつっきると、メイン・ロビーの薄暗がりにそって、三段の浅い階段を降り、アーチをくぐって、いま一度、レディオ・ルームにもどった。さいだれか重病人の寝ている部屋のなかでも歩くように、彼は抜き足差し足で歩いていった。さいぜんまですわっていた椅子にたどりつくと、一寸刻みにすこしずつ体を沈めてゆき、そっとすわりこんだ。

女はまだ眠っていた。身動きひとつせず、ある種の女性と猫族だけが身につけている、あのしなやかな、ゆったりと体を丸めた姿勢を保って。ラジオのかすかな、ぼそぼそしたつぶやきが流れるなかで、彼女の寝息はまったく聞こえてこなかった。

トニー・リセックは椅子の背にもたれると、大鹿の歯の上で両の手を組み、静かにまなこをとじた。

（1）『最後の人』（"Der letzte Mann"）――一九二四年製作、F・W・ムルナウ監督、エミール・ヤニングス主演の無声、無字幕のドイツ映画。なお本編の原文は、"The Last Laugh" となっているが、これはハリウッドで公開されたときにつけられた英語タイトル。

（深町眞理子訳）

死のストライキ

フランク・グルーバー

Death Sits Down　一九三八年

フランク・グルーバー Frank Gruber（一九〇四―六九）。アメリカの作家。パルプマガジンを主戦場に、主にミステリと西部小説のジャンルで活躍した。代表作は『コルト拳銃の謎』『ゴースト・タウンの謎』など。本編の初出は〈ブラック・マスク〉*Black Mask* 一九三八年五月号。数多いシリーズ・キャラクターのうち、驚異的な記憶力と巧みな弁舌が武器の〈人間百科事典〉オリヴァー・クエイドものの一編である。

倉庫は暗かった。殺人者が目の前にぶら下がっている紐を引くと、頭上の電球が彼をまがまがしい黄色い明かりで照らした。撃つ前に犠牲者に自分の顔を見せておきたかったのだ。

殺人者はいった。「わたしが誰だかわかるか、ジョン・ホッカー？」

ジョン・ホッカーは、腹に押しつけられたライフル銃から怯えた顔を上げ、相手の顔を見た。彼ははっとした。「きさま！　どうやってここへ来た？」

「それを話している暇はない」殺人者は答えた。「あと十分ほどで、バートレット・キャッシュレジスター会社の工場で騒ぎが起こり、そこでひと働きしなくてはならないんだ。だが、その前にあんたを殺しておこうと思ってね」

ジョン・ホッカーは、少し前に殺人者が通路の暗がりから現れて銃を腹に押しつけたときよりも、さらに震えた。「殺せるものか！」彼はヒステリックに叫んだ。「わたしは何もしていない。殺される理由なんて――」

「理由なら五十万はある」殺人者はいった。「ドルで計算してね」

続いて彼は引き金を引いた。鋼製被甲のスラッグ弾がジョン・ホッカーのはらわたを引き裂き、背骨を砕いて、背後の荷箱に当たった。弾を受けたキャッシュレジスターが、金属的な

〝チーン〟という音を立てた。

ホッカーは、コンクリートの床に倒れたときには死んでいた。だが念のため、殺人者は死んだ男の頭にライフルを当て、もう一度引き金を引いた。

それから彼は、冷静な足取りで別の通路へ向かった。荷箱の蓋を上げ、ライフルを箱に押し込む。続いて安っぽいキャンバス地の手袋を脱ぎ、ライフルの上に放った。そのあとで、元通り蓋を閉める。

彼は慌てなかった。ライフル銃の二発は轟音を立てたが、倉庫のドアは分厚かった。それに、隣り合った部屋に誰もいないのもわかっていた。バートレット・キャッシュレジスター会社の巨大な工場で働く連中は、今は別のところにいるはずだ。ジョン・ホッカーをあの世へと吹き飛ばす前に、彼がほのめかした理由で。

実際に馬鹿を見たのはオリヴァー・クエイドだった。ただし、彼はそのことを知らなかった。かつがれるのはバートレット・キャッシュレジスター会社の従業員のほうだと思っていた。二百人の従業員が、巨大な工場のレクリエーション室に集まっている。

クエイドは含み笑いをしながらベンチに上り、おびただしい顔の海を見た。これから余興でも始まると思っているのだろう。確かにその通りだが、代金は払ってもらう。この二百人の男たちが知っていることを、彼は知らなかった。

「わたしは人間百科事典、オリヴァー・クエイド」クエイドは轟くような声でいった。「この国で最高の頭脳の持ち主です。あらゆる質問に答えることができます。物理学ではアインシュタイン並み、歴史ではリドパスをしのぎ、経済学に関してはリモ教授よりも造詣が深い。

何、信じられない？　試してごらんなさい。どなたか質問を……そこのあなた！」彼は口をぽかんと開けている労働者を指さした。「どんな質問でも結構です——何なら、キャッシュレジスターに関する質問でもいいですよ」

群衆の中から選ばれた男は赤くなったが、自信満々なふりをした。「ああ、そうだな、キャッシュレジスターを発明したのは？」

「オハイオ州のジェームズ・リッティ」クエイドは即答した。「一八七九年に特許を取得。さあ、ほかにご質問がある方はどうぞ」

「ロバート・レイクスとはどういう人物か？」誰かが叫んだ。

クエイドはにやりとした。「日曜学校の父。最初に開校したのは一七八〇年、イギリスのグロスター……。次！」

「アフェイジアとは？」誰かが訊いた。

「失語症のこと」

続いて、いい質問が飛び出した。「アルシングとは？」

クエイドは肩をすくめて両手を上げた。「質問者以外に挑戦しましょう。アルシングとは食べ物でしょうか、着る物でしょうか、それとも乗り物、町、川、山の名前？」

四人が当てずっぽうをいったが、クエイドはその都度かぶりを振った。

「アルシングはアイスランド王国の議会です。九三〇年に発足して以来、一七九八年から一八七四年の短い期間を除いて今も継続中」

その後は矢継ぎ早に質問が続いた。クエイドは次々に答えた。労働者たちは、太陽や月への距離、さまざまな野球選手の打率、歴史の年号、科学の質問などをした。クエイドはそのすべてに答えた。それから、急に芝居がかった間を置いた。

「質問は、ひとまず終わりにしましょう。これから、みなさんご自身が、どんな質問にも答えられるようになる方法をお教えします」彼は言葉を切り、小型のスーツケースを開いた。分厚い本を一冊取り出し、高く掲げる。「ここにすべて書かれています。長年の知恵が凝縮され、分類されてね。人類の知識の集大成。最も偉大で権威ある――」

ベルの音が、オリヴァー・クエイドの声をかき消した。大音量の、金属的で耳障りな響きがレクリエーション室と、巨大なバートレット・キャッシュレジスター会社の工場の部屋という部屋を満たした。

クエイドは顔をしかめ、音がやむのを待った。三十秒も続かなかったが、それまでには、もうクエイドの話を聞く者はいなくなっていた。部屋にいた二百人の男たちは身を寄せ合い、ベルの音がやむと、一斉に大声で話しはじめた。

クエイドの耳がふたつの単語をとらえた。ベンチを飛び降り、ひとりの男の腕をつかむ。

「どういう意味だ――座り込み(シット・ダウン)とは?」

「あのベルだよ」男が答えた。「待っていたんだ。ストの合図だ。これから座り込みだ――勝利するまでね!」

うのか？」クエイドは息をのんだ。「座り込みストだって！　ここにいる全員が、座り込みをするとい
「もちろん。おれたち三百人でね。外には千人いて、くそったれのスト破りが入り込めないようにしている」
「失礼」クエイドはいった。「ちょっと用事を思い出した」スーツケースに本を投げ込み、それを持ってそそくさと建物をあとにする。
三十分前にバートレット・キャッシュレジスター会社にやってきたとき、外の通りに人が群がっていた理由がようやくわかった。彼らはストの参加者だったのだ。今ではこんなプラカードを掲げている。

バートレット・キャッシュレジスター会社
ストライキ中

構内にはたくさんの男たちがいた。誰もクエイドにちょっかいは出さなかった。だがそれも、彼が正門に近づくまでのことだった。門は閉まっていて、南京錠がかけられていた。「なあ」彼は近くにいた男にいった。「外に出たいんだが」

「腰抜けめ！」

「わたしは従業員じゃない」クエイドはわめいた。「たまたま入ってきたセールスマンだ。こ

こを出してほしい」

「社内スパイってことか。役員どもに報告しに行くんだろう。ついてなかったな。やつらは敷地の外だ。誰も出入りできない。ストが解決するまではな。外の連中を見ただろう？　あいつらはスト破りを入れないだけでなく、臆病者を外に出さないためにいるんだ。ここを離れようとするやつを見たら、完全に頭に血が上るような輩もいる。そんなやつらとやり合いたいか」

クエイドは喧嘩腰のスト参加者を何人か見て、かぶりを振った。「やめておこう」彼はいった。「ここを仕切っているのは誰だ？　話がしたい」

「誰とはいえないが、たぶんスティーヴ・マーフィーなら、仕切っている人間を教えてくれるだろう」

クエイドは構内の広さを見積もった。バートレット・キャッシュレジスター会社の工場は、五エーカーはあるだろう。建物は通りからかなり引っ込んでいて、周囲には百フィート以上の空地が広がっている。上に有刺鉄線が張られた高いスチールのフェンスが、敷地を完全に取り巻いていた。そしてその周りは、スト監視員にすっかり囲まれていた。

彼はレクリエーション室に戻った。「スティーヴ・マーフィーは？」座り込みストの参加者に尋ねる。

男は部屋を見回した。「あそこにいる。赤毛の、太ったやつだ」

スティーヴ・マーフィーは元プロボクサーだが、今ではすっかり肉がついていた。身長は五フィート六インチ、体重は二百ポンドを超えている。

「何の用だ?」彼はがなった。

「オリヴァー・クエイドだ。さっきの口上を聞いただろう。わたしはここの従業員じゃない。たまたまここにいるときにストが始まったんだ。ここを出たいと思って当然だろう」

「おれたちも同じだ。ストが一分続くごとに金を失うわけだからな。ストが失敗し、職を失うかもしれない。だが、そんなことでおれたちを止められはしない。最後までやり通す。ストが長引くのを見越して、必要なら一カ月分の食料もある。今朝、この脇に停まった二台の車には、生活必需品がどっさり積んである。だから、おまえさんも腰を据えて、一緒にここにいるんだな。誰も入れず、誰も出さない。それがルールなんだ」

「誰がルールを決めた?」

「組合本部だ」

「組合の責任者は? 会わせてくれ」

「ゲイロードだ。だが、会うのは無理だな。外で役員たちと交渉している。ゲイロードってやつは、頭がいいんだ」

「しかし、ここにいる数百人を束ねる人間はいるだろう?」

「いるとも。前もって話し合い、従業員を七十五人ごとにグループ分けした。おれはグループの指揮官なんだ」

「で、大将は?」

「オリンジャーだ。ボブ・オリンジャー。彼がここでの大ボスだ。おれたち指揮官に指示を出す」

「すると、会うのはオリンジャーだな。どこに行けば会える?」

「彼のオフィスだ」

座り込みストライキのリーダーは、三十そこそこの男だった。機械工場で旋盤を回すのが仕事だが、工場の外で会えば弁護士だと思うだろう。やつれているといっていいほど痩せている。眼鏡、くしゃくしゃに乱れた髪、突き出た鼻。

「見ない顔だな」彼はオリヴァー・クエイドに向かっていった。「どうやってこの工場に入った?」

「ああ」クエイドはいった。「それが肝心なところだ。わたしはバートレット社の従業員ではないし、この工場にもいたくない。外に出たいんだ——何としてでも（イン・ザ・ワースト・ウエイ）」

「最悪の方法（ワースト・ウエイ）なら、ストレッチャーで運ばれることだな。最良の方法といいたいんだろう」彼は自分のウィットににやりとした。

「口が達者なんだな」クエイドがいい返した。「だが、わたしを相手にしないほうがいい。人間百科事典なのだから」

「人間百科事典って?」

「わたしのことだ。どんな質問にも答えられる。全二十四巻の百科事典を、隅から隅まで四回読んでいるんだ」

「それは面白い。『風と共に去りぬ』を立ったまま読破した男を知っているぞ」

「一緒にしないでくれ。で、どうなんだ——ここを出る通行手形はもらえるのかな？」

「駄目だ。このストライキは、何週間も前から準備したものだ。全員が、この包囲戦を戦う契約を結んでいる。ひとりも出さず、ひとりも入れずというのが、われわれの合意だ。相手が誰であっても」

「だが、わたしはお仲間じゃないといってくれてもいいだろう。何も知らない部外者だと」

「何も知らないかどうかは確信できないな。あんたは口がうまい、クエイド。確かに人間百科事典かもしれないが、社内スパイかもしれない。危ない橋を渡るわけにはいかないんだ。ここにいてもらう」

クエイドはうめいた。「ストはいつまで続くんだ？」

オリンジャーは肩をすくめた。「わかるわけないだろう？　バートレットと経営陣は、とんでもなく頭が固いんだ。そうでなきゃ、ストなんかするものか。すべて向こう次第だ。バートレットは工場じゅうにスパイを放っている。さて、よければそろそろ……」

クエイドはきびすを返し、オフィスを出ようとした。ドアに行きかけ、立ち止まる。「ひょっとして」彼はいった。「ストもそう悪くないかもしれないぞ」

彼にそういわせたのは、ひとりの女だった。開いたドアの外に立ち、けげんそうにクエイドを見ている。彼はにっこりした。とびきり魅力的な女だ。デニムの作業エプロンを取り去り、美容師数人がかりで一時間もかければ、まさしく社交欄の編集者が〝美女の社交界デビュー〟と書き立てるような写真が撮れるだろう。

「ルース」オリンジャーがいった。「工場を出たんじゃなかったのか?」

「まさか、ボブ」彼女はいった。「部署の女の子がみんな残っているんだもの。わたしだって残るわ!」

オリンジャーはため息をついた。「わかったよ。だが、ルールは忘れないでくれ。女性は二階にいること。ふしだらなことや乱痴気騒ぎをしていたと、スパイに報告されたくないのでね。ぼくたちの大義に傷がつく……。ええと、こちらはミスター・クエイド。ミス・ルース・ラーソンだ」

「さっきレクリエーション室で、男性社員を大いに沸かせた雄弁家さんね」ルース・ラーソンはいった。「上まで聞こえていたわ。少し時間があれば、二階へ来て、女性の座り込み要員も楽しませてよ」

「金（かね）は出るのかな?　金にならない聴衆の前では、めったにしゃべらないのでね」

オフィスのドアが乱暴に開き、別の女が入ってきた。これほど怯えている人間を、クエイドは見たことがなかった。「ボブ!」彼女は叫んだ。「倉庫で人が死んでる!　撃たれて!」

「撃たれて?」ボブ・オリンジャーは仰天して叫んだ。「どういうことだ、マーサ?」

「もう少しでつまずくところだったのよ!」女はわめいた。「怖かった!」

女がふらついたので、クエイドがさっと駆け寄った。彼女を支え、回転椅子に座らせる。ボブ・オリンジャーとルース・ラーソンがそれを囲んだ。

「倉庫に行ったら、人が倒れていたの――血だまりの中に!」

「もういい」オリンジャーがいった。「行って見てくる。ルース、マーサについていてくれ」

オリンジャーはまっすぐ倉庫には行かなかった。まず工場へ向かい、四人の男を招集した。スト の指揮官だ。

倉庫の死体は、出荷を待つキャッシュレジスターの木箱の列の間にいた。うつぶせに倒れている。

唇を引き結び、足で死体をひっくり返したオリンジャーはたじろいだ。

「ミスター・ホッカー！」

「ホッカー？」元プロボクサーのマーフィーが大声でいった。「役員のホッカーか？」恐れおののいたようにいう。

「ああ。副社長のね」

スト指揮官のひとり、ピート・ウォルシュがいった。「変だな。ボブ、役員連中は全員追い出したはずだろう」

「ああ。だがもちろん、いちいち数えちゃいない。あのとき、ホッカーは工場のどこかにいたんだろう」

「運が悪かったな」オリヴァー・クエイドはいった。「あんたもね」

オリンジャーはしばらくクエイドをぼんやり見ていたが、急にはっとした。

「ぼくらのせいにされてしまう！　この中の誰かが殺したといわれるだろう。そうなったらおしまいだ！」

「おしまいとは、どういうことだ?」フォード・スミスがいった。無精ひげを生やした、怒ったような目つきの三十歳くらいの男だ。「大きなストに怪我人はつきものだろう」このときのフォード・スミスは、民衆を扇動する街頭演説者にそっくりだった。

オリンジャーは目をぎらりとさせた。「そんないい方はやめろ! ここにいる男たちの耳に入れば、大事(おおごと)になるだろう。この工場にいる全員は、受身の戦術に同意したから座り込みストの要員に選ばれたんだ。暴動や妨害行為には賛成しない。わかったな、みんな!」彼はスティーヴ・マーフィー、ピート・ウォルシュ、フォード・スミス、ヘンリー・ジャクソンのスト指揮官四人を、ぐるりと見回した。

「おれを見るな!」ピート・ウォルシュがいった。「おれはこいつを殺しちゃいない!」ウォルシュも若く、三十五歳くらいだった。クエイドは彼を値踏みし、この男と元プロボクサーのマーフィーがやり合ったら、ひどく面白いことになりそうだと思った。

グループの最後のメンバー、ヘンリー・ジャクソンは、また違うタイプだった。むっつりとした顔の男で、冷酷そうに口を結んでいる。クエイドはストのリーダーであるオリンジャーに同情した。労働者が彼をリーダーに選んだのは、おそらく誠実さと知性のためだろう。だが、四人の指揮官選びに当たっては、何か裏工作があったに違いない。

クエイドはいった。「それでも、死体があることには変わりない。これをどうする?」

オリンジャーはこぶしを握りしめた。「警察に知らせれば、大挙してやってくるだろう。新聞に書き立てられ、ストは台無しだ」

「今、ストに失敗したら」ジャクソンがいった。「おれたちはおしまいだ。今回のようなストは二度とできないだろう」

「血はまだ凝固していない」クエイドがいった。「つまり、死んでから三十分と経っていないということだ――ストが始まってからのことだな」

「ますます悪い」オリンジャーがうめいた。「どうするか決めなくてはならないな」

「殺人者を見つけたら――」そういいかけたクエイドに、フォード・スミスが怒鳴った。

「その口を閉じておけ。そもそも、あんたはこの件には何のかかわりもないんだ。とにかく、おれはあんたが怪しいとにらんでいる」

「わたしもきみをそう思っているよ！」クエイドが鋭くいった。

オリンジャーがいった。「このことは外に知らせたくない。クエイド、知られてしまった以上、ここにいてもらう。ジャクソン、どうすればいいと思う？」

「決まってるだろう？　スト参加者として、おれたちは自分の権限で行動している。殺人の隠蔽だって――とんでもない！」ジャクソンは最悪の事態が起こるのを予想し、案の定そうなったとでもいうような顔つきだった。

「おれは賛成できないな、ヘンリー」ピート・ウォルシュが割って入った。「今、警察に知らせたら、おれたちもここを出なくてはならない。ストは中止になる」

「スミス、きみの意見は？」オリンジャーが訊いた。

「こいつを隠して、口をつぐんでいることだ！」

オリンジャーは問いかけるようにスティーヴ・マーフィーを見た。

「おれはジャクソンに賛成だ」

オリンジャーはため息をついた。「二対二か。つまり、決定投票はぼくに委ねられているということだ。生まれてこのかた、法に反したことはない。だが、この工場のみんなはぼくをリーダーに選んだ。最後まで見捨てないと信じてくれているんだ。その期待を裏切るわけにはいかない。ぼくはずっと法を守ってきたが、今度ばかりはそれに反することにする。このことは内密にして、ストを続行する！」

ウォルシュとスミスはうなずいて賛成した。マーフィーとジャクソンはしばらくむくれていたが、結局は多数決に従うことにした。

そこで、オリンジャーはクエイドにいった。「それでだ、クエイド、倉庫に閉じ込められたくなければ、口をつぐんでいると約束してくれるだろうね？」

「わたしは世界一の雄弁家だ——金になるときにはね」クエイドが返した。「だが、金にならないとなれば、口にチャックをしているよ。しかし、あの女性たちはどうする？」

「彼女たちはしゃべらないと信じていいだろう」オリンジャーがいった。

ピート・ウォルシュが、ほかの連中に目配せした。オリンジャーがそれを見て、顔を赤くする。「仕事に戻るぞ！」彼は鋭くいった。「ウォルシュ、ジャクソンと一緒にどけてくれ——こいつを！　どこかの箱に死体を隠すんだ！」

「おれは嫌だ」ウォルシュは尻込みした。「生きてるときには触りもするし、病気のときには背負ってもやるが、死んだとなれば、ミセス・ウォルシュの坊やのピーターには、とても手を触れることはできない！」

「大きななりをして意気地がないな！」フォード・スミスが鼻で笑った。「おれがスティーヴを手伝うよ」

ほかの男たちはオフィスに戻った。クエイドは正面の窓から外を見た。オフィスは二階で、通りが一望できる。大勢のスト監視員がフェンスの外を行き来し、通りには数百人の支援者が立って見守っている。彼らとスト監視員の間を、五、六十人の制服警官がパトロールしていて、全員が制服の外のベルトにピストルを下げていた。

キャッシュレジスター会社から百ヤードほど離れた通りの反対側に、三階建ての煉瓦造りのビルがあった。上階の窓から、ひとりの男が短い竿のついた白旗を二本、振っていた。

「あそこで男が合図を送ってるぞ、オリンジャー」クエイドが指摘した。

オリンジャーは素早く窓に近づいた。「本部からだ。電話線は切ってあるのでね」彼はしばらく黙って外を見ていたが、やがていった。「ゲイロードからだ。バートレットが市長と市の当局者と会議中らしい。結果を知らせるとのことだ」

スティーヴ・マーフィーは、でっぷりとした頬にほとんど隠れている、豚のような目を光らせた。「内密の協議なんだろう？」

オリンジャーはにやりとした。「市長のオフィスにはスパイを送り込んでいる」

ちょうどそこへ入ってきたフォード・スミスが、意地の悪い目でクエイドを見た。「それに、ここにもスパイがいるってのに賭けてもいいぞ！」

「ミスター・スミス」クエイドはずばりといった。「あんたのことは、好きになれそうにないな！」

「上着を持っていてやるよ、スミス」大男のピート・ウォルシュが冷やかした。

だが、フォード・スミスはクエイドと喧嘩する気はなさそうだった。彼をにらみつけ、引き下がる。クエイドはまた窓の外を見た。「旗を振ったほうがいいぞ、オリンジャー。ゲイロードが、こっちはうまくいっているか知りたがっている」

オリンジャーは驚いてクエイドを見た。「どうしてわかる？」

「信号を知っている」

「まさか」とオリンジャー。「この信号を知っているはずがない。普通の手旗信号とは違うんだ」

「わかっているさ」クエイドが答えた。「昔のプロシア軍の信号だ。普仏戦争のときに大活躍した。今では使われなくなったも同然だから、あんたとゲイロードはそれを勉強したんだろう」彼はにやりとした。「わたしは人間百科事典だといったろう。何でも知っているんだ」

オリンジャーはデスクの引き出しから二本の白旗を出した。「あんたは知りすぎている、クエイド。もうこの部屋を出ていってくれないか？　ゲイロードと内密に話したいんだ！」

「奥でみんながうまくやってるか見てみるよ」

彼らはうまくやっていた。工場のほぼすべての部屋で、ポーカーゲームの真っ最中だった。

チェッカーボードも大量にあったし、チェスまであった。レクリエーション室ではサイコロ賭博が大々的に行われていた。誰もが高揚しているようだ。スト一日目の午後なのだ。

五時になって、オリンジャーは市長との話し合いが物別れに終わったと告げた。バートレットと役員たちはストと戦うことに決めたという。それを聞いて、ののしりの言葉が大いに湧き起こった。オリンジャーはそれを黙らせるため、夕食後にダンスパーティがあると発表した。

「だが、このレクリエーション室の中だけだ」彼は釘を刺した。

工場は町から少し離れていたので、大きなカフェテリアがあった。スト参加者はそこを占拠し、くじ引きで料理人を決めていた。食べ物はたっぷりとあり、料理の出来もよかった。その後、五十人の女性スト参加者が二階から下りてきた。演奏の心得がある者もいたし、楽器もあった。

クエイドは踊らなかった。そんな気分ではなかったのだ。この工場はくすぶっている火山だ。ジョン・ホッカーの死体は倉庫の荷箱に隠されている。何であれ、工場の外で表立った動きがあれば、それがきっかけとなって、火山は噴火するだろう。

八時半頃、男がレクリエーション室にやってきて、ボブ・オリンジャーの耳に何やらささやいた。オリンジャーは部屋を出て、十五分後に額にしわを寄せて戻ってきた。クエイドは彼がマーフィー、ウォルシュ、スミス、ジャクソンに順繰りに耳打ちしているのを見た。彼らはわざとらしいほどさり気なく部屋を出ていった。クエイドもあとを追った。

「きさまはここにいろ！」スミスがぴしゃりといった。

「いや、一緒に来させてくれ」オリンジャーがいった。「彼も同じくらい深入りしているのだから」

オフィスに入ると、オリンジャーは手旗を取り出し、五分ほど慌ただしく振っていた。やがて手を止め、通りの向こうの窓を見る……。

「バートレットは、われわれがホッカーを人質に取っているといい張っているらしい」オリンジャーは報告した。「ホッカーは今日、工場にいた。家族は帰ってきていないといっている。やつらはここに警察を入れたがっている」

「お断りだ！」ウォルシュがいった。「ここまでどっぷり浸かったからには、最後まで戦う」

「そうするしかないだろうな」とオリンジャー。「ここにいないといったあとで、ホッカーの死体を発見させるわけにはいかない」

オリンジャーは拒否の信号を送り、それから振り返った。

「ゲイロードが食い止めてくれる。警察をここに踏み込ませないのが肝心だと気づいているようだ。だが、バートレット陣営はストと戦うと決めた。死んだホッカーは、普段からぼくたちの信念に共感していた。バートレットに次ぐ株主のサミュエル・シャープは、ビジネスに口を出さない。それに、彼はニューヨークにいる。財務部長のキャソウェイは日和見を決め込んでいる。だから、ホッカーが殺されたとなると、こちらにとっては痛手だ。バートレットは、ぼくたちが工場を出るまで、調停にさえ応じないといっている。

工場を出たら、こっちの負けだ。バートレットはスト破りを大量に送り込むだろう。二週間持ちこたえれば、ぼくたちは勝てる。この会社はそれほど金回りがよくないという噂だ。二週間、生産を止めれば、バートレットは降参して、こっちの条件をのむだろう。それ以上の操業停止には耐えられまい。この会社が受けていた注文が、ライバル会社へ行ってしまうだろうからな」

「バートレットは今すぐこの商売をやめて、借金の心配もしなくてよくなるかもしれないのさ」ウォルシュがぶつぶついった。「この間の新聞で読んだが、やつのべっぴんの娘が、どこかの公爵と結婚をもくろんでいるとか」

何かがオリヴァー・クエイドの頭の中でかちりと音を立てた。世界一の記憶力の持ち主である彼は、顔も名前も覚えていた。とはいえ……さっき顔を見たときには気づかなかった。だが今では……。

クエイドはこっそりオフィスを出て、レクリエーション室に戻った。スト参加者の多くが引き揚げていたが、それでもまだかなりの数が踊っていた。ルース・ラーソンもそのひとりだった。

クエイドは彼女に近づいた。「ちょっと来てもらってもいいかな?」

「あら、ミスター・クエイド!」彼女はからかうようにいった。「ベランダに出るのはルール違反よ」

「わかってるよ——ミス・バートレット!」

彼女は息をのんだ。「どうしてわかったの?」

「一度新聞で写真を見た。わたしは人の顔は決して忘れない。そして、ヨーロッパにいるバートレットの娘の話が出たとき、きみの名前に思い当たった。なぜ――」

彼女は顔を赤くした。「おふざけでやっているというんでしょう」

「いいや、そうは思わない。ルース・バートレットは父親の会社で働いたりはしないだろう。いつからだ――ひと月前？」

「ふた月よ」

「ボブ・オリンジャーのためか？」

彼女は唇を噛み、それからいった。「ええ、彼のためよ。三カ月前、学校の友達の家で会ったの。彼にとっては、お金持ちの娘のひとりにすぎなかったでしょうね。誰が誰だか見分けもつかなかったでしょう。でもわたしは――」

「それで、彼に会うためにここで働きはじめたんだな。父親は知っているのか？」

「まさか！　わたしはヨーロッパにいると思っているわ。女友達が、毎週わたしの名前で父に電報を送ってくれるの。ここにいる人は誰もわたしのことを知らない。工員も、役員も」

彼女はデニムの作業エプロンを見下ろした。「工場には四百人の女性がいるわ。半分はこんな格好よ。わたしが働いている組立工場には女性が百人いる。同じような作業をして、同じような見た目だし、役員は工員のことなんてじっくり見ないものよ」

クエイドは首を振った。「しかし、なぜここにとどまったんだ？」

彼女が答える前に、ピート・ウォルシュが近づいてきた。「お開きの時間だぞ」彼はいった。

「オリンジャーの命令だ」

　クエイドは彼女が去っていくのを見た。

　機械工場には、二百台ほどの折り畳みベッドがすでに広げられていた。彼はそのひとつを拝借し、靴紐を緩めて横になった。数分と経たないうちに、彼は眠りに落ちていた。

　朝食はコーヒーとパンだった。

　食べ終えると、クエイドは二階のオフィスへ行った。オリンジャーと四人の指揮官が、作戦会議を開いているところだった。

「その顔からすると、今朝のストの調子は芳しくないようだな」彼はスト参加者にあいさつした。

「もう七時半だ」オリンジャーがいった。「二十分のうちに、スト破りが突入してくるだろう。百人の特別保安官補と警察官に付き添われて。あの門の外には八百人の仲間と千人の支援者がいる。彼らはスト破りに門をくぐらせないだろう」

　クエイドは口笛を吹いた。「バートレットはきみたちの覚悟を知っているのか？」

「通りの向こうにいるゲイロードが彼に警告している。バートレットは州知事に連絡した。だが、知事は保安官の要請があるまで動こうとしない。スピース保安官は能無しだ。こけおどしだと思っている」

「だが、やはり銃を持たせたほうがいいと思う」フォード・スミスがいった。「保安官補は武装している。銃の扱いのプロで、やり合いたくてうずうずしているんだ。全員が、ニューヨークのスト破り専門チームから送り込まれている」

「おまえは指揮官だろう」ヘンリー・ジャクソンが皮肉を込めていった。「下りて行って、みんなを先導したらどうだ?」

ピート・ウォルシュがせせら笑い、フォード・スミスは怒りで顔を真っ赤にした。「おれが怖がっているとでも思ってるのか! いっておくが――」

ジャクソンは窓のほうを向いた。「スト破りが来るぞ!」

外のスト監視員と支援者もそれを見た。スト監視員は足を止め、フェンスに沿って守りを固めた。

オリンジャーが指揮官にきびきびと命令を下した。「ウォルシュ、スミス、すぐにみんなのところへ行ってくれ。工場から出してはならない。ジャクソン、マーフィー、きみたちはドアの前に立つんだ。誰ひとり出さないように! 何があっても、外の騒ぎに巻き込むな!」

四人の指揮官は走って部屋を出ていった。オリンジャーは窓の外を見た。クエイドはこの若きストのリーダーの顔に不安な表情が宿っているのを見た。

続いて、外で繰り広げられた光景に、クエイドはすっかり目を奪われた。パトカーの車列に囲まれて、トラックの一団が通りをゆっくりとやってくる。工場の正面、有刺鉄線を巡らせた高い塀の外では、スト参加者が三重になって腕を組み、人間の鎖を作っていた。もし彼らが持ちこたえれば……。

通りの反対側には、スト参加者の友人や家族が何百人も集まっていた。向かい合った煉瓦のビルの窓は、組合幹部、事務局員、ストの指導者たちの顔で埋まっていた。トラックと車列は、正門から百フィートと離れていない場所で停まった。パトカーの一台が前へ出た。スト参加者の列から数人が出てきて、ドアを開けた車の中で当局者と話し合う。スト監視員の怒号が弱まった。誰もが交渉の行方を知りたがっていた。戦いか、和平交渉か。「能無し保安官のスピースだ！」オリンジャーがつぶやいた。「やつが道理に耳を傾けてくればいいが！」

交渉はたっぷり一分間続いた。明るいグレーのステットソン帽のためにひときわ目立つ保安官は、手を振り回して叫んでいる。通りのスト参加者も、やはり手を振り回して反論した。「話をしているうちは」クエイドがいった。「心配ない。話していれば喧嘩はできないからな」

そのとき、どこかで銃声がして、保安官がよろめき、ふたりの保安官補に向かって後ろざまに倒れ込んだ。「撃たれた！」彼は叫んだ。

大混乱が起こった。車に乗っていたふたりの保安官補が散弾銃を取って発砲した――スト監視員の鎖に向かってまっすぐに。

スト参加者が車に殺到し、別の車から発せられた鉛の弾が彼らに降りかかった。催涙ガス弾が爆発し、あたり一面茶色い煙に覆われる。その上に、二千人近くの男女の悲鳴や叫び、泣き声がこだました。足を引きずる音、押し寄せる人々、混乱！

まるで地獄だった。三十秒ほどの出来事だったが、通りにはたくさんの死体が転がっていた。「ああ、何てことだ！」工場で、ボブ・オリンジャーが叫んだ。「とんでもないことになった！」

「最初の銃弾は」クエイドが歯ぎしりしながらいった。「この建物から発砲された。上だ！」

　オリンジャーはぽかんとして目をしばたたいたが、やがていった。「そうだ！　保安官は、撃たれたときにこっちを向いていた。その衝撃で後ろに倒れたんだ。くそっ！　誰が――」

「ホッカーを殺したのと同じ人物だ……。オリンジャー、その男をつかまえなくてはならない。外はとんでもない騒ぎになっている。犯人がつかまらなかったら――」

「わかってる。だけど、三百人の中からどうやって探す？」

「やつは銃を持っている。ライフルだ。それを見つけるんだ」

「この広い工場で？」

　クエイドは顔をしかめた。「オリンジャー、この一連の出来事――ホッカー殺しにこの発砲は、全部ひとつの悪だくみの一部だとは思わないか？」

「ストを失敗させるためか？」

「それだけじゃない――見ろ、トラックが引き揚げていく」

「だが、警察と保安官補は残っている。外の仲間を追い返すつもりだ」

「きみたちをここから追い出そうとしたら、どうする？」

　オリンジャーはくるりと振り返った。「それはないだろう。外にいる仲間は、見るからに丸腰だ。百丁の銃には勝てない。だがここでは――いいや、ぼくたちを追い出そうとするとは思えない。とにかく、保安官がいないうちは」

「だが、州兵がいる！」

オリンジャーは悪態をついた。「ゲイロードとぼくたちは、何より州兵をここに入れたくなかった。そもそも、知事はストに反対だった」

「だが、知事は公正な男だ。彼ならまともに相手をしてくれるだろう。州兵が来るのはいいことかもしれないぞ」クエイドがいった。

「ああ、来るに決まってる。ゆうべ、万一に備えて二個部隊ほど動員されているのがわかっているんだ」

「続いて捜査が行われ――死体が発見されるというわけか」

オリンジャーの肩がこわばった。「ぼくたちの負けなのか？　そういいたいのか？」

クエイドは窓の外を見た。「旗だ、オリンジャー。ゲイロードは、銃は四階から発砲されたといっている。われわれの真上だ。だが、遠すぎて誰が撃ったかはわからなかったそうだ」

「行ってみよう！」

四階の部屋はタイプ室だった。ドアに鍵はかかっていない。部屋はがらんとしていた。

「逃げられた！」オリンジャーが叫んだ。

「目的を達したんだ。ここにぐずぐずしてはいないだろう」クエイドは部屋を見回した。オリンジャーは戸惑った様子でそれを見ていた。クエイドはだしぬけに身をかがめ、何かを拾い上げた。

「空(から)の薬莢だ」彼はいった。「三〇－三〇――ホッカーを殺したのと同じ銃だ。この工場に、同じ銃が二丁あるとは考えがたい。銃を見つけ出そう」

「犯人はここに銃を置いていったというのか？」

クエイドは肩をすくめた。「ほかにどこへ持って行く？　真っ昼間に、ライフルを手に工場を出るような賭けには出ないだろう。おそらく、ゆうべのうちにここへ持ち込み、隠していたんだ。さて、わたしならライフルをどこに隠すだろうな？」

彼は部屋を見回した。スチールのロッカーとファイルキャビネット、たくさんのデスク。彼は顔をしかめた。「たぶんデスクの下だ。曲げた釘か紐で固定して……」

オリンジャーも膝をつき、デスクの下を調べはじめた。だが、銃を見つけたのはクエイドだった――デスクの下で。

「三〇－三〇の連発ライフル銃だ」彼はそういって、銃床をじっくりと見た。それからため息をつく。「拭き取られている。指紋はない」

クエイドはライフルのレバーを操作した。銃から実弾が四個出てきた。彼はそれをポケットに入れた。

ふたりはオフィスに戻った。四人のスト指揮官がいた。オリンジャーは彼らに、銃が四階の窓から発射されたことを話した。指揮官たちは、クエイドが手にしている銃を見た。

「窓から発砲したのは、ジョン・ホッカーを殺したのと同じ人物だ」オリンジャーがいった。

「ゲイロードがまた信号を送ってきているぞ」窓際にいたジャクソンがいった。

オリンジャーは窓に近づき、組合本部を見た。「スピースは生きているが、重傷だ」彼は内容を伝えた。「仲間の五人が怪我をし、ふたりが死んだ。スピース保安官は知事に連絡した。二個部隊の州兵が、夕方にはここに来る」

ピーター・ウォルシュとフォード・スミスは口汚くののしった。スティーヴ・マーフィーの額には、洗濯板のようなしわが寄っていた。「つまり、捜査があるということか?」

オリンジャーは肩をすくめた。「ぼくたちには防ぎようがない。ただ祈るしか――くそっ!」

彼はまだ窓の外を見ながらいった。「警察署長が、ホッカーを探しにここへ入れるかといっている。ゲイロードの信号によれば、あとへは引かないようだ」

「警察を入れるわけにはいかない」ピート・ウォルシュがいった。「ゲイロードに、駄目だといってくれ。おれたちはまだ頑張る。バートレットが降参するまで座り込むというのが、みんなの合意だ」

オリンジャーが旗を取り、信号を送った。しばらくして返事があった。「ゲイロードが来る」

「ああ」ヘンリー・ジャクソンが皮肉たっぷりにいった。「お偉いさんが、わざわざ危険を冒して道を渡ってくるのか」

アンディ・ゲイロードがやってきた。小柄だが活力にあふれた男だ。その話しぶりは、体と同じようにきびきびしている。ストの指揮官たちに短くあいさつしたあと、オリヴァー・クエイドのほうを鋭く見た。

「この男は?」

「罪のない傍観者だ」クエイドがいった。「昨日、たまたまこの工場にいるときにストが始まり、出してもらえないんだ」

「見えすいた話だな」ゲイロードがぴしゃりといった。「おおかたバートレットのスパイだろう。やつと通じている人間がいる……。ホッカーはどこだ、オリンジャー？」

「死んだ。殺されたんだ」

ゲイロードが悪態をついた。「バートレットもそう思っている。誰が殺った？　スピースに発砲したのと同じやつか？」

オリンジャーはうなずいた。同時に、ルース・バートレットがオフィスに入ってきた。「ボブ！」彼女は叫んだ。「マーサが――」続いて、アンディ・ゲイロードを見る。

アンディ・ゲイロードの目がきらりと光った。「彼女がここで何をしている？」

オリンジャーは驚いたようだった。「ここで五十人の女性が座り込みをしているのは知ってるだろう？」

「ああ。だが、彼女はバートレットの娘だ！」

ボブ・オリンジャーは、こぶしで殴られたかのように後ろによろめいた。「バートレットの、何だって？」

「娘だ。ルース・バートレット。知らなかったのか？……そうだろう、きみ？」

ルース・バートレットは鼻腔を膨らませた。「ええ。でも――」

「ルース！」オリンジャーが叫んだ。「きみが――どうして？　ああ、何てことだ！」

彼の顔は引きつっていた――怒っているな、とクエイドは思った。そのとき、オリンジャーがこの娘を愛しているのがわかった。というより、ルース・ラーソンを。彼にはルース・バートレットを愛することはできなかっただろうから。

「二カ月前から工場で働いてるわ」ルース・バートレットはいった。「誰もわたしのことは知らない。マーサと一緒に暮らしているの」

「スパイがいたぞ、オリンジャー!」ジャクソンがいった。

「違う」クエイドはいった。「わたしはゆうべ、彼女がミス・バートレットだと見破った。ミス・バートレットがここにいる動機には問題ないと思う。彼女はきみの味方だ、オリンジャー。スパイじゃない!」

「どうしてそんなことがわかる?」ピート・ウォルシュがあざけるようにいった。「おまえ自身、バートレットから金をもらっていることはわかっているんだ。おまえは――」

「おい」オリヴァー・クエイドは辛抱強くいった。「わたしには何をいっても構わない。だが、ミス・バートレットの前ではやめるんだ」

「ミス・バートレット」ゲイロードがいった。「すぐにここを出ていってくれ」

「行かせるわけにはいかない!」スミスがいった。「ホッカーのことを知っているんだぞ!」

「そのことで来たの」ルースが声を張りあげた。「ミスター・ホッカーのことじゃなくて、マーサのことで! どこにも見当たらないの」

オリンジャーを見たクエイドは、ストの若きリーダーの目に恐怖を見て取った。オリンジャーは努めて冷静にいった。「カフェテリアを見てくれ、ルース。少し前に、そこにいたような気がする」

「三十分前に確認したわ。そのあとのこと?」

「ああ」

オリンジャーは嘘をついた。この三十分、カフェテリアに足を踏み入れてはいない。オリンジャーはルースをここから出したかったのだ。これ以上いれば……。

フォード・スミスがいった。「彼女がホッカーを発見したのを忘れたか? やはり殺されているかもしれない」

ルース・バートレットが悲鳴をあげた。オリンジャーはスミスに近づき、激しい口調でいった。「黙れ!」

スミスはひるんだが、ピート・ウォルシュがそのあとを引き継いだ。「みんなそう思っているのは知っているだろう、オリンジャー」

「その女性を探せ、オリンジャー。オリンジャー!」ゲイロードがいった。「すぐに見つけるんだ。事件が多すぎる」

「ぼくは精一杯のことをやっている。やめさせたいのか?」オリンジャーが怒鳴った。「いいとも、手を引こう。ほかの誰かに仕切らせてくれ」

アンディ・ゲイロードはスト指揮官を素早く見回してから、慌ててオリンジャーに答えた。

「駄目だ、オリンジャー。そうかっかするな。きみはよくやっている。わたしは向こう側に戻るよ」彼は部屋を飛び出していった。

オリンジャーは豊かな黒髪に指を滑らせた。ルース・バートレットを見て、顔をこわばらせる。「わかった、ルース、きみも最悪の事実を知っておいたほうがいい。ここにいる誰かのせいで、外の殺戮が始まったんだ。窓からスピース保安官を撃った。これがその銃だ」

「弾は何発発射されたの？」ルースが訊いた。

「三発だ」クエイドが答えた。「二発はホッカー、一発は外に」

ルース・バートレットの顔に安堵の表情が広がった。「じゃあ、マーサは――」

「たぶん、建物のどこかにいるだろう」

「すぐに何人かをやって、彼女を探させる」オリンジャーがいった。

ルースは感謝の笑みを浮かべ、オフィスを出ていった。スト指揮官たちがオリンジャーを責めはじめた。「八方ふさがりだ」スティーヴ・マーフィーがいった。「バートレットの娘が潜り込んでいる上、スパイに、殺人に、謎のライフル男……」大きなため息をつく。

「おれに考えがある」とフォード・スミス。「これなら確実に勝てる。バートレットの娘がここにいる。やつにこう伝えるんだ。降参するなら娘には手出ししない。だが、降参しなければ……」

ボブ・オリンジャーは、スミスを殴るにはひ弱すぎた。スミスは反撃し、オリンジャーは負けるだろう。そこで、クエイドがオリンジャーよりも先にパンチを繰り出した。スミスの顎を強打する。短く強烈なパンチに、相手は床に倒れ、そのまま起き上がらなかった。

ピート・ウォルシュが辛辣にいった。「スミスの案は悪くない。この会社には千二百人の従業員がいる。何人かはすでに殺された。娘ひとりにそれだけの価値があると思うなら――」

クエイドは、オリンジャーが自分より大きなウォルシュに食ってかかるのを、羽交い絞めにして止めなくてはならなかった。

「みんなにいっておく！」オリンジャーがわめいた。「ルース・バートレットに指一本でも触れたら、誰だろうとこの手で殺してやる！」

「誰も触れやしないさ」ヘンリー・ジャクソンがいった。「スティーヴとおれがそうさせない。な、スティーヴ？」

元プロボクサーが強い口調でいった。「そうとも、ヘンリー。フォードとピートとは、ストが終わってから話をつけよう。いっておきたいことがある」

クエイドはオリンジャーをドアのほうへ促した。「来るんだ、オリンジャー。マーサ・ホワイトを探さなければ」

四階で彼女は見つかった。ふたつの箱の後ろで。首が折れていた。その顔は、魅力的とはいいがたかった。クエイドはマーサの死体を包装紙で覆った。「オリンジャー」彼はいった。「バートレットと調停に持ち込んだほうがいい」

「そうしたいのはやまやまだが」オリンジャーはぶつぶついった。「向こうがしたがらないんだ。ゲイロードは譲歩した。こっちの要求はきわめて妥当なものだ。なのに、バートレットは応じようとしない」

「会社のほかの役員について、何かいってたな。彼らにはどのくらいの発言力がある？」

「株式会社なので、バートレットが企業支配権を握っている。だが、彼の株の一部は抵当に入っていると聞いた。ホッカー、サミュエル・シャープ、キャソウェイは主要株主だ。ホッカーは死に、シャープは経営に積極的な株主ではない。キャソウェイはバートレットに逆らうほどの力を持っていない」

「だが、ストが続くほど、バートレットの金はなくなるんだろう」

「それはこっちも同じだ。しかも、バートレットよりも痛手は大きい」

「どうかな。株を抵当に入れなくてはならないなら、それほど裕福ではないはずだ。ストが二、三週間も続き、バートレットがスト破り全員に金を払って、妨害行為でも起これば……」

「妨害行為！」

「ホッカーの死体を見つけてから、ずっと気になっていたんだ。いいか、労働者のひとりがホッカーとマーサ・ホワイトを殺し、保安官を撃ったと思うか？　武装した保安官補に、手も足も出ない同志を殺させるために」

オリンジャーは驚きとともにクエイドを見た。「しかし、誰が――」

「わたしにいわせれば、すべてのトラブルはストを長引かせるために起こしたものだ。理由はひとつ。バートレットを失脚させるためだ」

「バートレットの共同経営者のひとりがやったというのか？」

「あるいは、バートレットの株の抵当権を握っているやつだ。それが誰だかわかれば……」

ふたりはオフィスに戻った。そこには十数名の労働者の代表がいた。フォード・スミスとピート・ウォルシュは、彼らとやけに親しげだった。

「工場の連中から、何かいいたいことがあるようだ」フォード・スミスがいった。

労働者のひとりがいった。「おれたちはあんたをリーダーに選んだ、ボブ。それに文句はない。だが、外で起こったことを考えると――」

「ストをやめたいのか？」

「まさか！　仲間がやられたんだぞ。おれたちは怒っているし、あんたにも、ここにいる人たちにも、決してバートレットに屈してほしくない。保安官補やスト破りと戦う用意はできている。やつらが踏み込んできたときには、目にもの見せてやる」

ボブ・オリンジャーはかぶりを振った。「待ってくれ。火には火をもって戦うというんだな。いいモットーだが、ストには向いていない。われわれは平和的な座り込みストをやると決めたんだ。暴力に訴えれば、州兵が乗り出すだろう。そうなったら、どこに勝ち目がある？　頭を使うんだ、みんな。何があっても」

「知ってるだろう、こいつはバートレットの娘にご執心なんだ」フォード・スミスが口を挟んだ。

「彼女のことを話したんだな。いいだろう、スミス、これからはおまえが仕切るといい。彼らはもうぼくを信用していない。ぼくは手を引く」

うんざりしたクエイドはオフィスを出た。レクリエーション室に向かう。百人以上の座り込みスト参加者が集まり、ゲームに興じていた。クエイドはベンチの上に立ち、演説を始めた。

だが、今日の売り物は本ではなく、人間という商品だった。

「諸君」彼は声を轟かせた。「きみたちの代表団はたった今、新しいリーダーを選んだ。フォード・スミス、オリンジャーの足元にも及ばない男だ……。話が終わるまで黙っていてくれ！スミスは戦いたがっている。きみたちに、レンチや棍棒を手に取り、マシンガンにライフル、手榴弾、催涙ガスで武装した州兵と戦えといっている。聞いてくれ！」クエイドの声は、部屋にいる全員の耳に届いた。

「きみたちはこれまで、負け戦を戦ってきた。今もそうだ。それは、きみたちの中に裏切り者がいるからだ。スパイが！」

「あんたはどうなんだ？」誰かが叫んだ。「ここの人間じゃないだろう」

「ああ」クエイドはいい返した。「だが、きみたちにいっておくことがある。昨日、この会社の副社長ジョン・ホッカーが、工場内で殺された。ライフルでな。同じライフルが、スピース保安官の狙撃に使われ、それをきっかけに殺戮が起こった。銃を撃ったのはきみたちのうちの誰かだ。しかもそいつは、ここの工員であるマーサ・ホワイトを今朝殺した。さっき遺体が見つかったばかりだ」

怒号と罵声があがったが、クエイドの怒鳴り声がそれを制した。「怒ったか？　これからもっと怒ることになるぞ。フォード・スミスがストを仕切り、警察と州兵を相手に戦おうとしている。怒りのために、多くの人が命を落とすだろう。そして、残った者はさらに怒りを募らせることになる。そんなことにはなりたくないだろう。だからこそ、冷静な頭脳を持つ、穏やかなリーダーが必要なんだ。ボブ・オリンジャーというリーダーが！」

クエイドはこの国最高のセールスマンだった。何でも売ることができる。彼は座り込みストの参加者にボブ・オリンジャーを売り込んだ……。あまりに見事な口上に、オリンジャーへの信頼を失っていた者たちも歓声をあげるほどだった。

代表団とともに部屋に入ってきたフォード・スミスは、やじで追い出された。しばらくして、オリンジャーが入ってくると、心からの拍手喝采で迎えられた。

そのさなか、ヘンリー・ジャクソンがオリンジャーに駆け寄った。「ボブ、州兵が車二台でやってきた。やつらが警察を引き継ぐんだ！」

パーカー少佐と州兵は、一時間後にバートレット社の工場に現れた。オリンジャー、クエイド、ジャクソン、ウォルシュ、そしてマーフィーが、オフィスの入口で彼らと会った。

「組合長のゲイロードと話し合った」少佐はきびきびといった。「一時間以内に二個部隊が到着する。われわれがここへ来たのは、法と秩序を守るためだ。戒厳令は敷かれていない。いかなる形でも、ストを妨害することはない。それは文官に任せる」

「工場の人たちはどうなるんです？」オリンジャーが訊いた。

「このままで構わない」少佐はいった。「すでに起こったことは――文官の手に委ねる。だがこれからは、暴力を防ぐのがわれわれの仕事だ」

オリンジャーは手ぶりで通りを示した。「スト監視員はどうなりますか？」

「交通の妨げにならない範囲なら許可する――二十人ほどだな」

「バートレットが、またスト破りを送り込もうとしたら？」

パーカー少佐はかぶりを振った。「法的には、工場で働く人間を送り込むことはできる。だが、わたしから彼に、トラブルを避けるよう強くいっておいた。彼はスト破りは送り込まないといっていた」

「よかった！」ボブ・オリンジャーはいった。「では、これ以上のトラブルは起きないでしょう」

少佐が立ち去ったあとで、クエイドはオリンジャーに小声でいった。「これ以上のトラブルは起きないって？　殺人者が自由にここをうろついているのを忘れたな。すでにふたりを殺し、早くつかまえなければまた殺すだろう」

オリンジャーは重々しくうなずいた。

ヘンリー・ジャクソンがクエイドに近づき、耳打ちした。「鋳物工場で見つけたものがある、ミスター・クエイド。重要なものだ」

「何だ？」

ジャクソンはため息をついた。「来てもらったほうがいいだろう。まだほかの人間に知られたくない」

鋳物工場は工場の奥のほうにあった。クエイドはジャクソンに先に入らせた。続いて入ろうとしたところで――クエイドの頭の中で世界が爆発し、そのまま彼は忘却の彼方へ転げ落ちた。目を覚ましたときはひどい状態だった。痛みが槍のように頭から首、肩、体を貫いた。だが、しつこく持ちこたえる無意識の奥深くに、はっきりとした呼びかけを感じた。無理に目を開けた彼は、あまりの痛みに再び気絶しそうになった。

彼は筋肉を動かし、急にはっきりと意識を取り戻した。自分がコンクリートの床に転がり、両手両足をきつく縛られているのに気づく。手は後ろに回されていた。

酸の煙がクエイドの鼻を突いた。やがて、自分が鋳物工場にいるのがわかった。強いにおいは、真鍮の鋳物工場でよく使われている硫酸だ。クエイドから五フィートほどのところに、同じく縛られたヘンリー・ジャクソンが転がっている。スト指揮官の顔には血がついていたが、意識はあった。

クエイドは彼をまっすぐに見た。「きみもか?」

「鋳物工場のドアのすぐそばに隠れていたに違いない。先に立って中に入ったとき、あんたが殴られる音を聞いて、振り返ったところをやられたんだ」

「犯人の顔は見なかったか?」

「ああ。数分前に気づいたときにはこのざまだ」

クエイドは今ではすっかり頭もはっきりし、痛みも薄れていた。「この鋳物工場で、何を見せるつもりだったんだ?」

「爆弾だ。たまたま見つけた。台の上に置いてあったが、今はなくなっている!」

クエイドは作業台を見た。さらに上を見ると、壁掛け時計があった。三時四十五分を指している。

「州兵は四時にはここへ来る。爆弾はそのためのものだろう。そうなったら、とんでもない騒ぎになるぞ。ジャクソン、きみに鋳物工場へ来いといわれたとき、罠じゃないかと思った。だから先に行かせた。わかるだろう?」

「おれも罠かもしれないと思っていた。とにかく、おれじゃないというのがこれでわかっただろう」

「ああ」クエイドはいった。「わかったよ」

「誰だと思う?」

「きみは頭がよすぎる、ジャクソン。あれやこれやについてほかの連中がわめき散らしている間、きみだけがいつも悠然と構えていた」

「馬鹿をいうな。オリンジャーは平和を求めて――」

「ああ。だが、きみとオリンジャーとは違う。彼は理想主義者だ」

「もしおれが悪の張本人だとしたら、クエイド、どうしてあんたの隣で縛られてるんだ?」

「さっきもいったが、きみはいまいましいほど頭がいい。労働者の前でスミスをこき下ろしたわたしを、彼が憎むよう仕向けた。彼がこれを思いついたんだろう。きみは自分に疑いがかからないよう、スミスにちょっと引っかいてもらい、縛り上げられて、わたしの隣に転がっていたというわけだ」

ジャクソンは大きなため息をついた。「あんたは頭が切れすぎる、クエイド。だが、こっちにも備えがある」彼は縛られた足を、手に届くまで持ち上げた。クエイドの見ている前で、靴に指先を突っ込み、小さな刃を取り出す。ジャクソンはクエイドを見て、皮肉たっぷりに笑った。

「万一のために用意しておいたんだ」彼はその刃で手首を縛る縄を切りはじめた。縄が切れていく。両手が自由になったジャクソンは、靴のかかとから完全に刃を抜いて、足首を縛っている縄を切った。

「知っての通り、ここでぐずぐずしている理由はないんでね」彼は皮肉を込めていった。「どのみち、ただのアリバイ作りだったんだ。あと五分もすれば、爆弾が破裂する。どうしてそうなったか、誰にもわからない。窓から投げ込まれたと思うだろう。スミスはおれがここで縛られているのを知っているから、おれがやったとは思わない。だが、計画は変更だ。州兵が工場を襲撃すれば、多くの乱闘が起こるだろう。あんたとスミスが、たまたま殺されるってこともあるかもしれない……。じゃあな、クエイド！　おれには大事な仕事がある――あんたのおかげで計画を変更したのでね」

ジャクソンはクエイドに近づき、その顔をしたたかに蹴って、急いで鋳物工場を出ていった。クエイドは、ジャクソンが出たドアが閉まるまで待った。今ではすべてがわかった。ジャクソンは夜のうちに爆弾の計画を立てていた。おそらく地面に埋めたか、一見何の変哲もない箱の中に隠したのだろう。爆発のときには、クエイドとともに縛られているつもりだった。しかし今、やつはオリンジャーとほかの指揮官の前に姿を見せていることだろう。何食わぬ顔をして。

知っているのはクエイドだけだというのに、この鋳物工場に閉じ込められている。これから混乱が始まれば、彼を探しにくる者はいないだろう。騒ぎが最高潮に達したところでジャクソンが戻ってきて、銃でクエイドの息の根を止めてから、手足を縛っていた縄をほどくに違いない。最終的に見つかったときには、彼も〝暴動の犠牲者のひとり〟にすぎなくなるのだ。

クエイドはもう一度時計を見て、急に転がりはじめた。台に近づき、身を起こす。台にもたれて、足を地面にしっかりとつけ、じわじわと立ちはじめた。やがて、彼は完全に立ち上がった。

台の上には、端から三フィートのところに銅の容器が載っていた。そのにおいから、クエイドは硫酸だと判断した。彼は台に背を向け、前かがみになって、後ろ手に硫酸の容器を探った。それをつかみ、台の端まで引きずってくる。

続いて深呼吸をし、容器を傾けて、酸を床にまいた。飛び散った酸がズボンにかかり、脚にまで届いた。火傷になるだろう。酸は布を溶かすが、それには何時間もかかる。クエイドにはそんな時間は残されていなかった。

容器の重さから、クエイドは中身が半パイントから一パイントくらいだろうと見当をつけた。容器をしっかりとつかみ、ぴょんぴょん跳びはじめる。まさしく離れ技だった。一度か二度、バランスを崩しそうになった。

二十フィートかそこら跳ねて移動したあと、彼はゆっくりとしゃがみ、銅の容器をコンクリートの床に置いた。身を起こし、片手で水栓を探る。それが見つかると、彼はしばしためらった。ここ一番という瞬間だ。うまくいくかもしれないし――うまくいかないかもしれない。うまくいっても、クエイドはひどい苦痛に見舞われるだろう。うまくいかなければ――恐ろしい死あるのみだ。

背後ですさまじい音がした。一瞬だけ開き、すぐに元に戻す。

彼は水栓をひねった。一瞬だけ開き、すぐに元に戻す。水が銅の容器の中の酸に触れ、発火したのだ。水は硫酸にこのような作用をする。水の中にゆっくりと硫酸を注ぎながら、常にかき回していれば、酸と水を混ぜることはできる。だが、ある程度の量の水を勢いよく酸に注いではいけない――大火災が起こってしまう。

炎が容器から立ち上がり、クエイドの脚を焦がした。彼は顔をゆがめ、縛られた手首を火にかざした。火が手を焦がす。額に汗がにじんだが、クエイドは歯を食いしばって持ちこたえた。焼け死ぬか、ひどい障害を負って体がきかなくなる確率は五分五分だった。だが、賭けに出るしかなかった。

そして、彼は勝った。縄が一本、また一本と切れた。クエイドは手首を両側に引っ張った。焼けた縄が、すでに火傷をしている皮膚に食い込み、その痛みに彼は悲鳴をあげた――それでも、縄は切れた。

彼は火から離れて床に倒れた。服が燃えていたが、すぐに揉み消した。足首の縄も焼き切る。それから勢いよく立ち上がった。時計は四時三分前を指していた！

鋳物工場を飛び出し、クエイドは機械工場を駆け抜けた。レクリエーション室に飛び込み、ほぼ空なのを見て不安になった彼は、オフィスに通じる階段のドアへ向かった。だが、そこまでだった。

恐ろしい爆発がビルを揺るがせた。クエイドは、建物の横手に出るドアを鋭く振り向いた。飛び出した先では、興奮しきった群衆が右往左往していた。

人々が押し寄せ、クエイドはもう少しで転びそうになった。ひとりの男の顔を激しく殴り、別の男を押し倒すと、見通しのきく場所を求めて群衆の間を抜け、最前列に立った。

目に映る光景に、彼は胸が悪くなった。フェンスのすぐ内側、オフィスの窓のほぼ真下に、深い穴が開いていた。その周囲を、制服を着た兵士がうろうろしている。将校たちが大声で命令を発し、男たちが隊列を作った。

だが地面には、身を寄せ合うようにふたつの死体が転がっていた。さらに、別の兵士が顔から血を流し、ふたりの同僚に運ばれていくのをクエイドは見た。

彼はすべてを目の当たりにした。やがて、州兵が強固な隊列を作った。クエイドは将校が鋭く命じるのを聞いた。

「銃剣を構えろ！」

クエイドは必死に向きを変えた。座り込みストの参加者は、もう右往左往していなかった。カーキ色の隊列の脅威を見ていたが、退却しようとはしない！

「敷地と工場を一掃しろ！」州兵の将校がきびきびと命じた。「楔(くさび)隊形！」

滑らかな動きで、各部隊が楔形の隊列を組んだ。ひとりが前に立ち、両側の対角線上に三人ずつ並び、八人目が後ろを固める。銃剣が光った。

　すると、やみくもに集結した三百人の座り込みスト参加者がざわめきはじめた。反抗の叫びがあがる。

　クエイドは殺戮が始まるだろうと思った。彼はスト参加者と州兵との間にいた。彼は追い払われるだろう。たぶん銃剣で。だが、彼はその場を動かなかった。両手を上げ、州兵の将校に向かって叫んだ。

「待ってくれ！　爆弾犯は――あの窓の奥にいる。この男たちの中にはいないんだ」

　二階のオフィスの窓の奥には、青ざめた顔がいくつかあった。ボブ・オリンジャー――ピーター・ウォルシュ、スティーヴ・マーフィー、フォード・スミス――そしてヘンリー・ジャクソン。オリンジャーとジャクソンがひとつの窓にひしめき、もうひとつの窓にあとの男たちがいた。クエイドはオリンジャーとジャクソンの窓を指した。

「オリンジャー！」彼は声を限りに叫んだ。「ジャクソンをつかまえろ！　やつをここへ引きずってくるんだ！」

「おい、そこをどけ！」将校がクエイドに向かって怒鳴った。

　クエイドは一歩前に出て、振り返った。ジャクソンの顔が窓から消えた。オリンジャーの姿が後ろに消え、ジャクソンが再び現れた。その手には、三〇‐三〇の連発式ライフルが握られている。

「これでも食らえ、クエイド！」ジャクソンが叫んだ。ライフルを肩のあたりに構え――引き金を引く！　だが、弾はクエイドには当たらず、彼の周囲に土煙すら立てなかった。

ジャクソンはまだ窓の中にいたが、ライフルは力の抜けた手から落ちた……ジャクソンの顔は血まみれだった。

彼は前のめりに倒れ、窓から半分体が垂れた。

「銃が暴発したんだ！」不意に訪れた沈黙の中、誰かがかすれた声でいった。

クエイドはチャンスを見計らって、州兵の将校に駆け寄った。「部下を止めてくれ。もう乱闘はない。あの男がすべての元凶だったんだ！　今朝、スピース保安官を撃ち、工場内でふたりを殺し、時限爆弾を敷地内に埋めた！」

将校は驚いてクエイドを見た。その目が光る。「大尉、あとを頼む。部隊はこのまま待機させておけ！」彼はクエイドの腕をつかんだ。「中へ連れて行ってくれ！」

座り込みストの参加者は、やはり建物の脇でひと塊になっていたが、今では静まり返っている。クエイドと州兵の士官はドアに急行し、オフィスに通じる階段を駆け上った。

二階のオフィスに着いたときには、ジャクソンは部屋に倒れていた。その周りを、オリンジャーと生き残ったスト指揮官が囲んでいた。ジャクソンには息があった——今のところは。取り囲む顔を見上げる目には生気がなかった。顎を必死に動かしている。

「クエイド！」彼は息を詰まらせた。「オリヴァー・クエイドはどこだ？」

「ここにいる」クエイドは人々を押しのけて顔を出した。

一瞬、ジャクソンの目が生気を取り戻した。「クエイド——きさまも——道連れにしてやりた。

「かかった！」続いて彼の口元に血の泡ができ、それが吹き出して、ジャクソンは息を引き取った。

クエイドは輪になった顔を見回した。「今朝、銃に細工をしておいた。近くにまだカートリッジがあるかもしれなかったのでね。犯人が保安官を撃ったように、州兵に向かって発砲するおそれがあった。そこで銃尾に細工して、カートリッジが犯人の顔に向かって破裂するようにしておいたんだ。汚いやり方だが……」

「爆弾ほどじゃないさ」ボブ・オリンジャーがいった。「すると、全部ジャクソンの仕業だったのか？」

クエイドはうなずいた。「ジャクソン——またの名をサミュエル・シャープ。そう、バートレット社の消極的な株主だ。たぶん、このあたりでは顔を知られていなかったのだろうな。彼は別のレジスター会社と手を組んで、この会社を破産させ、ただ同然で買い取ろうとしたのだろう。だが、失敗に終わった！」

「こっちもだ！」ボブ・オリンジャーが疲れきったようにいった。「座り込みストはおしまいだ」

「それはどうかな」州兵の将校がいった。「ほんの十五分前、バートレットに調停の構えがあると聞かされた。この男の計略を知れば、喜んで歩み寄りに応じるだろう……」

オリヴァー・クエイドは、ほほえんでその場を去った。レクリエーション室に、本が詰まったスーツケースを取りに行く——売りつけるはずだった本だ。だが、スーツケースは空だった。

彼の口上にあまりに説得力があったので、スト参加者が勝手に持って行ったのだ。

階段を下りる途中で、彼はルース・バートレットとボブ・オリンジャーにばったり会った。ふたりは腕を組んでいた。

「助けが必要なときには」クエイドは冗談めかしていった。「思い出してくれ。わたしは人間百科事典だからね」

「この人は、どんなことでも知っているみたいね」ルース・バートレットがいった。


（白須清美訳）

探偵が多すぎる

レックス・スタウト

Too Many Detectives　一九五六年

レックス・スタウト Rex Stout（一八八六—一九七五）。アメリカの作家。一九二九年の世界恐慌で財産を失ったあと、作家に転身。一九三四年に長編『毒蛇』を発表する。この作品で登場させた、蘭と美食をこよなく愛する私立探偵ネロ・ウルフと、その有能で能弁な助手アーチー・グッドウィンのコンビが人気を博す。代表作に『腰ぬけ連盟』『料理長が多すぎる』『シーザーの埋葬』など。本編の初出は週刊誌〈コリアーズ〉*Collier's* 一九五六年九月四日号。ウルフたちと事件に巻きこまれる女性私立探偵ドル・ボナーもシリーズ・キャラクターで、『手袋の中の手』『苦いオードブル』などで主役を務める。

I

女の私立探偵というのは、どうも好きになれない。この稼業は常にとは言わないまでも、危険で厳しい状況に陥ることがあり、愛嬌（あいきょう）や気まぐれな行動が通用する余地はない。したがって面の皮が厚くなくては務まらず、そうした女には魅力を感じないし、そうでない女は図太さと冷徹な心構えが求められたときに対処できずに業界から消えていく。

もっとも、どんなものにも例外はあり、今回がそうだった。わたしとネロ・ウルフを含めて室内に七人いる私立探偵のうち、部屋の隅に並んで座っているふたりは女性だった。本物の濃く長い黒のまつ毛がキャラメル色の瞳の上にひさしを作っているわたしと同年配のテオドリンダ（通称ドル）・ボナーは免許を取得している中堅の私立探偵で自分の事務所を持ち、安定した業績を上げている。よく似合っている仕立てのいい茶色のツイードスーツは、おそらくバーグドーフ（ニューヨーク五番街にある高級デパート）で手に入れたのだろう。たぶん、ミンクのジャケットも。彼女とは面識があるが、もうひとりは初めて見る顔で、ジェイ・カーの提案で全員が自己紹介したときに、サリー・コルトという名を知った。

わたしは部屋を横切ってミス・コルトの前に行き、顔を上げた彼女に話しかけた。「ミス・コルトですね？　アーチー・グッドウィンです。自己紹介が聞こえなかったかなと思って」

「いいえ、ちゃんと聞こえたわ」面の皮は厚くなさそうだし、澄んだきれいな声だった。妹といってていいくらいの年頃だが、べつに妹は欲しくない。ウールのドレスもキャメルのコートもバーグドーフの品ではないが、そんなことはいっこうに気にならなかった。

わたしは腕時計に目を落とし、サリーに言った。「いま十一時十五分だけど、あとどのくらい待たされるものやら。下の階にカウンターがあったから、手伝ってもらえればみんなにコーヒーを買ってこようと思って。あなたも飲みたいでしょう、ミス・ボナー?」

ミス・コルトが目で尋ねると上司のミス・ボナーはうなずいて、いい考えねと言った。そこで、ほかの人たちにも尋ねた。コーヒーが欲しくない人はいますか。誰も断らなかったので、サリー・コルトを連れて下の階へ向かった。

実際にコーヒーを飲みたかった。それに、ミス・コルトの容貌や立ち居振る舞いを見ていると、女探偵に対する見解を修正したほうがよさそうに思えてきたので、そこらへんをたしかめたくもあった。だが、ネロ・ウルフのすさまじい渋面からしばし逃れたいというのが、一番大きかった。度重なる不愉快な出来事は、ウルフの男前を上げる役にはまったく立っていない。こうなったのには、嘆かわしい事情がある。電話の盗聴スキャンダルが次々に発覚したのをきっかけに、私立探偵に関する詳細が世間の注目を集めた。たとえば、ニューヨーク州には州務長官の許可を受けた私立探偵が五百九十人いて、うち四百三十二人がニューヨーク市を拠点にしている。免許の申請者は筆記試験を受ける必要がなく、正式な身元調査も行われない。また、許可を受けた探偵に雇われている助手や調査員は探偵免許を必要としないため、州当局はその人数をまったく把握していない、等々。

　そこで州務長官は、五百九十人全員を召喚して、電話を盗聴した経験がある場合はそれを中心に、経験がない場合は活動全般について聴取することを決定した。免許を持っているウルフとわたしはふたりとも召喚され、それはそれで面倒なのだが、他の五百八十八人も同じ思いをしているのだから、二つの事情がなければ、ウルフはぶつくさ文句を言っておしまいにしたことだろう。その事情とは、ニューヨーク市とオールバニ市とに分けて行われる聴取のうち、オールバニのほうに召喚されたことがひとつ。ウルフが求めたニューヨーク市への変更は、却下された。もうひとつは、ウルフがただ一度手を染めた盗聴が、自身の名誉にも銀行口座にも貢献しない、思い出したくもない経験だったからだ。

　その冬の朝、西三五丁目にある古いブラウンストーン建築のウルフの自宅で料理人のフリッツが午前五時に朝食を寝室に運ぶときについていって、この天候なら車で行くことができる、大嫌いな汽車に乗らずにすみますよとなぐさめても、意気消沈しているウルフはため息をつく気力もなかった。衝突した際にフロントガラスから飛び出すことを危惧するウルフは、いつものように後部座席に座り、オールバニまでの百六十マイルを四時間かけて行くあいだ、二十語ほどをぶっきらぼうにつぶやいただけで、初めて通るのだから興味があろうと、新設なった高速道路の魅力の数々を説明したときは目をつぶってしまった。定刻の五分前、九時五十五分にオールバニ市の建物に到着し、指示に従って三階の一室に入った。むろん、ウルフの巨体に適した椅子など望むべくもない。ウルフは戸口に突っ立って室内を見まわし、先に来ていた人たちに「おはよう」としわがれ声で挨拶をしたあとは、奥の壁際の椅子に座って一時間と十五分むくれていた。

もっとも、ほかの五人が和気あいあいとしていたかと言うと、そんなことはまったくない。場を和ませようとしたジェイ・カーの提案で自己紹介はしたものの、常勤の調査員にすぎないサリー・コルトを除いた全員がＡＬＰＤＮＹＳ――ニューヨーク州公認私立探偵協会に属する同業者であっても、会話は弾まなかった。縁なし眼鏡をかけた、薄毛でずんぐりしたジェイ・カーは、この場に集められた人々を結びつけて、数えきれないほどのカップルを別れさせる手伝いをしてきた埋め合わせをしたかったのだろう。カーと配下の調査員たちが夫の依頼で妻を、妻の依頼で夫を尾行した件数は、ニューヨーク市の探偵事務所中最多を誇る。長身痩軀でこめかみに白いものが交じった、大きなわし鼻の持ち主のハーランド・アイドは、いつも銀行家のような身なりをしている。彼も業界でよく知られているが、カーとは分野を異にする。一度ならずＦＢＩに意見を求められたという噂だが、真偽のほどは定かでない。三人目のスティーブ・アムゼルについては、二年前にラリー・バスコムの事務所をクビになり、探偵免許を取得してミッドタウンに事務所を借りた際に耳にした噂くらいしか知らない。市でも指折りの探偵事務所を持つバスコムは、アムゼルは一匹オオカミではなく一匹ハイエナだと評したらしい。小柄で色黒、身ぎれいで、黒い瞳をきょときょとと落ち着きなく動かしている。見かけほど若くはなさそうだ。サリー・コルトを連れてコーヒーを買いにいこうとしたとき、一緒に来るかのように立ち上がったが、すぐに座った。

下階のカウンターでコーヒーを待ちながら、心配無用とサリー・コルトに請け合った。「盗聴の罪に問われて両手がうしろにまわったら、ウルフに電話するといい。そうしたら、ウルフはおれに一任するからすぐに解決してあげるよ。料金はいらない。同業のよしみさ」

「まあ、すてき」サリーは頭を少し倒して、耳から顎にかけてのきれいな線を披露した。魅力的なだけではなく、他人を喜ばせようとするやさしい心の持ち主なのだろう。「こちらだって負けるものですか。盗聴の罪に問われて両手がうしろにまわったら、ミス・ボナーに連絡して。わたしのボスのほうが、あなたのボスよりずっと腕利きよ」

「威勢がいいね。忠誠か死かってわけか。天国でご褒美をもらえるかは、疑問だけど。きみの得意技は、ピーコックアレー（ニューヨークの高級ホテル、ウォルドーフ・アストリアにあるレストラン）で標的から色仕掛けで秘密を聞き出すことなんじゃないか。練習したくなったら、つき合ってあげてもいいよ。もっとも、容易には陥落しない」

サリーは顔をまっすぐにして、わたしの顔を覗き込んだ。濃いブルーの瞳だ。「そうね、ちょっと苦労するかも。洗いざらいしゃべらせるまでに、丸々一時間かかりそう」

注文したコーヒーが運ばれてきて、会話は中断した。エレベーターに乗ったときには痛烈な返答を思いついていたが、ほかに乗客がいたし、部屋に戻っても同業者たちがいたので、口にするのは憚られた。サリーはネロ・ウルフに、わたしはドル・ボナーにコーヒーを渡してから、ほかの人たちにも配った。そのあと部屋の隅の女性陣に加わったが、ボスのドル・ボナーの前でサリーをぎゃふんと言わせるわけにはいかず、あとどのくらい待たされるのかと、無難な話題に終始するほかなかった。待つほどのこともなかった。少なくとも、わたしは。コーヒーを飲み終えないうちに男が入ってきて、ネロ・ウルフとアーチー・グッドウィンの名を呼んだ。ウルフは全員に聞こえるほど大きなため息をついてコーヒーカップを椅子に置き、周囲がざわつくなかをドアへ向かった。わたしもあとに続く。男は廊下を二十歩ほど進んで一室のドアを開けて入り、指をくいと曲げて差し招いた。州務長官の部下はマナー講習を受ける必要があるだろう。

入った部屋は中くらいの大きさで、大きな三つの窓はいずれも風雨で薄汚れていた。部屋の中央には周囲に椅子を配したクルミ材の大テーブル、壁際にデスクと小ぶりのテーブル、椅子数脚。大テーブルを前に男が座り、書類ファイルを右に置いて待っていた。男は左側の椅子を指して、座るよう促した。案内してきた男はドアを閉め、壁際の椅子に座る。

テーブルについている男は、好意も敵意も感じられない視線をこちらに向けた。「あなたの氏名は訊くまでもないな」と、ウルフに言う。高名が世間に轟いているという意味か、これほど肥満した巨漢はほかにいないという意味か、解釈のほどはご自由に。男は前に広げて置いてあるファイルに目を走らせた。「ここにあなたとミスター・グッドウィンがそれぞれ提出した陳述書があります。おふたりから同時に話を聞いたほうが、手間が省けると思いましてね。わたしは州務長官特別代理のアルバート・ハイアット。正式な記録として残す必要が生じない限り、この聴取は非公式です」

四十がらみのハイアットは、なにもかもがなめらかだった——張りのあるなめらかな肌、黒っぽいなめらかな髪、澄んだなめらかな声、そつのないなめらかな物腰、それにグレーのなめらかなギャバジンの服。この調査に携わっている特別代理二名についてはむろん調べて、ウルフに報告ずみだ。そのひとりであるハイアットは、ニューヨーク市のミッドタウンにある大手弁護士事務所のパートナーで、政界に太いパイプを持ち、法廷弁護士として評価されている――つまりは質問をするのが好きな人物だ。ちなみに、独身である。

ハイアットは再びファイルに目をやった。「昨年、一九五五年の四月にあなたはオーティス・ロスのアパートメントの電話の盗聴を手配しましたね。住所はニューヨーク市マンハッタン西八三丁目。間違いありませんか」

「ああ、陳述書にそう書いてあるだろうが」ウルフはぶっきらぼうに認めた。

「ええ、たしかに。どのような経緯だったんですか？」

ウルフはファイルを指さした。「そこにあるのがわたしとグッドウィンの陳述書なら、読めばすむじゃないか」

「たしかに陳述書はありますが、あなたの口から聞きたい。質問に答えてください」

顔をしかめかけたウルフだが、そんなことをしてもなんの役にも立たないと悟って眉間のしわを伸ばした。「一九五五年四月五日、オーティス・ロスと名乗る人物が事務所に来て、自宅の電話の盗聴を依頼してきた。そこで、夫婦間の問題は扱わないと断った。すると彼は、妻は亡くなっていてそうした類の依頼ではないと言った。自分はいくつかの事業や金融筋にかかわりを持ち、自宅で取引を行っているのだが、最近秘書が不正を働いている気がしてならない。

家を一日か二日留守にすることが多いので、なおさら心配だ。その疑念をたしかめたいので、電話を盗聴してもらいたい、とのことだった」

ウルフは唇をきつく結んだ。この件について話すのはおろか、思い出したくもないのだ。これでだんまりを決め込むかと思ったが、再び口を開いた。「本人所有の電話を盗聴するのが法に抵触しないことはむろん承知していたが、この種の仕事の経験がないという理由で最初は断った。その場には、事務所で面談が行われる際は常に同席することになっているグッドウィンもいて、技術面をまかせることのできる男を知っている、と口を挟んだ。グッドウィンには口を挟む理由が二つあった。ひとつは盗聴が物珍しくて、自分でもやってみたかったから。あとひとつは、気の進まない仕事をわたしに無理強いしてでも、依頼料を稼ぐべきだと考えたから。正直なところ、彼はときとして正しい。グッドウィンの話を聞いてわたしの主張と合致するか、確認するかね」

ハイアットは首を横に振った。「あなたの話が終わってからにします。続きをどうぞ」

「よろしい。ロスは手付けと経費の先払いとして、現金で千ドル——百ドル札十枚——をデスクに置いてこう説明した。探偵を雇ったことを秘書に知られたくないので、小切手を使うことはできない。同じ理由で、報告書などは自宅へ郵送してくれるな。事務所に取りにくるか、さもなければほかの手段を考える。秘書が自分になりすまして電話に出るときもあるようなので、自宅へは電話をしないでもらいたい。こうした事情なので、自宅の電話を通して行われたすべての会話の報告が欲しい」

再び唇をきつく結んで、ウルフはその隙間から不承不承、言葉を押し出した。「好奇心が起きたのは事実だが、むろん胡散臭さも感じはした。しかし、身分証明書の類を要求したところで、そんなものは偽造したり盗んだりできる。そこで、一応信用するがグッドウィンに自宅を訪問させたいと要求した。指摘されるまでもなく、浅はかだったと後悔している。男はそれを予期していたのか、秘書がグッドウィンの正体に感づかないとも限らない、秘書のいない時間に来てくれと条件をつけただけで、あっさり承諾した。そこでその日の午後九時に、グッドウィンは西八三丁目のロスの自宅アパートメントを訪れて、ドアを開けたメイドに打ち合わせておいた偽名を告げ、ロスとの面会を求めた。そしてメイドに案内されてリビングルームに入ったところ、電気スタンドの傍らで葉巻をくゆらして読書をしている依頼人がいた、という次第だ」

ウルフは指先でテーブルを叩いた。「いまいましいが、あえて『依頼人』と呼ぶ。結局、依頼を引き受けてしまったのだからな。グッドウィンは十分かそこら依頼人と話をしたあと、帰ってきてわたしに一部始終を報告し、ふたりで検討して盗聴を行うことに決めた。グッドウィンはその夜のうちに知り合いの技術屋に連絡をして、翌日に装置を仕掛ける段取りをつけた。その詳細も必要かね」

「いえ、そこは省いてけっこうです」ハイアットは黒っぽいなめらかな髪を撫でつけた。「ミスター・グッドウィンの陳述書に記載されていますから」

「どのみち、そっちの方面は詳しくないのだ。とにかく、装置が仕掛けられ、グッドウィンは新しいおもちゃを手に入れた。もっとも、それで遊んでばかりいるわけにはいかなかった。一日の大半を事務所にいてもらう必要があったし、傍受のほとんどは技術屋の連れてきた連中が受け持っていたからな。ロスは毎日報告書を取りにきたが、わたしは読みもしなかったし、いつもわたしが上の階で用をしている時間に来たので、会うこともなかった。盗聴を開始して五日目に、グッドウィンが千ドルの追加を要求すると、彼は再び現金で支払った。外注した分と傍受の人件費を差し引くと、手元にはほとんど残らなかった。外注についてはご存じか」

「もちろん。違法な盗聴は大部分が外注ですよ」

「だろうな」ウルフは手のひらを上に向けた。「でも、この盗聴が違法だったことを知ったのは、開始後八日目だった。四月十三日にグッドウィンは傍受をしている場所で二時間ほど過ごし、ロスの長電話を聞く機会があった。それがロス本人であるにしても、ロスになりすました秘書であるにしても、どうもわれわれの知っている依頼人とはちがう気がした。毎日傍受の記録を読んで報告書を作成しているうちに、ロスの興味や活動をよく知るようになっていたのだ。たとえば最近、州知事から慈善基金調査委員会の委員長に任命されたとか。そこで、グッドウィンはすぐにそこを出て公衆電話からロス宅に電話をかけ、先ほどと同じ声の人物に『ガゼット』紙の記者と偽って面会の約束を取りつけて西八三丁目のアパートメントに出向き、本人に会って話をした。秘書にも会った。どちらも、依頼人とは別人だった。われわれはまんまと一杯食わされたのだ」

ウルフは込み上げる怒りを押し殺して言った。「ものの見事にな」苦々しげに吐き捨てる。

「帰ってきたグッドウィンの報告を聞いて善後策を話し合い、とにかくその日の午後五時半に、依頼人がいつものように報告書を取りにくるのを待つことにした。言うまでもなく、盗聴はただちに中止した。こちらの失態をありていに話し、依頼人を警察に突き出すほかないと腹をくくったが、本人をつかまえなければそれもできない」

ウルフはごくりと唾を飲み込んだ。「だが、男は来なかった。理由はわからない。盗聴の中止を、あるいはグッドウィンがロスを訪問したことをなんらかの方法で知ったのか。推測したって、なんの得にもなりはしない。とにかく、彼は来なかった。その後、二度と姿を見せなかった。グッドウィンは一ヶ月ほど、わたしが給料を払っている勤務時間のほとんどを費やして彼を捜したが、優秀で機転の利くグッドウィンをもってしても、見つけることができなかった。アパートメントのドアを開けたメイドもだ。結果が出ずに一週間が過ぎたとき、わたしはロスに面会を申し込んで訪問し、一部始終を打ち明けた。ロスはむろん激怒したが、しばらく話し合ったすえに、この悪党を捜し出してつかまえないうちは、当局に通報しても意味がない、というわれわれの意見に同意した。グッドウィンと一緒に、依頼人の人相風体を事細かに説明したのだが、ロスにはまったく心当たりがなかった。メイドは勤めはじめてすぐに断りもなく辞めてしまったそうで、これについてもなにも知らなかった」

ウルフは口をつぐんで深々とため息をついた。「これで全部だ。グッドウィンはほかにも仕事があるので、一ヶ月後には捜すのを断念せざるを得なかったが、われわれはあの依頼人のことは忘れない。忘れたくても、忘れられない」

「そりゃあ、忘れられないでしょうよ」ハイアットはにやりと笑った。「わたし自身は、その話を信じますよ」

「ふん、そうかね」

「ええ。だけど、その話に弱点があるのはあなたもご承知ですね。あなたとミスター・グッドウィン以外に、誰も依頼人を見ていない。あなたと依頼人のあいだになにがあったのか、誰も知らない。あなたは依頼人を見つけることができず、また依頼人がどこの誰かも知らない。率直に言うと、あなたが違法に盗聴した罪に問われ、地方検事が起訴して裁判になった場合、有罪になる公算が大ですよ」

ウルフの眉が十六分の一インチつり上がった。「それは脅しか？　では、どうすればいい。単なる非難なら、いくらでも受ける。自業自得なのだからな。気のすむまで説教してくれ」

「たしかに、自業自得だ」ハイアットはうなずいて、またにやりとした。「あなたに説教するのは楽しいだろうが、やめときましょう。じつは、あなたがびっくりするものがある。一緒にそれを見る前に、知り合っておきたかったんです」壁際の椅子に座っている男に、目配せした。「コーウィン、少し先の三八号室で男性が待っている。ここへ連れてきてくれないか」

コーウィンは立ち上がり、ドアを開けっぱなしにして出ていった。廊下を進む重い足音、ドアの開く音、再び足音。足音が小さくなって消えた。一瞬のち、大きな呼び声。「ミスター・ハイアット！　来てください！」

呼び声というよりも悲鳴に近い、何者かに喉首をつかまれたような声だ。ハイアットははじかれたように席を立ち、ドアへ向かった。わたしは彼の背に貼りつくようにしてあとを追い、少し先の開け放たれたドアを入った。ハイアットはテーブルの端で突っ立っているコーウィンの横で足を止め、床に倒れている男を見下ろした。床の上の男は、視線を返してはこなかった。両脚をV字に開いて仰向けになり、きちんとした身なりをしてネクタイもつけている。だが、そのネクタイはシャツの上ではなく、首に直接きつく結ばれていた。皮膚が紫に変色し、目玉と舌が飛び出しているものの、その顔には見覚えがあった。コーウィンとハイアットが死体に注意を奪われて、こちらに気づいていないようなのをさいわい、さっさと退散した。廊下に出てさっきの部屋に戻り、仏頂面でテーブルの前に座っているウルフに告げた。「たしかに、びっくりするものがありました。向こうの部屋に依頼人がいます。何者かがネクタイをきつく結びすぎたみたいで、床の上で死んでいました」

Ⅱ

あのろくでなしがウルフの自尊心を傷つけたことは承知していたが、まさかこれほどの深手とは思わなかった。依頼人がいると聞くと同時に、ウルフの耳は機能を停止した。腰を上げてドアへ向かいかけて立ち止まり、振り返ってぎょろりと睨んだ。

「おっと」我に返って言う。「死んでいた?」

「ええ。首を絞められて」

「死んだあいつに会ったところで、少しもうれしくない」そう言って、ドアとわたしを見比べて腰を下ろし、テーブルに両手を伏せて目をつぶった。少しして目を開ける。「まったくいまいましいやつだ」ぶつくさ言う。「生きているときは人を愚弄し、死んだら死んだでどんな面倒に引きずり込むつもりやら。いますぐ行って……いや、いかん。あたふたするとは、なんたることだ」ウルフは立ち上がった。「さあ、来い」そう言って、ドアへ向かう。

わたしはウルフの前に立ちはだかった。「待ってください。おれだって家に帰りたいのは山山ですが、とんずらするわけにはいきませんよ」

「そのくらい、わかっている。みなの様子を見たいだけだ。さあ、来い」

そこで脇に避けてウルフを通し、そのあとについて廊下を進み最初にいた部屋に戻った。女性ふたりは相変わらず部屋の隅にいるが、男三人は打ち解けて話をしていた。全員がこちらに顔を振り向け、ジェイ・カーが大声で訊く。「おや、まだ自由の身なのか？　どんな具合だった？」

ウルフは一同を観察した。わたしも。いまの時点ではこのなかのひとりがネクタイを使って依頼人を殺したと疑う理由はとくにないが、依頼人が盗聴にかかわっていたのは事実だし、一同がここにいるのは盗聴について聴取を受けるためだ。だから、観察した。震えたり、青ざめたり、唇をなめたり、気絶したりする者はいなかった。

ウルフが口を開く。「紳士淑女諸君、われわれは同じ協会に所属する仲間だ。したがって、全員が関心を持っていることについてわたしがなにか知っているなら、みなに教えるべきだと思っているにちがいない。しかし、今朝この建物内でわたしやグッドウィンに不都合かつ深刻な影響を与えかねない事件が起きた。それに関与した者がここにいると疑う理由はなにひとつないが、その可能性も捨てきれない。関与していないのであれば、事件についてわたしから聞いたところで得るものはない。ほかの人が教えてくれるまで、待つがよい。あと少しの辛抱だ。それまで諸君の顔をじっくり観察させてもらうが、べつに悪気はない。かかわっている者がいるのかどうか、興味があるだけだ。仮に諸君が――」

「おいおい！」スティーブ・アムゼルが鼻を鳴らし、せわしなく動く黒い瞳をようやくひとところに落ち着かせた。「要するに、どういうことなんだよ」

「おもしろいじゃないか、気に入ったよ」ジェイ・カーが言った。「続けてくれ」声がうわずっているが、それだけで人殺しと決めつけることはできない。これが地声なのだ。

銀行家然としたハーランド・アイドが咳払いをした。「かかわっていないのなら」淡々と言う。「心配する必要はない。今朝、この建物内で起きたんだって？　どんな事件だね？」

ウルフはかぶりを振って、一同を見まわした。誰も気絶しないどころか、話題ができてほっとしたらしく、いっせいにしゃべりはじめた。スティーブ・アムゼルはドルとサリーにウルフの両側に座って情報を聞き出すことを提案したが、彼女たちは丁重に断った。

ウルフが突っ立って全員を観察しているところへ、ドアが勢いよく開いてアルバート・ハイアットが飛び込んできた。ウルフに気づいて、ぴたっと立ち止まる。「ああ、ここでしたか」

なめらかな髪がひと房乱れ落ちている。それからこちらに目を向けた。「きみもいたのか。さっきわたしのあとから入ってきて、被害者を見たね？」

わたしはうなずいた。

「そして、慌てて出ていった」

「そうですよ。あなたが話していたびっくりするものの正体を、ミスター・ウルフに早く教えようと思って」

「あれが誰だかわかったんだね」

「ええ。例の依頼人です。ミスター・ウルフが話していた」

ウルフが口を挟んだ。「生きているうちに会いたかった」

「まあね。みんなにはもう話したんでしょうね」

「いや、まだだ」

「まだなんですか？」

「ああ」

ハイアットの視線は室内を一巡した。「全員、そろっているようですね。ジェイ・カーは？」

「わたしだ」カーはうなずいた。

「ハーランド・アイド？」

「ここにいる」

「スティーブン・アムゼル？」

アムゼルが挙手する。

「テオドリンダ・ボナー？」

「はい。ところで、もうここに二時間以上いるんですよ。いい加減――」

「ちょっとお待ちを、ミス・ボナー。サリー・コルトは？」

「はい」

「いいでしょう。州務長官特別代理として行っている聴取はいったん中止しますが、どなたもこの部屋を出ないでください。この階で死体が発見され、他殺の疑いがあります。したがって警察が捜査を開始し、みなさんにも話を聞きにきます。いまのところ再開の目途が立たないので、本日の聴取は延期になったと思ってもらってけっこうですが、取り消しになったわけではありません。警察が来るまでこの部屋を出ないでください」きびすを返したところへ、声がかかった。

「誰が殺されたのかね？」そう訊いたのは、ハーランド・アイドだ。

「警察から聞いてください。ありがたいことに、わたしの領分ではないので」

「ミスター・ハイアット」ドル・ボナーは立ち上がって、よく通る声ではきはきと言った。

「そうですが」

「ミスター・ハイアットですよね？」

「ミス・コルトもわたしも朝早くに朝食を取ったので、空腹なんです。なにか食べるものを買ってきます」

なんとまあ、大胆な。彼女はきっと、殺人者は犯行後、猛烈な空腹感に襲われることを知っているにちがいない。ハイアットは、警察を待つように言い、スティーブ・アムゼルの抗議を聞き流して出ていった。

誰もが顔を見合わせるばかりだ。これには、がっかりした。殺人事件に巻き込まれていろいろな人とひとつところに閉じ込められた経験は何度かあるが、全員が探偵というのは初めてで、彼らなら事態を飲み込むのも早いと思っていた。ところが、まったくの期待はずれだった。一般人のグループであれば、ハイアットの告げた衝撃的ニュースから立ち直ってウルフとわたしを質問攻めにするまで一分ほどかかるだろうが、彼らも同じくらいの時間を要した。一番早かったのは、スティーブ・アムゼルだ。ウルフの半分くらいの体格しかない彼は、頭を思い切りのけぞらせて、目の前のウルフに鋭く輝く黒い瞳を据えた。

「そうか、事件ってのは殺し（マーダー）だったのか」〝モイダー〟と〝マーダー〟の中間くらいの発音で言う。「なるほどね。で、殺されたのは誰だい？」

ジェイ・カーも加わった。「グッドウィンが身元を特定したんだって？　名前は？」

ドル・ボナーがサリーを従え、期待に目を輝かせて歩み寄ってくる。ハーランド・アイドが言った。「きみの依頼人だったと言っていなかったか？」

みんなに詰め寄られて、ウルフは一歩あとずさった。「被害者が誰なのか、教えることはできない」彼は言った。「知らないのだ。グッドウィンも知らない。被害者の名前はわからない」

サリー・コルトはくすくす笑いを漏らしたが、すぐにそれを飲み込んだ。スティーブ・アムゼルが眉をひそめた。「おかしいじゃないか、グッドウィンが被害者の身元を特定したのに。新手のなぞなぞか？」

「おまけに、きみの依頼人だったんだろう？」ジェイ・カーはうわずった声で訊いた。

「あんまりですよ、ミスター・ウルフ」ドル・ボナーが抗議した。「からかうのもいい加減にしてください。名探偵の評判高いあなたが、名前も知らない人物の依頼を引き受けた？　それを信じろと言うんですか」

「いいや」ウルフは唇をいったんきつく結び、それから開いた。「紳士淑女諸君、これで充分だろう。生涯最大の失敗のつけがきょうまわってきて、身の破滅につながりかねないのだ。悔しいのなんのって。これ以上なにを知りたい？　もっと恥をかかせたいのか？　グッドウィンは、被害者がわたしの依頼人だったことを認めた。だが、わたしはそいつの名前を知らない。依頼を受けて一定期間仕事をしただけで、それ以外のことはなにも知らない。以上だ」

ウルフはつかつかと壁際の椅子に向かい、腰を下ろして握り締めた両手を膝に置き、目をつぶった。

わたしはウルフの横へ行って、声を潜めて尋ねた。「なにか指示は？」

「ない」ウルフは目を閉じたまま、答えた。

「オールバニには、ギル・タウバーがいますよ。ギルは警察につてがある。情報が必要になった場合に備えて、連絡しておきましょうか」

「いや、いい」

口をききたくないらしい。そこでひとかたまりになっている同業者のもとへ行った。「おれたちの失態について話したいなら、遠慮なくどうぞ。なにかいい知恵が出ないとも限らない」

「死体はどこにある？」スティーブ・アムゼルが訊いた。

「この先の三八号室だ」

「どんなふうに殺されたんだい？」

「ネクタイが首にきつく巻かれていた。知ってのとおり、自分でできなくもないけどね。でも、やっぱりちがうと思う。最初に真鍮の重たい灰皿で殴って、おとなしくさせたんじゃないかな。そんな灰皿が床に転がっていた」

「今朝、きみとウルフは最後に到着した」ハーランド・アイドは冷静に事実を述べた。「来る途中で、その男を見たかね」

わたしはにっこりして、「やめてくださいよ」と抗議した。「これからそういうことをさんざん警官に訊かれるというのに。同情してもらいたいな。同じ協会に所属している仲間でしょう。それなのに、つるし上げるんですか」

「とんでもない」アイドは表情をこわばらせた。「その部屋はエレベーターからこの部屋に来る途中にあるんだろう？　だったら、もしドアが開いていたらその男を見たかもしれない、あるいは話をしたかもしれない。そう考えただけだ。わたしが言いたかったのは――」

そこへ邪魔が入った。ドアが開いて、肩幅の広いごつい男が入ってきたのだ。目も鼻も口も、大きな丸顔には不釣り合いに小さい。後ろ手にドアを閉め、口を動かして頭数を確認したあと、椅子をドアの横に置いて座る。いっさい言葉を発しなかった。

同業者の面々にはまたもや失望させられた。警官がいるからといって会話を遠慮する必要はさらさらなく、また外聞を憚る話だとしても、この警官をひと目見れば、話を覚えておいて報告するどころか、聞き取る力があるかどうかも疑わしいのは明らかだ。それなのに誰もが半時間にわたって、固く口を閉じている始末だ。何度か話しかけてみたが、あえなく失敗した。部屋の隅に戻っていた女性ふたりにも試したところ、サリーはおしゃべりをして気を紛らせたいふうだったが、ドル・ボナーは断固拒否した。ボナーがボスとあっては、いかんともしがたい。

再びドアが開いたとき、腕時計の針は一時十分を指していた。今度はふたりだ。前に立っているのは白髪交じりで馬面の、身の丈六フィートを超えるのっぽ。三歩進み出て足を止め、視線を一巡させて告げた。「オールバニ市警の警部、レオン・グルームだ」

間を置いた。拍手喝采を待っているのだとしたら、あいにくだ。表情も口調も威張りくさっている。まあ、この状況では無理もない。警部の職にある者が唾棄すべき存在の私立探偵ばかりを前にして弁舌をふるう機会などめったになく、おまけに全員が大都会から来たドブネズミときている。

警部は再び口を開いた。「すでに承知のように、この階の部屋で殺人事件が発生したため、全員の聴取を行う。ネロ・ウルフとアーチー・グッドウィンは、ただちに。残りの全員も、追って一名ずつ遺体を見てもらう」親指でぐいともうひとりの男を指した。「サンドイッチの種類を彼に伝えれば、ここに運ばせる。オールバニ市の奢りだ。あんたはテオドリンダ・ボナ

「もうすぐ婦人警官が来る」

「ボディチェックが必要になるかもしれないので、もうすぐ婦人警官が来る」

「本人の同意も必要だろ」スティーブ・アムゼルが嫌味を言う。

「もちろん、同意を得るとも。さあ、行こう、ウルフ。グッドウィンも」

ウルフは立ち上がってドアへ向かい、「行くぞ、アーチー」と声をかけてきた。給料を払っているネロ・ウルフのほかは、誰もアーチー・グッドウィンに命令してはいけないのだ。

Ⅲ

廊下に出ると、警官が三人いた。ひとりはもったいぶった私服警官、あとふたりは制服警官で、手持無沙汰な様子で三八号室のドア近くに置かれた空のストレッチャーの番をしていた。室内にも三人いた。こちらは鑑識官たちで、ふたりが指紋採取キット、ひとりがカメラを手にしている。三人とも作業を中断して、闖入者を見守った。グルームは、なんにも触ってはならんと命じてから、ウルフをテーブルの近くに倒れている被害者のそばへ連れていった。両脚がまっすぐにそろえられ、ネクタイが取り除かれているほかは、とくに変化はない。ウルフは顔をしかめて見下ろした。

グルームが訊いた。「誰だか知っているか？」

「いいや」ウルフはきっぱり答えた。「これが誰であるかは、知らない。ただし、昨年の四月に、わたしの事務所に来てオーティス・ロスと名乗り、仕事を依頼した男であることは認める。男がオーティス・ロスではない――つまり、その男が自称したオーティス・ロスという人物でないことは、のちに知った。一度ならず九度も顔を合わせたグッドウィンが、すでにそう供述している」

「うん、そうだったな。その意見はいまも変わりないのか、グッドウィン？」

「意見じゃない」ウルフはグルームに負けずに、グルームの言葉を訂正してやった。「確信だ。こいつはあの男に間違いない」

「では――あ、そうそう」グルームはテーブルを振り返り、上に置いてあるものを指して鑑識官のひとりに尋ねた。「この灰皿はもういいかい、ウォルシュ？」

「はい、全部すみました、警部」

「それなら、ちょっと手を貸してもらおうか、グッドウィン。ささやかな実験をしよう。誰かを殴るつもりでその灰皿を持ってくれ。なにも考えず、ごく自然に」

「いいですよ」わたしは灰皿を手のひらに乗せて、軽く上下させた。少なくとも一ポンド、もしくはもう少しあるだろう。「持ち方は二通りある。どっちも効果的だ。ひとつは、こうやって縁をつかむ。振りまわす空間と時間があれば、これが一番だな。こうやって――」と、灰皿を大きく振りまわした。「あるいは、こういう指の長い大きな手だったら、包み込むように持って振りまわすか、ジャブなりフックなりを打つ」かっこいいジャブを披露してから灰皿を左手に移し、ハンカチを出して灰皿をごしごし拭いた。

「無駄だよ」グルームは言った。「ニューヨークではそんな猿芝居でも大受けするだろうが、オールバニでは通用しない。拍手ひとつもらえやしないぞ」

「じゃあ、どうすればよかったんですか」わたしは語気を強めた。「灰皿に触るのを拒否すればよかったとでも？」それから、きれいに拭いた灰皿をテーブルに戻した。

「こっちへ来てくれ」グルームは部屋を出て廊下の突き当たり近くまで行き、一室のドアを開けると脇へ避けてわたしたちを通した。二方の壁に窓のある角部屋で、ラグが二枚敷かれている。アルバート・ハイアットが窓を背にしてデスクにつき、電話をしていた。頬に傷痕のある耳の大きな男がそばに来て、椅子をどう配置するかと、グルームの指示を仰ぐ。言うまでもなく、ウルフとわたしが窓のほうを向くほかないと思うのだが。ハイアットが電話を終えたときには、わたしはウルフと並んで座り、耳の大きな男はデスクの傍らの小さなテーブルについてノートを広げ、ペンを持って待っていた。

ハイアットは立ち上がってデスクを譲ろうとしたが、グルームはそれを断ってデスクの横に椅子を持ってきてこちらを向いて座り、ウルフに話しかけた。「ミスター・ハイアットの許可を得て、あんたが州務長官に提出した電話盗聴についての陳述書を読ませてもらった。それから、今朝の聴取の際にミスター・ハイアットに話した内容も聞いた。陳述書の一部をなぞったにすぎなかったな。陳述に変更は？」

「ない」

「付け加えることは？」

「場合による。わたしかグッドウィンに殺人の嫌疑がかかっているのなら、付け加えたいことがある。かかっているのか？」

「告発はされていない、ここで起きた殺人についてなにか知っているかを聞くために、警察が聴取を行っている、と答えておく。あんたは被害者とかかわりがあったことも、被害者に腹を立てていたことも認めた。腹を立てていたんだろう？」

「たしかに。では、付け加えたいことがある」

「聞こうじゃないか」

「わたしは、きょうの午前十時にオールバニ市のこの建物に出頭することを、州務長官に求められた。そこで、午前六時にニューヨークの自宅をグッドウィンの運転する自家用車で出発した。途中で一度車を止めてコーヒーを買い求め、持参した食事を取った。ここには十時数分前に到着し、指示に従って三階の四二号室に向かった。部屋まで行くあいだ誰とも話していないし、部屋に入ったあとはミスター・ハイアットのもとへ案内されるまで一歩も出なかった。グッドウィンはコーヒーを買うために、ミス・サリー・コルトと一緒に短時間部屋を出ていた。いついかなるときも——あいつを見なかったし、話しかけてもいない。ちなみに、あいつをなんと呼ぶべきだろうか」

「殺された男を？」

「そうだ」

「〝依頼人〟でいいじゃないか」

「いや、この状況でその言葉は使いたくない。ほかにも依頼人がいるからな。去年の四月に事務所を訪れてオーティス・ロスと名乗り、州務長官に提出した陳述書に述べてある仕事を依頼した人物は、一九五五年四月十三日以降、見たことがなく、またいかなる形でも接触を持ったことはない。いどころも知らなかった。次に彼について知ったのは、今朝ミスター・ハイアットに続いて部屋を出ていき、すぐに戻ったグッドウィンが、その人物が近くの部屋で死んでいると告げたときだ。数分前にあの部屋で遺体を見せられるまで、彼の姿を見たことはない。同じ建物のなかにいることは、まったく知らなかった。否定ばかりを連ねていると、虚しくなってくるな。彼が殺されたことに関してなにも知らないし、殺される前になにをしていたのかも見当がつかない。州務長官に提出した陳述書に述べた事実以外に、この事件の捜査に役立ちそうな情報はひとつも持ち合わせていない」

ウルフはしばし思案した。「こうしたわけだから、質問されたところで役に立てるとは思わないが、ものは試しだ。どうする、グルーム警部」

「ああ、試してみよう」そう言って、こちらを見たのでてっきり質問が飛んでくるかと思ったが、グルームはウルフに目を戻した。「今朝は十時数分前にこの建物に入ったということだが、正確には何分前だった?」

「わたしにはわからない。腕時計をする習慣がないのだ。しかし、なかに入ったとき、グッドウィンが十時五分前だと言った。グッドウィンは、時計を三十秒以上狂わせたことがないのが自慢のタネだ」

「四二号室に入った時刻は？」

「さあな。だいたいの時刻しか、わからない。エレベーターで三階に行き、廊下を歩いて部屋に入るまで、四分といったところだろうか。つまり、十時一分前ということになる」

「あんたが到着したのは、十時十五分過ぎだったと証言した人がいたとしたら？」

ウルフは警部をじろりと睨んだ。「そんなつまらない質問は無用だ、グルーム警部。脅しなら幼稚、仮説ならいい加減だ。そう証言したのがひとりなのか、複数なのか、あるいは全員なのか知らないが、そんな証言には信憑性も含めた多くの問題があることを理解しているのか？どうしても、と言うのなら答えてやる。証言した人物の時計が狂っている、記憶が間違っている、嘘をついている、この三つのうちのどれかだ」

「そうか」グルームはちょっとやそっとでは怒らないタイプとみえる。質問の矛先をこちらに転じた。「言うまでもなく、おまえはウルフの主張を全面的に支持するんだろうな」

「もちろん」

「イエスかノーで答えろ。どっちだ？」

「イエス」

「この建物に到着した時刻についても？」

「イエス。九時五十五分だった」

グルームは椅子を立ち、わたしの前に来た。「時計を見せろ」

わたしは手首を返してシャツの袖をまくり、腕時計を見せた。グルームは自分の腕時計と見比べて、テーブルについている男に命じた。「記述を頼む。グッドウィンの時計が二十秒遅れていることを確認した」それから、席に戻った。

「不思議に思っているんじゃないか？」グルームは言った。「なんで、べつべつに聴取しないんだろうって。時間の無駄だからだよ。あんたたちふたりの評判やこれまでの仕事のやり方を考えると、口裏を合わせたら最後、ボロを出す確率はものすごく低そうだ。だったら、手間をかけても割に合わない。それに、ミスター・ハイアットはランチの約束があるのだが、どうしても同席してもらいたかった。理由はすぐわかる」グルームは横を向いた。「さっきの話をもう一度お願いします、ミスター・ハイアット」

ハイアットの髪は再びきれいに撫でつけてあった。彼は両肘をデスクについて身を乗り出した。「今朝の出来事についてですか？」と、グルームに訊く。

「ええ、そうです」

「ここに到着したのは、九時少し前だった。スタッフのひとり、トム・フレーザーがすでに来ていた。このデスクでフレーザーと向かい合って、きょう召喚されている人たちの書類を点検して準備をしている最中に受付から電話があり、ある男が緊急かつ内密の用件でわたしに面会を求め、詳しいことは話そうとしないと伝えてきた。ドナヒューと名乗っていたが、わたしにはまったく心当たりがなかった。ここに入ってこられては困るので、追い返そうと思って部屋を出たらその男が廊下のベンチに座っていた。廊下では話したくないと言われ、近くの空いていた部屋、三八号室に案内した。中年で、身長はわたしくらい、髪は茶色で目は――」

「ふたりともその男に会ったことがあるんですよ」グルームが口を挟む。

「おっと」ハイアットは顔をしかめた。「そうか。男はウィリアム・A・ドナヒューと名乗って取引を持ちかけてきた。きょう誰が召喚されたか知っている、ネロ・ウルフもそのひとりだ。ウルフはびくついていて、どうにか窮地を脱しようとしている――これは男の言葉そのままです。全部繰り返すんですか、警部？　二十分くらい話し込んでいたんですが」

「あらましでけっこう。要点をお願いします」

「重要な点は、ひとつでしたね。彼のまわりくどい話をまとめると、こうなる。具体的には言いませんでしたが、ある投機に関して盗聴を何件か依頼し、依頼先のひとつがネロ・ウルフで、二千ドル支払った。盗聴スキャンダル――彼は一大ドタバタ劇と呼んでいたな――が発覚してブローディ（ジョン・ブローディ。ニューヨークの私立探偵。製薬会社の競争にからみ盗聴を実行したとして話題となった）が逮捕、起訴されたので、ニューヨークにいては危険だと判断して州を出た。州務長官が私立探偵全員を対象にした調査を決定したと最近知り、ウルフの出方が心配でたまらない。依頼した盗聴をウルフが突然中止したため激しく言い争い、ウルフの恨みを買った。ウルフは悪賢いので、彼が召喚されたら――人称代名詞の使い方が紛らわしいですか？」

ハイアットの視線を受けて、ウルフが答えた。

「いや、いっこうに。続けてくれ」

「――ウルフが召喚されたら、どうにか罪を免れようとし、彼に――つまりドナヒューに違法な盗聴よりもはるかに重大な罪をなすりつけるに決まっている。だから、取引をしたい。盗聴の罪を軽くするよう地方検事に働きかけてくれるなら、宣誓したうえで盗聴行為の全容を供述し、必要であれば法廷で証言する。そこでわたしは、ウルフは違法と承知のうえで盗聴の手配をしたのかと訊いた。答えはイエス。次に、ドナヒューは本名かと訊くと、これもイエス。ウルフの事務所でもドナヒューと名乗ったそうですよ。彼自身についてもっと聞き出したかったが、取引に同意しないうちは駄目だと言って教えてくれなかった。でも、ニューヨークでマルベリーホテルに滞在していたことは話した。この種の取引に即座に応じることはできない、少し考えさせてもらいたい、わたしはそう答えて部屋で待つように言い置き、ここに戻って――」

「それは何時でした?」グルームは質問した。

「九時半を一、二分過ぎていた。グッドウィンほど正確に合わせてはいないが、わたしの時計もそれほど狂っていないと思う」腕時計に視線を落とす。「一時四十二分だね」

「三分進んでいます」

「ということは、この部屋に戻ってきたのは九時半ちょうどくらいか」ハイアットは再びウルフを見た。「十時に聴取を予定していたので、あとどれくらい余裕があるかと、時間を確認しましたからね。重要な事案なので州務長官に相談したかった。ところが、執務室に電話したら秘書が出て、長官はニューヨークの会議に出席するため出張中で、いま現在の連絡先はわからないと言う。そこで、ニューヨーク郡地方検事事務所に電話を入れて友人のランバート検事補をつかまえ、去年の春マルベリーホテルに滞在していたウィリアム・A・ドナヒューについて警察に調べさせ、大至急報告してもらいたいと頼んだ。十時十五分になっても報告は来ず、副州務長官にも電話をしたが、不在だった。トム・フレーザーに経緯を話して――」

グルームが遮った。「そこまでで、けっこう。そのあと、ドナヒューの待っている三八号室には戻らなかったんですね」

「ええ。一時間かそこら、もしかしたら二時間くらい待ってもらうと断っておいたので。十一時になってもニューヨークからの報告はなく――そう言えば、いまだにないな――、ウルフとドナヒューを対決させて反応を見ようと考えて聴取用の部屋に入り、ウルフとグッドウィンを呼んだんですよ」

ハイアットは腕時計を見た。「ランチの約束に遅れてしまう」

「はいはい」グルームはウルフを見た。「ミスター・ハイアットに質問は？」

ウルフは、巨体の収まりきらない椅子に座るときの常で、足を組んでいた。それをほどいて両手を膝につく。「二、三ある。さっきの聴取で『わたし自身はその話を信じる』と言ったのは、なぜだ？」

「実際にそう思ったからですよ」

「聴取の前に、ドナヒューと話をしたんだろう」

「ええ、でもあまり信用できなくて。あなたについては評判などある程度存じ上げているが、彼のことはまったく知らない。ま、どっちが信用できるかとなると、あなただろうと判断したわけです。一応ですけどね」

「いまもわたしの話を信じているかね」

「うーん……」ハイアットはグルームにちらっと目をやってから、ウルフに戻した。「いまの状況において私見は適切ではないし、説得力もないのでは」

「なるほど。では、もうひとつ。このドナヒューという男の言によれば盗聴を何件か依頼した、つまり複数の盗聴を依頼したことになる。わたしのほかに、誰に依頼したのか言ったか」

「ええ、言いましたよ。でも、話題にしたのはあなただけだった」

「ほかには誰に？」

「ちょっと、待った」グルームが割り込んだ。「それは答える必要はありません。どうぞ、ランチにいらしてください、ミスター・ハイアット」

「ぜひとも知りたい」ウルフは粘った。「誰の名を挙げた？　きょう召喚されているうちの誰かか？」

答えは返ってこなかった。ハイアットはグルームを見やり、彼が首を横に振ると立ち上がって、部屋を出ていった。ウルフは再度足を組み、腕も組んだが、うまくバランスを取れないでいる。臀部がはみ出てしまう椅子に座ったときのウルフは、あまり威厳がない。州務長官特別代理の背後でドアが閉まるのを待って、グルームは言った。「ミスター・ハイアットから直接あの話を聞いたほうが間違いないと思ってな。それで、最初の供述を変更したい、あるいは付け加えたいという気になったか？　ドナヒューは死んだが、追うべき線をつかんだから捜査に支障はない。それはあんたも承知だろう」

「ああ、承知しているとも」ウルフは鼻を鳴らした。「話したくはあるが、無駄なことは言いたくないのだ、グルーム警部。変更については、言葉遣いや句読点の位置は訂正したいが、内容は変更しない。あと、脚注を二、三付け加える必要がある。たとえば、わたしの事務所でドナヒューと名乗った、違法を承知でわたしが盗聴の手配をした、とハイアットに話したそうだが、どちらも偽りだ。もっとも、わたしの陳述書を読めば、それは明らかなのだが。ところで、提案がある。あの男の名前と、わたしの事務所に訪ねてきたときに滞在していたホテルが判明した。わたしはここではなんの役にも立てないが、ニューヨークに帰れば、この頭脳と人材を駆使して彼の経歴、活動、人間関係などを明らかに――」

グルームがつと横を向いたので、ウルフは言葉を切った。グルームの注意を引きつけたのは、ドアを開けて入ってきた制服警官だった。警官が「届きましたよ、警部」と、折りたたまれた書状を渡す。グルームはそれを開いてじっくり眺めると警官に待つように命じ、もう一度書状に目を走らせてから顔を上げた。

「逮捕状が出た」彼は言った。「したがって、すみやかに執行し、ふたりとも殺人事件の重要参考人として逮捕する。読みたいか」

ウルフは十秒間黙りこくり、誓ってもいいがそのあいだ一度もまばたきしなかった。そして沈黙を破って、ひと言発した。「いいや」

「見せてくれ」そう言ってわたしは手を伸ばした。グルームから渡された令状を調べたところ怪しい点は見当たらず、わたしたちふたりの名前の綴りも合っていた。判事の署名は〝Bym nyomr〟と読めた。「本物みたいですよ」と、ウルフに告げた。

　ウルフはグルームを見つめて、冷ややかに言った。「いやはや、なんと形容したものか。横暴？　高慢？　頑(かたく)な？」

「ここはニューヨーク市じゃないんだよ、ウルフ」グルームは鼻高々なのを努めて隠そうとした。「オールバニ市なんだ。もう一度訊く。供述を変更したいか？　なにか付け加えるか？」

「ほんとうに令状を執行するのか？」

「もう執行した。ふたりとも逮捕されている」

　ウルフはわたしを振り返った。「ミスター・パーカーの電話番号は？」

「イーストウッド六二六〇五です」

　ウルフは席を立ってデスクのうしろにまわり、ハイアットの空けた椅子に座って受話器を取った。グルームが立ち上がって一歩前に出て立ち止まり、両手をポケットに突っ込む。ウルフは受話器に話しかけた。「ニューヨーク市に頼む。イーストウッド六二六〇五」

Ⅳ

　四時間後の午後六時になっても、まだ閉じ込められていた。鉄格子の内側に入れられた経験はむろんあるが、ウルフと一緒というのは初めてだ。ウルフは、知り合ってからこっち、ぶち込まれたことはなかった。

　鉄格子と言うのは語弊があって、少なくとも目には見えない。実際は警察本部の留置場で、ニュージャージーの泥沼のど真ん中にある病院みたいな臭いがし、椅子がべたついている点を除けば、まあまあの環境だ。一隅を仕切ってトイレも備えられている。見張りの警官も配置されていた。心中を決行して電気椅子から逃れかねないと警戒しているのだろうか。夕刊は一ドルに値すると見張りに告げると、彼はその場を動かずにドアを開けて、大声で廊下の先にいる誰かに伝えた。油断は禁物というわけだ。

　勾留されて間もなく軽食を取る許可が出て、トーストした精白パンのコンビーフサンドイッチ二個にミルク一クォートを注文した。ウルフは午前十時以降コーヒーしか口にしていないのに、断った。ハンガーストライキをしているのか、憤怒のあまり食欲が湧かないのか、どちらともつかない。ようやくコンビーフサンドイッチが来たと思ったら、ライ麦パンのハムサンドイッチだった。ハムはあまり旨くなかったが、ミルクは合格点をやってもいい。

　留置場にいるあいだ、ウルフは食わないばかりか口もきかなかった。帽子をかぶったまま、壁際の古ぼけた木製ベンチに敷いたオーバーの上に座って頭を壁にもたせかけ、両手を組んで太鼓腹に乗せてほとんどの時間目をつぶっていた。長年の経験から、これがなにを意味するかは一目瞭然。怒りを鎮めているのではなく、ふつふつとたぎらせているのだ。ウルフが目を開けて話しかけてきたのはたった一度、ぶち込まれてから二時間くらい経ったときだった。あることについて正直な意見を聞きたい、と言う。そこで、どんなことについてでも正直な意見を言いますよ、と返答した。時間はいくらでもある。

ウルフは鼻から息を吐き出した。「将来もきみと一緒に仕事をしていくなら、今回の件はしょっちゅう話題に上ることになるだろう。そう思わないか」

「同感です。これが最後でなければね。こんな状況で将来なんかあるんですか」

「ふん。あるように努めるのみだ。この質問に答えてみろ。盗聴の仕掛けや方法を実際に見て自分でもやってみたい、ときみがしつこく言わなかったら、わたしはあの依頼を引き受けただろうか。客観的に見て、どうだ？」

「答えたくありません」座っているウルフを見下ろして、わたしは言った。「だって、ノーと答えれば、首尾よく終わった場合に、手柄は一方だけのものになる。イエスと答えれば、あなたの憤る原因がさらに増えて沸点に達する。あんまりカッカすると頭が働かなくなって、この苦境を脱する策が浮かばないでしょ。だから、答えない。こうしましょう。半々にするんです」

「半々にするって、なにを？」

「責めを半分ずつ負うってこと。お仕置きは受けるだろうけど、火あぶりになるわけじゃないんですから」

「この件はまたにしよう」ウルフはぶすっとして目を閉じた。

午後六時になって、夕刊の家庭欄で裂けたナイロン製ブラジャーを繕う方法を読みふけっている最中に、ドアがバタンと開いた。見張りの警官がぱっと振り向き、救援部隊の急襲かと身構える。だが、警官が面会人を連れてきただけだった。茶のカシミヤコートを一着に及んだ赤ら顔の面会人は、戸口で立ち止まって室内を見まわし、それから進み入って手を差し出した。

「ミスター・ウルフですね。スタンレー・ロジャースです。遅くなって、申し訳ない。地中深く潜り込んだかと思われたでしょうが、ナット・パーカーから連絡をもらったのが三時近くで、おまけに判事が審理の最中だったので、裏から手をまわさなければならなくて。このあたりの警察は都会とちがってもてなし下手でしょう? こちらはミスター・グッドウィンですね。よろしく」そう言って、わたしにも握手を求めた。「保釈金を五千ドルにするように判事と交渉しましたが、二万ドルから負けてくれなくて。ひとりにつき、二万ドルです。当然ですが、もう自由の身です。ただし、法廷の許可なく管轄区を離れることはできません。レイサムホテルに部屋を取ってありますが、ほかがよろしければキャンセルします」

ロジャースはいくつかの書類に署名を求めた。ニューヨークから電話をしてきたパーカーに、できることはなんでもするようにと言われたそうで、必要とあれば夕食の約束をキャンセルすると申し出た。しかしウルフは、さっさとここを出て腹を満たせればいまのところは充分だ、そう言って断った。見張りの警官に別れを告げ――チップはなし――、チェックアウトの手続きをして、取り上げられた私物を返してもらって外に出た。ロジャースの好意に甘えて、署の前に止めてあった彼の車で、ウルフのセダンの置いてある駐車場まで送ってもらう。こうして、ウルフを再び後部座席に乗せてホテルまで運転し、トランクからスーツケースを出して、車を駐車係に預けた。

スーツケースについては、ほら見たことか、と舌の先まで出かかったのを、ウルフの心理状態を考慮して飲み込んだ。前の晩、強情なウルフは外泊の可能性を頑として認めず、旅行支度は必要ないと言い張ったが、人間がいくら計画を立てても成り行きは神さまの思惑次第という論理に基づいて、フリッツに手伝ってもらって用意をしておいたのだ。ベルボーイが九〇二号室の荷物台にスーツケースを置いたいまが、さりげなく嫌味を言う絶好のチャンスだが、やめたほうがよかろうと判断した。

ウルフはオーバーをクローゼットのわたしのオーバーの隣にかけ、ネクタイ、上着、ベスト、シャツと順に取って浴室で顔と手を洗った。それから、細い黒の縦縞が入った黄色のウールガウンを着ると、スリッパを持って椅子に腰を下ろして靴を脱ぎ、ルームサービスのメニューを所望した。ロジャースが、レイサムの料理は並みだが、二ブロック離れたところに街一番のレストランがあると教えてくれたことを、思い出させてやった。

「興味がない」ウルフはきっぱり言った。「食欲がないし、味だってわかりそうにない。必要に駆られて、やむなく食べるのだ。空腹では頭が働かない」

つまりは、これから頭を使うということだ。

これほど陰気な食事をした覚えは、後にも先にもない。料理自体になんら問題はなく、カキ、コンソメスープ、ローストビーフ、マッシュポテト、ブロッコリ、サラダ、クリームチーズを添えたアップルパイをきれいに平らげ、コーヒーを飲んだが、雰囲気は終始暗かった。ウルフは食事中に仕事の話はしないが会話は好み、仕事以外のことならなんでも話題にして黙りこくけることなどまずない。だが今回は最初から最後までひと言も口をきかず、こちらからも話しかけなかった。ウルフは二杯目のコーヒーを飲み終えて椅子を引き、ぼそぼそとつぶやいた。

「いま何時だ」

「八時二十分です」

「そうか」口を大きく開けて胃袋のローストビーフに届くほどたっぷり息を吸い込み、鼻から吐き出した。「わたしがどんな苦境にいるのか、きみは理解しているのか？」

「苦境も半分ずつ分けましょう」

「分けるといっても、限度がある。危機を半々にすることはできるが、わたしには特別な悩みがある。この事件が解決するまで、オールバニにいなくてはならん。早く解放されるためには、自分で事件を解決するほかないが、気が進まないのだ。人殺しは罰を受けるべきだが、あのクソいまいましい男を殺してくれた犯人の逮捕に手を貸したくない。さて、どうしたものか」

わたしは手を左右に振った。「簡単ですよ。放っておけばいい。この部屋の居心地は悪くないでしょ。州議会を覗きにいったり、図書館で本を借りたりすればいいじゃないですか。サリー・コルトもここにしばらくいるなら、いろいろ手ほどきしてやろうかな。グルーム程度の警官しかいないとなると、解決するまで数ヶ月かかるかもしれませんね。その場合はアパートメントを借りて、フリッツを呼び寄せ――」

「黙れ」

「はいはい。そうだ、サリーと力を合わせて、あなた抜きで解決しようかな。あなたほど犯人に恩義を感じていないし、もし――」

「バカ者。恩義など感じているものか。あの男が生きているうちに、もう一度会いたかったのに。よし、決めた。苦痛を耐え忍ぶか、気が進まないことをやるかの二つに一つなら後者を選ぶほかあるまい。ほかの人たちも管区に留められているんだろう？」

「同業者の面々ですか？　はい。逮捕はされていないでしょうけど、まず間違いなく。グルームはみんなを解放するほどこちらの容疑を確信していないし、どのみちハイアットの聴取のためにいてもらわなくてはならない」

ウルフはうなずいた。「全員に会う必要がある。このホテルに泊まっている人もいそうだな。ひとり残らず捜し出して、ここに連れてくるんだ」

「いますぐですか？」

「そうだ」

「どんな方法で？」

「わからん。頭のなかがごちゃごちゃだ。みなが来るまでに、整理しておかなくては」

こうしたことは、以前にも再三あった。ウルフは、わたしに選択肢が二つしかないことを知っている。荷が重すぎてできませんと泣きつくか。能力を高く買われているからこそ、困難極まる仕事を与えられたと胸を張るか。そして、わたしがどちらを取るかも知っている。

「了解」わたしは言った。「じゃあ、ルームサービスに電話して、食器を片づけさせてください。ついでにフリッツにも電話をして、安心させてやったほうがいいですよ。さて、策を練らなくちゃ」

窓の前に行ってカーテンを開け、ブラインドを上げて夜の街路を見下ろした。人を集める段取りをつけた経験は何度もあるが、相手が私立探偵ばかりというのは初めてで、おまけにこうした相手には特別な口実が必要だ。名案が次々に湧いた。聴取の際にどんな質問をされたのか、知りたくありませんか。管区を出る方法を思いついたので、相談したい。警察には伏せてあるが、殺された男についての情報を握っているので一緒に検討しませんか。各人が四二号室に到着した時刻を、確認したほうがよさそうです。ほかにも十いくつ浮かんだそれを全部頭のなかにぶち込んで、頭蓋骨がカタカタ音を立てるほど徹底的に吟味した。全員に効果のある口実はどれだろう。

そのとき、ふと思い出した。ウルフは以前、こう言った。いくつものアイデアのなかから選ぶときは、もっとも単純な案を選べ。わたしはブラインドを下ろして、振り向いた。ウルフはちょうどフリッツとの話を終え、尻がどうにかはまりそうな肘掛椅子に巨体を沈めようとしているところだった。「全員一緒がいいんですよね？」

ウルフは、イエスと答えた。

「いつがいいですか？」

「うーん……二十分か三十分後」

わたしはベッドの端に座って受話器を取り、交換台の女性に頼んだ——ミスター・ハーランド・アイドが宿泊していると思うので、つないでください。すぐに、少ししわがれた低い声が

「もしもし」と答えた。

「ミスター・ハーランド・アイドですか」

「ああ、わたしだ」

「アーチー・グッドウィンです。ウルフに代わって、電話をしています。われわれは九〇二号室にいるのですが、電話ではなく直接相談したいことがあるとウルフが言っていましてね。ウルフはいま休んでいるので——ええと、三十分くらいあと、そうですね、九時に来てもらえませんか。ぜひ、お願いします」

短い沈黙ののち「どんなことなのか、ヒントくらいもらえないか」

「電話ではまずいんですよ」

先ほどより、わずかに長い沈黙。「そうか、じゃあ伺おう」

単純な案に勝るものなし。むろん、相手が私立探偵だからこその、大きな利点もある。どんな探偵だって、電話で話すのはまずい重要情報について相談したいと言われたら、大河を泳ぎ渡ってでも会いにくる。

誰もがアイドのように、あっさり片づきはしなかった。スティーブ・アムゼルはレイサムホテルに泊まっていなかったが、ほかのホテルにいるところをつかまえて言いくるめた。ジェイ・カーはレイサムだったが、二度かけて二度とも話し中だったので最後にまわすことにした。ドル・ボナーとサリー・コルトは同じ階の九一七号室と判明。そうと知っていれば、物言わぬ人間もどきを耐え忍ぶ代わりに、彼女たちのところへ行って食事をしたのに。ドル・ボナーは、最初は気乗り薄だったが、ほかの連中が来ると知って、承諾した。三度目でようやく電話に出たカーを説得し、受話器を置いてウルフに報告した。「うまくいきましたよ。ほかにも誰か呼びますか。グルームは？　ハイアットは？　それとも州務長官とか」

「いま何時だ」

「九時九分前です」

「しまった。着替えなくては」立ち上がって、ガウンを脱ぎはじめる。ウルフはパジャマ姿で、ことのもあろうにホテルの部屋に女性を迎え入れるような真似はけっしてしない。

V

九〇二号室は広い部屋だったので七人――ウルフはふたり分だから、八人いても窮屈な感じはしなかった。ベッドの端に遠慮がちにかけずにすむよう、先ほどフロントに電話して、椅子を四脚追加しておいた。ドル・ボナーとサリー・コルトは、相変わらず奥の壁際に並んで座っている。スティーブ・アムゼルはその横で、椅子にうしろ向きにまたがって、背もたれの上で腕を組み、手首に顎を乗せていた。相変わらず身ぎれいで、相変わらず黒い瞳をきょときょとさせている。ハーランド・アイドの顔には疲労が色濃くにじんでいるが、相変わらず銀行家然として威厳がある。最後に現れた、薄毛でずんぐりしたジェイ・カーは、訓練された観察眼には簡単すぎる手がかりを身に着けていた。すなわち、赤らんだ顔に酒臭い息。

「おやおや！」カーは集まった人々を見て、素っ頓狂な声を上げた。「パーティーだったのか。教えてくれればよかったのに、アーチー。おやおや」

「さっさと座って、耳を澄ませよ」アムゼルが指図する。「あんたが来るのを待っていたんだ。ウルフが白状したいんだって」

「ふうん、そりゃあぜひとも聞かなくちゃ」カーは心を込めて言い、腰を下ろした。

ウルフは一同を見まわした。「最初に、州務長官に提出したわたしの陳述書の内容を聞いてくれ」そう言って、ポケットから書類を取り出して広げた。「少々長くなるが、わたしの立場を知ってもらうためだ。よろしいな？」

「もちろん」カーが言った。「どうぞ」

ウルフは読みはじめた。丸々十分かかったが、みんな熱心に耳を傾けていた。正直なところ、こっちまで胸が痛くなってきた。ウルフとしては、この件はできれば忘れ去ってしまいたいのに、宣誓陳述書として記録に残すことを余儀なくされたばかりか、ハイアットにつまびらかに語り、いままたこうして同業者の前で公表しなければならない。これまでに飲まされたなかで一番苦い丸薬だろうが、ウルフは飲み下した。読み終えると折りたたんで、わたしに寄越した。

それから肘掛に腕を置き、腹の前で両手の指先を合わせた。「今朝、殺された男の名前を話すことができなかったのは、こういう理由だ。そのときに生涯最大の失敗と言ったが、これについてはもう触れないでおく。さて、陳述書の内容についてなにか不明な点は？　質問は？」

質問は出なかった。ウルフは話を続けた。「すでにグッドウィンから聞き及んでいるとおり、諸君と相談したい。こういうことだ。われわれ全員が殺人事件に巻き込まれ、行動を制限されている。グッドウィンとわたしは逮捕され、保釈金を納めて釈放された。諸君のなかに同じ目に遭った者がいるかどうか知らないが、みなが行動を制限されているのは事実だ。そこで、各自の持っている情報を共有して知恵を出し合い、解決策を探すのが共通の利益になるのではないだろうか。ここにいるのは、訓練を積んだ経験豊富な探偵ばかりだからな」

口を開きかけたアムゼルを、ウルフは手を上げて制した。「ちょっと、待て。あと、ひとつ。グッドウィンもわたしも、あの男の死にはいっさいかかわっていないし、なにも知らない。諸君もそうであるなら、わたしの提案の価値は明らかだ。情報や知恵を出し合わないのは、愚の骨頂というものだ。反対に、このなかに犯人がいるなら、そいつはむろん口を割らず、情報を出し惜しみする。だが、知識や能力を寄せ集めれば、犯人以外の者には明らかに役に立つ。そうは思わないか？」

一同は初めて、顔を見合わせた。ジェイ・カーが言った。「理路整然としているな。なるほど。最後のひとりは、愚か者ってことか」

「お見事」と、アムゼル。「協力しないやつが犯人だ」

「質問がある」こう言ったのは、ハーランド・アイドだ。「きみとグッドウィンは、どうして逮捕されたんだ？」

「それは」ウルフは答えた。「あの男が――ドナヒューという名だったことはすでに知っていると思うが——今朝ハイアットに話した内容が、わたしの陳述書と矛盾していたからだ。わたしの事務所でドナヒューと名乗った、わたしが違法と承知で盗聴を手配したと話したんだ」

「おやおや」カーが言う。「みんなに腹を割ってもらいたいのも道理だ」

「わたし自身は腹を割って話したし、どんな質問にも答えよう、ミスター・カー。断っておくが、グッドウィンや自分の身を守りたくて、提案したんじゃない。とにかく家に帰りたい。それだけだ」

　ドル・ボナーがきっぱり言った。「でも、こんなことをして、なんになるんですか。損にはならないと思いますが、知っていることは全部、警察に話しましたよ。少なくとも、わたしとミス・コルトは。そして、明日もきっと同じことを訊かれるわ」彼女はキャラメル色の瞳をウルフに向けた。「こんなことをして、なんになるんですか」

　ウルフは眉をひそめた。やめようと努力はしているのだが、女性に話しかけるときはつい眉をひそめてしまう癖がある。「なんになると訊かれてもな。だが、みな仲間内ではいかにも名探偵という顔をしているし、実際その名に恥じないのかもしれない。だったら、グルームがいくらかでも頭を働かせるか、運に恵まれることを期待して手をこまねいているのではなく、名探偵ぶりを発揮するべきだろう。意見の交換はしたのか？」

　ノーと言ったのが三名、首を横に振ったのが二名。

「では、さっそくやってみよう。いまはまだ、誰も除外できない。そこで、このなかに犯人がいると仮定する。その場合、犯行時間帯をどこまで絞ることができるか？……わたしとちがってハイアットの話を聞いていない諸君には、無理か。ハイアットがドナヒューをひとり残して三八号室を出たのが、九時三十分。グッドウィンとわたしが四二号室に到着したのが十時。犯行はこの時間帯に行われた。確証がない限り、このなかに殺人犯がいると仮定しておく。つまり、九時三十分より前に四二号室に到着し、その後ずっと室内にいたと証明できれば、容疑者でなくなる。該当する者は？」

「わたしは証明できないわ」ドル・ボナーが言った。「ミス・コルトとわたしが一番乗りで、到着したのは十時二十分前。それから五分くらいしてミスター・アイド、そのまた四、五分後にミスター・アムゼル。次がミスター・カーで、十時近くにあなたとミスター・グッドウィンが最後に到着なさった。それなのにわたしたちより先に呼ばれたので、ちょっと気分を害しました」

「では、まだ誰も除外できないな。犯行時間帯は九時半から十時と推測したが、グッドウィンとミス・コルトがコーヒーを買いにいく途中で、どちらかひとりが、またはふたりが共謀して三八号室に入り、犯行に及んだとも考えられる。この点をもっと掘り下げるべきだろうか」

サリー・コルトがくすくす笑った。これは彼女の欠点と言えるが、身近で殺人事件が起きたのは初めてなのだろう、神経が昂っていても無理はない。大目に見ることにして、救いの手を差し伸べた。「やめてください。おれは殺していない。ミス・コルトも殺していない。共謀もしていない」

「ミス・コルトは？」

「ひどいわ！」サリーは不必要に大きな声で言ったあと、声を落とした。「殺していません。ミスター・グッドウィンの言ったとおりです」

「けっこう。彼はたいてい、正しい」ウルフはもぞもぞと座り直した。「でかい尻は今朝の六時からこっち、いたぶられ続けている。「警察は、われわれのひとりが四二号室へ向かう途中、様子を見ようとドアを開けたドナヒューを見かけて犯行に及んだと推理している。ここでわれわれは重要な問題に直面する。犯人が被害者と多少なりとも話をしたのであれば、四二号室に到着するかなり以前にこの建物に入ったことになり、その場合はわれわれの助力がなくてもおそらく警察は犯人を突き止める。しかし、十中八九、犯人はあの部屋にいるドナヒューを見ただけで、即座に殺害を決心したのだろう。この犯人像に当てはまる者は、ここにいるか？ わたしはあの男とのかかわりを、正直に余すところなく打ち明けた。ほかに、あの男とかかわりを持ったことがある者は？」

「わたしはありました」ドル・ボナーが言った。

「ほう？ 詳しく聞かせてもらおう」

「ええ。警察に話したのだから、ここで話しても同じだわ」ウルフに対してなのか、他の人々に対してなのか、あざけるような響きがあった。「でも、その前にひとつ。うっかり言い忘れたことがあります。ミス・コルトと三階に着いたあと、わたしはお手洗いに寄り、ミス・コルトはそのまま四二号室に向かったんです。四二号室でミス・コルトと合流したのは、十時二十分前でした。むろん、警察はそのことを知っています。それから、刑事が地方検事らしい人に、わたしたち全員が被害者の身元を特定したと話していましたよ」

「ほう？」ウルフの眉間のしわが薄くなってきた。「全員が？」

「ええ、そう言っていました」ドル・ボナーの視線はアイド、アムゼル、カーとめぐってウルフに戻った。「あの男との経緯はあなたの場合とほぼ同じで、去年の四月に事務所に現れ、アラン・サミュエルズと名乗って自宅——ブロンクスの一戸建ての電話の盗聴をやはり同じような条件で依頼してきました。アーチー・グッドウィンみたいに、けしかける人はいませんでしたが、違法でないのなら盗聴を経験しておくのも悪くないと思い、身元を証明できるなら引き受けると言いました。すると、身元を証明するもの——運転免許証と手紙を数通見せましたが、それだけでは信用できません」

ボナーは口をつぐんで、ごくりと唾を飲み込んだ。失態を演じた悔しさは、ウルフに負けず劣らず強いのだろう。「そうしたら、近くの銀行に——わたしの事務所はマディソン街五〇丁目にあります——口座を持っている、一緒に来て身元を確認してはどうかと提案してきました。わたしは来客の予定があったので、ミス・コルトに行ってもらったんです」そう言って、横を見た。「サリー、あとはあなたが話して」

サリーはあまりうれしそうではなかった。「わたしが話すんですか？」

ドル・ボナーはうなずいた。サリーはウルフに目を向けた。ここからだと照明が反射して瞳の青色が消え、アムゼルの瞳みたいに真っ黒に見える。「ミス・ボナーになにをすればいいのかを聞いて」彼女は語った。「男と一緒にすぐ近くのコンチネンタル信託銀行マディソン街支店に行きました。仕切り柵の奥で銀行員が四人デスクについていて、男はそのひとりに近づいて『ミスター・ポゲット』と声をかけて握手を交わしました。デスクには、たしかに〝フレデリック・ポゲット〟という小さな名札が載っていました。そして、取引のために身元を証明してもらいたい、と頼んだんです。ポゲットは、お安いご用ですと言って、このかたは当行に口座をお持ちのミスター・サミュエルズに間違いありませんと、わたしに請け合いました。そこで、アラン・サミュエルズですね、と念を押して確認しました。信用力の保証が必要であれば口座残高を証明するとポゲットは申し出ましたが、男はそれには及ばないと断って銀行を出ました。それからふたりで事務所に戻り、わたしはミス・ボナーに報告をしました」

サリーは言葉を切って、ドル・ボナーを見た。ボナーはうなずいて、あとを引き取った。

「わたしのときは、疑っているのは秘書ではなく、同居している兄でした。この際、どうでもいいことですけど。現金で千ドル受け取って、盗聴の段取りをつける方法を調べて、手配をしました。報告書は、毎日午後五時に取りにくる約束でした。五日目の報告を受け取った翌日、男は電話で盗聴の打ち切りを告げ、料金の不足分があるかと訊くのであと五百ドル必要だと告げると、一時間くらいして事務所に来てきちんと精算しました」

彼女は小さく身振りをした。「そのときは少しも疑っていませんでした。怪しい点はなかった、といまでも思っています。でも、電話の盗聴が問題になって、盗聴の経験がある場合は宣誓したうえで詳細な陳述書を提出するように要求されたでしょう。そこでミス・コルトを連れて銀行に行き、ミスター・ポゲットに面会したんです。ポゲットはサリーのことを覚えていました。そして記録を調べ、アラン・サミュエルズがレキシントン街にある会社の住所を使って、二月十八日に口座を開いたことを教えてくれました。ポゲットが担当したそうで、口座開設のときに入金した額やサミュエルズの身元照会先は教えてくれませんでしたが、四月十二日、つまり盗聴を打ち切った翌日に残高を全部引き出して口座を解約したことは話してくれました。レキシントン街の住所も聞き出すことができました。だまされたのかもしれないと思って――もっと続けますか。あの男を見つけようとして苦労した話をお聞きになりたい？」

「男を見つけたのであれば。見つかったのかね」

「いいえ、その後二度と姿を見ませんでした。そしてきょうになって初めて、あの部屋で見たんです。死んでいました」

「その前に、生きているところは？」

「いいえ、見ていません」

「だまされたことは、容易に確認できたんじゃないか？」

「あら、いけない」彼女は目を丸くした。「忘れていたわ。簡単に確認できました。自分でブロンクスの家に行ってみたんです。アラン・サミュエルズという名前の人がたしかに住んでいましたが、まったくの別人でした」

「その人のプライバシーを――そのう、軽率だったために侵害したことを話したのかね」

「いいえ。話すべきでしたけれど、腹が立っていたし、もううんざりしてしまって」

「その住人はどんな人物だったのかね。職業、社会的地位、利害関係とかは」

「調べていません。だって、なんの役にも立たないでしょう?」

「住所は?」

「それは……」ボナーはためらった。「重要なんですか?」

ウルフの眉が寄ってきた。「ミス・ボナー、ブロンクスの電話帳を見れば、すぐわかるのだよ」

ボナーは顔を赤くした。「取るに足らないことかと思って。ブロンクスのボーチャード街二九七〇です」

ウルフはわたしのほうを向いた。「アーチー、ミスター・コーエンに電話をしていまの住所と氏名を伝え、早急に情報を集めてもらうんだ。できれば一時間以内に連絡が欲しい」

そこで、腰を上げて電話のところへ行った。『ガゼット』紙の番号は手帳を見るまでもない。話をしていてください、こういう状況で電話をするのは慣れていますから、とみんなに言ったが、一同は礼儀正しく沈黙していた。夜も更けていたので二十秒でニューヨークにつながってロンに調査を頼むことができたが、彼から解放されるまで二分かかった。独占記事のネタが欲しいロンは、どんな経緯で逮捕されたのか、おまえはドナヒューのネクタイでどんな結び目を作ったのか、と質問攻めにしてきたので、ついにはロンが話している途中で電話を切ってしまった。わたしが椅子に戻ると、ウルフは一同に訊いた。「ミス・ボナーに質問のある人は?」

いなかった。

「どうだろう」ウルフは言った。「率直に話してくれたミス・ボナーに報いるためにも、彼女に倣うべきではないだろうか。ミスター・アイド、どうだね？　ミスター・アムゼル？　ミスター・カー？」

アイドは喉ぼとけの皮膚をつまんだ。アムゼルは椅子の背の上で腕組みをして、ウルフを見つめている。ジェイ・カーが声を出したと思ったら、げっぷだった。

「諸君は」ウルフは言った。「職業上の必要もあるし、訓練も積んでいるから非常に口が堅いが、やみくもに黙っていればいいというものではない。ミス・ボナーによれば、諸君は被害者を知っていた。それを認めようとしないのは、おおっぴらにしては危険な、あるいは外聞が悪い状況で面識ができたからではないか？　ミス・ボナーの言ったように、警察に話したのなら、ここで話しても同じではないか。もっとも、なんらかの理由で恐れて――」

「あーあ」ジェイ・カーがつぶやいた。「わかったよ、話せばいいんだろう。たしかに、あのクソ野郎を知っていた」

「おい、レディの前だぞ」アムゼルがたしなめる。

「彼女たちはレディじゃなくて、同業者だよ。あいつがクソ野郎でなかったとでも？　腕利きのウルフとドル・ボナーをどんなふうにたぶらかしたか、聞いたばかりじゃないか。いけすかない野郎だ。あいつについて知っていることを全部ぶちまけてやる。だけど、その前に一杯もらえないかな」

「これは失礼」ウルフは真摯（しんし）に詫びた。「自宅でないと、どうも調子が狂っていかん。もてなしまで忘れてしまった。アーチー、頼む」

VI

ドル・ボナーはブランデー入りコーヒー、サリーはラム酒のコーラ割り――これも欠点と言える――アイドはレモンティー、アムゼルはバーボンのダブルと水、カーはスコッチのオンザロックをダブルで、ウルフはビール二本、わたしはミルクをダブルで。酒を飲むことはたまにあるが、保釈中に飲もうとは思わない。それに、頭をすっきりさせておきたかった。

先に一杯やりたいというカーの要望に応えて飲み物を待つあいだ、ウルフはドナヒューが事務所を訪れた日付などの詳細をドル・ボナーに再確認したが、暇つぶしのようなものだった。いや、そうとも限らないか。フリッツがこの場にいなくてよかった。フリッツは女と見れば、家全体は言うに及ばず、大事なキッチンの支配権を略奪されるのではないかと疑ってかかる。ここにいたら、やきもきしていたことだろう。ドル・ボナーには、キャラメル色の瞳と黒く長いまつ毛のほかにも魅力が多々ある。ウルフと年齢的に釣り合っているし、頭の回転が速く、さっきの報告も要領がよかった。おまけにふたりともドナヒューにコケにされて傷口をなめ合う仲だ。ウルフが彼女を殺人犯と疑っているのならフリッツの脅威ではないが、ウルフの眉間にしわはない。いいんじゃないかな。彼女がウルフを、サリーがわたしを虜にして四人で事件を解決していけば、この業界で敵なしだ。

飲み物が運ばれてきて全員に行き渡るとウルフはごくごくとビールを飲み、ジェイ・カーに話しかけた。「では、話してもらおうか」

カーはちびちびとスコッチをなめながら言った。「おれも引っかかった。あっさりと。もっとも、口実はあんたたちのときとはちがっていた。女房を疑っていて、ブルックリンの自宅アパートメントの盗聴を頼まれた。自分が留守のとき家に男はいないはずなのに、どうやらいるようだ。したがって、男女に関係なくどんな声でも報告して欲しいとのことだった。あんたもミス・ボナーも見くびられたものだな。おれのときは前払いが二千ドル、追加が二千だった」

「いいことを聞いた。次回はもっと請求しよう。それはいつのことだった？」

「依頼を受けたのは、四月の初め。二週間、いや、たしか十六日後に打ち切りを告げられて精算をした」

「名前は？　なんと名乗っていた？」

カーはスコッチを飲んで、顔をしかめた。「なんだか妙な味がするが、ウィスキーじゃなくて夕飯に食ったキャベツのせいかな。名前？　ええと、レゲット、アーサー・M・レゲットだ」

「聞き覚えがあるな。L－e－g－g－eにtが二つ？」

「うん、そのとおり」

「どこかで見た覚えがある。アーチーは？」

「ええ、なにかのトップです」

「会長よ」ドル・ボナーが口を挟む。「メトロポリタン市民同盟の」

少々、癪に障った。頼りない助手の代わりにわたしがいます、と言わんばかりじゃないか。まだ婚約もしていないのに。ウルフはていねいに礼を言った。ていねいなのはかまわないが、癖にならないようにしてもらいたい。ウルフはカーに質問した。「男はどうやって身元を証明したのかね？」

「しなかった」

カーはもうひと口ウィスキーを飲んで、再び顔をしかめた。ウルフがこちらを向いて、厳しい口調で言う。「アーチー、味見を」

ちょうどそうしようと思っていた。このなかに殺人犯がいるような気がしてきた。そればかりか、アッサという男が事務所でわたしの出した飲み物を飲んだとたんにぽっくりいったのは、それほど昔のことではない。青酸カリだった。ウルフもわたしも、あんなことは二度とごめんだと思っている。味見をさせてもらいたいと頼むと、カーはなんてこったとあきれたものの、グラスを渡した。ごく少量を口に含んで舌に乗せ、喉に落としていく。それを二度やって、グラスを返した。

「大丈夫です」ウルフに言った。「やっぱり、キャベツのせいですよ」

ウルフはひと声唸った。「身元を証明しなかった？　なんでまた？」

「なんで証明しなくちゃならない？」カーは声を荒らげた。「女房を疑う亭主が、大都市圏で週に何人いると思う？　何百、何千だよ！　その一部がおれを頼ってきて、専門技術に対して料金を払う。依頼人の身元を疑う理由なんて、これっぽっちもない。そんなものをいちいち調べていたら、いくら時間があっても足りやしない」

「アーサー・M・レゲットという名に聞き覚えがあってもいいと思うが。きみみたいに、広範囲に――ええと、活動しているのなら」

カーはぐいと顎をもたげた。「おい、あんたは警官なのか？　仲間なのか？」

「むろん、仲間だ」

「だったら、それらしく振る舞ってくれよ。おれがどんな名前に聞き覚えがなくちゃいけないかを教えるのは、警察にまかせときゃいい。心配無用だ。もう教えてくれたし、今後も教えてくれるってさ。それに、あの盗聴の件は陳述書にきちんと書いてある。合法だったし、書かないわけにはいかなかった。警察は技術屋ふたりに口を割らせたんだよ。そいつらの線から、陳述していない盗聴があるとばれたら身の破滅を招く」

ウルフはうなずいた。「悪気はなかったのだ、ミスター・カー。できるだけ情報を集めたいから、訊いたまでだ。依頼人がアーサー・M・レゲットになりすましているとは、疑わなかったんだな」

「そうだ」

「これまでにただの一度も？」

「そうだ」

「では、今朝遺体を見せられたとき、それがアーサー・M・レゲットだと思った」

「そのとおり」

「なるほど」ウルフはしばし思案した。「うん、納得できる。そして、本名でなかったと知って、きみは仰天して腹を立て、いまは口を極めてののしりたい気分だろう。それはきみひとりではない。わたしもミス・ボナーも同様だ。ミスター・アイドもミスター・アムゼルも間違いなく」ビールを飲み干して、瓶から新たに注ぐ。泡をあふれさせずに注ぎ終わったところで、顔を上げた。「そうだろう、ミスター・アイド?」

アイドはティーカップを、テーブル代わりにどうぞと勧めておいた荷物台のスーツケースの上に置いて、咳払いをした。「じつはね、ミスター・ウルフ、最初にこの部屋に入ったときよりも、ずっと気分がよくなったよ」

「おや、そうか。わたしとグッドウィンはここで過ごすのだから、喜ばしい限りだ」

「そうだね。じつは、わたしもきみやミス・ボナーと同様の経験をして、深く後悔している。手口はほぼ同じだった。だから、詳しく話したところで、きみやミス・ボナーの話をなぞるようなものだ」

「でも、聞きたい」

「そんなことをして、なんになる」

アイドの声がいささか険しくなったが、ウルフは動じなかった。

「たとえわずかでも細かいことを足していけば、なにか手がかりを得られるかもしれない。あるいは共通点が見つかるとか。それはいつのことだった?」

「四月だ」

「料金は？」

「二千ドル」

「なんと名乗っていた？　ドナヒューか？」

「いや、べつの名前だった。さっき話したように、手口はきみのときとそっくりだった」

「身元の証明はどうやって？」

「話したくない。わたしはこの件の扱いを誤った。宣誓陳述書を作るとき、そこらへんの詳細を省いたのだ。聴取の際にミスター・ハイアットに追及されるだろうが、この件自体が表沙汰になることはないだろうし、この場でおおっぴらにするつもりもない。さっき言ったのは、あの男に愚弄されたのが自分ひとりではなかったとわかって気分がよくなった、という意味だ」

「気持ちはわかる。われわれ全員が阿呆だった」ウルフはビールを飲んで、唇についた泡をなめた。「結局、どうなった？　だまされていることに気づいたのか。それとも、ミス・ボナーやミスター・カーのときのように、向こうが打ち切ったのか？」

「そいつも勘弁してもらいたい」大きなわし鼻の乗っかったアイドの瘦せこけた顔には、天気かなにかの無難な話題に変えたい気持ちがありありと浮かんでいた。「盗聴は十日後に中止になって、あの男とのかかわりもそれで終わった、とだけ言っておく。きみやミス・ボナー、ミスター・カーと同じく、その後あの男を見たのはきょうが初めてだ。そのときはもう、死んでいた」

「遺体を見て、誰だかわかったんだね」

「ああ。ほかに心当たりは……わからないほうが、どうかしている」

「事務所に来たときに使った名前の人物だと思ったわけだ」

「もちろん」

「その名前とは？」

アイドは首を横に振った。「名前を使われた人は、尊敬すべき善良な市民だった。直接会って、事情を話して謝罪したところ、許してくれた。立派な人だったよ。だから殺人事件に巻き込まれるようなことになって欲しくないし、それに手を貸すのもまっぴらだ」

「でも、警察にはもう話したんだろう？」

「いや、まだだ。やむを得ず話すことになるかもしれないな。免許を取り消されて探偵稼業に別れを告げるようなことには、なりたくない」

ウルフは視線をめぐらした。「ミスター・アイドが分担を果たしたかどうかの判断は、ミスター・アムゼルの話を聞いてからにするとしようか」視線はアムゼルのところで止まった。

「どうかね？」

「協力しないやつが犯人だ」アムゼルが言った。「だろ？」

「そう単純ではない」ウルフは応じた。「だが、きみはわれわれの話を聞いた。それに、きみの番だ」

「最後のひとりは愚か者」カーが断じた。

「くだらない。順番が来なかったから、最後になっただけだ」アムゼルは指半本分残っていたバーボンを飲み干して立ち上がると、グラスをドレッサーに置き、タバコに火をつけてドレッサーに寄りかかった。「よし、話すよ。おれの場合は、事情が少しちがう。ひとつには、被害者の身元を特定したのはとんでもない失敗だった。だけど、目の前に死体が転がっていたら、時間稼ぎなんかできやしない。被害者の身元を知っているかと訊かれたら、イエスかノーで答えなくちゃならない。で、イエスと言った。さて、ここなんだよな。警察に話したのだからここで話しても同じだという、ミス・ボナーの意見には賛成だけど、みんなとはちがう問題を抱えている。おれは、被害者はビル・ドナヒューという名で、前に会ったことがある、と警察に話したんだ」

アムゼルを見つめていた六対の目が、やにわに光を帯びた。アムゼルはにやりとした。

「というわけで、みんなとは事情がちがう。まったく、どうしたもんだか。警察には、被害者とは去年の春に数回会ったが、ぼんやりとしか覚えていない、と説明した。ドナヒューが一度事務所に来て盗聴を依頼してきたが、それを断った記憶がある程度で、盗聴する相手の名前は覚えていない。そもそも、相手の名前を言ったかどうか定かでない。警察に話したのはこれで全部だし、ここで付け加えることはなにもない」アムゼルは椅子に戻って腰を下ろした。

半開きのウルフの一対も含めた六対の目は、アムゼルの動きを追った。ウルフは言った。

「警察に話をしたあと、記憶を探る時間があっただろう、ミスター・アムゼル。去年の春にドナヒューと会ったときのことを、少しは思い出したのではないか」

「いや、駄目だった。漠然としていてさ」

「盗聴の対象となった人物の名は？」

「悪いね、ぜんぜん思い出せない」

「じゃあ、これは？　ミスター・カーは――言葉をそのまま借りると『警察は技術屋ふたりに口を割らせた』と話した。もし、記憶から抜け落ちていることがもうひとつあったら――たとえば、実際は盗聴したのに、それを忘れていたとか。あくまでも仮定だが、技術屋がその件を覚えていたら、弁解のしようがないんじゃないか？」

「仮定だろ」

「そうだ」

「うーん、昔は技術屋が大勢いたらしいな。最近はめっきり減ったみたいだ。口を割ったのが、おれの使った技術屋でないと仮定したら？　おれの使った技術屋が口を割らないと仮定したら？」

　ウルフはうなずいた。「仮定したうえでの話は、お互いさまか。警察に伏せてあることをここで話すわけにはいかない、という気持ちは理解できる。じゃあ、これはどうだね。州務長官に提出した陳述書に、このことは含めたのか？」

「このこととは？」

「ドナヒューに依頼された盗聴を断ったこと」

「そんなの、書く必要がないだろ。実施した盗聴をすべて報告しろって、言われたんだ。盗聴を断ったことを報告しろとは、ひと言も言われていない」

「もっともだ。では陳述書では、ドナヒューについてまったく触れていない。間違いないな?」

「うん。触れる必要がない」

「たしかに、きみの言うとおりだ。だが、きみの提供した情報はミスター・アイドに比べてもはるかに少ない。わたしとしては――」

電話が鳴ったので受話器を取ると、ロン・コーエンだった。わたしが話している、というより耳を傾けているあいだに、ウルフは二本目のビールをグラスに注いだ。ゲストはみな、先ほど同様、礼儀正しく沈黙を守っている。報告を終えてまたもや極秘情報を欲しがるロンに、大特ダネになる情報が入り次第教えると約束した。ロンにはそのまま待ってもらい、ウルフに報告する。「アラン・サミュエルズは、ウォール街の元株式仲買人。その気になればパーク街に家を構えられるが、ブロンクスを好んでいる。妻は四年前に死去。息子と娘がふたりずつ、いずれも既婚。巨額ではないが、種々の慈善事業に寄付をしている。ハーバードクラブ会員。道徳教育促進会会長。一年前、知事から慈善基金調査委員会のメンバーに任命された。あとは、めぼしい情報はありません。当然、気づいているでしょうが、興味深い事実が見つかりましたね」

「そのとおり。電話はまだつながっているか? ロンに委員会のメンバーを調べてもらおう」

「了解」ウルフの要望をロンに伝えた。ロンは資料を取り寄せる必要があると言い、そのあいだに情報を寄越せと迫った。まさか、容疑者候補が同じ部屋で雁首を並べていてウルフが苦心惨憺（さんたん）して突破口を見つけようとしている、とは話せない。そこで、勾留中のウルフの様子やささやかなエピソードなど、人間模様を伝えてお茶を濁した。そうこうするうちに資料が到着したので、ロンが読み上げるリストを書き写し、朝刊用の特ダネは期待するなと言って電話を切った。メモ用紙を破り取ってウルフに渡す。「これで全員です。委員長を含めて五名しかいません」

ウルフはメモを読んで、低く唸った。「ふうん。わたしの報告に出てきたオーティス・ロスを覚えているな。ロスは慈善基金調査委員会の委員長だ。アラン・サミュエルズがメンバーであることは、いま聞いたばかりだ。アーサー・M・レゲットも然り。あと二名はジェームズ・P・フィンチにフィリップ・マレスコ。五名のうち三名か。全員だったら、これはもう示唆に富むというよりは決定的なんだがな。協力してもらえないか、ミスター・アイド」

アイドは居心地が悪そうだった。喉ぼとけの皮膚をつまんだものの心を静める役には立たず、今度は下唇を噛んだが、黄ばんだ歯なのでハンサムには見えなかった。しまいに、言った。

「あの人が巻き込まれるのは避けたかったが、もう巻き込まれていては仕方がない。いま、言った名前のなかにいる」

「これで四名だ。フィンチかマレスコかを特定しないでおく理由があるのかね」

「ないな。フィンチだ」

ウルフはうなずいた。「残るはマレスコひとり。仲間はずれにしては気の毒だ。さて、ミスター・アムゼル。フィリップ・マレスコという名に聞き覚えは？　なんとなくでも」

アムゼルはにやにやした。「無理だってば、ウルフ。このごろ、記憶力がすごく衰えてしまってさ。おれの記憶を当てにしないでくれ。駄目なものは駄目なんだ。おれだったら、勘定に入れておく」

「そうか、ではそうしよう。さて、諸君、委員会のメンバー五人が五人とも、ドナヒューの盗聴の対象になったのは偶然だろうか」

誰もそうは考えなかった。

「わたしも、偶然とは考えない。調査が必要だ。ミス・ボナー、すぐに連絡のつく有能な調査員は、ミス・コルトのほかに何人いる？」

ボナーは目を丸くした。「すぐって……いまですか？　今夜？」

「今夜か明朝。いま何時だ、アーチー」

「十一時十五分です」

「では、明朝だ。何人いる？」

ボナーは指先で唇を撫でながら、思案した。唇も手もきれいな形をしている。「常勤は」彼女は言った。「女性が一名と男性二名です。そのほかに女性四名と男性三名によく仕事を頼んでいるわ」

「つまり、十人か。ミスター・アイドは？」

「なんでそんなことを知りたいんだね？」アイドは言った。

「あとで説明する。いまは人数を」

「『有能』の意味によるが、事務所には優秀な男性スタッフが十二人いる。そのほかに八人から十人くらいは手配できると思う」

「では二十人ということにして、計三十人。ミスター・カーは?」

「九人かな。緊急の場合はあと五、六人、かき集めることができる」

「十五人だな。これで四十五人。ミスター・アムゼル?」

「おれはパスする」

「ゼロという意味かね」

「いや、そうではないけど。常勤や事務所のスタッフはいない。どういうことか、説明してくれ。場合によっては、都合する」

「四十五人か」ウルフは不意に立ち上がった。「申し訳ないが、頭を整理したいので、ちょっと失礼する。長くはかからない。わたしの提案をぜひとも聞いてもらいたいので、待っていてくれ。喉が渇いている者はいないかね。アーチー、わたしにはビールだ」

ウルフは椅子を窓の近くへ持っていくとうしろ向きにして、室内に背を向けて座った。サリーがコーヒーに替え、アイドが断ったほかは、みな前と同じ飲み物を所望した。電話でルームサービスに注文をしたあと、声を潜めて話す必要はないことを一同に告げた。ウルフは集中しているときはなにも耳に入らず、外界の出来事にはいっさい煩わされない。誰もが席を立って体をほぐし、ハーランド・アイドはドル・ボナーのところへ行って、女性調査員の仕事ぶりについて尋ねた。そこへカーとアムゼルが加わって、話題はさまざまな方向に発展した。飲み物を手にして意見や感想を交換するさまは、気の置けない友人どうしの集まりに見え、このなかの幾人かが探偵免許を失いかねない聴取が間近に迫り、ましてや殺人事件の渦中に置かれているとは想像もつかない。しかし、それもウルフのうしろ姿に頻繁に投げかけられる視線に気づくまでのことだった。男たちはどうやら、女が自分の居場所をわきまえていればよしとしよう、ということで意見が一致したようで、これはたぶん原始人とその男性子孫すべてに共通した感情だろう。そして、そこに付随する疑問はいまも昔も変わらない――女の居場所はどこなのか？　ドル・ボナーの居場所が西三五丁目の古いブラウンストーン建築の家だなどという、突拍子もない考えをウルフが持たないことを切に願った。

ついにウルフが立ち上がって、椅子の向きを変えた。腕時計を見ると、あと八分で午前零時だった。頭を整理するのに三十分かかったことになる。ウルフは椅子を元の場所に戻して座り、ほかの人たちも腰を下ろした。

「カチカチ音を立てているのが、聞こえるぜ」スティーブ・アムゼルが言った。

ウルフは眉をひそめた。「は？」

「あんたの頭のなかだよ。歯車が回転しているんだろ」

「ああ、それはもう」ウルフは素っ気なく言った。「夜も更けたし、やらなければならないことがある。調査を進めるために、暫定的に仮説を立ててみた。それをこれから説明するので、力を結集してもらいたい。諸君の全面的な協力がなんとしても必要だ。ミスター・アイドやミスター・カーのような組織は持っていないが、わたしもできるだけのことをする。アーチー、ソール・パンザーと内密に話をしたいのだが、この部屋の電話でも大丈夫か？」

「とんでもない。駄目に決まっているでしょう」同業者の前で、なんて阿呆な質問をするんだろう。蹴っ飛ばしてやりたくなった。「十対一の確率で、十分以内にグルームに筒抜けになる。ホテルの公衆電話も駄目ですよ。外の電話でかけなくちゃ」

「こんな時間に見つかるか？」

「見つかりますよ。なんてったって、オールバニ市なんだから」

「じゃあ、頼む。ソールをつかまえて、明朝八時に自宅に電話をすると伝えてくれ。ほかに仕事が入っていたら、断らせろ。あいつでないと、困る」

「了解。じゃあ、ここが終わり次第行ってきます」

「いや、いま行け。いいな」

また蹴っ飛ばしてやりたくなったが、客の前で内輪もめはしたくない。帽子とオーバーを取ってきて、部屋を出た。

VII

あくる火曜日をわたしがどう過ごしたかについて、本人と同じ程度の興味しかないなら、次の四分間は読者諸君にとって死ぬほど退屈だろう。

あれこれとありはしたが、わたしの知る限りでは調査に進展はなかった。最初に、月曜の夜中とソール・パンザーの話をしよう。ソールは非常に優秀で、同業者たちの提供した四十五人の調査員が束になっても敵わないくらいだが、もっと早くに帰宅してベッドに入るべきだ。バー&グリルで難なく公衆電話を見つけてさっそくかけたものの、誰も出なかった。ホテルでの話し合いにいったん戻り、あとでかけ直すという選択肢はない。ウルフに用事を頼まれ、やり遂げることを期待されている以上、意地でもやり遂げる。五分待ってもう一度かけた。次は十分待った。数えきれないくらい試して、ようやく連絡がついたのは、午前一時十五分だった。バスコムに頼まれて尾行をしていたそうで、あしたは正午に再開すると言う。やめろ、おれとウルフが殺人罪で起訴されてもいいのかと脅しておいて、朝八時に電話の前で待つよう頼んだ。それから、てんやわんやのきょう一日のハイライトを話してやっておやすみを言い、ホテルに戻った。九〇二号室は一日経った死体のごとく冷えきっており、ウルフは開けっぱなしにした窓に近いほうのベッドでぐっすり眠っていた。しかたなく浴室のドアを開け、漏れてくる明かりを頼りに服を脱いだ。

翌朝、ウルフは音を立てずに巨大な体軀を持ち上げ、寒いなかでベッドを出て着替えやらなにやらをすませるという芸当をやってのけた。さぞかし見ものだったことだろう。わたしはウルフがドアノブをまわした音でようやく目覚めて、仰天した。「えっ、どこへ行くんです?」

ウルフは戸口で振り向いた。「ソールに電話をしてくる」

「いま何時です？」

「きみが手首にはめている時計によると、七時二十分過ぎだ」

「八時って言ったじゃありませんか！」

「まず、腹ごしらえをしないとな。寝ていていいぞ。ソールと話をしたあとは、なにもすることがない」ウルフはドアを閉めて、出ていった。電話ボックスにどうやって入るつもりだろうといぶかりながら寝がえりを打っているうちに、いつしか眠りに落ちた。

だが、前ほどに深い眠りではなく、ドアの鍵をまわす音で目が覚めた。腕時計の針は八時三十五分を指している。ウルフが入ってきてドアを閉め、帽子とオーバーを脱いでクローゼットにしまう。ソールと話ができましたか、とわたしは尋ねた。答えは「ああ、問題ない」。「昨夜、みんなから協力を取りつけることはできたんですか」「ああ、問題ない」「次にやることは？」「ない」「それでいいんですか」「いい」ウルフはこの問答のあいだ、衣服を次々に脱いでいって骨の髄まで凍りそうな寒さをものともしないでパジャマに着替え、ベッドに入って毛布をかぶると、ごろりと背を向けた。

こっちの番が来たらしい。すでに九時近くとあって、目は完全に覚め、腹ぺこだった。ベッドを出て洗面とひげ剃りをすませ、寒さに震える指で苦労しいしいシャツのボタンをはめて着替えをし、ロビーで『タイムズ』紙と『ガゼット』紙を買ってホテルのダイニングルームに入り、オレンジジュース、パンケーキ、ソーセージ、スクランブルエッグ、それにコーヒーを注文した。やがて長居の客に浴びせられる冷たい視線を感じて、ロビーに移って残りの記事を読んだ。ウィリアム・A・ドナヒュー殺人事件についてはすでに知っていることのほかは、死亡推定時刻は検死官の到着する二時間から五時間前などという、些末な情報が一ダースほど載っているだけだった。わたしもウルフも容疑者として『ガゼット』紙に写真が載ったのは、初めてだ。わたしの写真はまんざらでもないが、ウルフの写りはえらく悪かった。非常に見栄えのするアルバート・ハイアットの写真も、明らかに苦悶の表情を修正してあるドナヒューの写真も載っている。外の空気を吸いに出て、九〇二号室と同じくらい冷たい風にオーバーの襟を立てて歩きまわっていたら、保釈中に散歩をするのはふだんよりもずっと楽しいことを発見した。ひたすら歩きまわって、ホテルに戻ったときは十一時を過ぎていた。エレベーターで九階まで昇って、冷えきった部屋に入る。

ウルフは身じろぎもしないで、熟睡していた。ベッドの横に立って、ささくれだった気分でその寝姿を見下ろした。そうやって自分の置かれた状況を考えているさなかに、ドアを叩く音が背後でやかましく響いた。ドアを開けると、人を踏み潰さんばかりの勢いで、とてつもない巨漢が突進してくる。望むところだ。思い切り押し返してやった。巨漢はよろけて尻もちをつきかけた。

「警察だ！」巨漢は怒鳴った。

「だったら、初めにそう言えばいい。それにきみが警官だとしたって、こっちは絨毯じゃない。なんの用だ」

「アーチー・グッドウィンだな？」

「そうだ」

「地方検事があんたとネロ・ウルフに出頭を求めている。同行してもらおう」

少し考えてから返事をすると言って追い出すべきだが、ウルフのほうがこいつよりもずっと癪に障る。昨夜は、話し合いの最中にソールに電話をかけにいかされた。それに、今朝ソールと話したあとでひと言の説明もなく寝てしまうとはあまりに大人げない。責めは半々と提案してやったのに、ネロ・ウルフはキメラの頭部、アーチー・グッドウィンは胴体と言わんばかりの扱いだ。だから、警官を通してやって向き直り、ぎょろりと目を剝いたウルフを見つめ返した。

「ほら、ミスター・ウルフだ」巨漢に告げた。

「起きて着替えろ」巨漢は命じた。「地方検事の尋問がある。これからオフィスに同行してもらう」

「なにを抜かす」ウルフの声は室内の冷気よりも冷たかった。「知っていることは全部、ミスター・ハイアットとグルーム警部に話した。一時間かそこらして地方検事が訪ねてきたら、会う気になるかもしれない。グルーム警部に、おまえは大バカだと伝えてくれ。わたしを逮捕したのはとんでもない間違いだ。殺人罪での告発か、保釈の取り消しくらいしか脅す手はないぞ。だが、いっぽうは現実的ではないし、もういっぽうはかなりむずかしい。出ていけ！　冗談じゃない。誰が行くものか。アーチー、こいつはどうやって入ってきた」

「歩いてです。ノックしたから、ドアを開けました」

「なるほど。きみはその気になれば真のホラティウス（自らを犠牲にして橋を落とし、敵軍のローマ侵攻を防ごうとした伝説上の勇士）になることができ、たいがいはその役を果たしているのだが。そうか」ウルフは警官に視線を移した。「おい、きみ、出頭を求められているのはわたしひとりか、それともふたりともか？」

「ふたりともだ」

「よろしい。グッドウィンを連れていけ。わたしを連れていきたいなら、力ずくしかないが、重いぞ。地方検事は面会の約束が欲しければあとで電話をしてきてもいいが、希望は叶うまい」

巨漢はためらい、それから口を開けて閉じ、もう一度開けて同行を求めてきた。わたしは従った。ウルフはわたしに痛烈な一撃を食らわせたつもりだろうが、痛くもかゆくもない。計画からはずされているのだから、地方検事をからかって暇をつぶすのもまた一興だ。

サリー・コルトにランチを奢るのも格好の暇つぶしになると思いついたが、こいつに望みはないと匙を投げた地方検事から解放されたときは、二時をまわっていた。ドラッグストアに入って、地方検事は救いのないやつです、とウルフに電話で報告し、指示はあるかと尋ねたら、ないとのことだった。サリー・コルトに電話をかけて映画に誘ったら、行きたいけれど忙しくて時間がないと断られた。彼女は忙しいのか。すばらしい。わたしを電気椅子から救う方法を見つけてくれるかもしれない。サンドイッチとミルクで昼飯をすませるつもりでソーダファウンテンに足を向けたが、この旅行が経費で落とせることを思い出し、スタンレー・ロジャースお勧めのレストランを探し当てて六ドル分食い、領収書をもらった。ウェイターに教えてもらったビリヤード場に入り、ウルフに居場所を伝えてからしばらく眺めていたら、賭け金稼ぎ（ハスラー）が声をかけてきた。ストレートプールでゲームをし、すっからかんにならずにすんだのは賭けのレートを上げるのを断固拒んだからにほかならない。ハスラーはしまいに、ケチなやろうめ、とわたしに見切りをつけた。もう七時になんなんとし、夕飯どきだったが、九〇二号室にいる人物と顔を合わせるのはまっぴらだったので、スツールに腰を落ち着けてスリークッションゲームをするふたり組を眺めた。ホッペ（一八八七―一九五九　ビリヤードのチャンピオン）とまではいかないが、どちらもかなりの腕だった。ひとりがキューを立ててマッセを打つ姿勢を取ったとき、電話ですよ、とレジ係から声がかかった。誰が急いで行くものか。ウルフなんか、待たせておけばいい。

「もしもし」

「ミスター・グッドウィンですか？」

「そうだけど」

「サリー・コルトよ。さっきはせっかく誘ってくれたのに、ごめんなさい。でも、どうしても抜けられなくて。映画の代わりに夕食というのは、駄目かしら」

　急いで感情を制御した。ここにいることは、ウルフが話したとしか考えられない。でも、それは彼女が悪いのではない。「いいよ」わたしは言った。「どのみち夕食は毎日取る。何時がいい？」

「いつでも大丈夫よ。ホテルで食べましょうか？」

「いや、ホテルからほんの二ブロックのところに、いいレストランがある。ヘニンガーズだよ。

十五分後でどう？」

「いいわ。ヘニンガーズね？」

「うん」

「では、あとで。必要なときに連絡が取れるように、ミスター・ウルフに店の名前を伝えておくわ」

「おれが電話しておく」

「いいえ、わたしが話すわ。ここにいらっしゃるのよ」

いろいろな感情が混じり合ってわけがわからないまま、わたしはオーバーと帽子を取りにいった。冷え冷えとした怒り――天才だからある程度は大目に見るが、これは限度を超えている。好奇心――ウルフはサリーとなにをしていたのだろう？　安堵――ウルフがベッドから出て服を着ていてよかった。女性に対する態度が百八十度変わっていなければ、だが。喜び――どんな状況であっても、美人とデートをするのはたいてい楽しい。期待――ウルフがなにを企んでいるのか、デートのあいだにサリーが教えてくれるかもしれない。

教えてくれなかった。食事はじつに楽しく、女探偵に対する考えに例外を設けようか、と思いはじめたが、今回の件についてはサリーはひと言もしゃべらず、こちらも尋ねようとはしなかった。ウルフに口止めされたのだろう。証拠はないが、デザートとコーヒーが来るころにはずいぶん打ち解けていたのだ。相手がすごく気にしていると知りながら、一種独特の微笑を浮かべてその話題を避ける女は、たいてい裏で誰かと組んでいる。コーヒーを飲み終え、通りの先にあるダンスフロアのある店に行こうかと相談しているところへ、電話です、とウェイターが呼びにきた。

「もしもし」

「アーチーか」

「はい」

「ミス・コルトもいるのか」

「ええ」

「部屋に来てくれ、彼女も一緒に」

そこでテーブルに戻ってその旨を話し、勘定書きを頼んで支払いをすませて店を出た。歩道が所々凍っていたので、サリーはわたしの腕につかまって歩いた。現役の探偵としてはちょっと頼りないが、少なくともしがみついてはこなかった。ホテルの九階でエレベーターを降り、サリーが九一七号室に持ち物を置いてくるのを廊下で待った。彼女と一緒に部屋に戻ることがこの日唯一の仕事だったので、完璧にやり遂げたかったのだ。それからサリーを連れて九〇二号室へ行き、持っていた鍵でドアを開けた。

室内は人であふれかえっていた。

「おやおや！」大勢の前で惨めな気持ちを見せたくなく、努めて明るく言った。「またパーティーですか？」

ウルフは奥のほうで肘掛椅子に座っていた。その傍らに移動させた書き物机の上に、紙が何枚も積み重なっている。ドル・ボナーがウルフと向かい合って座って、薄笑いを浮かべていた。薄笑いではなく、憂鬱でも悲しそうでもなかっただけのことなのにそんな言い方をするのは不公平だ、と指摘されたら反論はできない。ウルフはわたしを見てうなずいた。「ドアは開けたままでかまわない、アーチー。グルーム警部とミスター・ハイアットが間もなく来る」

Ⅷ

帽子とオーバーをクローゼットにしまいながら、思った。古狸め、また鮮やかな手並みで一挙に解決するつもりだな。グルーム警部の前で殺人犯を名指しするだけではなく、ハイアットに代わってここにいる全員の聴取を片づけてしまう魂胆だ。わたしの助力なくしては不可能な大仕事に見えるが、ウルフにはむろんドル・ボナーがついている。ドル・ボナーがドナヒューのネクタイをきつく結んだ張本人と判明して、やむなくわたしを頼る羽目になったら、いい気味だ。

室内を見まわしたところ、アイドとカー、アムゼルはウルフから遠い椅子に座り、その前にはこれから到着する客人のための椅子が二脚空けてあった。廊下に靴音が響いた。グルーム、ハイアットの順で歩いてくる。ふたりともオーバーを下のクロークに預けてきていた。ウルフは「こんばんは」と、挨拶して椅子を示した。「そちらへ」

ふたりとも突っ立っていた。グルームが言う。「やっぱり、そうか。あんたのことだからな。探偵さんの会議とは聞いてなかった」

「そうだな。ミスター・ハイアットと一緒に来てくれたら、陳述の内容を大幅に変更すると言っただけだ。こうしたときには、証人が何人かいたほうが望ましい」再び椅子を示した。「座ったらどうだ」

グルームはハイアットからわたしへと素早く視線を走らせたあと、カーとサリー・コルトのあいだを通って空いている椅子を取り、壁際へ持っていって座った。こうしておけば、ウルフとドル・ボナーを右手側に、残り全員を左手側に見ることができ、背後から襲われる心配がない。ハイアットはこだわらなかった。空いている椅子に無頓着に座り、背後にアイド、カー、アムゼル、サリー、それにわたしの五人がいても気にならないようだった。

「では、聞こう」グルームはウルフを促した。

「よし」ウルフは座り直してグルームを直視した。「細かい点は多々あるが、いまは詳しく触れないでおく。おいおい、わかるだろう。まず、昨夜の状況についてだ。きみは事件解決を逸るあまりに、ろくすっぽ考えもせず、わたしとグッドウィンを逮捕した。そのため——」

「状況は充分理解している」

「いや、理解していない。そのため、わたしはきみの能力と運を信じて、ここでただやきもきしているか、自分でどうにかするかのどちらかしかなかった。手はじめに、四二号室にいたわたしとグッドウィン以外の五人のなかに、ドナヒューとなんらかのかかわりがあった者がいるかどうかを、確認したかった。そこで相談があると口実を設けて、五人をここに招いた。全員が来て——」

「そのくらい、知っているとも。そして、ここで起きたことを誰も話さないということも。誰ひとり、話さない。グッドウィンも話さない。あんたも」

「これから話す。途中で邪魔が入らなければ、もっとすみやかに進むぞ、グルーム警部。みなここに四時間以上いたが、全容を知る必要はない。全員が被害者の身元に心当たりがあった、つまり面識があったという事実と、きのう各人があの建物に到着した時刻とを考え合わせると、このなかに犯人がいると推測せざるを得ず、それをもとに仮説を立てた。だが、一時間ほど話し合ったすえに、その仮説をあきらめた」

口を開きかけたグルームを、ウルフは手を上げて遮った。「ちょっと待て。『あきらめた』ではなく『保留した』のほうが適切だな。なぜ保留したかというと、べつのことに注意を引かれたためだ。盗聴を通じてドナヒューとかかわりのできた七人が、みな同じ日に召喚されたという興味深い事実に気づいたのだ。偶然とは思えないし、偶然でなかったとも考えられる。各人の陳述を突き合わせ、場合によっては対決させる目的があったのかもしれない。だが、そうではなかった。それはあり得ないのだ。われわれの誰ひとりとして、州務長官に提出した陳述書にドナヒューという名を記していない。ミス・ボナー、ミスター・アイド、それにわたしは、同じような手口でだまされ、男の人相風体についての記述も似通っているという理由で同じ日に召喚されたと考えられなくもないが、ミスター・カーとミスター・アムゼルには当てはまらない。ミスター・カーは、アーサー・M・レゲットの依頼で本人宅の電話を盗聴したとしか陳述していない。ミスター・アムゼルはなにも――自分をミス・ボナーやミスター・アイド、わたしと関連づけることはなにも書かなかった。ミスター・アムゼルはきのう、被害者の身元をドナヒューと特定し、盗聴を依頼されたが断ったと警察に説明したが、州務長官に提出した陳述書にはそのことを書かなかった」

「たしかにすみやかに、どん詰まりに向かって進んでいる」グルームはあざけった。「ここにいる全員が被害者と面識があった。おまえたちの誰かが、被害者を見かけて殺したに決まっている」

「われわれはなぜ、同じ日に集められたのか?」ウルフは語気を強めた。「ミス・ボナー、ミスター・アイド、それにわたしを同じ日に呼ぶ理由は理解できる。だが、ミスター・カーとミスター・アムゼルはなぜだ。ふたりとも、実際はドナヒューに盗聴を依頼されたことがあり、かかわりがあったのだが、それはまったく表に出ていない。それなのに同じ日に呼ばれたのは、偶然だろうか。あり得ない。ひとりならともかく、ふたりともというのは偶然ではすまされない。では、われわれ全員が同じ日に出頭するように仕向けたのは誰か。同時に、べつの疑問も湧いた。ドナヒューが盗聴の対象にした五人に、共通点はあるのだろうか。そこから次の疑問につながった。なぜドナヒューは五人の探偵にべつべつに依頼したのか。盗聴の対象になった五人にはなにか共通点があって、それを気づかれまいとしたのではないだろうか」

ウルフは問いかけるようにハイアットを見たが、答えは得られなかった。グルームに目を戻す。「最初の疑問については、夜中にミスター・ハイアットに電話をして訊くわけにもいかないので、あとまわしにした。第二の疑問は、すぐに答えが出た。盗聴された四人は慈善基金調査委員会のメンバーで、残りひとりもそうであると考えるに足る理由がある。つまり、委員会のメンバー全員が盗聴の対象になっていた。そこで、仮説を全員に説明して協力を求めた。たとえ、わたしが間違っていて、われわれのなかに犯人がいたとしても害はない。それどころか、わたしの提案に対する反応で犯人の見当がつく可能性がある。そして――」

「どんな提案だ」グルームが詰問した。

「これから話す。各人の手配できるニューヨークの調査員を足すと総勢四十余人、わたしは四、五人。そこで状況を説明し、男女を問わずできるだけ多くの調査員をただちに調査に取りかからせるよう、提案した。調査はおもに三つの線を追うことにした。第一の線は、ドナヒューが滞在していたマルベリーホテル。第二の線は、アルバート・ハイアットの経歴、利害関係、活動。とくに慈善基金調査委員会との関係を詳しく調べるよう、念を押しておいた。第三は――」

「ミスター・ハイアットを疑ったのか？」

「調べる価値のある仮説を立て、全員が調査に同意した、ということだ。さっきも話したように、われわれ七人を同じ日に出頭させたのは誰か。聴取を取り仕切っているのは、ミスター・ハイアットだ。それにもうひとつ。たいがいもっとも重要視されるのにきみは忘れているようだが、生きているドナヒューを最後に見たのも、わかっている限りにおいてはミスター・ハイアットだ。さらに、もうひとつ。ミスター・ハイアットによると、被害者はわたしの事務所でドナヒューと名乗り、わたしが違法を承知のうえで盗聴を手配した、と話した。ドナヒューがハイアットに嘘をついたのか、ハイアットが嘘をついているのか、そのどちらかしかないことはわたし自身には明らかだ。そして、ドナヒューは死んだ」

ウルフは肩をすくめた。「わたしがなにを疑ったのかは、この際もう重要ではない。第三の線は、ハイアットとドナヒューの過去のつながりを示す証拠探しだ。ここにいる同業の諸君は次から次に電話をかけ、わたしも一本かけた。その結果、きょうの午前十時には――調査員は何人集まった、ミス・ボナー？」

「十時までに三十四人。午後二時には四十八人になりました。男性が四十二人、女性が六人」

スティーブ・アムゼルが突然叫んだ。「探偵が多すぎる、ハイアット！　免許を取り消せるものなら、やってみろ！　探偵が多すぎる！」

「黙れ！」ジェイ・カーが命じる。「ウルフの話を聞けよ」

ウルフは双方の言葉を聞き流した。「午後一時前から午後いっぱい調査結果の報告が次々に入ってきて、つい一時間ほど前にもう充分だとニューヨークに連絡したところだ。電話番はもっぱらミス・ボナーとミス・コルトが務めてくれたが、ほかの人たちも手伝った。最初のマルベリーホテルの調査結果は、かんばしくなかった。第二のハイアットの線では、決定的ではないものの意味深長な手がかりが見つかった。一年半ほど前、慈善募金団体に関する不祥事がマスコミに取り上げられるようになり、日を追うごとに情報量と重要性が増していった。一年と少し前、ミスター・ハイアットは年に百万から三百万ドルという巨額の寄付金が入る、大きな慈善募金団体の顧問に就任した。それはちょうど州知事が慈善基金調査委員会を立ち上げた時期と重なる。その団体が調査の主要なターゲットになることは、容易に予想できた。ミスター・ハイアットが委員会のメンバーふたりに接触して、調査の動向を探ろうとした証拠がいくつか――」

「どんな証拠だ？」グルームが訊く。

ウルフは書き物机の上の報告書を指先で叩いた。「ここにあるが、さっきも話したように決定的な証拠ではない。委員会のメンバーは私立探偵の調査員に対しては口が重かったが、司法関係者にはもっと協力するだろう。第二の線の調査結果からは、ミスター・ハイアットが調査委員会とその動向に並々ならぬ興味を持っていた、としか言うことができない。第三の線は、意味深長どころか決定的、またはそれに近い結果が出た。もっとも期待できる線だったので、三十人の調査員を割り振った。各人がハイアットとドナヒューの新聞写真を持って聞き込みをした結果、去年の春にふたりが連れ立っているところを見た人物が三名見つかった。人目を気にしている様子だったという証言を得ている。証言した人物の氏名、見かけた場所や時間はミスター・ハイアットの前では伏せておくが、全部ここに記されている」ウルフは、再び報告書を指先で叩いた。

「だがミスター・ハイアットは、ドナヒューを見たのはきのうが初めてだ、とわたしやグルーム警部に話した。ハイアットを疑っているのかという質問の答えは、イエスだ。むろん、推測をまじえてしか答えられない疑問が、まだ残っている。たとえば、ドナヒューが盗聴を依頼した探偵全員を、なぜ同じ日に出頭させたのか。おそらく、それが最善の方法だったのだろう。われわれはみな遅かれ早かれ、ニューヨークかオールバニで聴取を受ける。ハイアットはそれをニューヨークの同僚にまかせず、自身で担当することにした。全員を同じ日に喚問すればひとり残らず囲い込むことができ、必要とあれば後日呼び戻すこともできる。順調にことが運んだら、全員の前で『きみたちが同じ悪党にだまされたことは、各人の陳述書から明らかだ、よって罪に問わないよう進言する』とか、恩着せがましく言うつもりだった」

ウルフは手のひらを上に向けた。「ハイアットは、ドナヒューがニューヨーク州を出て完全に姿をくらまし、脅威ではなくなった、と安心していた。おそらく自身で逃走の手配をしたにちがいない。大きな危険はないと思えた。顧客のひとつが州知事の立ち上げた委員会の調査対象であることと、自分の取り仕切っている調査とのあいだに表立った関係はない。ばれるものか、疑われもしない、そう確信していた。もしかしたら、委員会の計画や動向を盗聴で知って、高をくくっていたのかもしれない。だから、きのうの朝、ドナヒューという男が緊急かつ内密の用件で面会を求めていると聞いて、青くなった」

ウルフはハイアットをちらっと見て、グルーム警部に目を戻した。「きのう三八号室でなにが起きたのか。これもあくまで憶測だが、ドナヒューは恐喝目的か、あるいはわれわれ七人がいっぺんに集められたのを知って、スケープゴートにされると疑ったのか、すべてを暴露すると言ってハイアットを脅したのではないだろうか。こうした場合は、もっともそれらしい推測が当たっている。この点も含めて、まだ残っている疑問を解くのは、われわれではなくきみの仕事だ、グルーム警部。われわれの唯一の関心事は、きみの推測の誤りを指摘することだった。わたしとグッドウィンの誤認逮捕については、うまく言い逃れをするのだろうが、州務長官特別代理の言葉だからといってやみくもに信じるのは幼稚だと学んだのではないか？　われわれの容疑を、ただちに取り下げてもらおう」

「今夜は無理だな。明日の朝、法廷が開くまで待ってもらいたい」グルームは立ち上がって書き物机の上の報告書に手を置き、州務長官特別代理に訊いた。「なにか言いたいことは、ミスター・ハイアット？」

ハイアットは弁護士だ。こちらに背を向けているので、顔を見ることはできないが、きっと無表情なのだろう。「ない」ハイアットは言った。「ただし、これだけは言っておく。わたしはウルフの主張や誹謗を根拠のないものとしてすべて否定し、彼を糾弾する。では、失礼する」席を立ってドアへ向かう。グルームは止めようとしなかった。報告書を精査しないうちは、止めたくても止められないのだ。

スティーブ・アムゼルがハイアットの背中に呼びかけた。「探偵が多すぎる、ハイアット！」

Ⅸ

きのうの午後、最近引き受けた小さな案件をウルフと検討している最中に、電話が鳴った。

「ネロ・ウルフ探偵事務所、アーチー・グッドウィンです」

「ドル・ボナーよ。元気?」

「ええ、最高に」

「よかったわ。ミスター・ウルフと代わっていただける?」

「ちょっとお待ちを」送話口を手で覆って、ウルフに伝えた。ウルフは顔をしかめ、ためらいがちに手を伸ばしてデスクの電話を取った。とくに指示がない限りは一緒に電話の会話を聞く決まりなので、わたしも自分の受話器を耳に当てておく。

「どうも、ミス・ボナー、ネロ・ウルフだ」

「お変わりない?」

「ええ、ありがとう」

「よかった、あなたをつかまえることができて。ニュースはお聞きになりました?」

「ニュース? どんな?」

「正午に評決が出て、陪審員はハイアットを第一級殺人で有罪と認めました」

「そうか。いや、知らなかった。当然の結果だ」

「ほんとうに。じつは、一時間ほど前にハーランド・アイドから連絡があって、そのことで電話を差し上げました。殺人で有罪判決が下ったことを祝うのは野蛮だが――これはまったくそのとおりだと思います――みんなであなたに感謝の意を表してはどうか。聴取も終わって、誰も免許を取り上げられずにすんだので、そのお祝いという形でささやかな夕食会を催したい、とおっしゃって。わたしはむろん、賛成しました。そして、さっきまた電話があって、ミスター・カーとミスター・アムゼルも賛成なので、あなたの都合を訊くよう頼まれました。来週、いえ、いつの週でもご都合のいい夜を選んでください。ぜひ、承諾していただきたいわ。もちろん、ミスター・グッドウィンも。言うまでもなく、ミス・コルトも参加します」

ウルフは沈黙した。唇をきつく結んでいる。

「聞いていらっしゃいます、ミスター・ウルフ？」

「ああ、聞いているとも。食事の招待はたいがい断ることにしている」

「承知しています。でもこれは食事ではなく、贈り物ですよ」

「では、断っては不作法になるな。グッドウィンはわたしが不作法だと思っているが、勝手気ままなだけなのだ。では、こうしよう。みんなの惜しみない協力のおかげで首尾よく終わり、わたしも感謝している。どこかのレストランを考えているのだろうが、うちに来てもらいたい。来週は木曜日以外なら、いつでもけっこう」

「それではあべこべじゃありませんか！」

「いや、そんなことはない。わたしも感謝しているのだから」

「じゃあ……ミスター・アイドに訊いてみようかしら。ほかの人たちにも」

「そうしたまえ」

「わかりました。あらためて、連絡いたします」

そして、一時間も経たないうちに連絡してきて、来週水曜日の夕方と決まった。いまから、わくわくする。ドル・ボナーが長いまつ毛に縁どられたキャラメル色の瞳で隣席のウルフをじっと見上げていたら、フリッツはどんな顔をするだろう。
　盗聴を引き受けた責めを半々にするかどうかは、いまだにときたまウルフと議論する。あのオールバニでの夜、蚊帳の外に置かれたことについては、議論しなかった。調査はすべてニューヨークの調査員四十八人にゆだねられ、わたしの出る幕はなかった。だったら、引き入れる道理がない。グルームと地方検事の注意を逸らす囮という便利な使い道があるときては、なおさらだ。

（直良和美訳）

真紅の文字

マージェリー・アリンガム

The Crimson Letters　一九三八年

マージェリー・アリンガム Margery Allingham（一九〇四―六六）。イギリスの作家。冒険小説でデビューしたのち、一九二八年に『ホワイトコテージの殺人』を刊行。以降は謎解きミステリを中心に作品を発表する。アガサ・クリスティらと並び英国四大女流作家とも称された。代表作に『幽霊の死』『判事への花束』など。本編の初出は〈ストランド・マガジン〉*The Strand Magazine* 一九三八年八月号。名探偵アルバート・キャンピオンものの一編である。翻訳には短編集 *Mr Campion and Others*（一九五〇）に *The Longer View* の題名で収録されたテキストを使用した。

あの心とろかす若手女優のベアトリクス・リーが高名な主演男優と結婚した日、アルバート・キャンピオン氏はランス・フィアリングを誘い出し、ランスが幸福な若き時代をすごした思い出の地へと足を運んだ。

それはもっぱら、癒しの旅だった。二人でのんびり昼食を取るあいだじゅう、ランスはいささか沈み込んでいたのだ。本人の弁によれば、結局のところ、張り裂けた心をきれいに繕うには二十四時間はかかるものである。ミス・リーのように言いたい放題の辛辣な女性と生活すれば、どんな男でも死にたい気分になりそうなことは重々承知しているが、その難を逃れた幸運に慣れるまでには一日か二日が必要だ……。

ランスがヨーロッパ屈指の舞台美術家になるずっと以前からの友人として、キャンピオンは快くその考えを受け入れた。しかしふと、思いなおした――少しばかり身体を動かし、今回の失恋に劣らぬインパクトを持つ感傷にひたれば、いくらか回復が速まるのではなかろうか。

その配慮は報われた。大英博物館をガラス瓶にたとえれば、その口の周囲には埃っぽい蓋さながらにもやもやと狭い街路が広がっているのだが、そこに足を踏み入れたとたんに、ランスは目に見えて活気を示しはじめた。

「このあたりに住んでたことがあるんだ」彼は不意に言い出した。「デュークス小路に面した家の小さな屋根裏部屋に、仲間たちと四人でね。みんな二十歳にもなっていないころだよ。ベリー、ジョーキンズ、それに例のポスター画家のサーモン……。そろいもそろって文無しで、そのくせ心は満たされていた。とにかくしゃにむに働いて、それぞれの才能が認められる輝かしい未来を夢見てたんだ。いずれは金持ちになって、日に三度の食事ができるようになりたい一心で。なのに悲しいものだよな、キャンピオン。今のぼくらを見てくれ。みんな世間に認められて名をあげたのに、ひどくみじめだ。木のてっぺんのリンゴをつかみ取ったら、いまいましいその実は酸っぱかったのさ」

キャンピオンの胸に安堵がこみあげた。ようやくこの男らしくなってきた。ランスが長年の持論である〈努力のむなしさ〉を語りはじめたら、次の〈自己表現、それこそが慰めだ〉の段階はもうすぐそこだ。あとはほんの一歩で、いつもの意気軒昂な明るい大らかな気分にたどり着く。

「今のぼくたちみんなに欠けているのは冒険だ」ランスは話し続けながら、なかば無意識に、見慣れた曲がり角へと通りを渡った。「ここに住んでたころには、生きること自体が冒険だったのさ。ああ、ほら。この通りだよ。みごとな家並だろう。あの玄関ポーチ、それにあの窓を見てくれ。ほら！」

キャンピオンは古びた屋敷が立ち並ぶ通りを見渡した。だがランス・フィアリングの目覚めはじめた情熱という薔薇色の眼鏡を通しても、デュークス小路にかつての壮麗な面影を見出すのは不可能だった。何ともわびしい、荒れ果てた一角だ。どの家も、優雅な玄関ポーチはあちこちが剝げ、開けっ放しの上等なドアの奥には、がらんとした薄暗いホールが見えている。今では家具なしの部屋が週に数シリングで貸し出されている、さびれた陰気な住宅街だった。

ランスは通りの先へとぶらぶら歩を進め、「ここへ来たのは十年ぶりだ」と悲しげに言った。「もちろん、昔の知り合いは一人も残ってないだろう。もともと長く住む者はいなかった。ここはいわば中途の住処（すみか）でね。しばらく住んだら、上へあがるか落ちるかのどちらかなんだ。ぼくらの昔のねぐらには今は誰がいるのかな?」

ランスは話しながら、開いた戸口のひとつのまえで足をとめていた。しばし考え込んだあと、とつぜんドアの中へ飛び込み、優美だが傾きかけた木の階段をすたすたあがりはじめた。おっかなびっくりあとに続いたキャンピオンが追いついたときには、すでに厚かましくも、最上階のドアの取っ手をまわそうとしていた。

「おっと、それはまずくないか?」キャンピオンが押しとどめようと手をのばしたとき、ドアがさっと開いて、ランスがにやりと笑みを浮かべた。

「やあ、空いてるぞ!」彼は嬉々としていた。「これは何かのお告げだ、キャンピオン。ひょっとしたら、ぼくらにここを借りさせようという神意のあらわれかもしれない。今の贅沢三昧の暮らしにすっぱり背を向け、日々の冒険と芸術のための芸術に腰をすえて取り組めというわけさ」

キャンピオンは礼儀正しく黙っていたものの、とくに感銘は受けていなかった。色褪せた壁、今にも抜け落ちそうな床板、埃の積もった窓がひとつ……。さえない、ぼろぼろの屋根裏部屋だ。だがランスはいつもの熱しやすさを取りもどしていた。

「たしかに、しょぼい部屋さ、キャンピオン。記憶にあるよりはるかに暗くて狭苦しい、しょぼい部屋だよ。それでも、みんなここで懸命に働き、この寝室で眠ってたんだ。やあ、見てくれ！　あれはクローゼットでね、サーモンとベリーとぼくが共同で使ってたんだ」

ランスはかつての寝室のドアを開け放っていた。奥のちっぽけな部屋に二人が用心深く足を踏み入れると、中には壊れた椅子が一脚と取っ手のないカップ、写真入りの週刊誌から破り取られた映画スターのポートレイトが一枚あるきりだった。そのわびしい光景をまえに、ランスの意気込みはみるみるしぼんだ。

「もうそんな暮らしはごめんだけどね」彼は洩らした。「きみは最近、サーモンに会ってないんだろう？　あいつめ、成功したらやけに横柄になっちまったよ。そういえば昔はよく、ジョーキンズをこのクローゼットで眠らせたものさ。あいつはちびだから、この中でも横になれたんだ」

ランスは笑いながら、壁についた小さなドアを開いた。キャンピオンはすぐにはあとに続かなかった。窓敷居の上にある煙草の空き箱に目を惹かれ、それを調べにいっていたのだ。箱をつかみあげて眺めていると、クローゼットからランスの鋭い声が聞こえてきた。

「おい、キャンピオン、来いよ。これを見てくれ」

キャンピオンは小さな物置部屋に首を突っ込み、角ぶち眼鏡の奥から、周囲の薄汚れた壁に目を走らせた。一辺が六フィート足らずの四角い小部屋で、ちっぽけな屋根窓からかろうじて光がさしている。棚や家具らしきものはいっさいなかったが、ひとつだけ驚くべきことがあった。粗雑な漆喰塗りの壁の幅木から一フィートほど上のところに、馬鹿でかい真紅の文字がぐるりと書き連ねられていたのだ。目をこらすと、どうにか読み取れた。

〈外に出して〉と書かれている。〈ああ出して出して出して出して〉

震えた不ぞろいな筆跡だが、言いたいことは間違いない。そのメッセージは泣き叫ぶように、薄暗い小部屋から彼らに飛びかかってきた。いつになく強烈な戦慄がキャンピオンの背筋を駆けおりた。途切れなく続くメッセージは室内をぐるりとめぐり、ときには二列になっている。そしてときには、よろめきながら壁を這いあがっていた。

〈外に出してああ出して出して出して〉

ドアの裏側の下のほうには、〈ジェイニー〉という名が六つ書き連ねられている。

二人はしばし見つめ合い、ついにランスが声をあげて笑った。

「まったく、どうかしてるよ。きっと何かの冗談さ。とはいえ、ぎょっとさせられた――ほとんど迷信的な恐怖を覚えたね。牢屋の壁に血で綴られた〈外に出して〉という言葉。まともに考えればすぐにわかることだが、嘘くさい演出だ。もしも誰かがここに閉じ込められていたのなら、あんなふうに書いたりせずに、大声で叫んだはずだろう。みごとに馬鹿げた話だよ！」

キャンピオンは黙ったままだった。床にひざまずき、壁の言葉に見入っている。やがて興味深げに文字のひとつをこすると、指先が赤く染まった。彼は天窓の下へ移動して、それを調べた。

「ともかく、あれは最近書かれたものだ」ややあって、そう述べたあと、「ちょっと待てよ。光をさえぎらない場所へさがってくれないか？　ぼくがそこらを調べるあいだ、ドアのところに立っていてくれ」

ランスは言われたとおりに引きさがり、じっと作業を見守った。

「ベテラン探偵の仕事ぶりを見物するのも悪くない」彼は陽気に言った。「じつに勉強になる。ズボンのひざには気をつけたまえ。おや、何か見つけたのか？　何なんだ？　偉人が予期したとおりの手がかりかい？」

「偉人がひそかに期待していた手がかりさ」キャンピオンは慎み深く訂正すると、幅木の下から何やら小さな光るものをつまみ出し、貴重な獲物を片手につかんで立ちあがった。「ほら。これで血染めの文字の謎はなかば解明された。きみがぼうっと待ってるあいだにね」

「口紅か！」ランスは中身がほとんど残っていない小さな金メッキの筒を取りあげ、ためつすがめつした。「試供用のサイズだな」とコメントし、「この緑色の糸くずは何のつもりだろう？　素人くさい仕事だ」

「それは取らないほうがいい」キャンピオンがすばやく言った。その切迫した口調に気づき、ランスはいぶかしげに彼を見た。

「こいつを真に受けてるのか？　どうせただの冗談さ。それとも、何かの犯罪に出くわしたとでもいうのかい？」期待のにじむ声だった。

キャンピオンは肩をすくめ、声をあげて笑った。

「さてね、どうかな。たしかにありそうもないことに思えるし、たとえ犯罪に出くわしたのだとしても、こちらの知ったことじゃないだろう。しかし、どんな女性にせよ、空っぽの小部屋の壁にぐるりと〈外に出して〉と書くために、口紅をまるまる一本無駄にするとは妙な話だ」

「そのときは空っぽじゃなかったのかもしれないぞ」

「それなら、いよいよ奇妙じゃないか。彼女はなぜわざわざ壁ぎわの家具をどかして、うしろの壁にあんなものを書いたんだ？」

「そりゃ、そのとおりだけどね」ランス・フィアリングの黒い両目はにわかに鋭さを増していた。「そもそも、なぜあんなことを書くんだ？　なぜ大声で叫ばずに？　しかも、あんな低いところに」

キャンピオンはためらいがちに答えた。「あまり芝居がかったことは言いたくないんだが――もしも彼女が床に横たわっていたのなら、ちょうどあのぐらいの高さまでしか手が届かなかったはずだ。それに怯えきった女性があんなふうに書くのはわかる気がする――大声を出せない状態だったらね」

「何てこった！」ランスは肝をつぶして小さな部屋に目をこらし、「猿ぐつわか！」と叫んだ。

「ぐるぐるに縛られて猿ぐつわをはめられてたんだ」

「そうは思えない。ぐるぐるに縛られてたら、あんなものは書けないし、縛られてなければ、猿ぐつわをはずしていたはずだ。だが怯えきっていたのかもしれない。じつに好奇心をそそる話だ」

「信じがたい話さ」ランスは興奮を隠そうともしなかった。「どうしよう？　警官を呼ぶかい？」

「いや、だめだ」キャンピオンはきっぱりと答えた。「警官は面白がってくれないだろう。つまり、ぼくらはそもそもなぜここにいたのか釈明するはめになるだけさ。呼ばれもしないのに、勝手に入り込んだんだから。どこにも〈貸部屋〉の標示すら出てないのにね。ここは非公開の私有地だ。警官を呼んだりしたら、夜まで事情聴取を受けることになるぞ。とはいえ、興味深い事態ではある。あれはおそらく、ここ四十八時間以内に書かれたものだ。ほら、まだ乾ききってない」

ランスは顔をしかめた。「ぼくがここへあがってきたのは、昔の冒険心を少しでも取りもどしたいという馬鹿げた感傷的な衝動からだった」彼は吐露した。「どうやら、まさにそれを見つけたみたいだぞ。いいか、キャンピオン、こいつは天命だ。見てくれ。〈外に出してああ出して〉――哀れな、胸を突かれるメッセージじゃないか。応えてやるしかない。といっても、こちらにできそうなのは、階下の住人たちにそれとなく探りを入れることぐらいだが」

「まあ待てよ」キャンピオンは口紅の筒を調べていた。「あせりは禁物。どうせなら、きちんと型どおりの手法でやろう。まずは現場からできるだけの手がかりを得る。聞き込みはそのあとだ。ねえきみ、いいことを教えようか。これは普通の口紅じゃない。試供品であるばかりか、刻印が入ってるんだ。ほら、〈プリンス・ピエロ社《処女航海》〉。これで何がわかる？　まあ、きみには何もわかるまい。しかるに経験豊かな探偵は、即座に推理する——まず、プリンス・ピエロはアメリカの高級化粧品会社だ。アメリカの企業だとわかるのは、〈社〉の部分がCoではなくIncと表記されているから。高級路線というのは、この口紅が鼻につかない快い香りだからさ。それに、いかにも値の張りそうなきれいな色だ。たしかに、《処女航海》のほうはもう少し想像力を要するけどね——ちょうどつい最近、アメリカから鳴物入りの処女航海があったばかりだ」

「〈エール号〉か！」ランスはくるりとふり向いた。「そうか、読めたぞ。あの船は目下話題の〈洋上のホテル〉だからな、宣伝用のタイアップ契約も尋常じゃなかったはずだ。おそらくそのピエロ社は船内の美容室を一手に牛耳り、処女航海にちなんだ特別の試供品を配らせたのさ。そういうことだ。この哀れなジェイニーなる娘——彼女の名前はジェイニーにちがいない——は〈エール号〉でやってきた。ぼくらは珍妙きわまる事件に遭遇したわけだ。あの航海の乗客は超一流の名士ばかりだった。アメリカ社交界の花が英国に着いて一週間もしないうちに、こんな安アパートで何をしてたんだ？　彼女を見つけなければ。くそっ、それがぼくらの務めだぞ！」

キャンピオンは笑みを浮かべたが、両目は真剣そのものだった。

「がっかりしないようにね」彼は警告するように言った。

「がっかりする？」ランスは憤然とした。「おいおい、ぼくは人の不幸を楽しむような人間じゃないぞ。これが冗談であることを祈るばかりさ。美しい若い女性がろくでもない目に遭ったとは思いたくない。いったい何を笑ってるんだ？」

「いやちょっと、彼女は美しい若い女性なのかなと思って」キャンピオンはぶつぶつ言った。

「そんな保証はどこにもない」

ランスはにやりとした。「じゃあ、哀れな不細工な娘だとしよう。どうでもかまわんさ。こっちは望みどおりの冒険を手に入れたんだ。彼女の名はジェイニーで、ぼくは彼女の白馬の騎士。時間はあり余るほどある。さあ、次はどこへ行く？」

予備的な調査は思いのほか有益だった。ランスが小躍りしたことに、彼の青春時代に地下室に住んでいた掃除婦が今もそこで暮らしていたのだ。ランスが彼女の長らく行方知れずだった息子でも、これほど心のこもった感動的な再会の場面は望めなかったろう。それがすむと老女は屋根裏部屋の最後の借り手について、知っているかぎりのことを話してくれた。大した量ではなかったものの、その話にはいくつか興味深い点があった。

住んでいたのは二人だ、と彼女は言い、どちらも「ちょっと信用ならないほどそつのない、おしゃれな若者たち」だったと説明した。彼らは一か月近くあの部屋で暮らしていたが、老女の経験豊かな目には、この界隈の基準に照らしてもあまり懐が豊かでなさそうに見えた。ところが、二日まえに変化が訪れた。屋根裏部屋の住人たちのもとへ、一風変わった客が訪ねてきたのだ。その見知らぬ連中は夜遅くにやって来た。彼女の地下室の窓から大きなリムジンがちらりと見えたかと思うと、絨毯の敷いていない階段をどたどたとあがってゆく足音が聞こえた。次の晩もまたその車がやって来て、今度は種々の箱や包みを抱えた彼らみんなを乗せて立ち去った。

夜逃げを疑った老女は、翌朝、居住者の一人が残っているのを知って驚いた。さらにびっくりしたことに、彼は廃品回収業者を呼んできて、室内の家具調度をそっくり数シリングで売り払ったのだ。そのあと、大家に一週間分の家賃を残し、彼は静かにどこへともなく立ち去った。サッド夫人に話せるのはそれだけだった。だが遠慮する彼女にランスが無理やり十シリング札を渡し、キャンピオンとその場を離れかけると、彼女は小走りに追ってきた。そういえば、〝おしゃれな若者たち〟の一人はアメリカ訛りで話していたという。

「若い女性がいた気配はない」ランスはキャンピオンのあとに続いてタクシーに乗り込むと、いぶかしげに言った。「そんな話はいっさい出なかった。悲鳴もなし。何ひとつない。こちらの推理を裏付ける事実は、居住者の一人がアメリカ訛りだったということぐらいだな」

「それに、彼はアメリカ煙草を好んでいた」とキャンピオン。「窓辺にキャメルの空き箱があったんだ。あれはこちらでは高価だからね。たぶん例の訪問者たちが手土産に持ってきたのさ。雲をつかむような話かもしれないが、いちおう船会社のオフィスに当たってみよう」

「ジェイニーか」ランスは座席のシートにゆったりもたれかかった。「まばゆい金色の髪をした黒い瞳の娘が目に浮かぶよ」

ベアトリクスは黒髪と青い瞳の持ち主だったから、キャンピオンはその言葉を喜ばしい徴候とみなすことにした。

キャンピオンが船会社のオフィスで少々デリケートな調査をするあいだ、ランスはタクシーの車内で待っていた。ずいぶん長くかかったが、その甲斐はあった。角ぶち眼鏡をかけた長身の男は、何か興味深い事実をつかんだことを示すあのうつろな表情で、船会社の堂々たる玄関から足早に姿をあらわした。彼はタクシーの運転手にとある新聞社のオフィスへ行くよう指示すると、友人のかたわらに乗り込んだ。

「ジェイニー・ロベット嬢、マサチューセッツ州ボストン在住、母親のフラン・ロベット夫人とともに渡航」キャンピオンは手短に言った。「彼女についてわかったのはそれだけだ。乗客名簿というのはあまり饒舌(じょうぜつ)じゃないんでね。だがとにかく調べのつくかぎりでは、彼女があの船に乗っていた唯一のジェイニーだ。それともうひとつ。きみのにらんだとおりだったよ。プリンス・ピエロ社は船内での化粧品の独占販売権を持ち、今度の航海では特別限定品《処女航海》シリーズの試供品を配っていた。どうだい?」

ランスは口笛を吹いた。「すばらしい!」それからややあって、「〈外に出してああ出して〉……あれはいったい、どういう意味なんだ? 新聞には何も載ってなかったぞ。どういうことかな、キャンピオン?」

「わからない」相手はいつになく深刻な口調で答えた。「見当もつかないが、どうもいやな感じだ。とにかく事情を探り出すべきだろう」

新聞社のオフィスでキャンピオンが面会を求めたのは、当代きっての敏腕ゴシップ記者として名高いドロテア・アゾレス嬢だった。あいにく本人は外出中だったが、彼女の秘書から、求めていた情報の骨子だけは聞き出せた。フラン・ロベットは新聞王カール・ロベットの未亡人で、一人娘のジェイニーともども、ハイドパークに面した〈アラゴン〉ホテルに滞在中だった。秘書は親子の写真やろくな情報がないことを詫び、なにしろロンドンには数えきれないほどアメリカ人がいますから、と弁解がましく言った。

「さて、どうしよう?」ブロンズとガラスのドアからふたたび外のフリート街に出ると、ランスは言った。「その立派なご婦人方のもとへ押しかけて、どちらかがデュークス小路で不快なひとときをすごさなかったか尋ねてみるかい?」

キャンピオンはしばしためらい、「いや」と答えた。眼鏡の奥の両目には、まだ不安の色がのぞいていた。「やっぱり、それは無理だろう。だがきみに何か予定がなければ、今夜は〈アラゴン〉で食事をしないか? どのみち、ぼくは行くつもりだ」

「おっと、そうはさせないぞ」ランスはきっぱりと言った。「抜け駆けは許さん。これはぼくの冒険だ。ぼくが見つけたんだから、最後まで見届けてやる。ディナーはこっちのおごりだよ。八時十五分まえにあそこのレストランで会おう。そんな心もとなげな顔をするな。きっと楽しい一夜になるさ」

「そう願いたいね」キャンピオンは答えたが、楽観はしていないようだった。

〈アラゴン〉はその年の社交界注目のホテルで、ハイドパークに面した美しい窓を持つ大きなダイニングルームは、ランスが着いたときにはいつもどおり華やかな服装の賑やかな客でいっぱいだった。キャンピオンはすでに部屋のいちばん奥のテーブルに陣取っていた。楽団用の小さなステージのかたわらにある席だ。室内の顔ぶれを残らず見渡せる、絶好の位置だった。

「何か収穫は？」

「どうかな」キャンピオンは用心深く答えた。「それは見方によるよ。今しがたバプティストと話してみたんだ。彼はここの支配人でね。ぼくは支配人とは仲良くすることにしていて、彼とも長いつき合いなのさ。で、ロベット親子は間違いなくここにいるそうだ。少なくとも、未亡人のほうは。令嬢は数日まえから、友人たちのところへ泊まりにいっている。あれが夫人の席だ――あの窓辺の小さなテーブル。そろそろ姿をあらわすころだろう」

「友人たちのところへ泊まりに？」ランスは眉をつりあげた。「それはまた意味深じゃないか。じつに奇妙な、胸の躍る展開だぞ。そんなに平然とかまえるなよ。それとも、こんなことはきみには日常茶飯事なのか？」

「平然とかまえてなんかいない」キャンピオンはその非難に憤然とした。「どうもこのなりゆきが気に食わないんだよ。もしもぼくの予想どおりなら――あいにくその可能性は大だが――とんでもない事態だぞ。ああ、彼女だ」

ランスがキャンピオンの視線をたどって部屋の反対側に目をやると、でっぷりした支配人のバプティストが窓辺の小さなテーブルに新たな客をすわらせていた。

「あれはジェイニーだ」ランスはキャンピオンに目をもどした。「ほらな？　まばゆい金色の髪と黒い瞳の娘。ぼくは七番目の息子の七番目の息子だからね、予知能力があるのさ。しかし彼女はちょっとばかり青ざめて、悲しげに見えないか？　ママがあれこれうるさいうえに、ロンドンには知り合いが一人もいないんだろう。しかしまあ、きれいな人だ！　見てくれよ」

キャンピオンは彼女をじっと見ていた。淡い金髪と大きな黒い目の、二十八歳前後の青白い痩せた女性で、目元のくまが憂いに満ちた瞳の美しさをいっそう際立たせている。彼女は優雅なドレスに身を包み、肩の留め具(クラスプ)は本物のダイヤモンドならではのしっとりとした輝きを放っていたが、キャンピオンはかつてこれほど哀れを誘う、わびしげな人間を見たことがないような気がした。

ランスは札入れから名刺を取り出し、何かを走り書きしはじめた。

「鼻であしらわれるだけかもしれんがね」彼は達観した口調で言った。「〈臆病者は美女を得ず〉、〈冒険なくして得るものはなし〉……しからば〈勇みて進まん〉だ。あの口紅をくれ。緑の糸くずが記憶に触れるかもしれない」

彼はキャンピオンがメッセージを読めるように名刺をテーブルの向こう側へ押しやった。

〈これは貴女(あなた)のものだと思います。どこで見つけ、どうやって持ち主を知ったのか、ご説明させていただけますか？　なかなか面白い話です〉

「ああ、それで何とかなるだろう」キャンピオンは口紅の筒を取り出し、さらに続けた。「といっても、普通ならこんなふうにそれをとつぜん彼女に突きつけるのは考えもので――」

キャンピオンの声が途切れた。ランスはもう彼の言葉など聞いていなかった。さっさとウェイターに合図して、メッセージを託している。

二人はウェイターが部屋を横切ってゆくのを見守った。彼は窓辺のテーブルのまえで足をとめ、くだんの女性に何かを言った。彼女は驚いた様子で――ランスの目には、いくらか怯えているようにも映ったが――こちらにちらりと視線を向けて名刺を取りあげた。それと同時に、ウェイターが白いテーブルクロスの上、彼女の皿のすぐかたわらに口紅の筒を置いた。と、それを見るなり彼女は名刺を取り落とし、遠く離れたこちらの席からもわかるほど、顔一面からじわじわと血の気が引きはじめた。青白い顔がいよいよ青ざめ、まぶたが垂れさがってゆく。

キャンピオンが立ちあがった。

「まずい、気を失うぞ」

だが手遅れだった。彼女の身体がぐらりと傾き、床にくずおれた。

たちまち、周囲にてんやわんやの騒ぎが巻き起こり、部屋の反対側の二人の男たちが気まずい思いで見守る中、彼女は部屋の出口へと連れ去られていった。支配人のバプティストが面目をつぶされた付添女よろしく、おろおろと行列のあとを追ってゆく。

ランスはキャンピオンをふり向いた。こんな場合でなければ、その困惑しきった悔悟の表情は滑稽(こっけい)に見えたことだろう。

「参ったな」とランス。「どうしてあんなことになったんだ？　ただの偶然か、それともあのいまいましい口紅を見たせいかな？」

キャンピオンはナプキンをテーブルに置き、「じきにわかるさ」とそっけなく答えた。

非難を込めた重々しい足取りで、バプティストがこちらへ向かっていた。支配人はテーブルのまえで立ちどまると、不満のにじむ丁重な口調で言った。

「ロベット夫人はあのメッセージをくださったお二人の紳士に、居室の居間で喜んでお会いになるそうです」

それは招待というより王族からの御召に近く、のちにランスが語ったところによれば、彼は校長室にでも呼び出されたような気分でキャンピオンのあとについて二階のスイートルームへと向かった。

ともあれ、五分後には彼らは肩を並べて途方に暮れたまま、室内で待ち受けていた青白い女性を見つめていた。彼女はにこりともせず、威厳たっぷりに雄々しく彼らを迎えたものの、黒い瞳に恐怖をのぞかせていた。

二人を案内してきたボーイが外へ出てドアを閉めると、彼女はやおら口を開いた。その声は思いのほか低く、かすかなニューイングランド訛りがたいそう魅力的だった。

「それで？」ロベット夫人は言った。「また値がつりあがったの？　それとも明日まで待ちきれなかったのかしら？」

二人は呆気にとられて彼女を見つめ、やがてランスが心地悪げにシャツの襟元を引っ張った。

「何か誤解なさってるようですが」彼はぎこちなく切り出した。「なにしろ、こちらはあなたがロベット夫人だとは思ってもみなかったので。ぼくら──というか、ぼくは──ジェイニーさんを捜していたんです」

その名は、相手にとっては耐えがたいものだった。彼女はしばし懸命に自制を保とうとしたあと、ついに力尽きたとでもいうように、椅子のひとつにどさりと腰をおろして顔をおおった。「やめて」とささやくように言う。「ああ、お願いだからやめて。何でもそちらの要求どおりにすると言ったのに、こんなふうに苦しめないで。あの子は無事なの？　お願い、お願いだから教えて。わからない？　あの子はわたしの大事なおちびちゃんなのよ。無事でいるんでしょうね？」

ランスはさっとキャンピオンに目をやり、彼の視線をとらえると、「小さい子供だったのか！」としゃがれ声で言った。「いやはや、考えてもみなかった」

キャンピオンはそれには答えなかった。きゅっと唇を引き結んだまま、部屋の奥へと進んでロベット夫人を見おろした。「ロベットさん、あなたは警察に届けるべきでした」彼は静かに言った。「お嬢さんがいなくなったのはいつですか？」

若い未亡人は、はじかれたように立ちあがった。それまでは打ちひしがれた様子だったが、今では怯えきっている。

「あなたは誰なの？」彼女は問いただした。「ほんとに、わたしは何も知らないんです。それに――あなたがたとはいっさい話したくありません。どうぞ、お引きとりください」

キャンピオンはかぶりをふった。

「それは大変な間違いですよ」彼は優しく言った。「ここは英国ですからね。お国とはずいぶん事情がちがうんです。たしかに、アメリカでは大事な誰かが誘拐されたとき、報復を避けるためには公的権力に頼らないほうが安全な場合が多い。けれどこちらでは、決してそうではありません」

相手は無言だった。両目に死にもの狂いの光を浮かべ、頑固に唇を閉ざしている。キャンピオンはつかのまじっと彼女を見つめ、ついに肩をすくめた。

「残念です。信じていただければよかったのですが」

彼はドアまでたどり着いたところで、呼びもどされた。

「でもどうすればいいの？」ロベット夫人は力なく言った。「せめてそれがわかれば……」

ランスが不意にずんずん部屋を横切り、ロベット夫人の手を取った。やけに若やいだ颯爽たる姿で、彼女の顔をひたと見おろしている。

「いいですか、こちらはどちらも少しは名を知られた人間です」ランスは言った。「何なら、身元を証明するものをお見せしましょう。ぼくらはその口紅をひどく奇妙な場所で見つけ、好奇心をそそられた。そして運よく、それがあなたのものであることを突きとめたんです。事情をすっかり話してもらえませんか？　できることなら、お力になります」

その誠意あふれるささやかなスピーチに、ロベット夫人は口元の緊張を徐々にゆるめた。ただし、両目にはまだ恐怖の影がちらついている。

「それはどこにありましたの？」彼女はささやいた。「あの子をごらんになって？　あの子の居場所をご存じなの？」

二人は一時間近くかけて、自分たちはこの事件とはいっさいかかわりのない人間であることを彼女に納得させた。ランスは壁に書き殴られていた文字については、キャンピオンに説明をまかせた。今では新たな痛ましい意味を帯びたあのメッセージについて、キャンピオンは若い母親に不要なショックを与えないよう、たいそう如才なく話して聞かせた。

「というわけで」彼はようやくしめくくった。「こちらは好奇心をそそられ、少々心配にもなったんですよ。ジェイニーさんはおいくつですか？」

「六歳です」フラン・ロベットの声が震えた。「ほんのおちびさんですわ。これまでは決してわたしの目の届かないところへはやりませんでしたけど、新しい子守係（ナース）はとてもしっかりしていて信頼できそうだったので、一緒に公園へ行かせたんです。二人がもどらなかったときには、不安のあまり呆然となってしまって……。そうこうするうちに、例の――あの人たちから要求を伝える電話がありました」

「ああ、連中はあなたに電話をよこしたんですね？　何と言っていましたか？」

「よくある内容です。あの警告を聞いたときには気が遠くなりそうでした。そういうことは国の新聞で何度も読んできましたから。誰にも話すな、さもないと――さもないと、二度とあの子には会えなくなる。わたしが一人でオックスバラ競馬場へ行き、指定どおりの私設馬券屋（ブックメイカー）で指定どおりの馬に一万ドル賭ければ、あの子を返すと約束するということでした」

「そのとおりになさったんですか？」

「ええ、もちろん。おとといの話です。でもすべて言われたとおりにしたのに、ここにもどってみると、あの子の影も形も見えません。それで一日じゅう電話のそばで待ち続け、気も狂わんばかりになっていると、今朝になってまた電話がありました。あの子が元気でいることを請け合い、さらにお金を要求してきたんです。わたしを弄んでいるだけかもしれません。あの子はもう死んでいるのかも。でも、どうすることができまして？　いったいどうすればいいの？」

その悲痛な訴えに、ランスはいてもたってもいられなくなった。

「ああ、ねえきみ、いい子だから」彼は完全に我を忘れていた。「今すぐ警察に電話したまえ。まったくひどい話だ。可哀想に、さぞ辛いことだろう。そうだ、キャンピオン。きみが電話してやってくれ」

「いえ、だめ、やめてください！　お願い。そんなことをしたら、あの子が殺される。そうに決まっています。よくある話よ。うちの国ではそんな事例が何百とあるんです」

彼女は懇願するようにランスの上着を握りしめている。キャンピオンは割って入った。

「ここはお国とはちがいます。いいですか、事態はあなたが考えていらっしゃるほどひどくはない――少なくともぼくはそう思っています、ありがたいことに。ここは比較的小さな国で、法の目が行き届いてますからね。とはいえ、おっしゃるとおり、今の時点で警察に知らせるのはやめたほうがいいかもしれない。ちなみに、電話で話した男はアメリカ訛りでしたか？」

「ええ、少しだけ」

「なるほど。じゃあそういうことだったのか。おそらくすべては海の向こうで計画され、この国の共犯者たちが使われた……。もちろん、子守係(ナース)もぐるです。彼女のことはいつ雇われたのですか？」

「旅に出る直前です。すばらしい紹介状を持っていましたし、とても穏やかで分別がありそうに見えたので、そんなこととは夢にも思わずに――」

ロベット夫人は声を震わせて言葉を切り、必死に涙を抑えた。

「わたしは一人ぼっちです。誰も信じる気にはなれません。いまだに、お二人のことをどう考えればいいのか……。ごめんなさいね、でもあなたがたは不意にどこからか、ジェイニーのものを持ってこられたんです。どうして信用できまして？　やっぱり何も話すべきじゃなかったんだわ。ああ、どうしよう、話しちゃいけなかったのよ！」

「ちょっと待った」ランスが口をはさんだ。彼はまだ戸惑っていた。「六歳の子供がなぜ口紅なんか持っていたんです？」

フラン・ロベットは不安に悶えながらも、美しい顔にかすかな笑みを浮かべた。

「これはあの子のお人形のものでした。ジェイニーは緑色のベルトをしたとてもすてきなフランス人形を持っていて、船内でこの小さな試供品が配られたとき、お人形にぴったりのサイズだからと一本もらってきたんです。わたしが緑の糸でお人形のベルトに留めつけてやりました。それであの子のものだとわかったんです。ほら、糸切れがついてるわ」

「なるほど。だから怖くて大声をあげることができなかったとき、彼女はそれを使ってドアに名前を書いたんですね。六歳にしては賢いお子さんだ」ランスの黒い両目はがぜん厳しさを増していた。「卑劣なやつらめ」彼はつぶやいた。「当然の報いを受けさせてやる。ねえ、ロベットさん、この件はぼくらにまかせてください。きっとお嬢さんを取りもどすと約束しますから。たとえ命を落としても、彼女を無事に取りもどしてみせます。当てにしてくださっていいですよ」

キャンピオンはそんな衝動的な約束を口にしたりはしなかった。長らく犯罪者たちを相手にしてきた経験から、慎重になっていたのだ。それでも、翳（かげ）りを帯びた両目の奥に、めったと見せない怒りの火花をのぞかせていた。

「その新たな要求について話してもらえませんか」キャンピオンは静かに言った。

ロベット夫人は二人の男たちに交互に目をやった。痛々しいほど若く哀れを誘う姿で、少なくともランスには、これまで出会った中でも指折りの愛らしい女性のように思えた。

「わたしの国では、希望をつなぐにはあくまで沈黙を守るしかないと信じられています」彼女は言った。「でもこうなれば仕方がありません。彼らはすでに一度わたしに嘘をつき、これからもそうするかもしれないんです。娘の命をこの手に握っているような気がするけれど、お話しします。どうかそれが間違っていませんように……。彼らはこう指示してきたんです」

その話に耳を傾けるにつれて、キャンピオンは相手がただならぬ組織力を持つ一味であることを確信していった。じつにみごとな計画で、英国の刑法と警察の手法を知り尽くした者が考え出したとしか思えない。

ジェイニーをさらった連中は、彼女の母親が木曜日のオックスバラ競馬場のレースに一人で足を運ぶように求めていた。そこで場内に店をかまえている、フレッド・フィッツなる私設馬券屋を捜し出せというのだ。ただし、第二レースの発走後までは彼に話しかけてはならない。そのあと彼のブースへ行き、二時半のレースに出走するフライアウェイに一ポンド紙幣で二千ポンド賭けろという。

単純ながら、考え抜かれた計画だった。これなら狭い路地でごそごそ札束を受け渡したり、教会の墓地の塀に正体不明の箱を置いてゆく必要はない。馬券屋というのはこの世で唯一、白昼に赤の他人から一方的に大金を受け取っても疑いを引かず、興味すら抱かれない人間だ。そのうえ、まんいち警察の罠にかかっても、じつに都合よく言い逃れができる。彼女が電話で奇妙な指示を受けたといくら説明したところで、フィッツのほうはそんな話は寝耳に水だと主張できるし、誰もそれに反論はできない。彼は法に触れることはいっさいしていないのだから、何の罪にも問えないはずだ。

「お金はもう準備しましたし、彼らの言うとおりにするつもりです」ロベット夫人は唇がこわばっているかのように、堅苦しく言った。「そちらはついて来ないでください。どんな形でも、あの子の命を危険にさらすわけにはいきません。そんなことはできない……とてもできません」

「ロベットさんのおっしゃるとおりだ」キャンピオンはランスに口を出す間を与えず、すばやく言った。「ご自身の心の平安のためにも、ロベットさんはやつらとの約束を守るしかない。一人で競馬場へ行き、身代金を払うべきだよ」

「だがこっちもその場にいようじゃないか」ランスは主張した。

キャンピオンは彼に目くばせし、「ああ、もちろんさ」と、なだめすかすように請け合った。「ぼくらもそこにいることになるだろう」

じっさい、彼らはそこにいた。ランス・フィアリングは運転手の制服に身を包み、自分の車でフラン・ロベットを競馬場へ送ってきたのだ。

キャンピオンのほうは、一人でレースを見にいった。朝のうちに一時間ほど電話をかけまくったことを除けば、その日の彼の行動は、どれほど疑り深い者の目にも、悪党一味を狩りたてているようには見えなかったろう。まずはオックスバラ・ウールマーケットの老舗ホテル〈白鹿亭(ホワイトハート)〉で早めの昼食を取り、この世に何の憂いもないかのように、のんびり競馬場へと車を走らせた。最初のレースを観覧席(スタンド)から見守り、予想が当たると、ささやかな利益を回収すべく馬券売り場へぶらぶら歩を進め、またほかのレースに少しだけ賭けた。

フレッド・フィッツのブースでは賭けず、そこで大声でがなりたてているしなびた小男にはろくに目も向けなかった。フィッツの顔に見覚えはなかったが、それは予想どおりのことだった。今朝の入念な調査から、フレッド・フィッツはただの雑魚(ざこ)で、警察がとくに興味を抱くような人物でないことはわかっていたからだ。キャンピオンはその点もスコットランド・ヤードのスタニスラウス・オーツ警視と電話で話し合い、アメリカ人の少女を誘拐した一味の巧みな戦略に改めて舌を巻いていた。フィッツは暗黒街のへりをただよって、もっと本格的な犯罪者たちのために雑用をこなす輩の一人だった。これといった違法行為は知られていないから、警察も内心の意見はどうあれ、いちおう善良な市民として扱わざるを得ないわけだ。

とはいえ、フィッツの助手になりすましている男のほうはまったく話が別だった。その油断ない真っ白な顔に目をとめるや、キャンピオンは人の好さそうなぽかんとした表情になり、二度とそちらを見ようとはしなかった。間違いなくあれは仕切り屋ホーキンズだ。一度見れば忘れられない顔だが、キャンピオンはその悪党を以前にも見たばかりか、敵にまわして戦っていた。同じ犯罪者たちの口からも、ろくな評判を聞かない男だ。

キャンピオンは考え込みながらスタンドへもどった。これから相手にしなければならない一味があの仕切り屋みたいな連中ばかりなら、どうにも見通しは暗そうだ。

彼は席に着くと、改めて周囲の様子を双眼鏡で眺めてみた。今日は大きなレースはないので観衆はさほど多くはないが、それでも興味深い顔ぶれがちらほら目についた。この競馬場は窪地にある町のはずれに位置し、家々の赤い屋根の向こうには、郊外の住宅が点在する緑の丘がうねうねと空まで広がっている。陽射しのあふれる日とあって、高性能の双眼鏡で丘の斜面を見渡すと、緑の懐に抱かれた領主館や農園や別荘が、小さいながらも手に取るように見えた。キャンピオンはしばし、その風景の美しさに見とれているふりをしたあと、名残惜しげに注意を場内へもどした。

第二レースがはじまる直前に――スタンドが満員になり、みながこぞって走路の近くへ移動しはじめたとき――フラン・ロベットの姿が見えた。事前に申し合わせたとおり赤い帽子をかぶり、ほっとしたことに、一人きりだった。

キャンピオンは両目に双眼鏡を当てたまま、彼女が人ごみを縫うようにして馬券売り場へ向かうのを見守った。大きな白いハンドバッグを両手で握りしめたその孤独な姿は、ことさら小さく哀れに映り、キャンピオンは内心の怒りをふつふつと煮えたぎらせた。馬たちがスタート地点に集められたのにも気づかず、レースの開始を告げる観衆のどよめきを聞くまで、彼らの存在すら忘れ果てていたほどだ。

あわててスタンドへもどる人々がフランのかたわらをすり抜けてゆくと、馬券売り場はつかのまがら空きになり、その中をフランが決然と進んでゆくのが見えた。キャンピオンの双眼鏡が彼女から離れ、仕切り屋ホーキンズの下卑た顔に焦点を合わせた。小賢(こざか)しい悪党はせっせと何かをしており、それは初めは素人くさい胴元同士の合図のように見えた。両手を頭上にあげ、ふりおろすという動作だ。そこでフランが視界にあらわれた。ひとつの包みが手渡され、彼女が細長い馬券を受け取る。キャンピオンは彼女の姿を追おうとはしなかった。仕切り屋がふたたび登場し、小さな箱の上に乗ると、またもや両手をふりあげた。そのあと、双眼鏡を取りあげた仕切り屋は、走路の向こうにじっと見入った。

キャンピオンはしばしその場でレースを眺めているようだったが、結末を見届けるまで残ってはいなかった。馬たちがゴールを駆け抜けると同時に、彼は興奮しきった群衆の中から抜け出し、ほどなく、いかにも頑丈そうな黒塗りの車に乗り込んだ。車内には、そろいもそろっておなじみの地味なレインコートが好みらしい、五人の無表情な男たちが乗っていた。

「あそこの、茶色い丘の上だ」キャンピオンは運転席の男に簡潔に告げた。「平屋根のモダンな白いヴィラだよ。ロンドン行きの幹線道路を進んで、尖塔のある教会のわきの枝道へ折れてくれ」

例のアメリカ訛りの太った小男は——合衆国の警察にはルイス・グリーナーという名で知られているのだが——まだ白いヴィラの屋上に立ち、眼下の窪地に色鮮やかな縞模様のリボンのように広がる競馬場に双眼鏡を向けていた。そこへ一台の警察車両がもう一台を引き連れ、急勾配の私道を静かにあがってきたかと思うと、車体がとまりきらないうちに、中から男たちがどっと飛び出した。

グリーナーは競馬場の監視に気を取られ、足元の部屋で叫び声があがるまで異変に気づかなかった。続いてリボルバーが連射されるに及び、彼はにわかに目下の非常事態へと注意を引きもどされた。双眼鏡を取り落とし、階段へと駆け出したとき、跳ねあげ戸の下から自動拳銃を手にしたひょろ長い人影があらわれた。

「ぼくなら大人しく降伏するよ」とキャンピオン。

二十分後には、ヴィラはふたたび静けさに包まれ、私道も空っぽになっていた。仕切り屋ホーキンズはその見苦しい顔一面に笑みを浮かべて、小さな車で坂道をのぼってきた。上着のポケットが異様に膨れあがっている。彼は一人ではなかった。車には二人の男が同乗しており、どちらも到底ただの好意からとは思えないほど、彼の安全を気遣っているのがうかがえた。

仕切り屋は意気揚々としていた。クラクションを二、三度鳴り響かせて、「あとについてこい」とボディーガードに言った。「きっと一家総出で歓迎してもらえるぞ。アメリカ人の親分が、仕事をあらかた片づけてやった男をどう扱うか見てやろうじゃねえか」

ホーキンズはぶらぶら玄関に近づき、ドアを蹴り開けた。

「誰かいるか？」ホールに足を踏み入れながら大声で叫んだ。「ったく、ぐずぐずしてる場合かよ。おーい！　誰か！」

同伴者たちがあとに続き、そろってホールに入るやいなや、背後のドアが静かに閉まった。カチャリと掛け金のかかる小さな音を耳にした一行は、うなじの毛を逆立たせてふり向いた。しばし不穏な静寂がただよい、警官たちが彼らを包囲した。

そのころ、〈白鹿亭〉の人目につかない一室で、肘掛け椅子にすわったフラン・ロベットは薄汚れた小さな少女をひしと抱きしめていた。純粋な安堵の涙が頬をつたい落ちている。部屋の反対側から、ランス・フィアリングが晴れやかに微笑みかけた。

「お嬢さんはだいじょうぶですよ。けっこう事件を楽しんでたんじゃないのかな」

「ええっ、そんなことないよ」ジェイニー・ロベットの光り輝く目が、もつれた髪の下から彼を見つめた。「ときどきすごく怖かったもの。子守（ナース）さんがいなくなってからは、すごく怖かった」

「でも今はもう怖くないでしょ、ダーリン？」フランが気遣わしげに尋ねると、少女はくすりと笑った。

「うん。もう怖くない。あたしはタフなのよ」

みなが声をあげて笑い、フランがランスに微笑みかけた。

「あなたにはいくら感謝しても足りそうにありません」

「ぼくに礼は無用です。キャンピオンがみごとにお告げを下したんですよ」ランスは室内の四人目の人物にうなずきかけた。テーブルの端に腰をかけた男は、痩せた顔にうっすら満足げな表情を浮かべている。「きみがどうやってあの家に目をつけたのか、いまだにわからんよ。何を使ったんだ？　千里眼かい？」

「ある意味では、そのとおりだよ。小さな望遠鏡で見つけたんだ」キャンピオンは慎ましく答えた。「あとはみんな仕切り屋のおかげさ。あいつのイタチみたいなピンクの鼻面が下草の奥でヒクついてるのを目にするや、ぼくは考えた。『おっと、ホーキンズ――おまえさんが誰かの二千ポンドを預かるのなら、ぜったい厳重に監視されてるはずだぞ』。ところが、仕切り屋の背後には二人のお供がいたものの、どちらもそれらしい見張り役には見えない。それで、さっぱりわけがわからずにいたとき、ふとあいつが誰かに合図を送ってるのに気づいたんだ。相手は走路の真ん中にいるようだった。だがそのあと仕切り屋が双眼鏡を取りあげると、レースを見てるわけじゃないことがわかった。もっと遠くを見ているようだったので、当然ながらこちらもそうすると、彼の合図に応えて平らな屋根の上で両手をふりまわしている男の姿が目についた――今ではそいつはルイス・グリーナーとかいう、不快きわまるやつだとわかったけどね。

とにかく、それでもうじゅうぶんだった。警察は約束どおり待機してくれていたから、くだんの家へ駆けつけると、一味の連中とジェイニーがいた。そこでぼくは彼女を連れ帰り、あとは警官たちが仕切り屋とその戦利品を待つことになったのさ。今ごろは警察署でさぞ楽しい内輪のパーティが開かれてるだろう」

キャンピオンの声が尻すぼみに消えた。フランもランスも話を聞いていなかったのだ。しばらく待ってみたものの、彼らは無言のうちに二人だけの満たされた会話を交わしているようだったので、キャンピオンはぶらぶらその場を離れ、今日の手入れを指揮した警部を捜しにいった。その温厚な男の言葉は慰めになった。

「仕切り屋はあなたのことばかり話してますよ」警部はキャンピオンの姿を見ると、陽気に言った。「ぜんぶメモさせてあります。写しを所望されるかと思いましてね。あいつにあれだけ言われりゃ、立派な表彰状ですな。少々下品だと思われかねないあんなどぎつい表現でなきゃ、額に入れて飾れるほどですよ」

（猪俣美江子訳）

闇の一撃

エドマンド・クリスピン

Shot in the Dark　一九五二年

エドマンド・クリスピン Edmund Crispin（一九二一―七八）。イギリスの作家。一九四四年、オックスフォード大学在学中に書いた長編『金蠅』でデビュー。全長編と大半の短編でオックスフォード大学のジャーヴァス・フェン教授が探偵役として登場する。代表作に『消えた玩具屋』『お楽しみの埋葬』など。本名のロバート・ブルース・モンゴメリ名義では作曲家として映画・テレビの劇伴音楽を多く担当した。本編の初出は夕刊紙〈イブニング・スタンダード〉*Evening Standard* で、その後第二短編集 *Fen Country* に収録された。なお、第一短編集『列車に御用心』には本編を改稿した短編「ここではないどこかで」が収められている。

ロンドン警視庁の上階の片隅の一室で、ハンブルビー警部は訪問者のほうを向いて言った。

「なあ、ジャーヴァス、先に行きたいって言うんなら……」

「いや、いや、いや」安楽椅子に深々と沈みこんだまま、フェンは否定の身ぶりをした。「ぼくはこのままですっかり満足している。しかし、きみが待っているその電話というのは、正確にはどういうものなんだ？　何か興味深い点でも？」

「電話を受けることになった事件そのものは、ある意味、興味深い」ハンブルビーは言った。「ウェセックスの警察本部長から警視庁に協力要請があって、わたしが担当しているんだ。捜査は地元警察犯罪捜査部のボルソーヴァーって男といっしょに進めている。その彼からの電話を待っているんだ――わたしがまた向こうにもどれるまでの、ただの定期報告にすぎないがね。

事件があったのはカシベリー・バードウェルと呼ばれているところだ。少々中途半端な土地でね――村と言うには大きすぎるし、町と言うには小さすぎる。周囲の田園地帯には、農場のほかに、人里離れた、訪ねるのも難しい小さなコテージが数軒点在していて、そのうちのひとつに住んでいたジョシュア・レドロウという若い男が、先週日曜の晩に殺害されたんだ。

ジョシュアのプロフィールはこんな感じだ――年齢三十歳、独身、かなり陰気で荒っぽい性格。身の回りの世話をしていたのは姉のシスリーだ。べつに弟をとくにかわいがっていたわけではないし、どうせなら夫の世話を焼きたいところだったのだろうが、求婚者が現われず、自分の財産もなかったので、体よく暮らしを立てていくためにジョシュアの家事をみていたんだ。いっぽう、ジョシュアは求愛中だった。彼が恋をしたのはヴァシティ・ウィンター＝ボーンという名の、どっしりした体格の女性だ。彼には恋敵がいた。アーサー・ペンジといって、地元の金物屋だ。どちらの求婚者を選ぶのか、ヴァシティは明らかにそろそろ決断しなければならない時期にさしかかっていた。

そうこうするうちに、ふたりの男の関係はあからさまな敵意をふくんだものに変わっていった。その上、ジョシュアの姉のシスリーがペンジを憎からず思っているという事実が判明して、話はいっそうややこしくなった。つまり、もともとの三角関係が――なんというか――四角関係とでもいったものに転じたんだ。こうして危険極まりない爆発性混合物の成分がすべてそろい――そして、当然の帰結として、現実に爆発が起きたわけだ。

前置きはこれくらいにして、先週土曜日から日曜日にかけての出来事をくわしく説明していこう。土曜日に起きたのは人前での口論だ。ジョシュアとシスリーとペンジの三人が相当派手にやりあったんだ。この大げんかの現場は〈ジョリー・プラウボーイ〉という名前のパブの入口ホールで、いきさつはこんな感じだ――（a）ペンジがジョシュアに、ヴァシティから手を引けと言った。（b）シスリーがペンジに、ヴァシティから手を引いて、かわりに自分、つまりシスリーを妻に迎えろと迫った。（c）ペンジがシスリーに、完全に頭がどうかしている男ならともかく、誰がおまえと結婚したいなどと思うものかと言い返した。(d)ジョシュアがペンジに、今後もヴァシティにちょっかいを出すのをやめないのなら、自分、つまりジョシュアは、おまえ、つまりペンジの喉を喜んで切り裂いてやると公言した。

注意してもらいたいが、この言い争いは間違いなく本物だった。わざわざこんなことを言うのは、ペンジとシスリーがなんらかのかたちで共謀していたのではないかとみて捜査を進めていって、ボルソーヴァーとわたしがとんだ無駄骨を折ったからだ。つまり、ふたりについては、口論は見せかけだったのではないかと考えたわけだ。ところが、事情を聞いた目撃者から、そういう証言はひとつも出てこなかった。誰に聞いても、シスリーが芝居をしていたなんて、そんなばかな話があるもんかとはっきり言うから、こちらとしても彼らの言い分を信じざるをえなかった。

だから、その線での共謀はありそうにないんだ。もっとも、あとからペンジが訪ねていっていくら頭を下げて求婚したところで、シスリーはすげなくあしらうだけだったろうとまでは言わないがね。しかし、立証された事実によれば、口論から翌日の殺人事件までのあいだ、ペンジは断じて彼女を訪ねていないし、どういうかたちであれ連絡をとってはいない。彼の行動は、たった一度、一時間の合間を(そして、彼が犯行に及んでいたはずの三十分間を)のぞけば、口論の時点から日曜日の深夜まで完全に説明がつく。そして、その空白の一時間についていえば、彼は(ことによると)シスリーのところへ謝罪に行っていたのかもしれないが、シスリーはふたりの客をもてなすのに忙しかったし、客のふたりも、ペンジは彼女のそばには絶対に近寄らなかったと誓って言えるそうだ。

　次に重要な出来事は日曜日の朝に起きた。シスリーが足首を骨折したんだ。このけがのせいで、当然ながら、彼女は動けなくなったし、それゆえ、彼女自身が弟のジョシュアを殺したという嫌疑を完全にまぬがれる結果となった。というのも、遺体の発見場所は姉弟（きょうだい）のコテージからかなり離れているんだ。

　事件が発覚したのはその晩十時ごろ、遺体を発見したのは数人のグループだった。現場は多少とも往来のある歩行者用の小道（フットパス）で、ジョシュアのコテージからカシベリーの中心へまっすぐ向かう道筋にあった。

　物的証拠はただひとつ、つまり、リヴォルヴァーだ。少し離れた生垣に突っこんであるのをボルソーヴァーが発見した。ひとそろい鮮明な指紋が付着していた。通常の手順で捜査を進めていくと、ほどなくペンジ-ヴァシティ-ジョシュアの三角関係が浮かびあがってきた。だから、拳銃についていた指紋がアーサー・ペンジのものだということを突き止めるのにたいして時間はいらなかった。

　こうして、状況についての説明を求められたペンジは見えすいた嘘をついた。彼がその拳銃に手を触れたのは事件の三日前で、（こともあろうに）ジョシュア本人が台尻（グリップの底の部分）にできたひびを直せないか、と彼の金物店に持ちこんだというんだ。その問題の日にジョシュアが終日、ドーチェスターにいたことははっきりしており、カシベリーの金物店を訪ねられたはずがないと指摘してやると、彼は動揺して矛盾したことを言いはじめ、しまいに口を閉ざしてしまった。以来、牡蠣のように押し黙ったままだ――彼にとっては非常に賢明なやり方だろうがね。

しかし、話が先走りすぎたようだ。拳銃の件について彼にただすより先に、われわれがまず問題にしたのはジョシュアの死亡時刻だった。検死報告はあいまいすぎて役に立たなかった。そこへ寄せられたのが、午後七時の段階でジョシュアは生きていたとの、ふたりの女性の証言だ。ふたりはその時間にシスリーを見舞うためにコテージを訪ねていて、ジョシュアを見かけたというんだ。そうなると、次にすべきなのは明らかにシスリー本人から話を聞くことだ。

ふたを開けてみると、じつに幸運にも、弟の悲報はまだ彼女の耳に届いていなかった。理由として考えられるのは次のふたつだ――（a）ジョシュアはその晩、いずれにせよ家を空ける予定だったので、弟が帰宅しなくても彼女は心配しなかった。（b）地元の巡査部長が秘密主義の性分で、殺人事件について知っている者ひとりひとりに箝口令を敷いた。おかげでボルソーヴァーはいちばん重要な質問を、たずねる理由を告げないうちに済ませてしまうことができた――こういう手法をとったのは正解だった。なぜって、弟が死んだと聞かされるや、彼女はたちまちひどい気鬱に見舞われて、以来、医者は誰に対しても彼女との面会を許可しなくなったからだ。

とにかく彼女の証言によれば、ジョシュアがコテージを出たのは、日曜日の晩、八時十五分ごろ（彼女の客が帰った十五分かそこらあと）で、カシベリーまで歩いていって、ドーチェスター行きのバスを捕まえるつもりだったらしいという。そうなると、彼が危害に遭った地点にさしかかったのは、八時四十五分より前ということはまずありえない。

そこで、次にペンジのその夜、ひと晩じゅうの動きを確認した。その結果判明したのは、利害関係のない証人によって裏付けのとれない時間帯がふたつあるということだった。ひとつは七時から八時まで（これはわれわれには関係がない）、もうひとつは八時半から九時までだ。まあ、むろん、あとのほうの時間帯は見事に一致する。しかも、彼は実際、八時四十五分ごろ、現場近くで目撃されているとわかって、われわれは逮捕状の請求手続きにはいろうとした。

ところが、そこまで来て、思い描いていた事件の構図がばらばらに崩れてしまった。ペンジは八時半から九時までの自分の所在について嘘をついている——それはわかっている。わかっていなかったのは、八時二十分以降、殺人現場からほんの数フィートしか離れていないところで、ふた組のカップルがよろしくやっていたこと、四人が四人とも銃声を聞いていないことだった。

まあそんなわけで、よく言うように、お手上げになったわけだ。ジョシュアを撃ったのは間違いなくペンジだ。しかし、犯行時刻は八時半から九時のあいだではない。それに、シスリーが彼をかばおうとして嘘をついている——まずありえないことだが——のでなければ、七時から八時のあいだでもない」

ハンブルビーが言葉を切ると、長い沈黙が続いた。やがて、フェンが口を開いた。「うーん、どうだろう、ぼくの理解するかぎりでは、状況からしてアリバイがはっきりしているのはペンジではないよね。死人のほうだろ」

「違うかな？　かりにシスリーが、ジョシュアがコテージを出た時刻について嘘をついているとしたら――実際にはもっと早い時刻に出かけたんだとしたら――ペンジは七時から八時のあいだに彼を殺せたはずだ」

「死人のほう⁉」

「しかし、さっき説明したとおり――」

「彼女がペンジをかばって嘘をつくことはありえないと言うんだろ。その点については、ぼくもまったく同感だ。だが、彼女が嘘をついたのが弟をかばうためだったとしたらどうだろう？　ジョシュアがポケットに拳銃を忍ばせて犯罪を遂行しようとしていたんだとしたら。そして、彼が姉に、万が一質問を受けたら、実際よりずっと遅い時刻に出かけたと答えてくれと言い置いていったんだとしたら。シスリーはその件について警察の事情聴取を受けた当初、死んだのが自分の弟で、弟が殺そうとしていた男ではなかったことを知らなかったんだよね。逆に考えれば、すべての説明はつくんじゃないか？」

「それはつまり――」

「つまり、ジョシュアはペンジを――自分の恋のライバルを殺す気でいたんだ。姉は（なにしろペンジに人前で恥をかかされたばかりだったから）弟の意を受けて、必要なら、簡単なアリバイ工作をすることに同意した。ところが実際には、もみあっているうちに銃を奪われ、正当防衛でジョシュアのほうが殺されてしまった。かくして、ペンジは――なんとも皮肉なことに――恋敵によって水も漏らさぬアリバイを提供されたというわけさ」

耳をつんざくような音を立てて電話が鳴り、ハンブルビーが受話器をつかんだ。「はい」彼は答えた。「ああ、つないでくれ……ボルソーヴァーか?」長い沈黙。「ああ、きみはそう考えたんだな? わたしもなんだ——もっとも、ついさっき……関係者からもう一度事情を聞いたのか、うん、それできみは——なんだって!?」この怒りと驚きの入り交じったかん高い声をあげたあと、ハンブルビーは急に黙りこみ、彼の耳元で絶望的に響く電話の声に耳を傾けるだけになった。ようやく電話を切ったとき、その丸い顔には画家の描く憂鬱のアレゴリーそのものの表情が浮かんでいた。

「ボルソーヴァーも同じ意見だった」彼は陰気に言った。「だが、まにあわなかった。彼がシスリーに面会したときには、ペンジがもう何時間も前から彼女の枕元に座っていた。ふたりは結婚するそうだ、つまり、シスリーとペンジは。シスリーは自分を侮辱した相手を許した。そして、当然だが、弟が家を出た時刻についてのこれまでの主張は変える気がないらしい。疑問の余地はないとボルソーヴァーは言っている。法的公正さの点から言って——」

「法的公正さ?」フェンは帽子に手を伸ばした。「ぼくがきみなら、そんなことにはあまり気をもまないね。疑惑と偽証の上に成立した結婚なんて、長い目で見れば、中央刑事裁判所(オールド・ベイリー)が科せるどんな重罰をもしのぐ過酷なものになるだろう。神のひき臼のことわざにあるだろ——ペンジとシスリーに関するかぎり、ぼくが思うに、彼らはとことんまで天の報いを受けるだろうよ……(どんな悪事も必ず罰せられるという趣旨のことわざ、「神のひき臼は回転が遅いが、きわめて細かく挽く」にちなむ)」

(藤村裕美訳)

二重像

ロイ・ヴィカーズ

Double Image　一九五四年

ロイ・ヴィカーズ Roy Vickers（一八八八―一九六五）。イギリスの作家。オックスフォード大学を卒業後、編集者やライターを経て作家デビュー。一九三四年に発表した短編「ゴムのラッパ」を第一作とする倒叙ミステリ〈迷宮課〉シリーズが有名だが、ほかにも女怪盗もの連作短編集『フィデリティ・ダヴの大仕事』や長編『ヴェルフラージュ殺人事件』をはじめ多数の著作がある。本編は第九回EQMMコンテスト第一席を獲得した短編で、初出は〈エラリイ・クイーンズ・ミステリ・マガジン〉一九五四年四月号。翻訳には短編集 *Double Image and Other Stories*（一九五五）に収録されたテキストを用いた。

世の中には誰の目にも作り話らしく映る事実というものがまれに存在する。一例を挙げれば、ファンショー殺人事件で犯人と想定された男がジュリアン・ファンショーと酷似していたため、妻のエルサには夫との区別がつけられなかったことがそれである。世間の人々は証拠を考慮に入れずに、そんな間違いをする妻がどこにいると言いたて、どうして警察はかくも幼稚な主張──〝だから、刑事さん、犯人はぼくじゃなくて、ぼくにそっくりな別人だったんですよ〟──を信じたのだろうといぶかった。

むろん、警察が通例重視するのは、信憑性に乏しいほら話ではなくアリバイである。人が完全に別人になりすますことについては、ともかくサートル警部はひと言たりとも信じなかった──たとえエルサが信じたにしても。

はたから見れば、ファンショー夫妻は生活環境のよいルビントン郊外に居住する、ごく普通の若夫婦だった。八つの部屋がある快適な家に住み、庭の広さは半エーカーを超えていた。有能な使用人を雇い入れて手元に確保しておけるエルサの不思議な才能ゆえに、家庭生活は円滑に運ばれていた。

十月の第一週、エルサは朝食の席で、きょうはロンドンまで買い物にいくつもりだと告げた。

夫は、それではなんとか都合をつけて昼食をおごるから、午後一時にブレインリーのレストランで待ちあわせようと答えた。行きの列車のなかで、エルサは偶然、隣人のグウェンダ・マープルズと顔をあわせ、結局、彼女をブレインリーの店に同伴した。グウェンダの夫君にはかねてからジュリアンがシティで世話になっており、彼が喜ぶと思ったのだ。

ファンショー夫妻の結婚生活はこれまでのところ満足のいくものだった。エルサは充分に顔立ちがよく、彼女のような知的、情緒的気質を好む男には美人に見えた。感情は表に出さないたちだった。夫もそれは同様だった。じつのところ、ふたりのたがいへの思いは凡庸な、気の抜けたものになっていた。夫は妻のおしゃれに注意を払うのをやめてしまったし、妻は夫の話を適当に聞き流しながらも、ここぞというときに笑い声をあげる技を身につけてしまった。五年のあいだ、ふたりはまずまず平穏に、なんとか収入の範囲内で生計を立て、返済に困るほどの借金はこしらえずにきた。だが、いずれ伯父の死にともない、かなりの額の財産がジュリアンにもどってくる見込みだったので、貯蓄に励む気にはなれないでいた。

ふたりの女性は約束の時間より早くレストランに着いた。一時十一分前に入口ホールにはいってみると、そこはいくぶん混みあっていた。一時九分前に、エルサが声をあげた。

「ジュリアンだわ！　わたしたちには気がついていないけれど、こっちへ来ます」

ジュリアン・ファンショーは人込みのなかにいても目立ったので、こういうとき相手を見つけるのはいつもエルサのほうが先だった。彼はたいがいの男性より背が高く、大学時代ボート部にいたので、胸板が厚く、肩の筋肉も大きく盛りあがっていた。顔は大きく、やせているが愛敬があり、あごには小さなくぼみがあった。高級な仕立屋で服をあつらえ、背広の色はきまって同じスティールグレー（やや青みを帯びた濃い灰色）だった――エルサの話では、完全に同色のスーツを着た人には一度も会ったことがないという。軽めのオーバーにも同じ生地を用いた。つばの広いホンブルグ帽にさえ、いくばくかの個性が加えられていた。

「あなたには気づいてらしてよ、わたしのほうはともかく」グウェンダが訂正した――このつまらないひと言が、のちにかなり重要な意味を持つことになる。「ここから動かないほうがいいでしょう。動くとかえってはぐれてしまいそうだから」

スティールグレーの服を着て、あごに小さなくぼみのある背の高い男はふたりのほうに向かって手をふっていた。

「ジュリアン！　わたし、グウェンダをランチにお誘いしたの。わたしたちふたりとも――」

エルサが声をかけた男は、知らん顔はしなかった。話しかけられているのは自分の後ろにいる誰かべつの人だと思ったらしい。彼女の目をのぞきこみ、帽子を取ってよそよそしい笑みを浮かべると、「失礼！」と小声で言ってクローク・ルームのほうへ歩み去った。エルサはその場に立ったまま、グレーのオーバーに包まれた、大きく盛りあがった肩の筋肉を唖然として見送るばかりだった。オーバーはいくぶん違っているようにも見えたが、確信はなかった。

グウェンダは何事かつぶやいていた。エルサはおびえた顔つきになった。

「あなたもいまのはジュリアンだとお思いになったでしょ？　話しかけようとなさいましたよね」

「そうですとも！　まさか妻のあなたがよその男性（ひと）を自分のご主人と間違えるわけないじゃありませんか」

「でも、間違いでした。ただ、後ろから見ると、オーバーの生地が違うような気はしました。色合いはそっくりだったにしても」

「オーバーがねえ――！　ご主人には双子のご兄弟でもいらっしゃるの？」

「いいえ。たしかに双子でしたけど、もうひとりは赤ん坊のうちに亡くなったんです。きっとただのそら似でしょうね」

「そら似だなんて、あそこまで似た人がいるわけありませんよ！」

　だが、いたのだ。エルサは椿事（ちんじ）の直後、たいていの人が感じるのと同じ気持ちになった。つまり、その出来事が起きる直前にまで、むりやり自分を引きもどす必要があると感じたのだ。グウェンダはあいかわらず他人のそら似についてくどくど話しつづけ、やがて、一時六分前になって、エルサは自分の腕がつかまれるのを覚えた。

　またあのジュリアン？　それとも、本物のジュリアン？

「ジュリアン！　わたし、グウェンダをランチにお誘いしたの」彼女は先刻の台詞をくり返した。「わたしたちふたりともよく行くお店がいっしょだから――」

「そりゃあいい！　待たせて悪かったけど、まだ五分は余裕がある。ちょっとオーバーを預けてくるよ」

　彼はグウェンダに礼儀正しく挨拶したあと、そそくさとその場を離れたので、もうひとりのジュリアンについて打ち明けている暇はなかった。エルサがその話題を持ちだしたのは、テーブルについてからだった。グウェンダが裏付けたのに、いざ口にしてみると、つまらない話を大げさに言いたてているようにしか聞こえなかった。ジュリアンは調子をあわせてぶつぶつと返事をした。

「でも、怖いとお思いになりません？」グウェンダが声をあげた。「エルサまで、あなただと信じこんだんですよ。彼女からうかがいましたけど、あなた、ほんとうは双子でいらっしゃるそうね」

「ええ、それだったらおもしろいんですがね」ジュリアンはにやりと笑った。「残念ながら、ぼくの双子の弟が生きていられたのはわずか二日間だったんです、法律上は――父から聞きましたが、正確には二十六時間だったとか」

「お生まれはご自宅で？」

「聖セイリオル病院でしたが――」

「そういうところでは、毎日、何百人も生まれますよね」

「何百人ということはないでしょう――せいぜい何十人か。あなたが考えていらっしゃることは想像がつきますよ。たしかに赤ん坊の取り違えはいかにも起こりそうですよね、それも毎日のように。でも、赤ん坊全員に札をつけておくという絶対確実な方法をとっていれば話はべつです。あの病院では、そういうミスが起きたことはないんじゃないかな」

その晩、帰宅してから、エルサはいつになく口数が少なかった。

「何か気になることでもあるの？　きょうは買い物にいったんだよね。どこかの店でつけを断わられたんだとしても、すぐになんとかできると思うよ」

「例のあなたとそっくりな人のことよ。あなた、グウェンダとわたしの話を本気で聞いていなかったでしょ。あの人はわたしのすぐわきを、かするように通り過ぎていった。視線があったときも、あなただとばかり思っていたわ。『失礼』とつぶやいたときの口調もあなたとそっくり。着ていたオーバーの色合いはあなたのとよく似たグレーだったし、デザインだって見分けがつかなかった。もっとも、生地は違っていたかもしれないけれど。とにかく、まさにあなたの双子の弟って感じだったのよ」

ジュリアンは顔をしかめた。

「どうでもいいけど、ぼくの双子の弟の顔かたちがぼくと瓜ふたつだって証拠は何もない。だから、頼むから、へんに大騒ぎするのはよしてくれないか。ほら、よく聞くじゃないか、病院で取り違えが起きて、あるとき伯爵家に正当な跡取りが現われて爵位と財産を要求するとかさ。まあ、いまのところ、ぼくらには行方知れずの世継ぎが要求するような爵位も財産もないけど。それに、どのみち年はぼくのほうが上だ」

「わたしの反応をおもしろがっているでしょ」

「まあね。きみの言い分が信じられないっていうんじゃないんだ。ただ、何かしようにも、ぼくらには妙な話もあったもんだって言いあうのが精一杯じゃないか。だから、もう気にするのはやめようよ」

翌日の晩、日頃は時間にとても几帳面なジュリアンの帰宅がいつになく遅れた。エルサは一時間近く、玄関ポーチで待ちつづけた。

「ジュリアン！　何か恐ろしいことでもあったの？」

「おいおい、たった一時間遅くなっただけじゃないか。いつもの列車に乗り遅れたんだよ。午後、暇があったんで、ふと思いついてアーネスト伯父さんのところへ行って、腹を割って話しあった。恐ろしいことといえば——もし、あるとすれば——伯父さんがますますご健勝だってことかな。ぼくらは中年にならなきゃ恩恵にあずかれそうにないね」

その晩遅くなってから、彼はくわしいいきさつを物語った。

「ここ半年ほど、景気が思わしくなくてさ。うちのお得意さんのなかにも掛けの支払期限を延ばしてくれと言ってくるところがあって、むげに断わるわけにもいかないじゃないか。言うまでもないが、ぼくにとって賢明なのは、ぼくが将来受けとる復帰財産（ある一定の条件のもと、所有権が以前の所有者、もしくは、その相続人にもどる財産）の一部を現金化することだ。しかし、これには伯父の承諾がいる。そこで、五百ポンド進呈するから、一万ポンド借用する権限を認めてもらいたいと持ちかけたんだ。伯父には丸もうけのようなものさ——失うものは何もないし、リスクも皆無なんだから」

「伯父さまのご返事は？」

「ひどく渋い顔をした。ぜいたくをするからだってお説教を食ったよ。ぼくはそんなことはないと反論したけどね——だって、そのとおりだろう」

「使用人はベンスンさんひとりでなんとかなるかもしれない。それに、庭仕事のほとんどはわたしたちふたりでできるわ」

「無理だよ。それに、そこまでする必要はない。にっちもさっちもいかないっていうんじゃない。ただ手元の資金がほんの少し足りなくて、動きがとれないだけなんだから」

単に言い方を変えただけではないか、とエルサは思った。

「ジュリアン、ばかみたいに聞こえるのはわかっているけれど――お願いだから教えて。例のあの人がほんとうにあなたの双子の弟だとしたら――そんなこと、まずありえないのでしょうけれど――伯父さまが亡くなったとき、財産を受けとれるの?」

「ぼくに弟がいれば――実際にはいないが――ふたりで分割することになるね」ジュリアンは冷笑するように言った。「ぼくの弟が生きてるなんてまったく非現実的な話だけど、それならどうして正々堂々と名乗りをあげて、自分の権利を主張しないんだ? なんでこそこそとぼくのようななりをして歩きまわり、きみを脅かすのさ?」

ふたりがふたたびその生き写しの男について話題にしたのは、翌日の晩のことだった。ヘッブルトン夫人がエルサに電話してきたのである。

ルビントンに社交のリーダーがいるとすれば、ヘッブルトン夫人こそその名に値する。彼女は並みの知性と並みはずれた行動力で、地元のおおかたのサークルの会長か幹事の座に納まり、そのことを十二分に楽しんでいた。

「いまヘッブルトン夫人から聞かされたけど、あなた、きのうの晩、駅の近くで夫人に引き止められて長話したそうね――」

「そんなことはない！」

「――あなたが乗っていたのはいつものとおり六時五分着の列車で――次の木曜日、ご夕食の招待に応じたとか。それと、わたしに渡してほしいと言って、テニスクラブの会員名簿をあなたに託したとおっしゃっていたわ。わたし、手紙の件でお手伝いすることになってるの」

ジュリアンもこうなっては例の生き写し男のしわざだと認めないわけにはいかなかった。

「やつには何かそれなりのもくろみがあるんだな。きみがいるときをねらってブレインリーの店に現われた。そして、今度はきみの住むルビントンでこんなまねをする。偶然ではありえない。やつはどうしてヘップルトン夫人に、自分の名前はファンショーではないと言わなかったんだろう？」

「でも、ファンショーだったとしたら？」

「その話はもうよしてくれよ。やつの名前がなんであれ、こっちはいい迷惑だ！」

翌日、朝のコーヒーを飲みながら、ヘップルトン夫人がずばり核心を突いてきた。

「グウェンダから突拍子もない話を聞かされましたよ。あなた、よその殿方を自分のご主人と間違えたんですってね。それにしても、うちの会員名簿がなんの役に立つんでしょうねえ、あの人がほんとうにあなたのご主人ではないというのなら――」

「グウェンダだって間違えたんですよ」エルサは口をはさんだ。

「お店が混んでいたからですわね、きっと」ヘップルトン夫人はしぶしぶ認めた。「とにかく、あなたには代わりの会員名簿を作成してもらいますよ、よろしいわね」

「はい、もちろん。グウェンダだってすぐそばで見てるんです、わたしと同じくらい」

「ほんと、おかしな話ですわね。まあ、何はともあれ、木曜日にはお待ちしていますからね」ヘップルトン夫人は雅量のあるところを見せた。「もしそんな生き写しの人が現実にいて、あなたのご主人になりすましているんだとしたら、何か対策を講ずるべきですよ」

「どうしていいかわからないんです」

「なんの手立てもないのが実情だとでも考えておいでなの？ 警察に相談してごらんになればいいじゃありませんか。ノリス警視はとても優秀なかたよ。わたしの名前を出せば、きっと力になってくださるわ」

こうしてけしかけられた結果、エルサは地元警察の警視にことの次第を打ち明けた。警視がメモを取るのでエルサはどぎまぎした。

「まず、レストランでの一件を考えてみましょう。最初の男が現われてからあなたのご主人が現われるまでには、お話によれば、三分間の空きがあった。それだけの時間があれば、ご主人は――いや、事実として申しあげているわけではないんですよ――いったんわきの出入口から外へ出て、ふたたび正面のドアからはいってくることも可能だったのではありませんか。あなたがたおふたりに悪ふざけをするつもりでね。ヘップルトン夫人のことも同じようにからかったのかもしれません。ときに、ご主人に双子のご兄弟などはいらっしゃいませんよね？」

「いたんです」エルサは生後すぐ亡くなった赤ん坊について簡単に物語った。

「となると、その線ははずれですかな」そう言いながらも、警視は書類に記入した。

エルサはがっかりしたし、少なからず腹が立った。

その晩、エルサは夫に言った。「ヘップルトン夫人って、ルビントンの町を切りまわしているつもりでいるの。それというのもシェフィールド公爵のいとこだって噂があるから。結婚前の名前はジェニファー・モード・カーマエンハム。『名士録（フーズフー）』で調べてもらえない？　たしかあなたのクラブにあったでしょ」

「ずいぶん辛辣じゃないか」

「かもね、でも、無理もないのよ。だってあの人、生き写しの人なんか存在しなくて、あなたがふざけていただけだみたいなことを言うし——それに、あの人にむりやり警察へ行かされたようなものなんだもの」彼女は地元警察の警視を訪ねたいきさつを話した。

ジュリアンの反応は期待はずれだった。彼は黙ってポケットから白紙のはがきを取りだすと、紙の上で時間の計算を始めた。

「警視の論理には明確な根拠がある」彼は言った。「たしかにその女のふるまいは愚にもつかないが、こっちには自分の立場を弁護するすべがない。その時間帯にぼくがどこかべつの場所にいたと証明することはできないからね」彼は憂鬱そうにつけ加えた。「今度のごたごたはぼくらには相当な痛手になるかもしれない。やつがまた姿を現わしたら、そのときには弁護士に相談するよ」

次の一件はファンショー家の伯父と甥の取引関係に影響してきた。

ジュリアンは普通便の運送業を営んでいた。送りたい荷物がひと棹の衣装ダンスであれ、一トンの化学肥料であれ、送り先が隣の町であれ、太平洋上の絶海の孤島であれ、速達料金の負担を省きたいのなら、ジュリアン・ファンショーの会社こそ打ってつけだ。彼の事務所には地図や海図が大量に備えられていて、地球上のある地点からべつの地点へ貨物を輸送するのにいちばん安上がりなルートを提示してもらえる。

アーネスト・ファンショーはあまり一般的ではない燃料を専門的に扱う燃料業者で、たまに仕事で甥の会社を利用した。双方の事務所は歩いて数分のところにあり、ふたりは日常的にたがいの事務所を訪ねたり、直接取引をしたりして、親戚づきあいを絶やさなかった。

ジョン・スウェイツはアーネスト・ファンショーの会社の年配の事務主任で、ファンショー一家の使用人同然の地位にあったが、午後三時にジュリアンが事務所に現われて、伯父は手がすいているだろうかと訊いてきたときには驚いた。

「でも、ジュリアンさま、社長はいまとてもお忙しいのですよ。そもそも、けさ、あなたがおいでになったときだって、あまりいい顔をなさらなかったじゃありませんか」

「おいおい、ぼくはけさ、ここには来てないぜ」

主任は相手をじっくり観察したが、酒に酔っているしるしは見つけられなかった。

「このわたしがご案内してさしあげたでしょう」

「スウェイツさん、冗談もたいがいにしてくれないか」

ジュリアンは奥のオフィスへつかつかと歩いていって、ドアを開けた。アーネスト・ファンショーは椅子に座ったまま居眠りしていたが、目を開けて、ぱちくりさせた。

「伯父さん、失礼します。スウェイツの話では、けさ、ぼくは彼の案内でこの部屋にはいったそうですね。でも、けさはここには来ていませんよ。このところ、ぼくになりすましているやつがいましてね。ちょっと説明させてもらえませんか――」

いくぶんの混乱ののち、ふたりは真相の究明にかかった。

「はっきりさせよう」アーネスト・ファンショーが言った。「火曜日の午後、おまえはここへやってきて、復帰財産についてけしからん提案をした。けさは、いまおまえが座っている椅子に腰をおろしたかと思うと、べつのやり方で同じ催促をしようとした。おまえがいっこうにあきらめようとせんので、わたしはおまえの勘定の未払い金を計算し、支払いが滞っていたのをわびて、その額――四十三ポンド十二シリングの小切手をおまえに渡した。それを忘れたとでもいうのか？　ポケットを探ってみたらどうだ？」

「大変だ！　それが普通小切手なら、伯父さんはおそらく損をすることになりますよ。線引小切手なら、いますぐ銀行に電話して支払いを停止させてください」

銀行に連絡がなされたあと、ジュリアンは一連の出来事を話した。伯父はいらだたしそうに聞いていた。

「そんなとほうもない話を聞かされたのは生まれて初めてだ。その生き写し男――と、おまえは呼んでいるようだが――はどうやって復帰財産の件を知ったというんだ？」

「さっぱり見当がつきません。でも、やつはぼくの仕事と家庭について相当細かいことまで探りだしています。ルビントンではぼくを笑いものにしてくれましたよ、ぼくのふりをして友人たちに近づいて」

甥の口調ゆえに、アーネストは真剣に耳を傾ける気になった。

「ジュリアン！　ふと思いついたんだが――おまえの母親は病院で出産するといって聞かなかった――まさかとは思うが、何か手落ちがあって、おまえの双子の弟が――」

「当て推量はやめました。こうなった以上、弁護士と相談して、可能なら反撃してやります」

ジュリアンはエルサに伯父のオフィスでの一件を話して聞かせ、そのあと、ヘップルトン夫人が公爵のいとこだという主張は『名士録』により完全に裏付けられた、と芳しくない知らせをつけ加えた。

「とにかく、こうなった以上、彼女も生き写し男が実在することは認めざるをえないだろうね、公爵の親族であろうとなかろうと」
二、三日後、ジュリアンの秘書、ミス・ハケットがかすかに感情を害した顔つきをして彼のオフィスにはいってきた。ジュリアンがミス・ハケットと最初に顔をあわせたのは、彼がまだ少年の時分、父の職場を訪ねたときのことだった。父が急死した際――ジュリアンはケンブリッジ在学中だった――彼女は経営者として人並みはずれた力量を備えているところを示した。それでも、ジュリアンの秘書兼オフィスのお目付役としての地位にとどまり、満足していた。
「スウェイツさんから電話でとても奇妙な伝言を承りました」彼女は不服そうに言った。「伯父さまが十分後に取引先の銀行でお会いになりたいそうです、なんでも非常に急を要する用件だとか。そのくせ、なんの説明もないんです」

支配人のオフィスで、ジュリアンは額面四十三ポンド十二シリングの小切手を見せられた。小切手は郵便貯金局の窓口に持ちこまれていた。

「裏書きはたしかにぼくの署名に似ています。でも、ぼくはその小切手に裏書きした覚えがないし、どのみち郵便貯金局に口座はありませんから、その裏書きは偽造だと断言します」

支配人は型どおりのテストを行なって署名がなぞり書きされたものであることを認め、警察を呼ぶべきだと主張した。ジュリアンは協力をいとわず、お望みなら警察に同行してくだんの郵便貯金局へ出向き、偽造犯の外見について注意を促してもいいと申しでた。こうして、彼は窓口の係員に、自分と偽造犯はとてもよく似ていて、妻ですら混同したほどだと説明した。

警察はみずから提起した双子の兄弟説を追い、ジュリアンが生まれたウェストミンスターの聖セイリオル病院を訪ねた。記録によれば、ジュリアンとその弟が生まれて一時間以内には、男子が五名、二十六時間以内にまで範囲を広げると、男子が十一名、女子が七名生まれており、そのうち、男子が一名死亡していた。だが、赤ん坊の取り違えについては徹底した予防措置が講じられていて、ミスが生じたとは考えにくかった。

それでも確率がごく低いとはいえ、一粒種を亡くした母親を気の毒に思った看護婦が、お決まりの手順をたがえて双子の母親から赤ん坊の片方をかすめ取ったことも考えられなくはなかった。そこで警察は、二十九年前に勤務していた看護婦と入院した産婦を調べあげた。看護婦のうち五人はすでに他界しており、産婦の半分以上は捜し当てられなかった。

警察はエルサに事情聴取をし、強い印象を受けた。グウェンダ・マープルズの証言から新たに得るものは何もなかった。ヘップルトン夫人は生き写し男がどうしてテニスクラブの会員名簿をほしがったのか説明してほしいと警察に迫った。地元警察の警視はファンショー氏が伯父に対してそんなふざけたまねをするとはとうてい信じられないと認め、ルビントンで警戒を厳重にすると約束した。

何事もなく一週間が過ぎたあと、事件の一件書類がサートル警部の手元に届いた。警部はジュリアンに対し、ロンドン警視庁までお越しいただきたいとていねいに要請した。

サートルは娘たちにしいたげられている裕福な家庭人といった風貌をしている。彼がこれまで成功を収めてこられたのは、多くの場合、相手を安心させる才能に恵まれていたからだった。

「われわれをいちばん悩ませているのは、すべての道が結局はあなたにもどってしまうことでしてね――たとえば、郵便貯金局の窓口係はあなたと生き写し男は同一人物だと主張していますし。よろしければ指紋を採らせていただけませんか？　あなたの利益になることですから」

ジュリアンは感謝の意を表して、指紋を採らせた。

「四十三ポンドなにがしというのは」サートルはふたたび話しはじめた。「目標として貧弱すぎるように思うんです――たとえ成功したにしても――これほど手のこんだまねをしているんですよ。服装があなたにそっくりだったそうですが、それだけでも三十ポンド以上はかかるでしょう。それにしても、彼はどうしてレストランでわざとあなたの奥さんの注意を引きつけたんでしょう？　それに、なぜヘップルトン夫人にいたずらをしかけたのか？　むろん、警視庁としては署名偽造の事実は無視できません。で、ここだけの話ですが、一連の出来事は単なる悪ふざけの域を超えているように思えます。こうしてみると、例の男はあなたに恨みをつのらせている、双子の弟さんなのかもしれませんな——病院側の主張がどうあれ」

ジュリアンはすぐには返事をしなかった。

「彼が弟だとしたら、なぜ友好的に名乗りでないのでしょうか？　ぼくらに対して強く道義的権利を主張できるというのに」

「何か金銭上の権利でもあるのですか？」

「すぐに、とはいきません。でも、伯父の死にともなって受けとれる復帰財産があるんです——額面価格は五万ポンド——ぼくと折半することになるでしょう」

サートルは、それは重要だと言って詳細をメモした。

「あなたの行動と彼の行動を区別する、何かうまい手を考えなければなりませんね。それはそうと、例の男があなたの伯父さんから小切手を巻きあげたのは十四日の十二時二十分ごろのことでした。その時刻、あなたはご自分の会社にいらしたんですよね？」

「たぶん——いや、待ってください」ジュリアンはポケットから手帳を取りだした。「十四日と……書きこみがある——『名士録』」彼は微笑した。「妻から社交界について、ちょっとした調べものを頼まれましてね。それで、クラブへ行くことにして、事務所を十二時ごろ出ました。歩きでしたから、向こう——メンドーヴァー街のジュニア・コモンウェルズですが——に着いたのは十分過ぎぐらいだったはずです」

「何かそれを確認する方法はありませんか、公式にですが?」彼はつけ加えた。「あそこは大きなクラブですから、スタッフも会員ひとりひとりのチェックはしていないでしょう――その時間だと人の出入りも多いでしょうし。どなたかと昼食をともにされたんですか?」

「いやいや、軽食堂で立ち食いですよ――仲間と顔をあわせた記憶もありません。図書室へ向かう途中、顔見知りの会員、ひとり、ふたりに会釈しました。向こうが憶えているかどうかは疑わしいものですが」

果たして彼らは憶えていなかった。サートルがクラブに問いあわせて確認できたのは、十四日の正午ごろ、ジュリアン・ファンショーがクラブにいたかどうかはっきり証言できる者は、会員スタッフを問わず、ひとりもいないということだけだった。

サートルは続いてルビントンでも聞き込みを行なった。徹底した捜査にもかかわらず、収穫はゼロだった。アーネスト・ファンショーを訪ねてみると、ほとんど積極的と言ってもいいほどの協力が得られた。こうして、彼はふたたび同じくらい丁重にジュリアンを警視庁に招いた。ジュリアンが席について煙草を受けとると、サートルはどの方面の捜査もまるで進展がなかったと報告し、そこで言葉を切って相手の出方を見た。

「ぼくにとってはまずい結果ですね」ジュリアンは姿勢を正した。「率直に訊きます、警部。あなたもヘップルトン夫人のように、その〝生き写し男〟を冗談で演じたのはこのぼくだと考えていらっしゃるんでしょう?」

「冗談だったとは思いません」

ジュリアンはけげんそうな顔をした。サートルは続けた。

「このあなたの〝生き写し男〟――お望みなら、双子の弟と言い換えてもかまいませんが――のやり口を考えてみてください。ブレインリーのレストランでの一件は、周到な準備の上でなされたものにちがいありません。同じことはヘッブルトン夫人とテニスクラブの会員名簿についても、四十三ポンドの小切手をめぐるあの悪ふざけについても言えます。半分頭のおかしな、何をするかわからない人物を作りだそうとしている」サートルは言葉を切った。

「そういう人物であれば、たとえば、あなたの伯父さんを殺して――あなたが五万ポンド受けとれるようにするおそれもないとは言えない」

ジュリアンはくわえていた煙草を離して、それに視線を落とした。

「ちょっと待ってください、警部。あなたはその男が実在するとは信じておられない。だのに〝彼〟がぼくの伯父を殺すかもしれないとおっしゃる。それはつまり、このぼくが殺すかもしれないという意味――」

「そう受けとってくださってけっこうです。警告しておきますが、もしそんな夢物語を描いておいでなら、捨て去ることをお勧めします」

ジュリアンはひとしきり大声で笑った。

「こいつは傑作だ！　ぼくはアーネスト伯父を片づけて、その罪を現実にはいもしない男に引っかぶせるって寸法ですか」

「そのとおりです。極力、犯罪を未然に防ぐのもわれわれの仕事のうちなんです」

「その点、あなたは充分に務めを果たしていらっしゃいますよ」ジュリアンはため息をついた。「かりにそんな計画――あなたがいみじくも言われた、夢物語――があったとしても、見事に出鼻をくじいてくださいましたからね」

彼は立ちあがり、ドアのほうへ向かった。

「警察は今回のごたごたについて力を尽くしてくださった。まあ、あなたはぼくの狂言だと信じておいでだけれど。ぼくは〝公序を乱した〟罪で告発されるんですか――たしかそう言うんでしたよね？」

「われわれとしては、いますぐ告発に踏み切るつもりはありません」

「おありにならない？」ジュリアンは微笑した。「いやあ、それは不思議だなあ！」

それから二週間はなんの進展もなかった。エルサはもはや生き写し男についてニュースがあったかどうか、毎晩たずねるのをやめてしまった。当たり前の日常がもどってきた。小切手事件から十五日後、ジュリアンは明日――火曜日――の午後、マンチェスターへ出かけるつもりだと告げた。新たに重要な顧客が開拓できそうなので、向こうで一泊して、水曜日の晩、いつもと同じ時間に帰宅するという。

火曜日の午後なかば、エルサは玄関の鍵が開けられる音を聞いて、玄関ホールへとんでいった。

「ジュリアン！　マンチェスターへ行ったんじゃなかったの？」

「当てがはずれた！　事務所を出がけに電話が来てね。ミス・ハケットには早引けしてもらうことになってたんで、どっちにしても仕事は早めに切りあげたんだ」

「スーツケースはどうしたの？」エルサの口調は冷静そのものだった。

「しまった！　事務所に忘れてきちまった。気にしなくていいよ」

ベンスン夫人は台所でがたがたとにぎやかな音をたてていた。それでも、大きな声なら聞こえそうだ。エルサは夫が自分の心を読んだのを見てとった。怒った顔を向けられたが、たじろがなかった。

「あなたがほんとうにジュリアンだって、わたしにどうしてわかって？」

「さあね。わかりっこないだろうよ、見分ける手段がないんだから。〝ぼくはぼく自身です〟――そう言ったところで、なんの意味がある？　なんにもなりゃしないさ」彼の怒りは自己憐憫に転じていったようだった。「ぼくはひとりの男どころか、何千人もの男の複製でしかない。ぼくの話すことは彼らと変わりがないし、習慣だって、身ぶりだって同じだ。で、みんなそろって似たような台詞を妻につぶやくんだ。そのなかに、たまたま顔かたちがそっくりな者がいたって、珍しくもなんともないじゃないか」自嘲的な笑い声をあげる。「ただ、きみを悩ませているのが顔かたちの問題だとしたら、きっと朝食のときに気づいたはずだよ、けさ、ぼくがひげそりの最中にかすり傷をこしらえたことに。ほら、よく見て――左側の、耳のそばだ――傷あとが見つかったら、めっけもの。ぼくをぼくたらしめる唯一の証拠だからね」

「つまらないことに怒らないでよ、ジュリアン」エルサは自分を恥ずかしく思った。「だって前に一度、あなたについて人違いをしたから」
「ごめんよ。きみの質問が気にさわったんだ。本気で訊いてると思ったんでね。ひょっとして本気だったのかな――いや、答えは聞きたくない。まったく今回のいまいましい〝生き写し男〟の件には、ほとほと気がめいってくるよ。どうだろう、数時間でも頭を切り換えないか？街で素敵な、にぎやかな晩を過ごすんだ。なあ、エルサ、いいだろう！」彼の口調は五年間の単調な日々を吹き飛ばし、彼女は目がくらむ思いだった。

ふたりは最終列車の混雑を避けるために車で出かけた。近所に住むブリッグストック夫妻がブレインリーの店でふたりを見かけ、おたがいに夢中になっているようだと考えた――それは事実だった。

ふたりはミュージカルを見にいき、その後、ナイトクラブへまわった。夫は妻のドレスをほめた。妻は夫の話に熱心に耳を傾け、おもしろかったので声をあげて笑った。彼女は夫の注意を全部自分に引きつけようと努めた。ルビントンに帰ってからも高揚した気分は続いた。ふたりはおたがいを強く意識した。

翌朝は夫のほうが早起きだった。エルサが階下(した)におりたときには、ベンスン夫人によって朝食が供され、玄関ホールには彼のオーバーと帽子が用意されていた――この家政婦はいつもジュリアンに忠実なのだ。玄関ドアのガラス窓を通して日光が細い筋になってさしこみ、オーバーに当たっていた。

エルサはオーバーに目を凝らし――それから、見なかったとでもいうように、わきを通り過ぎた。玄関ホールのテーブルには、いつものとおり《タイムズ》が置かれていた。彼女は引き出しを開けて古びたはさみを取りだし――新聞はジュリアンが事務所へ持っていってしまうので、その前にクロスワードパズルを切り抜くのが彼女の習慣だった――そして、次の瞬間にはオーバーのところにもどっていた。たしかに色合いはよく似ているが、生地が違うと彼女は思った――それは、あの日、ブレインリーのレストランで〝生き写し男〟のオーバーについて感じたのと同じことだった。

「そんなばかな話があるわけないじゃない。光線の加減にきまってるわ」

思いは口にしなかったが、彼女は声を立てて笑った――生地をいじるのをやめたときに、ふたたび笑い声をあげた。そして、あわただしく食堂へはいっていった。

彼女はぺちゃくちゃとおしゃべりを始めた。夫婦の友人のひとりについて、なにげない意見を述べた。彼のもぐもぐと返した言葉は見当はずれで当惑した。玄関ホールのオーバーのことが思いだされてきた。そして、次の瞬間には、頭に血がのぼるのを覚えた。動揺を抑えつけて、椅子を後ろにずらした。昨日と同じ台詞が口をついて出た。

「あなたがほんとうにジュリアンだって、わたしにどうしてわかって?」

ふたりの視線がからみ、彼女はいよいよ狼狽した。

「よくそんな質問ができるね。ぼくらのあいだにあれだけのことがあったというのに――きのうの午後から」

「ごまかすつもりね」ほとんどささやきに近い声になった。「あなたがほんとうにジュリアンなら、結婚式のわたしの付添人の名前を言ってみて――わたしたちがいつも使っていた愛称で」

「試験か」彼は笑い声をあげた。「結婚して五年と二か月になるのに、自分の亭主と、外見がそっくりなよその男との区別をつけるのに合い言葉が必要とはね。そいつはぼくがきのうから言ってることのいい証拠に――」

「どうして答えないの？」

「理由は次のふたつのうちのどちらかだな。その一、ぼくはきみの亭主ではないので、答えを知らない。その二、ぼくはきみの亭主だから、そんな質問に答える必要を認めない。よく考えてみるんだね。そうすれば、ぼくがジュリアン・ファンショーなのか、その双子の弟なのかなんて、これっぽっちも重要じゃないとわかるだろうよ」

彼は立ちあがると、さっさと仕事に出かけていった。

エルサは力なく椅子に沈みこんだ。自分はジュリアンと自分自身の両方をはずかしめてしまったのだろうか？　混んだレストランで、よその男性を、ほんの一瞬、自分の連れ合いと混同するというのは、まあ、ありえないことではない。しかし、昨夜はまるで事情が違う。ほんのかすかでも疑いが兆しそうなものではないか。そう、心理的に不合理だ！　彼女はベンスン夫人がテーブルを片づけにくるまで、その場から動けなかった。

昼前になって、会社に電話すれば、疑問はすべて氷解すると気がついた。だが、言葉は慎重に選ばなくてはならない。秘書というのは、自分の上司に関して、その妻と話をするときにはとても用心深くなるものだから。

彼女はマンチェスター駅を発着する列車を調べた。ロンドンに午後二時四十五分に到着する、食堂車付きの急行があった。ジュリアンはこの列車に乗るにちがいない――かりにマンチェスターへ行ったのなら。

「あの、ミス・ハケット」二時を少しまわったころ、彼女は電話口で言った。「ジュリアンはもうもどりましたか?」この質問なら昼食を気にしていると受けとってもらえるかもしれなかった。

「いいえ、奥さま。ご主人はマンチェスターを正午に発つ急行に乗るつもりだとおっしゃっていました。こちらにおもどりになるのは三時ごろになります。ご自宅にお電話するように申し伝えましょうか?」

「いえ、いいんです。たいしたことじゃないし、どのみち三時には出かけてますから」

心理的不合理なんかもうどうでもいい! あらゆる感情が出尽くしてしまい、彼女は冷めた気持ちでジュリアンにどう話を持ちかけるかという難問に向きあった。

結局、彼女からは何も話さずにすんだ。ジュリアンはいつもの時刻に帰宅した。窓越しには、やつれた様子に見えた。玄関まで迎えに出てみると、唐突に上機嫌でしゃべりだしたが、いかにもそう見せかけているふうだった。

「ただいま! いい一日だったかい? 帰りの列車でたまたまブリッグストックといっしょになってね。ゆうべ、ぼくらをブレインリーの店で見かけたと言っていたよ。テーブルが三つも離れてたから、きみには——いや、ぼくらには——挨拶できなかったそうだ。気晴らしに夫婦で夜の街へくりだしたんだと答えておいた。悪い晩じゃなかったんだろう、えっ？　すぐにもどるから」

彼はスーツケースを抱えて階段を駆けあがっていった。彼女は無言のままだったが、彼は妻がなんの返事もしないことに気づいていなかった。

彼はブリッグストックさんの話から真相を嗅ぎつけたのだ、と彼女は結論した——それでも、思いやりを示そうとしているのだと。だが、そういう態度をとるのは彼らしくなかった。この五年間、どんなささいな親切行為でも大げさに吹聴してきたのだ。それよりおそらくは、その事実が自分の自尊心を傷つけるとわかって、話題にするのを避けたかったのだろう。あえて彼女のほうから話を持ちだすことはないだろうから。

十一月最後の月曜日——小切手事件から六週間後——アーネスト・ファンショーの事務主任はジュリアン・ファンショーらしき声の人物が受付の女性に話しかけているのを耳にした。窓越しに、ジュリアン・ファンショー愛用のスティールグレーのオーバーとつばの広いホンブルグ帽が見えた。脇の下にはさんでいる折りたたまれた新聞は、明らかに《タイムズ》だった。時計が十一時を打っていた。

「おはよう、スウェイツさん。アーネスト伯父に五分ほど時間を割いてもらいたいんだが。それとも、伯父はきみにせっつかれて大忙しなのかな？」

「何をおっしゃいます。あなたの伯父さまは誰にせっつかれるまでもなく仕事に励んでおいでですよ」彼は内線電話で話をした。「ジュリアンさまがおいでになっています……承知しました。どうぞおはいりください、ジュリアンさま」

アーネスト・ファンショーは一連の事件の理屈ゆえに――いまいましいことではあったが――やむなく〝生き写し男〟説を受け入れていた。だが、オフィスのドアが開いたときには生き写し男の件は頭から抜け落ちて、部屋にはいってきた人物を甥だと信じて疑わなかった。また、サートル警部との取り決めも忘れてしまい――それについては、まさにその瞬間、スウェイツが実行に移そうとしていた。

「うーむ、また復帰財産の話をしにきたのではあるまいな?」

「文字どおりとは言えませんがね。復帰財産が背景になってるのは事実です」彼はじゃまがはいるのを予期してでもいるかのように、片目で内廊下に通じるドアをうかがっていた。「じつは千ポンドの個人貸付をお願いしたいんです」

頼みごとの説明が完全に終わらないうちに、事務主任がノックもせずに部屋にはいってきた。彼は雇い主に折りたたんだメモを手渡した。

アーネスト・ファンショーはメモに目を通して、あからさまに驚いた顔をした。客をじっと見つめる。それから事務主任のほうに目を向けた。

「よろしい。進めろ」

事務主任がドアを閉めないうちに、ふたたび折りたたまれたメモはアーネスト・ファンショーの手からもぎ取られた。

「いったい何事です、伯父さん？」彼は伝言を読みあげた。「〝指示どおり電話にて問い合わせ。ミス・ハケットいわく、ジュリアン・ファンショー氏はいま現在、社内におられる由。J・スウェイツ〟思ったとおりだ――伯父さんの顔つきを見ればわかりますよ。すると、スウェイツはいまこの瞬間、警察に電話してるってわけですか？」

「お若いの。きみの去就は、おおかたわたしがあの小切手について何を語るかにかかっておるんだ。きみはジュリアンの双子の弟だ、そうなんだろう？」

「そう思ってます。顔かたちからしても、日時と場所についてのいくつかの事実からしても」

彼は持参した《タイムズ》を開きはじめた。「ここにひとつ記事があるんですが――」

「まあ、座りなさい。さだめし、きみは自分がひどい扱いを受けてきたと感じているのだろうね。そうだったのかもしれないが、わが一族はそんなことはしない。諸般の事情を考慮して、わたしとしては喜んで――」

アーネスト・ファンショーがどこまで博愛精神を発揮する気だったのかは、結局、わからずじまいになった。というのも、その瞬間、話の途中で、うめき声すらあげずに亡くなったからだ。彼を死に至らしめたのは軍用の短剣で、敵の歩哨の息の根をとっさに止める必要があるときに用いられる、奇襲部隊の技が用いられた。

殺人者は掃除用の長手袋をはめ、開いた《タイムズ》紙で衣服が汚れるのを防いでいた。彼は左手で内廊下に通じるドアに鍵をかけた。右手袋の腕まわりには血が飛び散っていた。手袋をくずかごのなかにふり捨てる。そして、オーバーの第二ボタンの近くにも血のしみができているのに気づいて、はっと息を吞んだ。

しみは小さかったが、目についた。明らかに手袋が接触した拍子にできたものだった。彼は室内を見まわし、一冊の業界誌を取りあげた。手袋をした左手で事務所の外の廊下に通じるドアを開けた。ドアを閉じて、後ろ手に錠をおろす。鍵を左手袋にくるんで、オーバーのサイドポケットに突っこんだ。なにげないふうを充分に装って抱えた雑誌が、第二ボタンの近くにあるしみをうまく隠していた。

十一時八分だった。

ほかの殺人者同様、彼は警察が到着する前に殺人現場から立ち去らなければならなかった。彼はこの目的を、待たせていたタクシーに乗りこむことによって達成した。

「ぼくをひろったところまでもどってくれ——憶えてるか？——その角を曲がったところだ」

ほかの殺人者とは異なり、彼は自分の行動に他人（ひと）の注意を引きつけようとした——それからの数分間に限っては。普通、実業家はそんな短い距離を移動するのにタクシーを使ったり、まして、待たせておいたりはしない。タクシー運転手はジュリアン・ファンショーの事務所のあるビルの前に車を停めた。運転手が客をひろったのはここだった。メーターには二シリングとあった。タクシー運転手にさしだされたのは十シリング紙幣だった。

「釣りはとっといてくれ」

タクシー運転手もこれなら憶えているだろう。だが、タクシー運転手のなかには証言台に立つのを回避するすべに長けた者もいる。運が味方して、ちょうどそのとき窓清掃業者の一団がビルにはいろうとしていた。

「きみが監督かな？　ぼくの名はファンショー――上階のドアに名前がはいってる。ぼくの事務所の窓も最後にお願いできないかな」

監督が手渡されたのは一ポンド紙幣だった。五シリングが相場なのに、その四倍。彼も忘れないだろう。

ついている！　そして、さらに幸運が舞いこんできた。階段でひとりの男がおりてくるのに行きあったのだ。男はマーベリーといって四階に事務所を構えており、ジュリアン・ファンショーとは直接面識があった。

「やあ、ファンショーさん！　プリティ・ポリーについてのあなたの予想は当たっていたようですね」

「そう願いますよ。単勝と複勝の両方に賭けていますのでね」

マーベリーはすれ違いながら、目をぱちくりさせた。〝プリティ・ポリー〟というのは競走馬の名前ではなく、このビルのオーナーに対してふたりがつけたあだ名だった。ふたりは建物の改修に関してオーナーと交渉中だったのである。

運は尽きようとしていた。階下の入口ホールでちょっとした騒ぎが起きた。窓清掃業者の声に続いてマーベリーの説明する声――相手が警察官なのは明らかだった。〝プリティ・ポリー〟という言葉が聞きとれた。タクシー運転手も話に割りこんだ。

殺人者は警察がここに到着するまでには、少なくともあと二十分はかかるだろうと踏んでいた。急がなければならなかった。

昔から、犯人が致命的なミスを犯して正体を見破られ、絞首台へと導かれるのは、本人の無意識の癖や、性格的な弱点や、わざとらしいふるまいが原因になる例が多い。同じ原理はむしろん逆にも働く――ときには真犯人をかばい、ときには無実の人を逮捕から救う。ジュリアンの場合も、確たるアリバイを主張できたのは、ただただ風変わりな癖のおかげだった。彼はいつもポケットに切手を貼っていないはがきを忍ばせていて、なんでも――仕事上のことであれ、私事であれ――メモする習慣だった。

殺人事件の当日、ジュリアンはいつもより三十分早く出勤した。ある顧客――破産した家具商から事業を買いとった会社が、二千点にのぼる家具調度を七か月以内にプリマスからロンドンまで運んでもらいたいと言って、普通便の見積もりをやかましく請求してきたのだ。

「このゲイヴリッジの見積もりにはきりきり舞いさせられそうですよ」ミス・ハケットとともに郵便物にざっと目を通しながら、彼は言った。「ゆうべ、家で思いついたことを書きとめて、行きの列車のなかでもさらにメモしました。あなたへの質問もはいってるんですが」五、六枚のはがきをさっと取りだして、トランプのように扇状に広げたが、すぐにしまった。「あれ、ゲイヴリッジのメモのやつ、どこへ行っちまったんだ――？」

「オーバーのポケットではありませんか？　見てまいりましょうか？」

「お願いします」

ジュリアンのオフィスはみすぼらしかった。成功した事業家によくある手だが、わざと顧客の利益のために諸経費はとことんまで切り詰めているふうに見せかけていたのだ。スティールグレーのオーバーとつばの広いホンブルグ帽はやぼったく壁にかけられており、その左右には初期の型のロールトップデスクと、たてに細長い、高さ六フィートほどの耐火式とおぼしい金属製の戸棚が置かれていた。壁は最近塗り替えられていたが、カーペットはほとんどすり切れており、床板の一枚はきしんだ。

ミス・ハケットはオーバーの胸ポケットを手探りすると、はがきをトランプのように扇形に広げて見せた。

「ああ、それです。質問の答えを鉛筆で書きこんでおいてくれませんか？　ぼくのほうでもいつなんどきいいアイデアが浮かぶかもしれないし。何かよほどさし迫った用事があったら、ぼくは地図室にいますから」

地図室はこの会社のいわばエンジンルームだった。壁には掛け図がずらりと並び、いまジュリアンはそのうちのいくつかを細長いテーブルの上に広げていた。部屋のなかには地図用の特製保管庫が数個、耐火式の戸棚が二、三点、椅子が一脚あった。部屋としては、この事務所のなかでいちばん上等な部屋で、内廊下に通じるドアのほか、事務所の外の廊下へ出られるドアも備わっていた。それにくらべるとジュリアンのオフィスはミス・ハケットの詰めている秘書室の単なる付属部屋にすぎず、事務所の外に出られるドアはなかった。

こうしてジュリアンは、秘書室から内廊下――〝受付〟の表示板のついた、のぞき窓があった――に出ると、タイピスト室を通り抜けて地図室へ向かった。自分のオフィスから地図室へ行くときにはいつもこの道筋をたどり、帰りは必ず事務所の外に通じるドアを出て外廊下を利用した。それゆえ、ふたたび内廊下にもどってきたときには、ぐるりと一周することになった。これもまた彼のちょっとした奇癖で、ミス・ハケットはおばのような寛大さで受け止めていた。

三十分ほどで――すなわち、十一時には――ミス・ハケットは参考書を調べて、はがきの質問に答え、空白を埋めていた。彼女ははがきをジュリアンのオフィスへ持っていき、机の上に置いた。そして、机の上では、気づかないまま上にものを載せてしまったり、忘れて帰ってしまったりするかもしれないと思いなおし、ふたたび取りあげてオーバーの胸ポケットにしまった。自分のオフィスにもどったとき、電話が鳴った。

「おはようございます、ミス・ハケット。スウェイツです。アーネスト・ファンショーさまの代理でお電話しています。ジュリアンさまはいま、そちらにおいでになりますか？」

「はい。地図室にいらっしゃいます。電話はおつなぎできません、あの部屋には内線がないものですから。少々お待ちいただければ――」

「どうぞおかまいなく。社長はジュリアンさまがそちらにいらっしゃるかどうか確認したいだけとのことですので。あとでそちらへうかがうつもりなのだと思います。失礼しました」

十一時十分、下級タイピストがミス・ハケットにグラス一杯の牛乳を持ってきた。牛乳は嫌いだったが、主治医の勧めにしたがって飲むようにしていた。彼女は手紙の文面を練りはじめた。ひと文書くごとに、ひと口飲む。牛乳を飲み終えたとき、ふたたびじゃまがはいった。

「万事問題ないですか、ミス・ハケット？」

これは意味のない質問だった。ジュリアンさまはゲイヴリッジの見積もりの件で頭が混乱していらっしゃるのだ、と彼女は思った。息を切らしているようですらあった。

「はがきの件は済ませて、オーバーのポケットにもどしておきました」さらに、つけ加えた。

「伯父さまがきょう、あとでお見えになるそうです」

「きょうは忙しいですからね。折り返し電話して、何かうまく言っといてくれませんか。あしたの朝いちばんに、こちらからうかがうとかなんとか」

彼は奥の自分の部屋にはいり、後ろ手にドアを閉めた。ミス・ハケットはアーネスト・ファンショーに電話したが、話し中だった。次の手紙を半分書き終えたとき、受付に人のはいってくる足音がした。足音は〝受付〟では止まらなかった。彼女の部屋のドアが、中年になりかけた、温厚そうな外見の男性によって開けられた。

「サートル警部と申します。ファンショーさんにお目にかかれますか？」

「お見えになったことを伝えてまいります」ミス・ハケットはジュリアンのオフィスへ向かった。サートルはすぐあとをついていった。部屋のなかに人けはなかった。

「ファンショーさんはこの部屋にいらっしゃるはずだったんですか？」

「はい。数分前、地図室からおもどりになりました。わたしにひと声かけてから、部屋におはいりになったんです。わたしが電話をかけているあいだにまた向こうにおいでになったにちがいありません。ご案内いたします」

彼女はタイピスト室を通って刑事を案内した。地図室のドアが開いても、ジュリアンは顔を上げなかった。長テーブルに横向きに座り、はぎ取り式の便箋を膝の上に載せている。テーブルの上は一面地図でおおわれていて、置き場所がなかったのだ。壁からはずされた地図や表装されていない海図――一海里を六インチで示した精密なもの――が何枚も広げられ、すきま風にはためいていた。

「全行程、沿岸貿易船で行けそうですよ――やあ、警部！」

「おはようございます、ファンショーさん」

ミス・ハケットは引き下がり、ドアを後ろ手に閉めた。

ジュリアンは便箋を一枚はぎ取って、似たようなメモの束にクリップで留めた。

「こちらにおかけください」彼は立ちあがって、椅子を勧めた。

サートルは動こうとしなかった。畏怖にも似た気持ちで相手を見つめていた。そっけなく、役人ぶった態度をとるつもりでいたのに、実際に口を開くと、人間味がにじみでてしまった。

「どうしてわたしの忠告を無視したのです？　まさか実行に移すとは、狂気の沙汰です」

「先日お会いしたとき」ジュリアンはいらだちを抑えつけながら言った。「警部はこうおっしゃったも同然でした――例の〝生き写し男〟はぼくの芝居にすぎないと考えていると。そして、伯父さんを手にかけてはならないと警告された。いまあなたが言わんとしているのは、伯父がほんとうに殺されて――その犯人はこのぼくだ、ということですか？」

「そういう態度をとりたいのでしたら――ええ、どちらの質問も答えはイエスです」

「まさか、そんな！　かわいそうなアーネスト伯父さん！　あなたは生き写し男の存在を信じておられないんだから、ぼくを逮捕しにこられたんですか？」

「まあ、あなたが午前十一時から現在までの行動を説明できるのであれば――そして、わたしの質問に納得のいく答えを返せるのであれば、事情は変わってきますがね」

「ぼくは九時半ごろここに着いて、その後、事務所を離れていません。質問することなんてたいしてないんじゃないですか？」

サートルは肩をすくめた。おなじみの仕事が急にいとわしくなってきた。

「無用な言い争いを避けるために、あなたがどれほど不利な状況にあるのか説明しましょう」

サートルはタクシーの件、スウェイツの件、スウェイツがミス・ハケットに電話した件、さらには窓清掃業者の監督の件、マーベリーと行きあわせた件について物語った。

「マーベリーさんはあなたに話しかけています。ところが、あなたは〝プリティ・ポリー〟について見当違いの返事をした――〝生き写し男〟の存在を真実らしく見せるには、なかなか巧妙な手ですよ。その上、タクシー運転手や窓清掃業者を巻きこんで足跡を残すことによって、そうした印象のさらなる強化を図った。かりにあなたが殺人者だとしたら、自分にもっとも不都合な時間帯の行動の痕跡を残すような愚かなまねはしないでしょうから」

「もちろん、ぼくならそんなことはしませんね」ジュリアンは笑い声をあげた。「で、話はどう続くんです？」

「タクシーを降りてこのビルにはいった男は、いまもこのビルのなかにいます――そして、出られずにいる」

「それがぼくだと?」ジュリアンは手錠をかけろとでもいうように両の手首をさしだした。

「何をためらっているんです?」

「よろしい――長々と続けたいんですな。あなたはどれくらいの時間、その椅子に座っていたんです、ミス・ハケットの案内でわたしがここへ現われるまで?」

「ぼくはこの部屋に十時半ごろ来てから、一度も出ていません」

「ミス・ハケットのお話では、あなたはわたしが来る数分前、秘書室で彼女に話しかけたそうですが――」

「そんなことはしていない」ジュリアンは声を荒らげた。「でも、ミス・ハケットが言うんだから、嘘ではありえない。彼女はぼくがその後、この部屋にもどったと言っているんですか?」

「彼女の話では、あなたは秘書室の奥の部屋へはいっていったそうです――そのままそこにいるものと思っていたようです」

「で、彼女は奥の部屋を見にいった?」

「もちろんです。わたしがつき添いました。部屋のなかは無人でした」

「耐火式の戸棚のなかは確認しましたか?　人がひとり隠れられるほどの大きさですが」

サートルはさっとドアのほうをふり返ったが、足を踏みだすのは思いとどまった。

「あの戸棚のなかに人はいない。あなたはミス・ハケットに話しかけたのは〝生き写し男〟だとほのめかそうとしているんだ」

「なんのために？　あなたを納得させたいから？」

「わたしのことなど頭にない――陪審員向けのお膳立てをしているだけだ」ジュリアンが答えないでいると、サートルは続けた。「このビルの本格的な捜索を開始するのは各事務所の従業員が帰宅してからになる。だから、あなたが時間稼ぎをしていられるのも、せいぜい今夜の七時ごろまでだ」

サートルは事務所の外廊下に通じるドアを使って地図室を出ると、そこで待機した。やがて、ボイス部長刑事が報告に現われた。

「四階建てで半地下の部屋があります。事務所は全部で六つ。みなさん協力的で、全部調べ終わりました。半地下の部屋からは四方を囲まれた庭に出られますが、管理人の居室を通り抜けなければなりません。ですから、出口は正面玄関だけです。窓清掃業者は、きょうはほぼ一日じゅうここにいるそうです。人の出入りに注意してくれと頼んでおきました」

殺人の凶報はいまではジュリアンの事務所の従業員の耳にも達していた。サートルはミス・ハケットにお悔やみを述べる必要を感じた。その後、彼女は普段の事務的な態度にもどって、理想的な証人であることを示した。彼女のような職にある人のご多分に漏れず、彼女は時間に細かかった。ゲイヴリッジの見積もりのせいで、日常業務に多少の影響が出ていたと説明した。

「そろそろ十時半というとき、ファンショーさまは地図室へ向かわれました。十一時には、わたしはあのかたのメモの件を済ませていました。渡されたはがきに答えを記入し終えて」ミス・ハケットは〝はがき〟のひと言に笑顔を浮かべた。「奥のオフィスへ持っていきました。それから、スウェイツさんから電話があって――たしか十一時を一分かそこらまわったところでした――ジュリアンさまが事務所にいらっしゃるかどうか訊かれました。そのあと、下級タイピストが牛乳をグラスに入れて持ってきました――本来、十一時ちょうどに持ってくる決まりなんですが、十分近く遅れていました。牛乳を飲み終えたちょうどそのとき、ファンショーさまが地図室からもどっていらして、わたしに声をかけたあと、オフィスにはいっていかれました」

サートルは〝生き写し男〟の件は持ちださないことに決めた。

「それは何時ごろです？」

「たしか――十一時十二分から十五分ごろですね」

その時刻はマーベリーや窓清掃業者の監督から得られた情報とほぼ一致する、とサートルは思った。

「ひとつ確認させてください。十時半から十一時十五分までのあいだ、ファンショー氏が地図室にいたかどうか――その時間帯を通じて、ですが――あなたは正確にはご存じないんですね？　そこにいたはずだと推測していらっしゃるだけですね？」

「そこまで厳密を期するのでしたら――マーベリーさまのところへ数分間、出かけられた可能性はあるかもしれません。おふたりはこのビルのオーナーと交渉中ですので。でも、まずありえないことですわ、いまは寸暇もございませんから。いずれにせよ、このビルを出ていらっしゃらないことはわかっています――」

「どうしてですか?」

「十月にはいってからは、オーバーをお召しにならずに外出なさることはけっしてないんです」ふたたび寛大な笑みを浮かべる。「そして、あのかたのオーバーは壁にかかったままでした、いまのように」

彼女は立ちあがって奥の部屋に通じるドアを開けていた。サートルは彼女のあとを追い、スティールグレーのオーバーをじっと見つめた。オーバーの上には、つばの広いホンブルグ帽もかけてあった。

「かけるのはいつもあそこなんでしょう? この部屋にはいるたびに注意して見るわけではないのではありませんか?」

「おっしゃるとおりです」ミス・ハケットは同意した。「でも、今回は違います」彼女は例のはがきを最初、机の上に置いたと打ち明けた。「それから、ポケットのほうが安心だと思いなおしまして。それで、そこへ入れておいたんです」彼女は片手をオーバーの胸ポケットにさし入れた。「ほら、ここにありますわ」

これは決定的だった。スウェイツの証言によれば、殺人者はグレーのオーバーを着て、つばの広いホンブルグ帽をかぶっていたという。そして、タクシー運転手とマーベリーと窓清掃業者の監督も同じ話をしていた。

サートルは警察に奉職して初めて、事実が自説の脅威となるので、そこから目を背けようとしている自分に気づいた。ミス・ハケットが嘘をついている――みずから共犯者になろうとしている――と考えるのは、およそばかげた話だ。しかし、彼女の証言を信じるのなら、スウェイツを初めとする人々に目撃された殺人者はジュリアン・ファンショーではありえない――要するに〝生き写し男〟は実在し、アーネスト・ファンショーはその男に殺害されたのだ。

あとひとつ残された可能性として、見かけがそっくりなべつのオーバーと帽子が利用されたことも考えられなくはない。その場合、ファンショーはその品々をこのビルのどこかに隠したはずだ。

彼はミス・ハケットから渡されたはがきをじっと見つめた。心の動揺が収まってくるのを感じながらメモに目を通し、はがきをミス・ハケットに返した。ミス・ハケットはそれをオーバーのポケットにもどした。

部屋を出る前に、サートルはオーバーを掛け金からはずして裏も表もよく調べ、ふたたびもとにもどした。ホンブルグ帽も同様に調べて、びん革に所有者を示すしるしが何もついていないことを心に留めた。続いて、彼の視線は窓のそばに置かれた、背の高い金属製の戸棚に止まった。

「あの戸棚には何がはいっているんですか？」

「火事で失ってはいけない特別な書類を入れることになっていますが、この三か月間は利用しておりません。なかをご覧になりたいのでしたら、ファンショーさまから鍵を借りてまいります――へんね、鍵がかかっていません。それどころか扉もちゃんと閉じていませんわ！」

扉が開くと、空っぽの内部があらわになった。かりに〝双子第二号〟が実在するのなら――

むろん、実在はしない、とサートルは結論していたが――この戸棚にはその男が隠れられるほどの大きさが充分にある。同じことは地図室に置かれている似たような戸棚についても言えた。

ジュリアンの日常業務と最近の行動を説明するのに、ミス・ハケットは日誌を参照した。

「なるほど、ファンショー氏は五日にマンチェスターへ出かけて、向こうに一泊した、と。商用ですかね？」

「特定のお客さまにお会いになるつもりだったのかどうかは存じません。新たな市場を開拓するとか、漠然としたことを考えていらっしゃったのかも。子細はうかがっておりません」

彼はミス・ハケットに心から感謝の意を述べて地図室にもどった。よく似たオーバーと帽子を探すつもりだった。

「ちょっと見てまわってもいいですか？　とりわけ、そこの戸棚を調べたいんです」

「かまいませんよ」ジュリアンは顔も上げずに答えた。「鍵はかけてありませんから」

最初の戸棚のなかには深い金属製の引き出しがあるばかりで、そのうちの三つは空(から)で、残りのふたつには会計簿がはいっていた。ふたつめの戸棚には棚をはめこむための溝が刻まれていたが、棚はすべてはずされていた。ここならオーバーを――それを言うなら、人でも――隠せるが、なかは空っぽだった。ファイルキャビネットの引き出しは帽子をしまうのにすら小さすぎた――地図がとり散らかっている長テーブルの引き出しも同様だった。

階下におりると、入口ホールにボイス部長刑事がいた。出入口はふたりの警官が固めている。サートルはボイスに声をかけた。

「グレーのオーバーとつばの広いホンブルグ帽――このふたつを着用した人物、あるいは、所持した人物がこのビルを出ていかないように注意してくれ。そのふたつの品物のいずれか、あるいは両方を充分収められるほどの大きさの、このビルを出ていく鞄や手荷物についても検査を頼む」

サートルはビルを出ると、角を曲がって故アーネスト・ファンショーの事務所へ向かい、捜査の指揮をとっている所轄署の警部、ラウズから詳細な報告を受けた。

彼は殺人者が持ちこんで犯行に使用した《タイムズ》紙を見せられた。ラウズは新聞をめくり、小さな広告がたくさん掲載されているページ――しみはついていなかった――を広げた。ひとつの段の真ん中当たりが、二インチ四方ほどぞんざいに切りとられていた。

「こいつはご覧になりたいのではないかと思いまして――これほど明々白々とした手がかりはわたし自身、初めてですよ」ラウズは含み笑いをした。「縁が見事なまでにぎざぎざ。切り抜かれた部分が見つかれば完全に一致するでしょうから、決定的な証拠になりますよ」

「まあね」サートルはにっこり笑った。「たまにはそういうこともあるさ。それで、切り抜かれた広告はなんだったんだ？」

「いかにもありがちなものでした」ラウズは新たに取り寄せた同じ版の新聞を取りだすと、声に出して読みはじめた。「〝遺産、復帰財産、生き別れの親族、家系調査、身元確認手続等、書簡にて相談予約承り。ロンドン中央東部二区、ティンブリー一五、ガーディアン探偵社〟こいつはたどってみるべき線だと思いまして、探偵社に電話して、この広告を見て問いあわせてきた人のリストを送ってくれるよう頼んでおきました」
「ほかはどうだ？」
「まるでだめですね。手袋はどこのチェーンストアでも買える量産品です。コマンドナイフにしたって、陸軍から記念品として何千本もこっそり持ちだされていますし。きれいさっぱりしたもんですよ」

午後の早い時間、サートル警部はジュリアン・ファンショーの事務所にもどった。彼はあいかわらず〝双子第二号〟は実在しないと信じていた。ふたりが連れだっているところを自分の目で確認すれば話はべつだが、そうでなければ見解を変えるつもりはなかった。

入口ホールで警備についている警官は、異状はないと報告した。ジュリアン・ファンショーは昼食時にも事務所にとどまっていた。上階の廊下でボイス部長刑事と行きあった。彼はほかのスタッフが食事に出かけたあいだ留守を預かっていた下級タイピストから話を聞いていた。

その若い女性の話から判明したことだが、彼女は地図室にいるファンショー氏のところへ昼食のお盆を運んでいた。彼女がふたたびファンショー氏の姿を目にしたのは、彼がタイピスト室を通って自分のオフィスにもどったときのことだった。彼は金属製の引き出しを抱えており、見たところ、引き出しには書類がたくさんはいっていた。大きな引き出しだったので、彼女はドアをいくつも開けてやったという。それ以外に判明したのは、ほとんどの時間、窓清掃業者が作業に当たっていたことだけだった。

事務所にはいると、ミス・ハケットからファンショー夫人が電話連絡を受けて駆けつけ、夫とともに地図室で待機していると聞かされた。

「奥さまにお目にかかりたいですね――あの奥の部屋で――できれば、夫君は抜きで」

サートルはジュリアンのオフィスでエルサから話を聞き、彼女が自分たちの家庭生活について率直に答えるさまに好印象を受けた。

「それでは、この三か月間、あなたのご家庭にはとくに変わったことはなかったんですね？」

エルサが同意すると、彼はたずねた。「今月五日の晩、ご主人は家を留守になさいましたか？」

まずまず美しい口元が急にゆがんだ。答えが返ってくるまでに長い時間がかかった。

「はい」まるで自分が不利になる自白を強要されたかのような、こわばった小声だった。「でも、わたしがあたふたする理由なんかないんだわ――警察官を前にして」彼女は気をとりなおした。「わたしの信じるかぎりでは、夫はあの晩、マンチェスターにいました。ただ、近所の人は――はっきり申しますと、ブリッグストックご夫妻ですが――あの晩、夫がブレインリーの店でわたしと食事しているのを見かけたとおっしゃると思います。ブリッグストックご夫妻――でなければ誰かほかの人たち――が、午前一時ごろ、わたしたちが車で帰宅したのを見ているかもしれません。でも、じつは――〝わたしの信じるかぎりでは〟と、くり返したほうがいいと思いますけど――じつは、わたしを連れだして――いっしょに家に帰ってきたのは――

夫ではなく、あの殺人者だったんです」

サートルはうれしくなった。おやおや、このつつましい奥さんは〝双子第二号〟説をこの自分に売りこむつもりか？　それとも、本気でそう信じているのだろうか？

「いやはや、あなたはその男とずっと行動をともにされたんでしょう？　それなのに、自分の夫ではないと気づいたのは、一夜明けてからだったとおっしゃるんですか？」

彼女は赤面したが、なお、真実を語っているという印象を与えた。

「女がそんな間違いをするなんて、ありえないと警部さんはお考えなんですね。わたしもそう思いましたし――いまだってそういう思いは消えません。ばかげて聞こえるのはわかっています――でも、お願いです、わたしの立場になって考えてみてください。ジュリアン――というか、そのそっくりさん――は午後のなかばに家に現われました。出張は取りやめになったというんです」

「ちょっと待った。双子の件についてはいろいろと話を聞いていらしたでしょうに、怪しいと思われなかったんですか？」

「妙な話なんですけど、たしかに怪しく思いました。実際〝あなたがほんとうにジュリアンだって、わたしにどうしてわかって？〟と訊きました。彼の返事は忘れました――そんな質問をしたことすら忘れてしまいました。街で過ごしたひとときがそれほど楽しかったんです」

サートルは彼女の話に嘘はないと確信するに至った。姪を相手にしているかのようににっこり微笑みかけて励まし、その晩の出来事を帰宅するところまでくわしく物語らせた。彼女はさらに、翌日の午後二時、ミス・ハケットに電話したことも明かした。

「そしてその晩、ご主人は帰宅して、昨夜はマンチェスターに一泊した、とあなたに話したんですね？」

「それが違うんです！　ジュリアンが話題にしたのは、〝わたしたち〟の街でのひとときについてでした。でも、わたしには彼が芝居をしているのがわかりました。帰りの列車のなかでブリッグストックさんに会って、レストランで〝わたしたち〟を見かけたと聞かされたんです。それで事情を察して、わたしの体面を傷つけまいとしたんです」

いまいましい話だ、とサートルは思った。かりにジュリアンがマンチェスター行きの話にこだわっていれば、その主張は簡単に崩せたのだが。

「ひとつはっきりさせてください。あなたは火曜日の午後、彼が家に現われたときに疑いを持った。彼に説きつけられて、いったんはその疑いを捨てた。しかし、あなたの心にはふたたび疑念が兆したにちがいありません。そうでなければミス・ハケットには電話なさらなかったでしょう」

「おっしゃるとおりです。次の朝、朝食のとき、わたし、うろたえてしまいました。夫にしか答えられない質問をして、彼を試してみました。彼は言い抜けようとしました。返事をせがむと、ひどく腹を立てて、さっさと出かけてしまいました」

「どうしてうろたえることになったんですか？」

「彼のオーバーです。階下(した)におりてきたとき、玄関ホールに置いてありました。日が当たっていました。それで、ほんの少し違って見えると思ったんです――ブレインリーの店で〝生き写し男〟が着ていたオーバーみたいだと。でも、そのときだって確信はありませんでした」彼女の視線がホンブルグ帽と重ねて壁にかけられているオーバーのほうに向けられた。「警部さんもよくご覧になれば、生地の違いが――」

彼女は急に言葉を切って、壁にかかるオーバーを見つめた。目が恐怖に大きく見開かれた。

「あれはあのオーバーだわ」ささやくような声で言う。「殺人者のオーバーだわ」

「心配するには及びませんよ。おそらくあなたの見間違いでしょうが、すぐに確かめます。どうか手を触れないでください」エルサから目を離さないまま、彼は部屋をつなぐドアを開けた。「ミス・ハケット！　恐縮ですがファンショー氏をここへ呼んでくれませんか？　で、あなたもこちらに来てください。それと、誰かにボイス部長刑事を呼びにやらせてくれると助かります」

エルサは机についたままだった。回転椅子にもたれて、目を閉じている。気を失っているのかもしれないと思い、サートルは彼女の手首に触れた。彼女が目を開けたとき、ジュリアンが部屋にはいってきた。黙って待つうちに、ミス・ハケットがボイス部長刑事ともども入室した。サートルはジュリアンのほうを向いた。

「ファンショーさん、けさ、ミス・ハケットはあなたのはがきにメモを書き入れました。そのはがきを見せてもらえませんか？」

「いいですとも」ジュリアンは机のほうへ向かった。

「オーバーの胸ポケットにしまいましたが」彼がどうやら忘れたらしいのを見て、ミス・ハケットが不服そうに言った。

「だったら、まだそこにあるはずだ」ジュリアンはオーバーの胸ポケットのなかを探った。手を抜きだしたときには何も持っていなかった。彼は生地に触れ、指でいじり、ためつすがめつして見た。

「これはぼくのオーバーじゃない！」

「よろしい。そこから下がってください」

オーバーの左側のわきポケットがふくらんでいた。サートルが引っぱりだしたのは、腕まわりの長い掃除用手袋だった——アーネスト・ファンショー氏の事務所のゴミ箱のなかで見つかった、血のついた手袋の片割れだ。丸めこまれた手袋のあいだから、鍵がひとつ床に落ちた。サートルはそれをハンカチでくるむようにしてひろいあげた。

「証拠ですか、警部？」ジュリアンはたずねた。

「これは左手袋です。あらゆる点でこれとよく似ている右手袋が、あなたの伯父さんのオフィスで見つかりました。血が付着した状態で」

サートルはオーバーを掛け金からはずしてひっくり返し、第二ボタンのそばにある血のしみを示した。

「帽子もご覧になってください、ファンショーさん」

「ぼくのじゃない！　こいつはびん革にイニシャルがついている。〝J・F〟——さしずめ

〝ジュリアン・ファンショー〟のつもりなんだろう。ぼくの帽子にはイニシャルなんかついていませんよ」

サートルは自分が先刻、その掛け金から取りあげた帽子には、イニシャルがついていなかったのを憶えていた。それに、オーバーのわきポケットには何もはいっていなかったし、血のしみもついていなかった。

「そいつは殺人者のオーバーですよ、絶対に」ボイスが口をはさんだ。

「そうかもしれない。だが、これには何かからくりがある」サートルは言った。「そのふたつはわたしがけさ、この部屋で調べたオーバーと帽子ではない——掛け金にかかっているのを——ミス・ハケットの立ち会いのもとに調べたのとは別物だ」

「からくりがある、だって⁉」ジュリアンが笑い声をあげた。「あなたの目にはすべての証拠にからくりがあるように映るでしょうよ——自分は愚かなまねをしていると認めて、例の双子をぼくの芝居だと非難するのをやめないかぎりはね。警部はべつとして、誰が見たって、やつがここへはいってきて——ぼくのふりをして、ですよ——あのオーバーを置いていったのは明らかじゃないですか」

「怖いわ!」エルサが声をあげた。「何かが後ろから忍び寄って、わたしたちを絞め殺そうとしているのよ。ジュリアン、わたし、サートル警部に、あの晩あなたがマンチェスターにいたことと、わたしと外出したのがあなたに似た別人だったことをお話ししたの」

「なんてことをしてくれたんだ!」ジュリアンは椅子にまたがるようにして、どさりと腰を落とした。「警部、妻は今回の悪夢のような出来事に苦しめられて、まともな判断ができなくなっているんです。ぼくはマンチェスターには行っていない――妻を夜遊びに誘ったのはこのぼくです」

「ミス・ハケット」サートルはエルサの反論を制するように大声をあげた。「何かおっしゃりたいことはありませんか?」

「わたしにお話しできるのは、ファンショーさまは火曜日の午後二時半ごろ、スーツケースを持って事務所をお出になり、同じスーツケースを手に、水曜日の三時ごろおもどりになったということだけです」

「それじゃ、ぼくがマンチェスターへ行ったことの証明にはならない。事務所を出たあと、気が変わって、スーツケースを駅の手荷物一時預かり所に預けたとも考えられる。ぼくがとった行動はまさにそれでした。双子が現われてエルサに言い寄りやしないかと心配になったんですよ」

サートルはエルサにちらりと目をやった――彼女は夫の言葉を信じているように見えた。

「では、水曜日、朝食のあと、午後三時ごろまではどちらにいらしたんです?」

「ロンドンの街をさまよっていました、えらく憂鬱な気分でね。妻には自分とよその男の区別がつかない――この双子事件全体にひどく気がふさいだんです。誰か知りあいに会ったかどうか訊いてください。誰にも会いませんでしたよ。何ひとつ証明できない。もっとも、そんな必要はないんだろうけどね」

エルサには夫の自嘲が救いを求める叫びに聞こえた。

「わたしなら、あなたがわたしといっしょだったことを証明するのに助けになれるわ――それが事実ならね。警部さんにはあの晩のことを全部お話ししたの。あなたはただそれをくり返せばいいのよ」

「そんなことで助けになるとは思えないけど」ジュリアンはつぶやいた。「でも、まあ、こんな具合です。ぼくらはブレインリーの店で食事をしました。ブリッグストック夫妻がぼくらを見ています」

「それで、そのあとは?」しきりと夫の返事を促すところを見ると、どうやらエルサはこれまでの見解を変えて、自分と行動をともにしたのはジュリアンだったと信じる気になったらしい――玄関ホールのオーバーの件を含め、疑わしい点は多々あるにしても。

「そのあと、ぼくらはショーを見にいきましたが、内容はよく憶えていません。これといっていい出来でもなかったし――例によってカーテンコールを待たずに外に出ようとする人が多くて、難儀しました。最終列車に乗り遅れないようにしなきゃなりませんでしたから」

最終列車とは! エルサの口から低いうめき声が漏れた。劇場を出たあとナイトクラブへ行ったことすら、ジュリアンは知らないのだ――最終列車の時刻をとうに過ぎて車で帰宅したことは言うに及ばず。

誰にもひと言も発さないまま、彼女は部屋を出た――事務所も出ていった。ジュリアンは申しわけ程度に彼女のあとを追おうとしてやめた。ほかの人のことは無視して、一心に考えこんでいた。

「ほかに何も用がないのでしたら、地図室にもどりたいのですがね、警部」彼はぼんやりしたまま言った。「このごたごたのせいで、いよいよ仕事が遅れているんですよ」

五時を過ぎると、あちこちの事務所で従業員が帰りはじめた。六時半には、ビルに残っているのはジュリアン──依然として地図室で見積書と格闘していた──だけになった。サートルはノックをせずに部屋にはいった。

「われわれもう少しで引きあげます」彼は告げた。「この建物には人が隠れられるほどの大きさの場所はそう多くはありませんから」

「見つかるとは思えませんがね」ジュリアンは気のない返事をした。「やつがあのオーバーをぼくの部屋に置いていったのは、たぶん昼休みのあいだでしょうから」

サートルはわれ知らず長テーブルを見つめていた。テーブルの上は最初見たときと同じように、あいかわらず掛け図でいっぱいだった。どうしてこんなに多くの地図を壁からはずして、テーブル一面にごちゃごちゃと広げなければならないのか？

「昼休みのあいだ──そうとも！」サートルは言った。「しかし、オーバーを置いていったのはあなた本人だ。けさ、あなたは伯父さんの事務所からこの部屋にもどってきて、オーバーと帽子をテーブルの地図の下に隠した。そして昼休みのあいだに、大きな金属製の引き出しに入れて運びだしたんでしょう。上に書類を載せて、女性社員の目に触れないようにして」

「あなたは自分から強迫観念にとり憑かれようとしているみたいですね、警部。妻も交えて事情聴取を行なったあと、つまらない自説はいいかげん捨てたと思ったんだが――オーバーやら、血のしみやら、なんだかんだと証拠も出たし」

「それから、マンチェスター行きの件」サートルは急に大声を出した。「あなたはあの晩、マンチェスターにいたんですか?」

「いいえ」

「それはそうだ! あなたがマンチェスターにはいなかったと――正直に――話すのは、われわれには確認が可能だと知っているからだ。ところが、奥さんに対しては、口ではマンチェスターには行かなかったと言いながらも、それが嘘だと彼女が思いこむような態度をとっている。自宅では、あなたを試そうとした質問をはぐらかして、疑惑をかきたてた。そしてきょうの午後には、わざとしくじってみせた――ナイトクラブ〈ミニョン〉へ行ったことと、自家用車を使ったことを言い漏らして。結果として、彼女はいまでは自分を連れだしたのは双子の弟だったと断言する気になっている」

「要するに、ぼくの言うことなすことすべてがいかさまだっていうんでしょう?――いかさまだって証拠は何ひとつないのに。だから、強迫観念だって言うんですよ。お願いですから、部下の部長刑事と話しあってみてください。彼はこう答えるでしょうよ――このビルを徹底捜索するのはまったくの時間の無駄だ。ぼくの双子の弟はオーバーをすり替えたあと、おおかた窓清掃業者に変装してこのビルを出たんだろうってね」

サートルはぽかんとした顔をした。窓清掃業者の存在をすっかり忘れていたのだ。ジュリアンは続けた。

「あなたの部下が窓清掃業者に特別な注意を払ったとは思えない。強迫観念にとり憑かれたあなたの命令のもと、ぼくにばかり注目していたでしょうからね」

強迫観念！　胸の内で、サートルはその言葉にたじろぐのを認めないわけにはいかなかった。たしかに今回の事件では初期の段階からひとつの仮説を立てていた。とはいえ、なんらの仮説も立てずに錯綜した事実をひとつにつなぎあわせるのはまず無理だろう。

「かりに彼が窓清掃業者に扮したのなら、掛け金にかけてあったあなたのオーバーと帽子はどうしたんです？」

「どこかに隠したにきまってるじゃないですか。この事務所のなかから見つかるのはまず間違いないでしょう。それで思いだしましたけど、ぼくの部屋の床板が一枚ゆるんでます――机と平行してる、奥の壁に近いところですが。もう長いあいだ、そのままになっているんですよ」

五分ほどして、ジュリアンは自分のオフィスに招じ入れられた。サートルとボイスが見守るなか、鑑識課員のひとりがゆるんだ床板を持ちあげた。

「何か見えますか、ファンショーさん？」

「見たところ、ぼくのオーバーと帽子のようですね」

サートルはかがみこんだ。床板とコンクリートの床とのあいだのすき間はわずか三インチほどだった――オーバーはコンクリートの床の上に広げられており、帽子はぺしゃんこになっていた。サートルはオーバーをそろそろと引っぱりだして掲げた。

「これはあなたのオーバーですか？」

「そのようです。ポケットのなかにミス・ハケットの入れたはがきがあるかどうか見てください」

サートルははがきを引っぱりだして、前に見たのと同じものだと認めた。オーバーを椅子の上に置いて、帽子を取りあげた。

「ぼくの推理が当たっていたとわかってうれしいですよ」ジュリアンは明るい口調で言った。

ボイスと鑑識課員は部屋を出ていった。

「その帽子とオーバーはもらっていっていいですか？　なんの証拠にもならないんだし」

サートルは残りのポケットも探ってみたが、どれも空っぽだったので、オーバーを返した。

ジュリアンは引き出しから服ブラシを取りだしてブラッシングをした。それから、オーバーをはおり、帽子をかぶった。

「ほかに用がないんでしたら、ぼくはもう帰ります」

「お引き留めする理由はありません」

「殺人者はまんまと逃げおおせたってことですか？」

ふたりの視線があった。サートルには目の前の男に無実の可能性があるとは考えられなかった。彼の目に映るのは、ただふてぶてしいだけの男――虚勢を張って、自分が危地にあるのを楽しんでいるふりを装っている男にすぎなかった。

「ことによると、首尾よく逃げおおせたと思っているかもしれません」

「忘れちゃならないことですが、やつはぼくの弟だと判明するかもしれないんですよね。それでも、あなたが捕まえてくれるのを期待してます。でも、たとえ捕まえられなかったとしても、彼が存在しない証明にはならない。つまり——ある人物が存在しないことをどうやったら証明できます？　よく考えてみてください。では、ごきげんよう！」

　検死審問で証拠事実が述べられたあと、警察の要請が認められて審理は延期が決まった。葬儀の二日後、ジュリアン・ファンショーは約五万ポンドの復帰財産の受益者として、伯父の死亡証明書を提出した。ガーディアン探偵社は《タイムズ》に載せた広告に対して三十四件の問い合わせを受け、警察はその全件を確認したが収穫はなかった。

「どうやら迷宮入りになりそうだな、サートル」総監補は言った——これ以上新たな証拠が出てくる見込みはないという意味だった。「この〝双子第二号〟事件だが、わたしとしては判断を保留したい。きみ同様、むろん、わたしも一卵性双生児についての俗説は眉唾だと思っている。だが、全部が全部でたらめというわけでもあるまい。とにかく、書類を公訴局に送って様子を見よう」

　公訴局長官は書類を送り返してきた——だが、モーソンという名のひとりの聡明なスタッフをつき添わせて、その衝撃をやわらげようとした。

「ファンショーを主犯として起訴することはできません。なぜなら、双子の弟——あるいは、生き写しの男——が存在しないことを証明できないからです。同じように、彼を主犯不明の共犯者として起訴するのも不可能です。なぜなら、ふたりが顔をあわせたり、たがいに連絡をとったりしていた証拠はありませんから」

「きみが婉曲に言わんとしているのは」総監補はたずねた。「つまるところ、ファンショーは殺人罪をまぬがれるということか？」

「それがわたしの見方です——誰の意見を引いているのでもありません、はい。ファンショーの立場の強みは妻の証言にあります——よその男を夫だと信じこんで、ひと晩行動をともにしたという部分です」

「しかし、ファンショー本人はそれを否定している」サートルが反論した。

「ファンショーが否定したのは、当局が調べれば、マンチェスターにいなかったことが立証されるからです。しかし公判では、ファンショーは証言台に立たない権利を行使する公算が大きい。その場合、妻の証言が有効とされます。なんらかの方法で妻の証言を論駁しないかぎり——無理なようですが——彼女の証言によって、いわゆる〝双子第二号〟の存在は確定されるでしょう。それはまた、ミス・ハケットの証言による、すでに強力なアリバイをさらに強めることになるでしょう」

モーソンは一礼して部屋を出ていき、あとには意気消沈した警察官がふたり残された。

「ああいう法務官僚の妙な点は、任官して数年もすると法律ばかになってしまうことですね、言ってみれば」

「何か妙案はないか、サートル？」

「およそ妙案とは言いかねますが、今回の事件に妻が加担していないのはまず間違いありません。それどころか自分が利用されていることに気づいてもいない。ですから、そう知らされれば、心穏やかではいられないと思うんです」

彼は昼食後、ルビントンへ出かけ、如才なく近づくにはどうしたらいいか考えようとした。不愉快な仕事だった。彼の見るところ、エルサは頭が空っぽかもしれないが、心根は善良で、もっとまともな伴侶を得てしかるべきだった。

ファンショー邸の正面の庭には、競売による販売を告げる不動産業者の看板が出ていた。

「まあ、サートルさん！」彼女は刑事を旧友でもあるかのように迎えた。「何かいい知らせでもありまして？」

「あいにく。奥さんのほうから何かうかがえるのではないかと期待して、おじゃましたんです」お茶の時間にはまだ早すぎると言って、コーヒーはていねいに断わった。「お引っ越しなさるんですね」

「この町にはもううんざりなんです」彼女は認めた。「あからさまに白い目で見る人がいるっていうんじゃないんですよ。でも、どなたも双子の話を信じてくださらなくて」

「無理からぬ話ですよ」彼は思いやりをこめて言った。「あなただって最初、ブレインリーの店で出くわしたときには信じておられなかった。違いますか？」

「信じてなかったと思います、たしかに。だって、だしぬけに聞かされて、すんなり信じられるような話じゃないじゃありませんか」

「しかし、マンチェスター行きの一件のときには、いわゆる〝双子第二号〟の存在をすっかり信じこんだ?」

「ええまあ。信じないわけにはいかなかったんです。でも、あやふやでした。警部さんのように〝理由がかくかくしかじかだから、結論はこうだ〟というふうにはいきませんでした。自分を納得させたくて、あの晩、わたしを連れだしたのはジュリアンではなかったんだと決めたんです。二、三日してから、なんというか、距離を置いて全体を見なおしてみました。そうしたら、ほかの人を夫と思いこむなんて、とうていありえないことに思えてきて。気持ちが行ったり来たりして定まりませんでした。ばかみたいなんですけど、それが偽りのないところです。それに、いまだからあえて申しあげますけど、わたし、警察はずるをしてると思っていました」

「いやあ、参りましたね。どうずるをしたとおっしゃるんです?」

「本気で〝双子第二号〟を見つける気はないんだと思ったんです。なぜって、地元警察の警視さんと同じように、あなたも彼の存在を信じていらっしゃらなかったから。それで、一日二日して、わたし、私立探偵のところへ相談に行きました」

「そして、大枚ふんだくられたあげく、何ひとつ収穫はなかった?」

「意地の悪い言い方をなさるのね」彼女は微笑した。「請求されたのはたったの三ギニーでしたし、例の病院に問いあわせたあと、調査を続けるのを断わってきました――病院側から間違いが起きることはありえないと信じこまされたみたいで」

そうと聞いて、サートルはふとひらめいた。

「わたしの気持ちなど気になさることはありません。あなたはわれわれに失望なさった。その上、私立探偵にも調査を断わられた。最後の望みをかけて、生き別れた親族の行方探しを売り物にしている探偵社に相談されたのではありませんか？」

「なぜそれをご存じですの⁉」

「イギリスの警察は優秀だと、どなたかからお聞きになったことはありませんか？　探偵社の名前だってわかりますよ。ティンブリーのガーディアンでしょう？」

「たしかそんな名前でした。ただ、結局、問い合わせはしませんでした。手紙を投函する前に、ミス・ハケットから電話でアーネスト伯父の訃報を知らされたので、やめたんです。こうなった以上、例の双子を探し当てるのは警察の仕事のはずだと思いましたから」

「探偵社あての手紙に何をお書きになったのか教えていただけませんか？　新たな観点が見つかるかもしれませんので」

「たいしたことは書いていません――広告に〝書簡にて相談予約承り〟とあったから書いたまでで。そういえば、あの手紙、まだ取ってあったわ」

彼女は書き物机のところへ行った。サートルが息を詰めていると、彼女は引き出しを開けてなかを引っかきまわしたが、そのかいはなかった。次に、彼女はインク吸取器の下を見た。

「ありました。封はしてあるけど、切手が貼られていない――そうそう、切手を切らしていたんだわ」

彼女は封筒を彼に渡した。

〝前略、同封のとおり、本日の《タイムズ》掲載の貴社の広告を拝見しまして――〟

便箋にピンで留めてある広告はぞんざいに切りとられたらしく、縁がぎざぎざだった。

「これは《タイムズ》から切りとったものに相違ありませんね、お手紙にお書きのとおり？」

「新聞は毎朝、ここに配達されます。ジュリアンが事務所に持っていってしまうので、その前に切りとったんです」

サートルの勝利感は憐れみの念ゆえにしぼんだ。まだ不愉快な仕事がわずかばかり残っていた。

「たまたまこれを見せていただけて幸いでした」彼は万年筆を取りだした。「これは何よりもいい証拠になりますよ、あなたが〝双子第二号〟の存在を信じておられ、警察が彼を捜すのに手を貸そうとなさったことの。上司に見せたいと思うんです。お名前をこの切り抜きにサインしてもらえませんか――サインの一部が便箋にもかかるように」

彼女がサインを終えると、彼は紙をそっとふってインクを乾かした――彼女が受けるにちがいない衝撃をやわらげるすべを自分は持ちあわせていないのだ、と胸の内でつぶやきながら。そして、ぺらぺらと別れの言葉を並べたてて家を辞した。

ロンドン警視庁に帰ると、ファンショー氏が訪ねてきて待合室で待っていると知らされ、警部は驚いた。十分後――持ち帰った広告を穴の開いた新聞と照合したあと――ジュリアンがオフィスに招じ入れられた。

「こんにちは、警部！」顔が紅潮し、空元気（からげんき）を出しているようだった。「妻から電話をもらいましてね。あなたが訪ねてきて、新聞の切り抜きに強い関心を示したと聞かされました。ぼくに何かお手伝いできることはありますか？」

「ありますとも」サートルは答えた。「伯父さんが殺された日、あなたはその日の《タイムズ》を持って家を出た。あなたはそれを双子の弟さんに渡しましたか、十一時より前に？」

ジュリアンはため息をついた。しばらく憔悴した顔つきだったが、やがて元気を奮い起こした。

「妻から切り抜きにサインさせられたと聞いて、なりゆきの見当がつきました。おかしな話ですが、急にミス・ハケットが怖くなって――こっそりここへ来て、静かにすべてを終わらせようって気になったんです。供述書にサインしますよ。でも、あなたが勝ったのはほんの偶然ですからね！」

「なにが偶然なものか！」サートルは大声をあげた。「あんたが奥さんを無意識の共犯者に仕立てなかったら――あの晩マンチェスターにいたと思いこませて、あの気の毒な女性を動揺させなかったら――彼女だってあの広告を切り抜こうとは夢にも思わなかったはずだ」

（藤村裕美訳）

短編ミステリの二百年

小森　収

本稿で言及されている短編のうち、**太字（ゴシック体）**のものは本書および『短編ミステリの二百年1』収録短編、右上に「*」がついたものは編者のおすすめ短編である。

（編集部）

第一章　雑誌の時代に（承前）

5　都会小説に寄り道——ジョン・オハラ、バッド・シュールバーグ

リング・ラードナーやデイモン・ラニアンは、常盤新平、太田博（各務三郎）が編集長時代のミステリマガジンが、積極的に掲載しました。その際に、肩書きとしてつけられることが多かったのが〈都会小説〉という言葉です。それは、しっかり定着した言葉ではなくて、ラニアンやラードナー、それに常盤新平お気に入りのアーウィン・ショウといった作家を、ミステリマガジンで紹介する——つまり、ミステリではないけれど、という意味合いで——ときに、重宝だったものと思われます。また、常盤新平の早川書房時代の代表的な仕事として名高い『ニューヨーカー短篇集』（全三巻）は、「都会人のための都会小説集」という惹句が使われていました。ニューヨーカーを中心とした雑誌に、都会（ニューヨーク）を舞台にして、その街やそこに住む人を描くことに重点をおいた作家の小説を、かなり雑駁（ざっぱく）にではあるけれど、ひと括りにした言葉です。

作家の小説という言葉遣いをしたのは、おもに都会のことを書いた作家が、田舎やリゾート地を舞台に書く場合もあるからです。そもそも、舞台や中身よりも、小説の書き方やセンスを重視した区分でした。都会小説として紹介された作家の中で、日本でもっとも広く受け入れられたのは、アーウィン・ショウということになるでしょう。「夏服を着た女たち」は、とりわけ有名で、これを書名にした短編集は何度も刊行されましたから、読んでいる人も多いはずです。

アーウィン・ショウが常盤新平を虜にしたように、田中小実昌を魅了したのがジョン・オハラの*「親友（パル）・ジョーイ」です。シカゴに流れてきた歌手のジョーイが、ニューヨークの旧友テッドに書く手紙という形式の連作短編です。いい加減でだらしのない都落ちした芸人が、売れていったかつての仲間に、毎回一通の手紙を書く。私はミステリマガジンに載ったものを断片的に読んでいたのですが、今回まとめて読んでみると、むしろ、一連の書簡から成る短かい長編小説のように思いました。邦訳書の『親友（パル）・ジョーイ』の目次でも、全体の半分を占める「親友・ジョーイ」という作品として、他のひとつひとつの短編と同格のあつかい。十四通の手紙が全体としてひとつの小説ということです。この短編集『親友・ジョーイ』は、日本でのオリジナル編集だと思いますが、田中小実昌の好みなのでしょう、力の抜けた小品が多くて、「テンアイクかパーシングか？ パーシングかテンアイクか？」のユーモアや、ヘミングウェイ「殺人者」の殺し屋を強盗に変えて、くだけた一人称にしたような「あんなの見たことがない」といった作品が、目をひきます。いずれも、当時のアメリカ人の素描という意味で、都会小説の一典型と言えるかもしれません。けれど、一方でオハラには、『ニューヨーカー短篇集』

の第一巻に収められた*「河を渡って木立をぬけて」という佳編もあって、こちらに如何なく発揮されている緊密で真面目な悲劇性も、持ち合わせた作家なのです。

　バッド・シュールバーグの名は、いまでは通じる人が少なくなっているでしょう。映画「波止場」の脚本家といっても、通じるとは思えません。すでに半世紀以上前の映画ですし、第一、私も「波止場」を観ていません。シュールバーグは実在の人物をモデルにすることが多く、内幕ものの作家と見られることもありました。『何がサミイを走らせるのか?』（20世紀フォックスのプロデューサー、ダリル・F・ザナックがモデルだそうです）のあとがきで、訳者の小泉喜美子が単なる暴露ものではないと、しつこく言っているのも、そのためでしょう。

　シュールバーグは、ボクシング界を題材にしたもの（「見はてぬ夢」「トニー・コラッチの誇り」）、映画界を題材にしたもの（「脚光」「〈シロ〉のテーブル」）が、ミステリマガジンにいくつか訳されていますし、そもそも初登場にしてからが「波止場の殺人」で、映画（のための取材）の副産物と、解説のクイーンも認めています。それぞれに読ませはしますが、どれも、その世界の内部に通じた面白さと通俗小説の魅力の域を出るものではありません。

　シュールバーグがただ者でないことを示した邦訳作品は、ショートショートの*「人生の資格」と、好短編**「挑戦」**のふたつでしょう。前者は、原題が*A Short Digest of a Long Novel*。私が初めて読んだミステリマガジンのショートショート特集中のひとつだったものですが、十三歳の私には、何が書いてあるのやら、さっぱり分からず、長じて、当時の編集長だった太田博こと各務三郎に、そうグチをこぼしたら笑われたものです（拙著『はじめて話すけど…』を参照ください）。そのときも、シュールバーグがユダヤ人だとさえ読めていないわけですから、しょうがないですね。今回三度目を読んでみて、徐々に分かってきている手ごたえはあるのですが、しかし、まだしっくりこないところがある。「挑戦」は、まず浅倉久志訳だったというのが驚きで、シュールバーグを訳したのはこれだけではないでしょうか。破天荒なヒロインに魅かれて、夜の沖へ泳いでいくサスペンスが、中学生のころと同様、六十歳を過ぎた私にも、たまらなく魅力的でした。もっとも、ヒロインの行動を、死への願望とまとめてしまっているのが余分だというのが、三十数年ぶりに再読して考えたことでした。

6　ニューヨーカーの果たした役割

本書第一巻のジョン・コリアのところで書きましたが、『ニューヨーカー短篇集』に収録されたコリアの作品は「雨の土曜日*」「死者の悪口を言うな*」のふたつで、どちらも間然するところのないクライムストーリイでした。シャーリイ・ジャクスンの「くじ*」も、このアンソロジーに収録されていますし、収録はされていませんが、ダールの「女主人*」も、ニューヨーカーに発表されたものでした。そうした例を見るだけでも、この雑誌が、短編ミステリの発達に一定の役割を果たしたことは、誰も否定できないでしょう。では、『ニューヨーカー短篇集』

から、いくつか読んでみることにしましょう。

ロバート・M・コーツの短編は、あまり取り上げている人を見ませんし、ミステリとして読まれているとも思えませんが、『ニューヨーカー短篇集』の中に、クライムストーリイがいくつか収録されていて、目をやっておくのもいいでしょう。

「網」は、結婚生活の破綻した男が、それでも妻に未練を持ち、しつこく会いに行きます。妻の態度はつれなくて、愛情が冷めていることがはっきり分かる。それでも、男は妻の部屋に入ろうとし、拒絶され、叫び声をあげられたことから、殺してしまう。その顚末を描いただけの話です。妻の一族で唯一彼に好意的だったらしいフランクのことを思い出し、頼ろうとするというディテイルに、閃きを感じますが、平凡といえば平凡な話です。「怒り」は少女を誘拐しようとした男が、失敗し、追われて高架鉄道に轢かれるまでを描いています。どちらも、犯罪者の心理を行為に即して描いていくところが共通していて、スリックマガジンの短編作家が、犯罪をあつかうとこうなるという見本とも言えます。コリアに比べると、結末に意外性がないと感じる人もいるかもしれません。私には、その点よりも、コリアが犯罪の顚末を通して犯人像を描いたのに対して、コーツは行為する人の心理を直接に描こうとしていることに、差を感じます。俗に人間を描くというとき、人がイメージするのは、このコーツの行き方であって、それを犯罪に適用した（ことは悪くありませんが）だけと言えるのではないでしょうか。

コーツにはごく初期の日本語版ＥＱＭＭに訳された「道ゆき」という短編があります。これもニューヨーカーに書かれたものですが、公金横領を企んだ男が、犯行以前に念入りに準備をして計画した犯行後の人生が、アイロニカルに崩れていく話でした。こちらは小説に描いている期間が長いせいもあって、よりストーリイ性の高いものになっています。だからこそ、初期の日本語版ＥＱＭＭに載ったのでしょう。私の読んだ範囲では、コーツはゆったりとしたストーリイ性のあるものの方が、うまくいっているように思います。「ある田舎の冬」は、その好例です。ただし、現代のミステリ読みにアピールしそうなのは「ウェスタリーを過ぎて」*という奇妙な話の方かもしれません。

主人公はセールスマンです。定期的に行く出張先からの帰り、自動車を運転していて、時間が大幅に遅れ、しかも帰途のある部分の記憶が欠落していることに気づきます。次の機会に、何があったかを思い出しながら運転してみますが、うまく思い出せない。しばらく車を走らせるうち、思いついて、道を変えてみると、ある町並みの記憶が甦る。その町並みは、なかなか見つかりませんが、この道を来た感覚はある。さらに進んでいくと、記憶はないのに、かつて通った感覚はあったり、問題の町並みを見つけると、それによって、また新たな感覚が呼び覚まされる。こうして、主人公は引きずり込まれるようにして、海辺の別荘地にたどり着きます。そこでは、通りすがりの女や、酒場の男が、彼を見覚えているかのような態度をとります。

小説は主人公を（ということは読者も）宙吊りにしたまま終わりますが、本書ののちの巻で触れることになるジョン・チーヴァーの「泳ぐ人」*とも、また風味の異なる、記憶の欠落をモチーフにした奇妙な作品になっていました。『ニューヨーカー短篇集』に収められたコーツの短編は、矢野浩三郎訳ですが、これだけが伊藤典夫訳です。邦訳の初出がミステリマガジンという事情もありますが、氏が見つけてきた短編なのかもしれません。

コーツには翻訳された長編がひとつあり、しかも、早川のポケット・ミステリに入っています。『狂った殺意』という一九四八年の作品で、邦訳が出たのが六二年です。ヘイクラフトとクイーンの名作表に入っていたというのが、お墨付きになっていて、解説（のタイトルからして「『名作表』の中の一篇」）でも、それで翻訳したかのような書き方をしています。アントニー・バウチャーの強力な推薦で、クイーンが名作表に加えたそうです。同じ四八年の作品で選ばれているものは、ジョセフィン・テイ『フランチャイズ事件』、ウィリアム・フォークナー『墓場への闖入者』、スタンリイ・エリン『断崖』となっています。

『狂った殺意』そのものは、冗漫なクライムストーリイで、私は買うことができません。しかし、この作品をめぐっては書いておきたいことがあります。

坪内祐三の『古本的』第二部「ミステリは嫌いだが古本は好きだからミステリも読んでみた」の最初が「ポケミス686番を探す」という文章で、この686番というのが、『狂った殺意』なのです。この第二部はジャーロに連載されたもので、連載していたのは私も知っていて、読んでいたつもりなのですが、この第一回は読み落としていたらしく、『古本的』が出たのちに、この文章の存在を知りました。

坪内祐三がここで書いていることは、しごくまともで、おそらく、他のジャーロの執筆者の誰が書くよりも、正しく『狂った殺意』を把握していると思います。私とは評価は違うけれど、そんなことは、あまり関係がない。私が問題にしたいのは、その坪内祐三でさえ「面白かった。

ただし、ミステリとして読んだら、この作品、つまらなかっただろう」と書いてしまう、そのことです。

　このとき、坪内祐三が書いた「ミステリ」という言葉は、執筆当時の二〇〇〇年の日本の状況（現状とそんなに変わっていないでしょう）をイメージしているのかもしれません。他の場所では「いくらエラリー・クイーンの名作表に入っていたとはいえ、こんなごりごりの純文学をポケミスに加えるなんて、当時のミステリの範疇はとてもアヴァンギャルドだったわけである」と書いています。確かに、ここは「だった」と過去形で、それは正しく、しかも、ご本人がミステリ嫌いと断っているわけですから、他人ごと他所ごとのような書き方なのも、当然のことでしょう。けれど、ミステリがおしゃれな時期は確実にあったのです。そして、そこではミステリとして読むなどという愚昧な行為は行われていなかったのです。まず、読む。その上で、ミステリとして評価する、あるいは、ミステリではない小説として評価するということです。読んだ上で、これはミステリだろうかと考えることは、むろん、あるのです。さらに当然ながら、考えるまでもないという場合が大半ではあります。

　いわゆる文学作品をミステリに含めるか否かという問題や、ミステリは文学ないしは純文学たりうるかという議論は、さらにそれ以前からありました。ただし、そういう議論がものの役に立った形跡はあまりありません。

　私に関していえば、少なくとも、ミステリか小説かという対立項でものを考えることは、どうにも非論理的で不毛と感じています。ミステリは小説の一部であり、小説として成立していないものがミステリとして成立しないのはもちろん、ミステリであることを必要としている小説が、ミステリとして失敗していれば、それは小説としても失敗していると考えます。もっとも、これが少数意見であることは承知していますし、そのことを、あまり強く主張する気もありません。ただし、常々感じるのは、ミステリか小説かと考える人の小説観は、妙に狭苦しいことが多いということです。まあ、ミステリを小説に入れないのだから、狭くて当然ですが。

『狂った殺意』に話を戻すと、坪内祐三は「実存主義文学として（中略）味読した」と書いていますが、同時に「『嘔吐』や『異邦人』に比べてしまったら、かなり分は悪いけれど」とも書いています。私が分からないのはそこで、『嘔吐』や『異邦人』と比べてかなり分の悪い実存主義文学に、どれほどの魅力があるのだろうということです。それに、実存主義者たちが評価したのは、ロバート・M・コーツよりも、たとえばホレス・マッコイだったというのは、事実でもあり、またそうなるのは当然なことのように、私には思えます。ついでに書いておきます。コーツはミステリかもしれない作品も書いた作家ですが、マッコイはミステリ作家です。また、坪内祐三は別のところで、ホレス・マッコイの『彼らは廃馬を撃つ』を文学の側から正当に評価しています。ただし、『彼らは廃馬を撃つ』をミステリとして評価する場合「いかに、ナチュラルにその『動機』を描けていけるかに、ミステリ作家としての力量がかかっている」と書いていて、そこにだけ成功がかかっていると考えるのは、思考を狭くすると私は考えます。もっとも、では、ミステリの側が『彼らは廃馬を撃つ』やホレス・マッコイをどう評価したかとなると、ことは複雑になって、ここで書くには問題が大きすぎます。

クリストファー・ラ・ファージとオリヴァー・ラ・ファージという、ともに作家である兄弟がいます。それぞれ、『ニューヨーカー短篇集』の第一巻と第三巻に一編ずつが収められています。とくに第一巻に入っている、クリストファーの「プライドの問題」と、オリヴァーの「同窓会悲歌」は、成功した（しつつある）上流階級の一員としての立場があるために、主人公が苦しい立場に追い込まれるという点が、似通っています。前者が中年ないし初老の男で、後者が大学生という違いはありますが。ただ、このふたつを比べただけでも、兄のクリストファーの方が、腕前は上のように思います。けれど、弟のオリヴァーの方には、アイデアストーリイやサスペンスストーリイもあります。

アイデアストーリイなのは、第三巻に収録された「スキッドモア氏の天賦の才」です。スキッドモア氏は四十五歳の建築家。生活のために自分の趣味を押し殺した仕事をしています。ある日、ポケットの中に残った一ドル札を、むしのいい期待半分から、二枚あったんじゃなかったかと擦ってみると、確かに二枚ある。これをきっかけに、あらゆるものを倍に出来る能力を、突然、自分が身につけたことを知ります。スキッドモア氏はその能力を試し（間違って冷蔵庫をふたつにしたり、本棚を増やそうとして、蔵書がそっくり二冊ずつになるというギャグあり）、やがて、その先、金(かね)に困ることがないと確信すると、仕事も趣味優先のものに変えてしまう。

SFの黎明期の作品なら、孤独な生活をかこっていた彼は、自分自身をふたりにすることを思いつきます。そして、自分の異様な能力に恐れおののくところかもしれませんが、すんなり受け入れるところが、第一次大戦後、二十世紀も最初の三分の一を過ぎたころの作品です。ただし、自分の能力を慎重に試しながら身につけていくところ、自分を増やすという突飛な試みをする理由を、丁寧に描こうとしているところは、あるいは、若い読者にはまどろっこしいかもしれません。似たような感じは、第二巻に入っているクリストファー・イシャーウッドの「待っている」にもあります。ここがまどろっこしくなるか、手厚くなるかが、実は分かれ道で、作家の巧拙はこういうところに出ると、私は考えます。残念ながら、この小説では成功させそこなっている。主人公が自分を増やそうとした理由を描くところはともかく、彼の能力のメカニズムと彼の失敗を描く段になると、説明的になってしまうのです。この部分がマズいというのは、致命的なことで、アイデアストーリイであることを必要としている小説が、アイデアストーリイとして失敗していれば、それは小説として失敗しているのです。

オリヴァー・ラ・ファージは、ミステリマガジンに載った「傍観者」という作品もあり、これはサスペンス小説です。ある事件（おそらくはギャングによる殺人）の証拠品をたまたま拾った主人公が、それに気づかれて、拉致され、ボスのところに連行されます。こういう話を書いて、主人公が生きるか死ぬかにサスペンスが生じないようでは、どんな言い訳（これはミステリではないとか）も通用しません。本書第一巻のウールリッチのところで取り上げた「選ばれた数字」*と比較してみてください。サスペンスストーリイであることを必要としている小説が、サスペンスストーリイとして失敗していれば、それは小説として失敗しているのです。

派手な事件のわりに手に汗握らない「傍観者」に比べて、お兄さんのクリストファーが書いた「メアリ・マルカイ」*という小品は、敬虔(けいけん)なカトリックの老家政婦の姿をスケッチしただけの短編ですが、彼女が背中の痛みに苦しみながら、雇い主の家政をこなすところ、『女王陛下のユリシーズ号』のヴァレリー艦長顔負けです。小さくはあっても自分の住処となった家を離れることになる無念を、ささやかな救いで洗い流してくれる結末は、こんなに些細なことが、なぜ、一編のドラマになるのか不思議なくらいです。

さらに、初めに名前を出しておいた「**プライドの問題**」が、凡手ではありません。銀行の要職に就き、ある程度休暇が自由にとれるようになっている主人公は、釣りに出かけるのが楽しみですが、その川の共有者の組合が指定しているらしい禁漁区域が、年々、広がっていくのを、さ苦々しく思っています。今年も、友人と日程を組んだところ、奥さんが予定を入れていた、さる名家のパーティの日を失念し、その日に釣りに行くことにしてしまう。パーティを断ろうにも、奥さんが許してくれないので、釣りは早めに切り上げて、夜はパーティという強行スケジュールです。当日、友人とふたり私有の禁漁区に入って釣りをした主人公は、見つかって召喚状を渡されます。このままでは、いくばくかの罰金です。しかも、夜のパーティのホストは、その組合の有力者なのでした。主人公はホストに「折り入ってお願い」をします。

差しさわりがないよう書いたつもり(だから、お願いというのは、あれではありません)ですが、主人公の意図がからまわりする苦さとおかしさは、見事としか言いようがありません。突飛かもしれませんが、菊池寛(この人も短編が巧い)の「忠直卿行状記」を連想しました。「メアリ・マルカイ」と「**プライドの問題**」は、ともに甲乙つけがたい佳品ですが、本書では

「プライドの問題」を採っておくことにします。

『ニューヨーカー短篇集』第一巻のアルバート・マルツ「ある街角の事件*」は不気味な迫力があります。これも小品で、ふたりの警官が酔っぱらいを見つけたというだけの話なのですが、警官は人ごみに取り巻かれる。この緊張感は、日本人には測りかねるものがあります。「カトリック教徒のアイルランド人がおまわりの制服を着れば、そいつはただのおまわりになる」なんて台詞が出てくる。「ただのおまわり」には、原文がイタリックなのか、アマダレで傍点までついています。第二巻に入っているアーウィン・ショウ「ブレーメン号の水夫*」は、船乗り同士の暴力沙汰と復讐という、これまた単純な話ですが、ナチと共産党の代理戦争の様相を呈していました。どちらも、アメリカ社会の一面を不穏な状況を描くうちに浮かび上がらせます。こうした短編の背後には、当然ながら、当時のアメリカ社会が厳然と聳(そび)えていた行き方が、戦後のスタンリイ・エリンやデイヴィッド・イーリイを用意したと見ることも可能かもしれません。

ニューヨーカーが地歩を固めた一九二〇年代から三〇年代にかけては、世界的にも左翼思想の広まった時代でした。直接的には第一次大戦末のロシア革命の成功が大きいのですが、その波は資本主義の牙城であるアメリカにも及んでいました。いや、資本主義の牙城であればこそという方が、いいのかもしれません。なにしろ、日々、資本主義むき出しの資本家に雇用され、対決を余儀なくされていますからね。おまけに共産主義を恐れながら、ファシズムと天秤にかけることで、妥協の道を歩んでいく。そもそも、当時の共産主義へのシンパシーは、いまでは考えられないくらい強いものです。欧米の知識層がソヴィエト・ロシアに幻滅し始めるのは、スペイン内戦からで、それは短編小説の隆盛と同時代の内戦でした。第一巻のドロシイ・パーカー「共和軍兵士」を読んでください。あるいはアーウィン・ショウの「アメリカ思想の主潮」*です。後者に出てくる、ラジオの連続ドラマの脚本家で、おそらくは並より良い収入を得ている主人公は、しかし、追いまくられるような生活の上に、銀行からは超過引き出しを通告されています。十中八九積ん読に終わるであろう『アメリカ思想の主潮』に二十ドル、スペインに百ドル（カンパなんでしょうね。それを「スペイン、百ドル。ああ、神さま」としか書かないところが、シックな短編のシックたる所以でしょうか）と支出を数え上げていく主人公の、あせりと疲労と後ろめたさ（自分は行動していない）は、三十年経って再読しないと、私には分からないことでありました。予告がてらに書いておくと、スペイン内戦の挫折と幻滅とが極まったところに咲いたパズルストーリイの名花が、トマス・フラナガンのテナント少佐シリーズです。

そうした不穏さ、加えて、戦争へと進んでいく不安といったものが、これら荒々しい小説群の背後には感じられてなりません。あるいは、黒人問題なら、第一巻のふたつの作品、アンジェリカ・ギブズ「試験」*の、あからさまな軽蔑と、ドロシイ・パーカー「黒と白の配合」*の、腫れ物に触るかのような態度の滑稽（こっけい）さを両端にした振れ幅があって、なおかつ、その外に暴力的な差別が存在していました。また、そうしたアメリカ社会でのし上がっていく、恐るべき子どもを描いたのが、第三巻のジェローム・ワイドマン「医者の息子」*でした。

このような、アメリカ社会をヴィヴィッドに反映した短編小説が、クライムストーリイとして形をとった最高の例が、第二巻に収録されている、J・D・サリンジャーの「バナナ魚には理想的な日」*(「バナナフィッシュにうってつけの日」「バナナ魚日和」)だと、私は考えていますが、この作品については、本書の第三巻で、たっぷりと時間をかけて読み返すことにしましょう。第二次大戦後の作品ですしね。

一方で、ミステリマガジンのニューヨーカー特集(六九年九月号)のときに訳された、ラッセル・マロニーの「チャーリー」(「チャーリイの奇行を描いた掌編です。」)のような不思議な作品もあります。本書第一巻の序章で、『たいした問題じゃないが』を取り上げて、雑誌における文章の在りようの測りづらさを指摘しておきましたが、エッセイ・雑文の類と小説の境目として、この作品を楽しむのも悪いことではないでしょう。マロニー自身がこの作品についてイギリス人教師流に言えばfamiliar essayであり、ニューヨーカーではcasualと呼ばれているとしています。実話とも創作ともつかないけれどホラ話めいた愉快な文章として、誌面を飾ったであろうことは間違いなく、そうした文章の隣りに、クライムストーリイは掲載されたのでした。

『ニューヨーカー短篇集』が世に出てから約半世紀が経過して、新たなニューヨーカー短篇集が編まれることになりました。若島正を編者に起用して、やはり全三巻。『ベスト・ストーリーズＩ　ぴょんぴょんウサギ球』がその第一巻です。全体が年代順の編成になっているとのことで、この第一巻は一九二五年の創刊から五〇年代まで、実際は、巻頭のラードナーが一九三〇年の作品ですから、三〇年代から五〇年代の作品群を収めたことになります。かつての『ニューヨーカー短篇集』の作品群と、ほぼ、同時期のものと言えます。

　若島正の編集方針によると、短編小説以外の読物も収録することにしたとあって、そのもっとも分かりやすい例は、リリアン・ロスによる「ヘミングウェイの横顔――『さあ、皆さんのご意見はいかがですか?』」でしょう。そもそも、表題作であるリング・ラードナーの作品が、野球についてのエッセイで、小説とは言いがたいし、エドマンド・ウィルソンの「ホームズさん、あれは巨大な犬の足跡でした!」は、同じ筆者の有名な「誰がロジャー・アクロイドを殺そうとかまうものか」の続編です。これは、ウィルソンがシャーロック・ホームズを、コナン・ドイルをどう見ていたかが分かる、ミステリの読者としては、ヘタな小説よりはありがたいセレクションです。しかし、なんといっても、往年のミステリマガジンの読者なら注意がいくにちがいないのは、ロバート・ベンチリーでしょう。訳者が柴田元幸なのは、明らかに、弔い合戦。本来なら浅倉久志以外ではありえなかったはずです。＊「人はなぜ笑うのか」は、長ったらしい副題を添えた、懐かしのユーモアスケッチでした。

　ジョン・コリアも未訳作品の中から「破風荘の怪事件」が採られていますが、これまた「手に汗握る懐かしの連載小説、一話完結」という、ふざけた副題がついていて、コリア流のクライムストーリイとは、また違った味の、良質なユーモアスケッチの一品です。メイドのベッドの脇に落ちていた夫のボタン。この唯一の手がかりをもとに、夫と妻が、可能な推論のかぎりをつくすという一編は、アタマからシッポまでニヤニヤしっぱなしでした。コリアのユーモリストの面が強く出ています。

V・S・プリチェットの「梯子」は、寄宿学校から休暇で戻ると、父親の元秘書が、義母として家に居座っていた娘の話でした。この結婚が短かい期間で破局を迎えることを、冒頭に巧みに伝えてしまうのが見事なところで、新居の改築が遅れていて、吹き抜け同然になった二階へ梯子を上らなければならないというのが、なかなかのアイデアです。これは、そのまま殺人事件にしても、小説になるであろうアイデアですし、そうすればしたで、面白いクライムストーリイになったかもしれません。

E・B・ホワイトの「ウルグアイの世界制覇」*は、ナンセンスなユーモアが楽しいサタイアで、私好みの短編でした。これが一九三三年の作というのは、タイムリーにもほどがあるというか、ヴィヴィッドな反応がすぎるというものですが、この小説と、戦後のジェイムズ・サーバーの「先生のお気に入り」のふたつが、ニューヨーカーのユーモアは背後に屈託をたたえたものであることを、作品で示しています。逆にいうと、メアリー・マッカーシー（『グループ』は面白い小説でした）の「雑草」のように、夫の無理解に悩むヒロインの内面を描く執拗さが、退屈の域に達するかのような小説でさえ、「殺人は離婚より洗練された手口である」と真顔のユーモアに重ねて「ヴィクトリア朝のひとびとは、やっぱり賢かったのだ」と、哄笑を誘うのです。これが、ドロシー・パーカーの「深夜考」になると、さながら、インテリ漫談というか、スタンドアップ・コメディの語りに近くなって、いっそ、芸であることがはっきりしている分、屈託を感じることがありません。

このほか、シャーリイ・ジャクスンの「世界が闇に包まれたとき」やジョン・オハラの「いかにもいかめしく」といった小説は、中流の上といった人たちが平然と持っている残酷さと、それを社会が許容するというか、そういう残酷さの上に社会が成り立っていることを、浮かび上がらせていました。

7 シャーリイ・ジャクスン――ニューヨーカーの生んだ鬼っ子

おもな活躍の場がスリックマガジンであったために、SFやファンタジーといったジャンルの区分けから逸れた印象を与えていたのが、シャーリイ・ジャクスンでした。似たような作家にジャック・フィニイがいます。ジャクスンの場合は、早逝したことも手伝っていて、「くじ」でセンセイショナルな光の当たり方をした一方で、生前の評価は、どこかしら曖昧なところがありました。遺族による眠っていた作品の地道な掘り起こしが、彼女の復権に大きな力となったのは間違いないところで、そもそも、MWA賞の短編賞を獲った「悪の可能性」*が、サタデー・イヴニング・ポストに発表されたのは、彼女の死後のことでした。二十一世紀に入ってシャーリイ・ジャクスン賞が創設され、これは、(短編よりも) 彼女の長編作品の持つ傾向が、より反映されている印象を受けます（正確な判断は、受賞作を読んでいないので保留しますけれど）が、一定の評価を得たことの総仕上げとは言えるでしょう。

一九四八年六月号のニューヨーカーに掲載された「くじ」は、シャーリイ・ジャクスンの名を一躍著名にしましたが、作品そのものは、ジャクスンの短編の中では毛色の変わったものでした。そのことは、おそらくは「くじ」の巻き起こしたセンセイションの結果編まれたであろう短編集『くじ』――異色作家短篇集第三期の最高の短編集――を読めば、簡単に分かります。「くじ」は、アメリカの小さな田舎の村を舞台にした、大人のための残酷童話であり、端正な物語として、ほぼ完璧な出来栄えです。あまりにも有名な短編の上に、分かりにくいところもないので、傑作とだけ言いおいて、あとは触れませんが、この一編が、とんでもない反応を引き起こしたことは触れておかねばなりません。ジャクスン自身が「ある短篇小説伝」と題する文章を書いていて（『こちらへいらっしゃい』に収録されています）、そこには「くじ」という一編に戸惑った人々の反応が、多く紹介されています。この作品の描いた残酷さ野蛮さが、実在するものであると信じる思い込み、ないしは、現実の人々への――おそらくは、それを読まされた（！）自分への――あてこすり以外の何物でもないと判断する思い込みが、そこに紹介された反応からは見てとれます。こうした、ほとんど没論理に近い、しかし強烈な反応は、七十年が経過した現在のネット環境にも、似たものが観察できますし、一九四八年の「くじ」でさえ、必ずしもフィクションとして読まれなかったという点で、雑誌掲載の短編に対する読まれ方には注意を要するという教訓を残してくれています。

さて、では「くじ」の毛色が変わっていたのなら、シャーリイ・ジャクスンの短編の本線とは、どのようなものだったのでしょう。短編集『くじ』の多くの作品は、ニューヨークのような都会か、そこに向かう交通機関を舞台にしています。その点だけでも「くじ」とは大違いです。巻頭の「酔い痴れて」は、パーティでの酔いざましにキッチンへ避難した客が、その家の娘と出会う一場面を切り取った掌編です。こう書いただけでもお分かりかもしれませんが、ニューヨーカーに代表される都会小説なのでした。

「ヴィレッジの住人」のスノビズム（題名のヴィレッジは、もちろん、グリニッジ・ヴィレッジです）へのあてこすりや、「おふくろの味」の都会での近所づきあい（というものが存在したのですね、まだ）における、ある種のあつかましさと、それに逆らえない小心さなど、これほど都会小説という言葉がぴったりくるものも珍しいでしょう。もちろん「魔性の恋人」のように、題名からして、のちのシャーリイ・ジャクスン賞創設をうなずかせる一編もありますが、これとても、結婚相手を待つ女性の姿をこまやかに描くうちに、その描写というか彼女が相手を待つ姿勢そのものが、常軌を逸するまでにエスカレートしていって、魔性の領域に入るといった話で、出だしは若い女性の日常的な話に見えるのです。「どうぞお先に、アルフォンズ殿」は、黒人差別に敏感な良心的な白人の戸惑いという、それこそ『ニューヨーカー短篇集』にいくつも見られる話のジャクスン版（子ども同士のつきあいに母親がからむのが、いかにも）ですし、マイノリティに対する戸惑いという点では「アイルランドにきて踊れ」*も同様です。「伝統ある立派な会社」*は、戦地（対日戦争です）で息子同士が知り合ったふたつの家庭の出会いが、徐々に、エスタブリッシュメント社会を浮かび上がらせる様を、短かい一景に描いて秀逸でした。どれも皮肉な社会観察に裏打ちされた視点で、見事に切り取られた一瞬を描いて、サキのアメリカ版と呼びたくなる作品群です。

そんな作品の中で、私がもっとも推奨するのが「曖昧の七つの型」*です。ある書店で、おそらくは棚ざらしになるであろうエンプスン――なんて、誰も知らないでしょう？　若島正さんあたりならいざ知らず、私も知りませんでした――の本を、くり返し手にとる青年は、明らかに読書家です。そこへ読書とは縁のない男が、金が出来たからディケンズでも読みたいと、あつらえた書棚を埋めるための全集本を買いに来る。店主にかわって青年は店を案内し、男にふさわしいであろう作家のリストを作ってやります。短かい場面の簡潔な描写で、対照的なふたりを描き、無慈悲な結末がやって来る。本を読むことのないであろう人間という、小説の書き手と読み手が、共犯関係を結んで弾きだしてしまえる人間を描いてほろ苦い。レイ・ブラッドベリの秀作「山のあなたに」*を、私は思い出しました。

シャーリイ・ジャクスンには未発表の草稿がたくさんあり、遺族が見つけては活字化しています。創元推理文庫から出た『なんでもない一日』は、その集大成をもとに作られた短編集です。その序文は「思い出せること」と題して、彼女が十六歳のとき、推理小説を書こうとしたことが、ユーモラスに語られています。そうした嗜好はあったと見ていいのでしょう。第一短編集に都会小説が多かったのは、それまでの彼女の執筆の場がスリックマガジンであり（そこに、エイジェントが売り込んだということです）、ニューヨーカーに発表された「くじ」を軸にして、それまでの彼女の読者をまず想定した短編集を編んだと推測されます。しかも、サキのアメリカ版と書きましたが。それはミステリに容易に接近しうる作風とも言えました。

たとえば「歯」や「塩の柱」は、ニューロティックなサスペンス小説の一歩手前といった話でした。とくに、後者は、短期滞在しているニューヨークでの生活が、建物のひびから始まって、非常に細かい部分から崩れていっていると、ヒロインが感じていく話です。その崩れていく過程で、ばらばらに切断された死体の一部を発見するというディテイルが描かれています。殺人事件が社会の劣化ないしは疲弊を表すというのは、いまでこそ珍しくありませんが、一九四〇年代のアメリカでその発想を持ちえたということには、驚きを禁じえません。

『くじ』に収められた作品以外で、このころの作品を『なんでもない一日』から拾ってみましょう。「おつらいときには」（若島正編の『ベスト・ストーリーズI』にも採られていて「世界が闇に包まれたとき」という題名になっています）のような苦い話や、「店からのサービス」*のように、それと一言も言わずに、コンゲームを描いてみせる話を、ニューヨーカーに書いています。

これらの小説は、巧妙に書かれ、洒脱で意地悪な小説でした。そして、確かに、これらの小説には、のちの「くじ」を予感させる部分がないとは言えません。けれど、それまでの短編と「くじ」は、やはり決定的に異なっているように思います。では、「くじ」は、ただ一度だけ、シャーリイ・ジャクスンに降りて来た奇跡の一編なのか？　それとも、それを転機に、シャーリイ・ジャクスンは新しいステージに入ったのか？　それを知るためには、当然、後続の作品群に目を向ける必要がありますが、それは、「くじ」以降のジャクスンを読む機会を、のちに設けることにしましょう。

8　警察小説の萌芽――トマス・ウォルシュのコリアーズ時代

トマス・ウォルシュは息の長い作家でした。ただ、私はあまり積極的に興味が持てなくて、たとえば、ジョナサン・ラティマーの『処刑6日前』には手を出しても、ウォルシュの『深夜の張り込み』を読むことはありませんでした。同じころに、創元推理文庫版を書店で、たやすく見つけられていたのにです。それは、一九七〇年代の話ですが、ふたりとも過去の作家というイメージで見ていました。ですから、ウォルシュの「最後のチャンス」が、七八年のMWA賞短編賞受賞作としてEQに掲載されたときには驚きました。〈この人は現役だったんだ〉というのが、率直な感想でした。

ウォルシュは、三〇年代にパルプ作家としてキャリアを開始し、戦後に長編を書き始めました。そこだけ取り出せば、平凡な経歴の作家です。ただし、仔細に見ると、そう大ざっぱには括れません。なぜなら、まず第一に、三〇年代末から四〇年代にかけて、比較的多くの作品がコリアーズに掲載されているのです。もちろん、「しぶとい男」のように、探偵とも犯罪者ともつかないような快男児が、列車の中で高額報酬の殺人を持ちかけられて……という、いかにもパルプマガジン（初出はディテクティヴ・エース）という話も書いています。しかし、初期の日本語版ＥＱＭＭに翻訳された短編は、その大半が、上記の時期にコリアーズに書いたものを、クイーンが発掘してＥＱＭＭに再録したものでした。

たとえば「いつも他人」は、恋人である警察官とスキー旅行にでた女性が、吹雪にあって、宿屋へ難を逃れます。そこには、ニューヨークから帰省しているという、女将の娘がいるのですが、手配中の宝石泥棒の特徴とぴったりなのでした。話の展開は平凡ですが、女将に同情的なヒロインは、犯罪者を見つければ、その瞬間マンハンターの容貌を見せる恋人の二面に、初めて気づきます。そうして、恋人だったはずの男が「他人」のように感じられる。そんなヒロインの心の綾を描いたものでした。

また「婦人警官」は、題名どおり婦人警官が主人公ですが、幼なじみの恋人がいて、高価な自動車に彼女を乗せて、指輪をプレゼントしてくれる。ところが、彼の会社ではつい最近、給料強盗の事件が発生していて、内部に手引きした人間がいるのではと疑われている。ヒロインは上司から、恋人が容疑者のひとりであることを知らされ、彼を見張って、彼の上司の家に乗り込むことになります。あるいは、「いつも助けてくれる人」では、主人公のホテル探偵が、どうも宿賃を踏み倒しそうな気配（その気配の部分が、ちょっとニヤリとさせます）の女客を見つけます。事情を聞くと、職を探しに出て来たものの、すでに他の人にきまっていたうえに、持ち金を盗まれてしまったのでした。主人公のホテル探偵は、彼女に同情的になり、時間稼ぎをしながら、職を探すことをすすめますが、そうするうちに、彼女が、ウールリッチばりの奇怪な事件に巻き込まれていることに気づきます。

こうした例から分かるように、おもに警察官である探偵を主人公にしながらも、その私生活にウェイトを置いて、事件を描くという行き方は、警察小説の先駆（なんせ戦前戦中の作品ですからね）と言えるかもしれませんが、それにしては、事件の部分が、いかにも軽い。〈編集部〉の名前ですから、都筑道夫だと思いますが、一九五七年四月号におけるウォルシュの初紹介のときに「最近英米で流行している警察小説とはぜんぜん異質のもの」と書いています。むろん、ハードボイルドでもなく、むしろ、人情噺という紹介の仕方でした。

そうした特徴は、警察官を主人公にしたものではない、被疑者となった人間をサスペンスストーリイの形で描く作品では、とりわけ顕著になります。「こんどはお前だ」では、かつて強盗事件の濡れ衣を着せられ、無実で服役した主人公が、深夜の殺人事件に遭遇し、翌日かつて彼に濡れ衣を着せた男が、その場を目撃したことをタネに、彼に不法な行為を迫ります。ここまででも分かるように、少々調子のいい話ですが、ウールリッチふうのシチュエーションで、人間関係の綾を強調する作風がうかがえます。「心の恐怖」は、主人公が麻薬中毒です。ギャング（の密告者でも、彼はあるのです）に睨まれる一方で、そのギャングを狙う警官との板ばさみになり、警官のフィアンセからはやさしくされ、更生の手助けさえされますが、ギャングが始末したはずの殺しの証拠を彼女が見つけてしまうことから、事件が急展開します。「心の恐怖」に典型的な、登場人物の関係が作り出す綾や、煙草屋の老夫婦のホールドアップを、犯人、地域を巡回する警官二人組、被害者の老夫婦と三者から描くという「友情」の手法といったものは、原始的なものとはいえ、のちの警察小説の雛型には見えます。こうした作品が、パルプマガジンと同時代に、コリアーズでも読まれていた（そのせいなのか、戦後のウォルシュの長編は、ハードカヴァーで出版され、あるいはサタデー・イヴニング・ポストに連載されたものでした）という事実は押さえておくことにしましょう。

それがミステリなのか否かという観点からすれば、たとえば、『ベスト・ストーリーズI』で、その範囲内にあると言えるのは、コリアとチーヴァー（のちの巻でまとめてあつかいます）くらいのものでしょう。しかし、短編ミステリが黄金時代を迎えるにあたって、その〈影の内閣(シャドウキャビネット)〉の一翼を担った一般のスリックマガジン（実際、のちにMWA賞短編賞の多くが、スリックマガジンから出ています）の、第二次大戦前のレベルを知っておくことは、必要なことだと、私は考えます。にもかかわらず、このころのアメリカで、のちにミステリの大きな流れとなる一群がひしめいていたのは、ニューヨーカーなどのスリックマガジンではありませんでした。スリックマガジンの短編が推し進めていった、ソフィスティケーションとは別の方向を向いた一団がいたのです。偶然なのか必然なのか、両者は、アーネスト・ヘミングウェイという偉大な作家からともに影響を受けていましたが、その道筋も読者も、恐ろしく異なっていました。そのもう一方の道筋、ブラック・マスクに代表されるパルプマガジンのハードボイルドミステリを、次の章では読み返すことにしましょう。

第二章　ダシール・ハメットとブラック・マスクの混沌

1　ダイムノヴェルからパルプマガジンへ

初めにダイムノヴェルがあった。

　こう書きだしたものの、私は、ダイムノヴェルの実物を見たことはおろか、翻訳を読んだことさえありません。資料で把握しようにも、詳しいものを知りません。十九世紀後半から二十世紀初めにかけて、アメリカで流行した安手の小説という、きわめて雑駁な知識を、出所も意識せずに持っていました。孫引きや出典を明らかにしない紹介記事で、覚えたことでしょう。今回、パルプマガジンについて、ある程度まとめて知識を得ようと調べた際に、役に立ったのは、ミステリマガジン一九七四年一月号から翌年一月号にかけて連載された「パルプ・マガジンの時代」でした。これはトニー・グッドストーンのアンソロジーを部分的に訳出したもので、第一回目にグッドストーンの序文とウィリアム・P・マッギヴァーンの短編を載せ、以後、毎月一編ずつジャンルごとに紹介していく感じで十二編を掲載していき、最終回には、おそらくグッドストーンの書いた（グッドストーン編となっていますが）ヒーロー・パルプの記事で締めくくっていました。連載時に、さして評判にならず、単行本にもならなかったようなので、不発に終わった部類の企画でしょう。ただ、一回目に載ったグッドストーンの序文「パルプ・マガジンの時代」は、ダイムノヴェルの隆盛から、パルプマガジンへの変容と興亡を簡潔にまとめています。先に「出所も意識せず」と書きましたが、連載中に私は「パルプ・マガジンの時代」もちゃんと読んでいますからね。案外ここで読んだことを覚えていたのかもしれません。

十九世紀の中ごろ、正統派キリスト教徒が信者に向けて作った冊子に、ダイムノヴェルの起源は求められるようです。「サリー・ウィリアムズ、のちの酔いどれサリーの哀れな生涯。彼女はなぜ父の家を出て、自分の誘惑した士官のあとを追ったのか？　なぜ酒を飲みはじめてついには卑しい売春婦にまでなりさがり、病院で死に、外科医の解剖を受けたのか？　ちびちび飲む酒がいかに致命的な影響を与えるかを、ご覧あれ」という題名（なのです！）は、チャールズ・ボーモントも「血まみれのパルプマガジン」（日本語版ＥＱＭＭ一九六四年五、六、八月号）で引いていました。まあ、載っけたくなりますね。そうした冊子を、小間物と一緒に行商人が売り歩いていたというのです。

ボーモントは「何も知らない大衆を向上させ、教育するふりをして、前代のパルプ作家たちは好んで人生の裏面を取り上げた」と書いています。悪への堕落を戒めるふりをして、悪場所を覗き見たいという好奇心を満足させる。教会関係者の偽善を逆手に取るというわけですが、この点に関しては、そう単純なわけでもありません。（偽）善＝タテマエ、悪＝ホンネと単純に区分するのは、考えものです。亀井俊介の『サーカスが来た！』は、アメリカのポップカルチュアを、日本の学者が論じたはしりでしょうが、そこには「『品よく清潔』は、この国（アメリカのこと・引用者註）では明らかに売れるのだ」という、鋭い一節があります。この本は、一九七〇年代の前半に書かれていて、たいへん示唆に富む一冊です。とりわけ、アメリカの大衆文化においては、娯楽と啓蒙・教育の両面が一体となっているという指摘は重要です。そこに貧しい国アメリカを見ることも可能でしょうが、娯楽にも実利（事実を知るという、現代ではジャーナリズムに求める程度の実利も含めて）が不可分なのです。

脱線しますが、ターザンに比べて「日本の猿人たる猿飛佐助や、鞍馬天狗には、人間としてのリアリティがまるでない。真田幸村や勤王倒幕への奉仕という行動はあるけれども、社会とか文明とかいうものとのかかわり方がほとんど捨象されている」という、亀井俊介の指摘は大切です。そこでは講談にかぎった議論に、一応はなっていますが、日本のミステリも胸に手をあてた方がいい。さらに言えば、社会派ミステリのどこに限界があったかという議論に、丸谷才一の意見（「社会派とは何か」）とともに、重要な視点を与えてくれるからです。

ダイムノヴェル最大のヒーローはバッファロー・ビルでしょう。この実在の人物が、ダイムノヴェルでは誇張のかぎりをつくされ、その虚像を、今度は本人がショーでなぞってみせたことは有名ですが、その背後には、西部の真実を知りたいという読者の欲求があったはずです。このあたり、フィクションをフィクションとして楽しむことに慣れた現代人には、理解しづらいかもしれませんが、小説の黎明期にはそうしたことは当たり前にあって、『ロビンソン・クルーソー』はデッチあげの体験記として書かれました。十九世紀前半に活躍したアレクサンドル・デュマは、このころすでに、史実をもてあそぶことで小説を書いていましたが、それは文化の熟したフランスでのお話です。未開の国アメリカの大衆相手とはわけが違います。そして、事実から神話を創ることは、アメリカのお家芸になっていきます。

パルプマガジンの解説の類を読むと、ダイムノヴェルとパルプマガジンとは、中身において は、ほとんどひとつながりのように書かれています。ニック・カーターのように、メディアは変わっても、のちのちまで残ったヒーローもいました。ふたつの大きな違いは、まず一番に、流通経路(行商と新聞スタンド)が指摘され、次に、パルプマガジンは専門誌化が進んだことがあげられます。パルプマガジンの隆盛は、一九一二年にエドガー・ライス・バローズが出たことが、ひとつのエポックとなったようです。火星シリーズやターザンの作家ですね。そして、おおよそ第一次大戦を境に専門誌化が進みます。ここはパルプマガジンの全貌を見るところではないので、その専門誌化のひとつにミステリがあったと書くにとどめますが、パルプマガジンが花開く一九二〇年代のディテクションの小説は、シャーロック・ホームズ(と、そのライヴァルたち)が、とりあえずのお手本でした。多くはイギリスの小説です。正確には、お手本というより、安易な再生産のための枠組みという方が正しいのかもしれません。ウィリアム・F・ノーランの「あるパルプ雑誌の歴史」(『ブラック・マスクの世界』別巻所収)には、最初期のブラック・マスクに載った、退屈なミステリの実例が引用されています。アメリカには読むべきミステリがないと考えたであろうヴァン・ダインが、ミステリに手を染めるのは、その直後でした。

トニー・グッドストーンの「パルプ・マガジンの時代」に出てくる作品を読むと、まず、その拙さに驚きます。ウィリアム・P・マッギヴァーンの「上海の恐怖」は一九四六年の作品ですが、上海を舞台にした絵に描いたような通俗ハードボイルド――それも書き飛ばしたそれ――です。そもそも原題が *Manchu Terror* ですからね。満州と上海では大違い。いい加減なものです。とても五年後に『殺人のためのバッジ』を書く人とは思えない。過去のお蔵入り作品がなんらかの事情で復活したものでもありえません。戦後の上海の話なのです。これ以外にも、有名どころ(ブラッドベリやハメット、そしてテネシー・ウィリアムズ!)も含めて、なんの曲もない、そのジャンルのパターンをなぞった作品が並んでいました。企画として不発だったのも仕方がありません。

それでも、なにがしか読んで得るところはありました。たとえば、比較的面白かったのがポール・ギャリコのボクシング小説「臆病者マイク」です。才能のある、しかし対照的なふたりの兄弟ボクサーの話は、小説というよりも、無名のボクサーを描いたスポーツノンフィクションのような書きぶりなのです。あるいは〈航空&戦争〉と分類された、ジョージ・ブルースの「撃墜王エイヴァリー」の冒頭は、飛行機マニアの細かい興味を満たすよう書かれているのが一目瞭然です。そうしたことに気づくとき、パルプマガジンは、どこかに実話のしっぽを残したものであることを悟るのです。したがって、そこで描かれる犯罪は実際のものを覗き見るようなものでなければなりません。そして、そのことは、絵空事のファンタジーやSFにも、あてはまるのではないでしょうか。バローズの「ジンバー・ジョウの復活」は古代人の復活という絵空事ですが、偶然、そこに立ち会った当事者の怪奇な体験という枠組みを持っていました。ヒューゴー・ガーンズバックがアメージングストーリイズを創刊するに到ったのは、現実の（あるいは近い未来に現実になる）科学を啓蒙するためでした。

パルプマガジンは俗悪な雑誌であるというレッテルを貼られ、その終焉に到るまでの期間、まともな評価はないようです。ブラック・マスクの名編集者ジョゼフ・T・ショウもパルプという言葉が嫌いだったと、ノーランの文章にはあります。そういう意味では、差別された雑誌群であり、ボーモントの「血まみれのパルプマガジン」は、そんな雑誌に対する、懐古的なラヴレターの趣（おもむき）さえあります。プレイボーイの一九六二年九月号に、シリーズ〈ノスタルジア〉のひとつとして、載ったものだそうですが、この当時、パルプマガジンのファンだったことをおおっぴらにするのに、どれほどの抵抗があったかまでは、私も分かりません。

ボーモントは、パルプマガジンの「大半は良書の部類に入っている」と書きます。ここでの「良書」をまともにとる必要はないでしょうが、扇情的な表紙絵に比べて、多くのパルプマガジンの内容はおとなしかったようです。ただし、それを自主規制と見るべきかどうかは、分からない部分があって、さきほどの亀井俊介の、品よく清潔は売れるという指摘を、もう一度思い出してください。なによりも商売が優先するアメリカにあっては、あらゆる妥協は当然のことです。『サーカスが来た！』の「ハリウッド、ハリウッド」の章では、二〇年代のハリウッドが宗教団体、道徳団体の圧力を受けて、自己規制のために「長老派教会の長老であるウィル・H・ヘイズを、年俸十万ドルの高給で招いて（アメリカ映画製作配給業者協会の・引用者

註）会長とした」とあります。ポップカルチュアは、なによりも大衆の評判で動き、圧力団体の大声はそこに働くのです。

ハメットをブラック・マスクの中心と定めたジョゼフ・T・ショウは、ハードボイルドミステリの作家たちが「登場人物たちにことさら荒々しい行動をさせたり、話しかたをさせたりしたのではなく、そういうふうにするのを許したのである」と「『ブラック・マスク』のスタイル」に書いています（『ブラック・マスクの世界』別巻所収）。ピューリタンが眉をひそめ、見ずにすませている現実のとおりに、登場人物たちがふるまうことを許したということなのでしょう。確かに、それは、アメリカのリアルな犯罪を捉えたものだったかもしれません。しかし、一方で「作品に明快さ、もっともらしさ、真実性を持たせるには、単純さが必要だった。動きの早さもほしかった」と書いています。単純さが必要という考えは、ハメットなどの一部の天才を除けば、複雑なことを描いては読者に訴求しえないことの告白と、私には思えてなりません。事実、トニー・グッドストーンの「パルプ・マガジンの時代」の短編は、ハメットの「一時間」も含めて、単純な話ばかりでした。

亀井俊介は、ターザンの原作のうち、映画において、どこが損なわれていったかを、細かく分析していますが、その過程は、アメリカの大衆が望む神話が成立する過程を見る思いがします。神話は必ずしも現実ではありません。事実ではないから齟齬（そご）が見つかり、それは嘘だと声があがるのです。そのようにしてジャーナリズムは進歩しましたし、ハードボイルドは必ずしも現実ではなかった（だから悪いとは、私は必ずしも思いません）ために、ジェイムズ・エルロイは、それは違うと言い続けることになりました。

では、ブラック・マスクという雑誌は、あるいは、もっと広く、パルプマガジンは、大衆を無視できないという限界に阻まれていたのでしょうか？　その小説群のなにが現実で、なにが神話だったのでしょうか？　パルプマガジンの中から黄金を探り当てることは、同時に、そうした疑問について考えることにもなりそうです。

2　先駆者ハメット

ブラック・マスクは、資金難にあえぐ文芸誌スマート・セットの費用を捻出するために一九二〇年に創刊され、すぐにスマート・セットのオウナーに売却されました。一九一五年に創刊されていたディテクティヴストーリイの成功が、念頭にあったようです。「『探偵、ミステリー、冒険、ロマンス、降霊術の絵入り雑誌』と副題がついていた」（ウィリアム・F・ノーラン）といいますから、ウケるものなら、なんでもやってやろうという意図が、ありありとしています。ハードボイルドミステリは、ブラック・マスクにキャロル・ジョン・デイリーとダシール・ハメットが登場した、一九二二年に始まるというのが定説のようです。世界史の受験参考書ではありませんから、年号に細かい意味を求めても仕方ありませんが、デイリーのレイス・ウィリアムズとハメットのコンティネンタル・オプが初登場した、翌二三年の方が大きな意味を持っていたという考え方もありうるでしょう。

どちらの年号を採用しようとも、大切なのは、その年がヴァン・ダインの『ベンスン殺人事件』に先立ち、F・W・クロフツはすでにミステリを書いていましたが、フレンチ警部は存在せず、アガサ・クリスティもまだ無名だったということです。まして、エラリイ・クイーンもディクスン・カーも世に出る前の話です。すなわち、ハードボイルドミステリはフェアプレイをモットーとするパズルストーリイに対する、なんらかのアンチテーゼとして発生したのではありません。黄金期の謎解きミステリとハードボイルドの発生は同時期なのです（ハヤカワ・ポケット・ミステリのアンソロジー『名探偵登場』では、ハメットのコンティネンタル・オプは第三巻に、クリスティ、セイヤーズ、コール夫妻、バークリーなどと一緒に収められています）。この点をまず押さえておく必要があります。

クロフツやヴァン・ダインがそうであったように、ハメットも病を得たことをきっかけに、文筆の道に入りました。ハメットがピンカートン探偵社の一員だったことは、有名な事実ですが、実話雑誌の匂いを多分に残していたパルプマガジンに、本物の私立探偵だった人間が、私立探偵が主人公の小説を書くというのは、いささかキワモノの気分さえあります。だからといって、ハメットがキワモノを書いたとか、書こうとしたと言っているのではありません。

コンティネンタル・オプは、コンティネンタル探偵社の探偵の意味で、この一人称の主人公の名前は示されていません。ハメットの勤務したピンカートン探偵社は、探偵に組織の一員として没個性であることを求めたようで、名前のない探偵は、その反映であるとされています。

ハメットがブラック・マスクに初登場した翌年の一九二三年十月「放火罪および……」が、コンティネンタル・オプの第一作となります。そして、その後の二年半で二十一編という大量のコンティネンタル・オプものを書きました。ハメット作品全体の約半数は、コンティネンタル・オプの短編だったのです。

一九二六年三月の「うろつくシャム人」(「忍び寄るシャム人」)を最後に、ハメットは一時ブラック・マスクから遠ざかります。原稿料の値上げを断られたためだったようです。しかし、その年の秋に転機が訪れます。ジョゼフ・T・ショウが編集長に就いたのです。ショウはハメットこそブラック・マスクの中心作家となる人材だと考えました。そう考えたのは、それまでに同誌にハメットが書いた短編を読んでのことです。そして、もっと長いものを書かないかと持ちかけます。ハメットの一年ぶりの復帰作は「血の報酬」*の第一部。三か月後に掲載された第二部と合わせて、中編あるいは短かい長編と呼ぶべきものでした。以後、二七年から三〇年にかけて、ハメットはブラック・マスクに立て続けに長編を連載(体裁上は連作短編の形をとることもありました)し、短編の数はめっきり減ります。そして、二七年から二八年にかけて連載された『血の収穫』(『赤い収穫』)は一流の出版社クノップで二九年に単行本化され、『デイン家の呪い』に続き、翌三〇年の『マルタの鷹』が決定打となって、ハメットは一流の作家となりました。ハリウッドに作家として招かれ、経済的にも成功します。ハメットは最後のオプものの短編「死の会社」を三〇年十一月にブラック・マスクに書き、以後、同誌に登場することはありません。『マルタの鷹』で創造したサム・スペイドが短編に登場するのは、その後のことで、掲載されたのは、アメリカンマガジンやコリアーズといったスリックマガジンでした。

コンティネンタル・オプの短編をまとめて読んでみて、改めて驚くのは、そのヴァリエイションの多さです。それは、後年、ハードボイルドないしは私立探偵小説とカテゴライズされる小説とは、少々異なった在り方なのではないかと思わせます。

一作目の「放火罪および……」は、旧知であるらしいサクラメント郡の保安官を、オプが訪れるところから始まります。「また今度も、わしに法律の一つ二つを破らせようというんだろう」という保安官の挨拶は、らしいと言えばらしい。オプは保険会社の依頼で動いているのでしょうが、そこのところははっきり書かれません。説明を排したと言えば言えますし、新人作家だけにうっかり書き落としたとも考えられるところです。事件は、ある屋敷の火事騒ぎで、その家の主人が焼死体となっている。保安官はろくに調べる気もなく、彼の部下の保安官補とともに、オプは関係者の聞き込みを始めます。

初期のコンティネンタル・オプものに共通しているのは、警察・保安官との良好な関係、いや、それ以上に、彼らと共同した活動、あるいは「放火罪および……」のように、あたかも捜査をアウトソーシングされたかのような、オプの動きです。『血の収穫』の原型ということで有名な短編 *Corkscrew* に「新任保安官」という邦訳題名がつけられたのは、開発会社の株主連に雇われたオプが、保安官補という身分を、形式的とはいえ身につけて、無法者の町に乗り込んだからでした。これは、探偵がサム・スペイドになってからもあてはまりますが、警察と対決しながら事件を追う私立探偵の姿を、ハメット作品に見るのは、案外稀なことなのです。こうした探偵たちの活動が、どれほど実際を反映したものであるのか、私には判断がつきません。ただ、こういうことは言えるかもしれません。警察よりも捜査技術に長けた民間会社が、金銭によってトラブルの解決を請け負う。官には資金も能力もない（したがって、オプを直接雇うのも官ではない）。そこには、社会資本の未整備なアメリカの姿が浮き彫りにされている。

そうした性格から、オプの小説は、いまの目で見ると、ハードボイルドよりも警察小説に近いと感じることがあります。狭義のトリックを犯人が弄するところも、初期のハメットの特徴のひとつで、「放火罪および……」のトリックは、かわいらしいものだとしても、次の「つるつるの指」には指紋偽装のトリックが登場します。三作目の*「黒づくめの女」は「身代金」の別題もあるように、金持ちの娘の誘拐事件に派遣されます。犯人の正体はありきたりでしょうが、オプが手がかりとして追及するものが、ちょっと意表をついていて、その上説得力もあるものなので、スマートな捜査の物語になっています。

次の「暗闇の黒帽子」は証券取引の代理人が、共同経営者に高額証券を持ち逃げされたという事件ですが、事件そのものは簡単に解決し、暗闇の地下室での犯人との一対一の対決がクライマックスとなっています。作家もそこに手ごたえを感じているようで、その後の事件の決着を報告する部分は、つけ足しというかおざなりで終わっています。暗闇の室内での対決というのは、ハメットの得意なパターンのひとつで、その最高峰は*「ターク通りの家」でしょう。また、暗闇でなくとも*「フージズ・キッド」のように、ひとつの部屋に呉越同舟でサスペンスを盛り上げることもあります。「フージズ・キッド」は、最後にアクションになだれ込みますが、これが『マルタの鷹』になると、スペイドの事務所で鉢合わせする悪党どもは、派手なアクションはなしに、読者を魅了します。そこから、舞台劇、室内劇を連想するのは、いかにも当然で、ジョン・ヒューストンが映画化に際して、原作の台詞を極力使おうとしたというのも、これまた当然のことでしょう。

その後、ホテルのクロゼットに死体が三つ詰め込まれている「やとわれ探偵」*や、依頼人の家に行くと、待ちぼうけのあげく依頼人の死の報せが入る「十番目の手がかり」、意外性を狙ったであろう「夜の銃声」と、工夫は凝らしているものの、事件から謎の解明に到るという単純なパターンが物足りないことは、作品が示しています。このうちで、やや評価できるのは、事件の解明が、収束というよりも、別の事件を引きずり出して終わる「やとわれ探偵」でしょう。単純なパターンからははずれていて、唖然とする人もいるかもしれませんし、長く探偵をやっていれば、こういう事件にも出会うだろうなと、頬をゆるめた人は、面白く思うかもしれません。どちらにしても、そう何度も使える手ではないでしょう。そうした曲折、試行錯誤を経て、オプものを書き始めて半年（!）の二四年四月に、ハメットは突破口を開きます。「ターク通りの家」です。

「ターク通りの家」は人探しにターク通りにやってきたオプが、一軒一軒家をあたるところから始まります。そして、ある家で老夫婦に招き入れられ、聞き込みを始めると、いきなり拳銃をつきつけられる。老夫婦は見張り役の下っ端で、いかにもギャング然とした銃を持った醜男、怪しい灰色の目をした女、英国訛りで洗練された口調の中国人の三人組が、アジトにしていた家だったのです。オプに拳銃を向けたのは、醜男の先走った行為だったらしく、女と中国人は内心マズいと思っているかもしれない。ふたりの男は、女をはさんで相手を出し抜こうと狙っているし、女は女でふたりを秤にかけながら、共倒れになるのが一番と考えている。いまとなっては、定石どおりの人物配置ですが、そのただ中に、探偵社の社員として放り込まれた主人公が、徒手空拳で一癖も二癖もある連中の企みを逆手にとっていく。そのわずか一時間前後の出来事をてきぱきと描くだけで、サスペンス満点な冒険小説を、ハメットは書いてみせました。騒ぎが決着し、ターク通りの家をオプが出た後の部分は、補足にすぎませんが、この小説の終わり方は、明らかに、次の「銀色の目の女」の構想が、すでにハメットの心の内に宿っていることを示しています。ハメットは彼女を描くことに興味と手ごたえを感じたのでしょう。

「ターク通りの家」は、巻き込まれ型の話なので、オプの事件との関わり方が、そもそも、それまでの作品やその後の多くの作品とは異なります。オプの依頼された事件は、一味の犯罪とは無関係だったというサゲは、意外性を狙ったというよりも、皮肉な効果の方が大きく、その大小も相対的なものです。その部分は、現代の読者が読めば、最初からそう予想しそうな結末です。

「銀色の目の女」は、金持ちの兄を持つ詩人が、恋人が失踪したので探してほしいという依頼から始まりますが、すぐに結婚詐欺師が浮かび上がってくる。ハメットが力を入れているのは、当然ながら、最後の銀色の目の女とオプとの対決です。

以後、コンティネンタル・オプの事件への関わり方には、ヴァリエイションが増えます。「だれがボブ・ティールを殺したか」は、後輩の死がきっかけですし、「フージズ・キッド」は、以前危険人物と教えられたフージズ・キッドを、たまたま街で見かけて尾行を始めます。「**クッフィニャル島の略奪**」（「クッフィニャル島の夜襲」「カウフィグナル島の掠奪」）は、結婚式の護衛先で、武装強盗団に遭遇しました。「新任保安官」に到っては、コークスクルウの町へ乗り込んだものの、依頼内容ははなはだ漠然としたもの、あるいは、あからさまに言えない内容のものでした。

そして、二四年の末には、失踪人探しという、のちに私立探偵小説の代名詞となる依頼で始まる「黄金の蹄鉄」を書きます。この小説は、犯罪そのものは、真相やオチも含めてウールリッチが書きそうな話ですが、その結末を、コンティネンタル・オプは荒っぽくも強引な解決で実現させてしまいました。コンティネンタル・オプを没個性的な社員探偵として、つまり職業人が事件にあたる存在として、その様子を、きびきびとした一人称で描いていたハメットは、このあたりから、事件を解決する探偵としてのみならず、事件に介入する存在として、オプを描き始めたように思えます。その総仕上げが、のちの長編『血の収穫』であることは、言わずもがなでしょう。

ダシール・ハメットは、ミステリ作家の中では、研究が進んでいる部類なので、商業誌デビューがスマート・セット一九二二年十月号の「最後の一矢」と、つきとめられています。ブラック・マスク初登場は同年十二月の「帰路」*です。「帰路」はショートショートといって差し支えない、いたって短かい作品です。最初期の四年間には、オプものの短編以外では、しばしば、こういう短かい作品が見られます。ハメットは掌編があまり巧くないし、短編でも、枚数のあるものや、ある程度起伏のあるプロットのものの方が、出来が良いようです。しかし、この「帰路」に関しては、ほぼ唯一の例外といっていい、ショートショートの秀作だと思います。

痩せたカーキ色のシャツの男が、アジアワニの棲む河に浮かんだ船の上で、ニューヨークから彼を追ってきた探偵と、相対しています。中国とビルマ（いまのミャンマーですね）の国境付近と思われるジャングル。男を見つけるのに、探偵は二年の歳月を費やしたらしい。男は見逃してくれるよう、見返りをちらつかせ、言葉巧みに説得しますが、探偵は寝返りそうにはありません。男はすきを見て、イチかバチか河に飛び込みます。探偵は銃で狙う。河ではアジアワニが男を襲うべく待ち構えている。

気の遠くなるような追跡行の果てに、追う者と追われる者が接した一瞬を、わずか十枚あまりで描き、さらに気の遠くなるような追跡行を暗示して終わる。ショートショートのお手本のような作品です。確かに、まだ説明的な文章が残って――それも肝心なところで――いて、ハードボイルドは文体だという人には、習作と感じられるかもしれません。しかし、これが商業誌デビュー二作目というのは、端倪(たんげい)すべからざる新人というものです。このプロットでひとつの短かい小説が構成できると考えたところに、私は才能を感じます。

翌二三年に入って、「厄介な男」は、旧悪を強請られている上院議員が、かつて貸しを作ったことのある男に、問題の解決を頼むという話です。「帰路」は、きっかけとなった犯罪も、ごく簡単に説明される――これを不要とする考え方もあるでしょう――だけならば、マンハントの二年間も具体性を与えられていません。それに比べれば「厄介な男」は、平凡ではあるけれど、犯罪の顚末を追っていき、よりクライムストーリイに踏み込んでいます。次にブラック・マスクに書いたのが、オプものの第一作「放火罪および……」ですが、この間に、他の雑誌にいくつか書いています。「軽はずみ」は、不仲の夫婦を題材にした皮肉な話で、現在の目で見れば、よくある話で平均点を取ったといったところでしょう。「怪傑白頭巾」はショートショートです。原題は *The Crusader*。邦訳題名はちょっとふざけていますが、シックジョークのような短編なので、一概に悪いとは言えません。そして、もう一編が「休日*」という短編です。

「休日」は、病院にいる主人公のポールが、ひと月の手当八十ドルを一日で散財してしまうまでを淡々と描いた、スケッチふうの作品です。ポールは、サンディエゴに行くと届けて「合衆国第六十四公衆衛生病院」の外出許可を得ますが、実際に行くのは国境を越えたティファナでした。抑制の効いた書き方で、刹那的な行動を描出していくところ、私はヘミングウェイの短編に近しいものを感じました。この短編については、野崎六助（『北米探偵小説論』第3章の2）や片岡義男（「一度だけ読んだハメット」ミステリマガジン九四年七月号）といった人たちの論考があって、論じられることで読まれていく作品と言えるでしょう。

ついでに触れておくと、野崎六助は「オプの関係する少なからぬ事件が、国を喪った異民族との交感にあてられていることを重視しなければならない」としたうえで「大抵は、素材として投げ出されているにすぎず、深められてはいないが、ハメットの物語がもっと偉大になったかもしれない突破口には成りえただろう」と書いています。具体例としてあげられているのは、「クッフィニャル島の夜襲」（**「クッフィニャル島の略奪」**「カウフィグナル島の掠奪」）「死んだ中国女」（「シナ人の死」）「新任保安官」「金の馬蹄」（「黄金の蹄鉄」）です。後続のハードボイルド作家も、その点では「機械的な継承にすぎなかった」という指摘も含めて、的を射た主張だと思います。西海岸にあってさえもなお、南や西へ目が行かず、結局は東向きなことが多いのが、アメリカという国ですが、そこに積極的な関心が向かうのは、ミステリに関して言えば、マーガレット・ミラーの後期作品を待たねばなりません。

さて、ここらで、二三年から二四年にかけて書かれた、コンティネンタル・オプもの以外の作品をながめておきましょう。

「緑色の悪夢」は、ミステリマガジンに掲載されたとき、訳者の稲葉明雄が書いているほど凡庸な作品とは思えませんが、前に指摘した「黄金の蹄鉄」よりもさらに、ウールリッチに接近しています。掲載誌はスマート・セット。「死体置場」「深夜の天使」「犯罪の価」は、軽いオチのある犯罪を素材にした短編で、短かい作品です。後のふたつの翻訳掲載誌がヒッチコックマガジンであったことが、その内容を如実に示しています。「ついている時には」はある賭博師の少々向こう見ずな冒険という点で、翌年の「悪夢の街」と共通しています。中身、書き方ともに雑なところも同じです。ハメットの内部に騎士物語を志向する部分があるのは、『マルタの鷹』を読めば分かることでしょうが、それが無造作に出るとこうなるという見本でしょう。「悪夢の街」の根本にあるアイデアは、かなり素晴らしいのですが、それを生かすには、五十年ほど早すぎた気がします。アーサー・ヘイリーとかフレデリック・フォーサイス以降の長編作家が、あつかうにふさわしい発想でした。「強盗紳士イッチイ」と「判事の論理」はサタイアないしはユーモアを目ざしたものですが、ハメットには似合わないものでした。それでも「判事の論理」はガードナーばりの法廷ミステリのアイデア――それもペリイ・メイスンというよりはラム&クール――を、ショートショートの器に押し込んだもので、一読愉快ではあります。「強盗紳士イッチイ」は新聞記事からミステリ（おそらくはイギリス産の。なんたって、イッチイはグラマースクール中退ですからね）まで、様々な媒体によってでっちあげられた、〈紳士強盗〉という実際にはありえない犯罪者のイメージを、主人公が逆に守ろうとするナンセンスですが、堅さが抜けていないのが難点です。もっとも、こういう既存の犯罪ものへの異議申し立ての意識が、ハメットのクライムストーリイを生んだのかもしれません。

そして、二四年の一月に、ハメットはブラック・マスクに、もうひとつの注目すべき短編を発表します。「ダン・オダムズを殺した男」*です。

小説は「ダン・オダムズを殺した男」が監房にいるところから始まります。すぐに男は脱獄し逃避行となります。逃げる男だけを執拗に描いて、見事な追跡劇にするあたり、ハメットの筆は冴えています。この小説は一種の西部小説ということになるのでしょう。しかし、電話線が重要な小道具として現われていますから、完全な未開の地ではありえません。「新任保安官」

がそうであったように、開拓時代の終わりを告げる話なのです。男は追手の銃弾で負傷し、「谷間の岐れ道に、這いつくばるようなかっこうで建って」いる家に逃げ込みます。そこには小柄な婦人と十二歳くらいの子どもがいます。男は自分が人を殺して追われていることを話し、さらに逃亡を続けようとしますが、婦人は休むよう勧め、息子を見張りに立てます。男の子は丘の頂上で腹這いになったまま、見張りを続けます。

「休日」同様、この作品も、外面描写の正攻法で話が進んでいきます。ハードボイルドを文章のスタイルと考えるなら、この小説はハードボイルドであるかもしれません。しかし、それと同時に、この小説が意図して図式的な設定を取っていることも確かです。もちろん、その図式性の最たるものは、主人公の名前がなく、終始「ダン・オダムズを殺した男」としか呼ばれないことです。一方で、殺されたダン・オダムズは、ただの一度も登場しません。また、最後には追手に討ち取られる主人公の邂逅は、そのまま受け取れば、呆然とするような偶然の産物です。つまり、細部や表現においてリアリスティックでありながら、その実、象徴的な理解を求めるプロットないしは状況設定なのです。私は中期以降のロス・マクドナルドを連想しましたが、短編である分、図式性がむき出しです。

この主人公に必要な属性は「ダン・オダムズを殺した」という事実なのです。しかも、では、ダン・オダムズとはどういう人間かというと、そんなことは、どうでもいい（ダン・オダムズは描かれません）のです。人を殺した人間は名乗れない側に追いやられ、その命で贖（あがな）うまで、逃亡を余儀なくされる。殺した人間と殺さない人間とは画然と区別される。あるいは、殺す

（側にまわる）ことで、人間のなにかが変わる。この認識は、ハメットにとって大切なものだったかもしれません。ただし、ここには陥穽がひとつあります。「帰路」の探偵は、二年かけて追いついた相手をニューヨークに連れ戻そうとしますが、「ダン・オダムズを殺した男」を追う男たちは、そして、その手引きをする人たちは、「ダン・オダムズを殺した男」を殺すことで、殺す側にまわるのです。この小説は、幸いなことに、その点が目立たずにすんでいます。というのも、結末で明かされる、もうひとつの図式性が、小説をフィクショナルなものにすると同時に、その点を呑み込みやすい因果応報に落とし込んでいる（しかも、子どもはへとへとになって眠っているという、平和が保証されています）からです。ですが、この陥穽のことは忘れずにおきましょう。

こうして、初期のハメットのコンティネンタル・オプもの以外を読んでいくと、ふたつの特徴に気づきます。ひとつは捜査の物語がほとんどないということです。探偵はコンティネンタル・オプの専売特許であり、捜査の物語とはすなわちオプの物語でした。オプ以外の私立探偵が登場する、数少ない例外のひとつは、ブラック・マスク初登場の「帰路」ですが、それは捜査の部分を省略した物語でした。もうひとつは、圧倒的に三人称の小説が多いということです。一人称なのは「判事の論理」や「毛深い男」といったところですが、ともに傍観者的な立場の男の一人称で、語り手自身はあまり活躍しません。ただし「判事の論理」は三人称の小説になりうるかもしれませんが、「毛深い男」は、あまり能動的ではない男が、作中の人間関係のこの位置に必要なので、一人称であることは動かせないと思います。「毛深い男」は、エラリイ・クイーンがEQMMで発掘した際に、読者への挑戦をつけた短編で、ミステリマガジンに翻訳が掲載された（七二年十二月号）とき、訳者の小鷹信光がこの小説へのロス・マクドナルドの言及——これが、また、らしいと言えばらしいのですが——を引きつつ、クイーンの読みを批判する解説をつけた曰くつきの作品です。クイーンのやったことは、少々むちゃだと私も思います。思いますが、クリスチャンやユダヤ人の感覚——が、その背後にはあるとしか思えないのですが——は、結局よく分からないのです。

ハードボイルドは一人称による客観描写が基本という考えは、ハメットにはあてはめることが出来ません。「休日」のような端正な作品は、おのずと贅肉がとれていて、そっけなさすれすれの描写が積み重なっていくのですが、「悪夢の街」なんかは、まるっきり通俗ハードボイルドですからね。登場人物にしても、タフでハードな人物が必ず出てくるとはかぎらない。むしろ、私にはジグザグな試行錯誤のプロセスに見えます。「休日」が二三年七月号掲載で、「悪夢の街」が二四年も暮れに発表されているのです。コンティネンタル・オプものも手探りで進化していったことは、前に書きました。

ハメットは二六年三月の「忍び寄るシャム人」（「うろつくシャム人」）を最後に、一時、ブラック・マスクと決別します。しかし、その直前に、注目すべきふたつの短編を書きます。「クッフィニャル島の略奪」と「殺人助手」*です。

「クッフィニャル島の略奪」

サンフランシスコ沖合サン・パブロ湾にあるクッフィニャル島は、富豪（と彼らに奉仕する人間）だけが住む島です。その日は、ある家で婚礼があり、五万ドルから十万ドル相当というお祝いの贈答品の見張り番を、オプは依頼されています。新郎新婦がハネムーンに出かけ、夜も更けるころ、激しい風雨の中、突然、島じゅうが停電してしまい、さらに銃声がします。それも、重火器らしい。オプが警護する家は高台にあり（高いところにある家ほど裕福なのです）ますが、そこへ、披露宴の来賓でもあった、島に住むロシアの公爵令嬢がやって来て、町の銀行が強盗に襲われ、警察署長が殺されたことを告げます。どうやら、大がかりな組織的強盗の一味に、島が狙われたらしい。公爵家の客人である、ロシア人の将軍が、島民の一部を組織して、自衛の武器を取っているという情報も入ります。オプは依頼人の意向もあって、贈答品は彼の使用人に任せて、街へ偵察に下りていく。異様な突発事に、恐怖心よりも好奇心を刺激されたらしい令嬢も、くっついて来ます。

クッフィニャル島の地形の描写から小説は始まり、嵐の夜にぶん殴るように始まる襲撃は、不穏の一言に尽きていて、機関銃や手榴弾が炸裂する、市街戦さながらの夜襲の中を、対抗できる武器も持たずに、コンティネンタル・オプが右往左往するというのは、かなりのアイデアと言えます。使用されている火器が、次第に重装備なものと分かっていくことで、ことの異常さとサスペンスが増していくのが見事です。それが頂点に達するのが、宝石店の金庫を狙って、どうやら店舗をひとつ吹き飛ばしてしまったらしく「見えないかけらがまわりに落ちてき」たシーンでしょう。ハメットはユーモアを出すのが上手ではないと、私は考えていますが、この場面には、珍しくニヤリとしました。

「ターク通りの家」とは、また別の意味で、この小説はサスペンスフルかつ一直線に進みます。冒険小説というよりはサスペンス小説的な展開をし、強盗団の姿さえ捉えられずにいたはずのオプは、突然、武装強盗団のひとりと対決します。この対決で、いきなり相手の正体を暴き、プロフェッショナルな強盗団に見せかけた犯行だったと指摘するオプの謎解きのカッコ良さは、そこらの名探偵の比ではありません。エラリイ・クイーンの『黄金の十二』の投票で、この作品が票を集めた（アントニー・バウチャーとクイーン。ついでに書くと、ジェイムズ・サンドーが「パイン街の殺人*」に一票投じました）のは、そこがアピールしたのかもしれません。突然の襲撃という混乱の中にあって、強盗団の不可解な動きを、オプは見逃さなかったのです。その不可解さを数え上げるオプは、また、ハメットの張った周到な伏線を数え上げてもいるわけです。

しかし、この小説が有名なのは、その最後の対決に、ハメットが不満を持っていて、かなりうまくいきそうだった結末を台なしにしてしまったと考えていたという事実に因ります。そして、この「**クッフィニャル島の略奪**」と「フージズ・キッド」の失敗（とハメットは考えた）の反省にたって書いたのが『マルタの鷹』なのでした。

強盗団の陰謀を見抜いたオプは、最後に、一味から買収を持ちかけられます。ここで〈金（かね）に転ばない私立探偵〉ないしは〈女であっても犯人は捕える私立探偵〉を描くのが、ハメットの眼目であったのだろうと思います。もう少し志を高く言うなら、〈自己のコードに忠実な探偵〉であったかもしれません。その点で言えば、確かに、成功はしていない。最後にオプの吐くのが、こんないきがった台詞なのでは、それは着地に失敗したと考えるのが普通でしょう。そこに到るまでに吐露される、コンティネンタル・オプの自己の職業に対する意識は、興味深いものではありますが、探偵の仕事が面白いから、他の仕事に就いた場合に得られるであろう年俸よりも低い（しかし、結構な）収入で甘んじているという論法は、さして魅力のあるものではありません。だいたい、そういうことを演説しなければならないという時点で、これはおかしいぞと立ち止まって考えるのが、作家というものではないでしょうか。

にもかかわらず、私はこの結末部分には、別の意味で、面白さの芽があると考えます。以下、**「クッフィニャル島の略奪」**の解決部分に触れてしまいます。ここから先は、収録した**「クッフィニャル島の略奪」**を読んでからにしていただくのが、いいでしょう。

この武装強盗は、革命を命からがら逃れて来たロシア人一味が、軍人である将軍を中心に、食い詰めて企てたものでした。おそらくは本国で贅沢三昧をし、持てるだけ持って逃げた金が底をついたあげくの犯行です。今日のパンのために、労働者が生産財を暴力的に奪取した。そんな国から金を握ることが成功である国へやって来て、武装強盗に最後の活路を見出したところ、立ちはだかったのは、それが仕事であり、その仕事が楽しいから立ちはだかるのだと、平気で口にする男だったのです。このちぐはぐさが笑いに転化しない**「クッフィニャル島の略奪」**は、だから成功しているとは言えないと、私は考えます。ハメットは左翼思想と無縁ではなかったのだから、ないものねだりだとも思いません。

金庫を狙って建物をふっ飛ばしてしまう、武器のあつかいは本職の軍人ではあっても、武装強盗としてはシロウトの犯行とオプは喝破します。ジョン・トーランドの『ディリンジャー時代』によると、第一次大戦末から一九二〇年代にかけて、元プロシアの軍人〈ラム男爵〉が、秩序だった軍事行動にヒントを得て、組織的な銀行強盗を実行し、それがアメリカじゅうに広まったとあります。遅れて来たロシアの老将軍は、自分がかつて攻め込んだプロシアの軍人の手ですでに同じことが行われ、自らの「軍事行動」は、その手法の洗練にアップ・トゥ・デイトが追いついていなかったことを、オプによって思い知らされるのです。ジョン・ボーランドがのちに書く『紳士同盟』を参考に引くまでもなく、この小説は、ユーモアを持ってこそ生きる題材なのです。建物爆破の場面にニヤリとしただけに、私には惜しくてなりません。

「クッフィニャル島の略奪」と似たようなことは、二八年に書かれた「王様稼業」[*]にもあてはまります。「王様稼業」は東欧の架空の国を舞台にしています。大金持ちの息子がヨーロッパで消息をたち、父親の遺産を現金化してベオグラードに送るよう指示がくる。オプは身柄と遺産を守るために東欧のムラヴィア共和国の駅に下り立ち、青年が革命のスポンサーとなっていて、成就のあかつきには国王になるつもりなのを知ります。

　エリック・アンブラーが書いてもおかしくない題材（実際、アンブラーには、東欧の架空の国を舞台にした『暗い国境』という処女長編がありますが、それが書かれるのは八年後のことです）というか、オレン・スタインハウアーの次回作といっても通る内容というか、そういう話です。言葉もろくに通じない異邦で、オプが革命の内部をひっかきまわす。同じひっかきまわすにしても、並行して書かれている『血の収穫』が、息のつまるような凄絶さを増すことで不気味な傑作になったのとは対照的に、この小説は、あくまで、大人のお伽噺であり、ゆとりのあるユーモアを増すことで成功作たりえたのではないでしょうか？

さらにハメットは、三人称による私立探偵の捜査の物語を書きます。それが「殺人助手」です。ここに登場するボルティモアの探偵アレグザンダー・ラッシュは、独立して事務所を構えたコンティネンタル・オプとでもいうべき探偵です。今回彼を訪れた依頼人は、まず、名乗ろうとしません。そして、ある女性が尾行されているようだから、それを確かめ、本当なら理由をつきとめたいという、奇妙な仕事を持ち込みます。しかも、調べてみると、その女性には殺し屋が差し向けられている。「ターク通りの家」以降のオプものも、プロットに複雑さが出てきていますが、この「殺人助手」はその上をいきます。「殺人助手」は、それなりに面白いハードボイルドミステリには仕上がっているものの、アレグザンダー・ラッシュをハメットが再登場させることはありませんでした。三人称で描く探偵の捜査の物語は、ひとまず棚上げにされ、ブラック・マスクに復帰したハメットが選んだのは、コンティネンタル・オプを描ききることでした。

3　ブラック・マスクの混沌

長編に手を染める前のダシール・ハメットを読み返すことで、ハードボイルドミステリの発生に到る道筋を確認する作業の一環として、当時のブラック・マスクの他の作家の小説に目をやっておきましょう。といっても、一九二〇年代のブラック・マスクの作品は、あまり翻訳が多くありません。おそらく、質的にも低いのだろうと、私には、数少ない邦訳作品から判断するしかないのですが、断定的なことは言わないでおきましょう。

一九八〇年代の半ばに、小鷹信光が編者となって、国書刊行会から『ブラック・マスクの世界』という六巻のアンソロジー（五巻プラス別巻）が出ています。正直に言えば、面白い作品はあまり多くなくて、ポール・ケインの『裏切りの街』を一～五巻に分載した（その後、河出文庫に入りました）ことと、当時としては、珍しかったハメットの短編――「帰路」や「血の報酬」――を収めたことで、評価されるものでしょう。第五巻と別巻に掲載された、各務三郎と小鷹信光の対談が、私には有益でしたが、それを有益と感じる人がどれくらいいるかは、分かりません。

ブラック・マスク創刊号に掲載されたという、スチュワート・ウェルズの「白い手の怪」が、このアンソロジーの第一巻には収録されています。歓談の席で、中のひとりが怪異な経験談を話すという、当時としても古典的な設定の怪談と見せかけてという話でした。ハードボイルドミステリの雑誌という先入観を持って読むと、戸惑う人もいるかもしれません。出だしこそ、本書第一巻で紹介した、リチャード・ハーディング・デイヴィスの**「霧の中」**に似ていないでもありませんが、話の落としどころも軽めなら、**「霧の中」**にあった、世紀末ロンドンの不気味さという、厚みにも欠けています。もちろん、軽さが生きることは、ショートストーリイに珍しくはありません。とくに、毎月なり毎週なりの雑誌を埋めていくには、そうした才能も必要なことは確かです。この問題は、今後も折にふれ出てくるでしょう。ただし、「白い手の怪」は、最大限認めても、その程度の出来だと考えます。

小鷹信光は第一巻の解説で、創刊号十二編の内容を分類・紹介していますが、そのうち「内容別にみてみるといちばん多いのは『怪奇ミステリー』の四篇」で、「白い手の怪」もそこに含まれ、その他に、謎解きミステリ、幻想と怪奇、犯罪小説、ロマンスとあって、「寄せ集めの読物雑誌の印象が強い」としています。

第四巻にはJ・ポール・スターの「蛇の尾」という一九二七年の作品が入っています。これが、ドーント神父という探偵の活躍するシリーズもので、謎解きミステリなのです。博物館に展示されている、貴重な蛇のお守りがある。密閉したガラス容器に入ったそのお守りが、ある日ふたつに増えているという、そこだけ取り出せば、現代でも通用しそうな冒頭です。ガラス容器は小さな密室で、なぜ、こんなことが起きたのか首を傾げているうちに、翌晩、新たに現われたお守りが消え失せ、警備員が殺される。この事件を解くのが、ドーント神父なのです。運転手として神父につき従うスタッブスが強盗あがりというのは、ブラウン神父のさらに俗なパクリという気がします。派手な冒頭のわりには、解決には驚きもなければ工夫の跡もない。シャーロック・ホームズのライヴァルたちの、さらに通俗的な縮小再生産とでも言うべき作品でした。ポール・スターの名は、森英俊の『世界ミステリ作家事典』にもありませんし、この作品がすぐれているから、小鷹信光が採ったとも思えません。おそらく、この手の退屈なミステリというか犯罪読物は、巻にあふれていたと思われます。そして、現在の眼で見て、この「蛇の尾」と、たとえばＣ・Ｅ・ベックホファー・ロバーツの「イギリス製濾過器」（『世界推理短編傑作集3』に収められた二六年の作品です）との間に、どれだけの差を見ることが出来るのでしょう？

ハメットと並んで、初期のブラック・マスクの人気作家であり、ハメットに先んじてタフな私立探偵をシリーズキャラクターにしたとして、歴史に名を刻んでいるのが、キャロル・ジョン・デイリイです。探偵の名はレイス・ウィリアムズ。『ブラック・マスクの世界』の第一巻に、その初登場作品「ＫＫＫ（クー・クラックス・クラン）の町に来た男」が収められています。ミステリマガジンの〈ブラック・マスクの伝説〉という特集号（一九七七年五月号）にも「脅迫者を暴け」という三二年の中編が訳されていて、レイス・ウィリアムズものの翻訳は、このふたつだけのようです。

「ＫＫＫの町に来た男」は、当時隆盛をきわめたＫＫＫ（作中でも「上り坂の組織」と書かれています）を題材にして、ＫＫＫに息子が目をつけられた金持ちの父親の依頼で、組織に牛耳られた町に、レイス・ウィリアムズが乗り込みます。「脅迫者を暴け」は、深夜、郊外にウィリアムズが呼び出されているシーンから始まり、すぐにウィリアムズが襲撃されます。事態は曖昧なまま、危険を切り抜けたウィリアムズのもとに、翌日、奇妙な依頼が舞い込みます。ウィリアムズは私立探偵というよりは、ガンマンであって、拳銃にものを言わせることが多く、自身もそう語ります（彼の一人称なのです）。事件の展開も、多分に力任せで、構成にクレヴァーなところが見られないとはいえ、テンポよく進むので、そう悪いものではありません。「KKの町に来た男」には、町で唯一KKとあからさまに敵対している一家という、味のある脇役が出てきて（ちょっと西部劇的な登場の仕方が面白い）、スパイスを効かせています。

ただし、ウィリアムズ氏のいきがりようは、さすがに、げんなりです。「そりゃあ、たまには正当な一発ってやつを撃つ——仕事のうちだからな。だけど良心の咎めを感じないのは、殺されて当然のやつしか撃たないからだ。それにいつ何時でも悪党どもを出し抜ける自信はある」「銃を手にしたら、俺は危険人物なのだ——これほどの悪はないほどにな！」といった文章には、説明を通り越して、読者に対する必死の説得を見る思いがします。また、「脅迫者を暴け」には「おれは脳天に銃を振り降した、残酷だと言われても仕方がない。こいつは、か弱い娘をかどわかし、殺そうとしているのだ」という文章があります。私立探偵の無軌道な行動には、あくまでも言い訳が必要なのです。また、「おれは奴が嫌いで、正義が好きだ。正しいことをしたような気になっていた」「動き回るのが、俺は好きだ」といった文章が、アクションの合間に表れます。こうした、いきがっているようで、かつ一方では弁明的な文章は、程度の差と表現上の巧拙の差こそあれ、ミッキー・スピレインや、それ以後の通俗ハードボイルド（という表現が、そもそも懐かしいというか、死語でしょうか）まで、連綿と続くことになります。

小鷹信光の解説によれば、編集長のジョゼフ・T・ショウは、デイリイを好まなかったようです。やがて、デイリイはブラック・マスクと決別し、そして忘れ去られていきます。

ハメットがブラック・マスクで活躍していた時期の、もうひとりの大物に、アール・スタンリイ・ガードナーがいます。アメリカ本国でも超の字のつくベストセラー作家でしたし、ペリイ・メイスンものをはじめとして、翻訳数も多いのですが、あくまで、それは名を成したのちの長編の話です。パルプマガジン時代の伝説として語り継がれる執筆ペースから考えれば、短編集にまとめられたものは、ほんの一部としか考えられません。まして、その翻訳においてをや。幸い、The Erle Stanley Gardner Page というウェブサイトが、雑誌初出のリストを作っているので、そこに依拠しながら、初期作品をいくつか読んでみましょう。

『ブラック・マスクの世界』は第五巻が〈異色作品集〉となっていますが、チャールズ・M・グリーン名義で二四年にガードナーが発表した珍品「毒蛇の部屋」を掲載しています。冒頭で、いきなり、女が夫に遺言状を書き換えて、自分が死んでも財産の大部分が夫にいかないようにしたと宣言します。金目当ての結婚だと気づいたのです。これはこれで、ガードナーらしいと言えなくもありません。しかし、その夫の反撃が、密閉した部屋で妻を一晩毒蛇と過ごさせて、発狂を狙うというのですから、唖然とします。ガードナーが死んだ際のミステリマガジンの追悼号（一九七〇年九月号）には「雨の魔術」という二八年の作品が訳されていますが、アフリカの猿人の村に紛れ込んだアメリカ人の幻想的な冒険を、その当人にアメリカの砂漠で出会ったガードナーが、体験を物語化する権利を買い取って書き上げたという設定です。三〇年の「小さな恐怖の谷」は初出雑誌はアーゴシーですが、砂漠の町に流れてきた気弱な男が、その町の簡易食堂の女将ビッグ・バーサ（どうしたってA・A・フェアを連想しますね）と出会うことで、ひとかどの男になるという、西部小説です。

ガードナーが職人的なパルプ作家であったことは、こうした作品群を読むだけでも了解可能でしょう。しかし、ブラック・マスクにおけるガードナーの活躍の主流を成すのは、怪盗エド・ジェンキンズものでした。二九年の「ネックレスを奪え」、三五年の「法のおよばざるところ」といった作品は、悪名とはいえ名声を得たジェンキンズが、それゆえに、やってもいない犯罪まで警察当局から押しつけられて、おかげで表だって動けないというジレンマの中での冒険物語でした。陽光の下にいられない暗さが、ジェンキンズにはつきまといますが、その暗さが洗い落とされ、同じく怪盗という言葉が付されていても、さながら冗談のような設定（犯罪者の上前をはねる怪盗の家に、召使いとして警察のスパイが潜入している）で、ゲーム感覚が前面に出てくるレスター・リースのシリーズを、ガードナーは二九年に書き始めます。そんなゲーム感覚が、長編ミステリで開花したのが、ペリイ・メイスンなのではないでしょうか。

トム・カリーの「強盗クラブ」は、『ブラック・マスクの世界』第三巻に収められている二七年の作品です。小鷹信光は、語り口が古めかしいとしていますが、潜行刑事マクナマラが過去の成功談を、新聞記者に語って聞かせるという形です。実話かどうか知れたものではない犯罪実話がたくさん書かれ、形式だけが小説として残ると、こういうものになるのでしょう。同じく二七年の作品なのが、第五巻のフレデリック・ネベル「致命傷」です。チャンピオン確実の若いボクサーと、彼に寄生する謎の男の話ですが、グッドストーンの「パルプ・マガジンの時代」のところで読んだ、ポール・ギャリコの「臆病者マイク」の方が、一枚上手でした。もっとも、ネベルの本領はミステリにあるようです。ネベルについては、ハメット以後のブラック・マスクのところで、もう一度読むことにしましょう。

のちに、もう一度取り上げる点では、ホレス・マッコイも同様ですが、第一巻の「黒い手帳」は、テキサス航空警備隊長ジェリー・フロストのシリーズで、三〇年の作品です。これも、後年の輝きを予感させるものはありません。警察や新聞を金の力で買収した地方ギャングの町に、フロストがやって来るのですが、凄みをやりくりしようとする姿勢は、キャロル・ジョン・デイリイと、大差ないのです。

拾いものだったのは、N・L・ジョーゲンセンの「新しいボス」と、エド・ライベックの「重要証拠*」の二作でした。前者は第一巻に、後者は第三巻に収録され、ともに三二年に書かれたものです。

「新しいボス」は、賭博師ブラック・バートンが主人公です。バートンは賭博師であるため、名家の娘との結婚を一族あげて反対された過去があり、その結婚もいまでは破綻しています。そんなところへ、あるギャングの罠にかかり、ヤクの売人にされそうになった、妻の一族の大学生が、助けを求めてくる。ギャングと決別しようと対決したところ、相手を撃ってしまったというのです。バートンが動き始めると、撃たれたギャングは死んでいて、ナンバーツーの男が、これを好機と捉え、新しいボスになろうとしている。そのためには、ボスを殺した男として大学生を組織に差し出さなければなりません。バートンはすぐに、実際にボスにとどめをさしたのが、ナンバーツーの男だとあたりをつけます。といった具合に、全編アクションまたアクションで、少々強引ながら、ボスの死を契機にうごめくギャングたちの企みを、バートンが巧みに粉砕していきます。

「重要証拠」は酔いどれ新聞記者ハリガンが主人公です。市政腐敗の記事を社長に潰されたところから、小説が始まります。怒りをぶちまけるハリガンは、編集部長になだめられる。そこへ社長から話があるから家に来てくれと電話が来ます。行ってみると社長は殺されていて、ハリガンに殺人容疑がかかります。という始まりは、およそ平均的な新聞記者ものですが、ハリガンという主人公が、記者離れしているというか、社会人としてはいささか壊れたところがあって、それが後半の展開をとても平均的とは言えないものにしていました。

4　長編作家への道

ダシール・ハメットの初期の短編は、コンティネンタル・オプが登場する、探偵が事件を捜査するディテクションの小説と、オプの出ない、ディテクションの小説ではないものとに大別されました。作品の多くは、ブラック・マスクに発表されましたが、ブラック・マスクそのものも、必ずしもディテクションの小説が多かったわけではないようでした。探偵や刑事が主人公ではあっても、必ずしも、ディテクションの小説ではなかったのです。そういう意味では、コンティネンタル・オプの小説は、愚直にディテクションの小説であることを守っているかのよう（狭義のトリックが用いられているものもいくつかありました）で、同時期の他のブラック・マスクの作家に比べて、探偵小説を書こうとしているように見えなくもありません。ヴァン・ダインの『ベンスン殺人事件』についてのハメットの書評は、日本語でも読むことができますが、もっぱら批判しているのは、リアリズムからの観点と、警察が無能すぎるという点で、謎とその解明という小説のパターンを否定してはいないのです。

ハメットの短編から代表作を選ぶなら、そのひとつに「ターク通りの家」が入ることは、まず間違いのないところでしょうが、同時に、この作品がひとつの画期となって、コンティネンタル・オプものがディテクションの小説の枠組みから飛び出したことは、指摘しておきました。もちろん、その後もディテクションの小説も書かれてはいます。その中には「黄金の蹄鉄」のように、オプが真犯人を罠にかけることで、真相究明以上の役回りを演じるところまで踏み込んだものや、「パイン街の殺人」のように、ディテクションの興味にプラスアルファ（オプを窮地に陥れる人物が登場し、しかも、その男は真犯人ではない！）を加えたものもあれば、「誰でも彼でも」のように、「ターク通りの家」以前と変わるところのない凡作もあります。しかし、「ターク通りの家」以降は、コンティネンタル・オプものであっても、ディテクションの小説から、はみ出ていく作品が増えるのです。

ハメットは、ショウ編集長の下で復帰してからは、二七年二月号に「血の報酬第一部」でぶの大女」、五月号に「血の報酬第二部　小柄な老人」、六月号に「メインの死」と書いて、十一月号から翌二八年二月号にかけて『血の収穫』（『赤い収穫』）を連載します。その間に、ミステリーストーリイズに「王様稼業」（二八年一月号）を発表しました。『血の収穫』のちょうど一年後、二八年十一月号から翌二九年二月号にかけて、オプものの長編第二作『デイン家の呪い』を連載、二九年八月号に「蠅取り紙」、九月号から翌三〇年一月号にかけて『マルタの鷹』を連載、二月号に「フェアウェルの殺人」、三月号から六月号にかけて『ガラスの鍵』を連載、そして、その年の十一月号に最後のコンティネンタル・オプもの「死の会社」を残して、ブラック・マスクから姿を消します。「血の報酬」で、オプの登場するふたつの中編からなる連作「血の報酬」、そして、オプものの中短編五本を書いたわけですが、その間わずかに三年半です。

復帰第一作の「でぶの大女」は、サンフランシスコにおたずね者たちが集まってくるのに、オプが出会うところから始まります。すぐに銀行襲撃のネタを情報屋が持ってきますが、直後に情報屋は殺されてしまう。翌朝、不確かな話ながらお得意さんである銀行に知らせようと、オプが出向くと、すでにホールドアップは決行されていて、警察との銃撃戦になっているのです。「でぶの大女」は、これ以上ないというくらい、きびきびとした展開で、ギャングの全米選抜チームとでも呼ぶべきものを、オプが追いかけていきますが、追跡の速さを上回る速度で、ギャングたちは次々と裏切りによって殺され、ひとりあたりの取り分が増えていくのです。その速度がもたらす疾走感といい、全米のギャングが集結するという、大ボラ一歩手前の壮大な設定のアイデアといい、オプがマークするレッドという男のキャラクターといい、ブランクの鬱憤をはらし、野心作をものしてやろうというハメットの意気込みがひしひしと伝わる秀作です。

第二部の「小柄な老人」は、それに比べると、迫力むき出しというものではありません。しかし、後輩の若い探偵カニハンや、でぶの大女フローラの姿に、ロマンティスト・ハメットの一面が出ています。まだまだ、ロマンティシズムの滲ませ方は巧くありませんが、ロマンのロの字もないオプが触媒になることで、現実の前に否定されながら存在せざるをえないという醒めた認識の下で、ロマンティシズムが表出されるという、ハメットが、おそらくはもっともやりたかったであろうことのひとつが、小説の前面に押し出されています。

「血の報酬」の二部作は、いささか過小評価なのではないかと、私は考えています。コンティネンタル・オプは「小柄な老人」の最後では、事件を収束させるために、巧妙な策略を用いて、事件のキイパースンが射殺されるように仕向けます。「裏切りの迷路」(「裏切りは死を招く」)や「黄金の蹄鉄」でも、オプは策略を用いましたが、余儀なく用いるという姿勢がありました。しかし「小柄な老人」のオプは、自らの嗜好にあった結末を描くかのように、周到に罠を閉じていきます。二部作の次に書かれた「メインの死」でも、オプは恣意的な解決を作り上げます。

そうした姿勢の総仕上げが、長編『血の収穫』となります。しかし、『血の収穫』の出だしのオプは汚れた街に颯爽と乗り込むヒーローです。連載のどこが切れ目か推測できるほど、この作品は小刻みにサプライズが用意されています。最初のサプライズは依頼人殺しの犯人ですが、最初から四分の一のところでそれが解決されると、この小説は表面上はディテクションの小説でなくなります。しかし、それでも整然とした印象を与えます。相対するポイズンヴィルの面々に、オプは決して嘘をつきません。口先だけの約束の出来る機会を何度も何度も回避し、取引のたびに、自分はなにも約束しないと言い続けます。しかし、嘘をつかないオプ像は、ある瞬間、きわめて効果的に壊されます。関係者を集めた講和会議の席上で、警察署長のヌーナンを鮮烈な形で裏切るのです。ここから、コンティネンタル・オプという探偵は壊れていき、『血の収穫』という小説は壊れていくというのが、私の考えです。壊れていくことで、それまでの整然としたギャングをうちわもめさせる話が、収拾のつかない混乱のうちにギャングたちが自滅していく話に、すり替わっていく。壊れていくことで、画期的な小説になったのです。さながらマクベスのように眠りを殺してしまったオプの姿は、後年、ジェイムズ・エルロイの小説に、同類の警察官をいくたりも見出すことが出来ます。

ここで、私は「ダン・オダムズを殺した男」を思い出します。人を殺す側にまわった人間は、なにかが変わるのです。コンティネンタル・オプはポイズンヴィルから命からがら生還しました。支局長のおやじからは大目玉をくったかもしれませんが、探偵として復帰したようです。しかし、もはやディテクションの小説のヒーローとして、精彩を放つことはありません。「蠅取り紙」「フェアウェルの殺人」「死の会社」と続く、ほとんど投げやりのような解決は、『血の収穫』で、コンティネンタル・オプが後戻りできない地点に足を踏み入れた結果のように、私には思えてならないのです。

一九三〇年十一月の「死の会社」を最後に、ブラック・マスクを去ったダシール・ハメットは、約二年の間、短編を書いていません。すでに『ガラスの鍵』の連載を終え、三〇年に出版された『マルタの鷹』は大成功を収めていました。ここは短編ミステリを読み返す場ですが、『マルタの鷹』については、少しふれておく必要があるでしょう。

書き出しを見れば分かるように、この小説は、サミュエル・スペイドという探偵を描くことを主たる目的として書かれています。一人称では、主人公は魅力的に描きえない。ハメットがそう判断したのかどうかは分かりませんが、少なくとも、コンティネンタル・オプものの書き方では、『マルタの鷹』の冒頭は成立しません。そして、それまでのふたつの長編で、大出版社クノップから、殺戮描写を少なくするよう求められた経験は、ここにおいて奇跡的な効果をもたらします。『マルタの鷹』では、殺人は常に起きた出来事として事後にあっさりと語られるのです。にもかかわらず、スペイドは鷹の像を狙う連中と渡り合う、タフでハードボイルドなヒーローとして、一世紀近く認知されることになり、今後一世紀それが続いても、さして不思議ではないでしょう。

『マルタの鷹』に描かれたスペイドという男は、ひや汗をかき、身体を震えさせながら、怪しげな連中と相対していきます。他の登場人物で身体が震えるのは、若い殺し屋のウィルマーで、自分が殺人犯として警察に売られると決まる寸前のことです。今回、私は、あまり広く流布していない宇野利泰訳で読み返してみたのですが、クライマックスにおいて、なんと、スペイドはどもるのです。宇野訳は、確かに大胆な意訳が散見され（にもかかわらず、私には宇野訳

『マルタの鷹』が憎めないものに思われます。ホンネを言えば、創元推理文庫に入れてほしいくらいです）、この部分は、その最たるもので、やりすぎではないかと思わないでもないのですが、しかし、スペイドがいわゆる颯爽としたヒーローでないことは、押さえておかねばなりません。ハメットの探偵が警察との良好な関係を築いていることは、以前にも指摘しておきました。『マルタの鷹』のスペイドは、確かに、ダンディ警部補や地方検事から殺人容疑の追及を受けます。しかし、それが無理な追及であることは、スペイド本人も承知しており、また、ダンディの部下のトム・ポルハウス刑事も承知しています。そのような状況であっても、警察・司法関係者に、たてついてみせるスペイドは、綱渡りでもするような慎重さ（弁護士との連絡を欠かさない）で臨み、そして、汗をかく。そんなスペイドという男が「私と同じ釜の飯を食った探偵たちの多くがかくありたいと願った男、少なからぬ数の探偵たちが時にうぬぼれてそうあり得たと思いこんだ男」なのです。

もっとも、そういうスペイドの姿は、あくまでも『マルタの鷹』という傑作（だと今回初めて私は思いました。未熟者です。それでも『血の収穫』の方が好きです）の中での話にかぎります。

スペイドは一九三二年に書かれた三つの短編にも登場します。「スペイドという男」[*]「赤い灯」（「生きている奴が多すぎる」「赤い光」）「二度は死刑にできない」（「死刑は一回でたくさん」）の三作です。このうち「スペイドという男」は、ハヤカワポケミスの『名探偵登場4』や創元推理文庫の『世界推理短編傑作集4』に収められていて、ハメットの短編では、日本でもっとも読まれているのではないでしょうか。この三作は、創元推理文庫ではハメット短編全集の第二巻『スペイドという男』に収録されていますが、訳者の稲葉明雄は「できばえはまずまず」として「珍品の名に恥じないところを買っていただきたい」と、ありていに言えば評価していません。一方、ダイアン・ジョンスンの『ダシール・ハメットの生涯』によると、「スペイドという男」は「十番目の手がかり」の、「二度は死刑にできない」は「夜の銃声」の、ともに改作となっています。後者は、まあ、そうかもしれませんが、どっちみち、両方とも凡作にすぎませんし、前者を改作と呼ぶものかどうか。ちなみに、『ダシール・ハメットの生涯』の訳書で、アメリカンマガジン三〇年七月号に掲載されたのが「死刑は一回でたくさん」となっているのは、「赤い灯」の誤りだと思われます。

稲葉明雄の評価は、首肯できるのも確かで、『マルタの鷹』の水際立った存在感を基準に考えると、これらの短編のスペイドは、事件を解決するだけの平凡な探偵にすぎません。読み返して感じるのは、犯人の境遇や犯行のシチュエーションが、イギリス流の謎解きミステリを思わせることです。つまり、ここでのスペイドは、あたかもシャーロック・ホームズのライヴァルのようです。シャーロック・ホームズをお手本とする、ディテクションの小説を、第一次大戦後のサンフランシスコのリアリズムで描くとこうなるという実例なのです。そうした点が読みとりやすく、かつ、注目すべき問題を含むのが「スペイドという男」でしょう。

「スペイドという男」は、スペイドが依頼の電話を受けたところから始まります。依頼主は著名な犯罪に関わっていたことが周知の男でしたが、弟に罪を押しつけることで、刑務所行きを免れたのです。スペイドが男の家に行くと、『マルタの鷹』にも登場したダンディとトムの警官コンビが先を越している。すでに男は殺されていたのでした。

スペイドとダンディたちの間には、『マルタの鷹』の緊張感はなく、かつてのコンティネンタル・オプと警察がそうであったような、協力関係が成り立っています。事件は怪しげな五芒星や被害者への脅迫状が登場し、ますますもって、シャーロック・ホームズめきます。犯人はちょっとしたアリバイトリックを用い、それを看破したスペイドが謎を解きます。というふうに、共通点だけ書き出すと、昔懐かしい探偵小説でしかありませんが、ハメットがそこに持ち込んだのは、クロノロジカルな展開とそのスピードでした。すなわち、小説の大部分は、被害者の家で終始し、証人さえそこへ呼びつけてしまう。そして、容疑者訊問で過去の出来事をくり返す退屈さ冗長さを避けるため、スペイドや警官たちが事実を発見していくそのプロセスを、連続した切れ目のない一定の時間内に収めて、被害者の家という一場の室内劇——『マルタの鷹』で自信をもったにちがいない技——に仕組んだのです。

同時代のアガサ・クリスティの謎解き短編の多くが、隠しようもなく持っている単調さ退屈さと比較すれば、ここにもたらされたものの意外な大きさに気づくでしょう。比較対象にしたついでに挙げておけば、クリスティがこの行き方をやってみせたのが「四階の部屋」*というポアロものの短編です。

もっとも、このささやかな先進性は、そのささやかさゆえに、現時点でも作品を輝かしいものにするほどの威力は持ちえていません。稲葉明雄の評価の低さを埋めるには、到らないのです。それでも、ここに水源のひとつがあったことには間違いがなく、それはこれから先のアメリカのミステリに影響を与えていくことになります。それは短編にかぎらず、また、ハードボイルドにもかぎりません。

一九三三年から三四年にかけて、ハメットは六編の中短編（うち一編が未訳です）を書いています。スペイドものの三編がそうであったように、さしたる野心の見られない、雑誌の要請に応じただけの作品のように思えます。唯一の例外は、エラリイ・クイーンの雑誌ミステリ・リーグに書いた「夜陰」*でしょう。クライムストーリイすれすれの普通小説といったこの作品は、たとえばミステリマガジンの中の一作品として読めば、その月のベストに選ぶかもしれません。「夜陰」は、その発表の経緯に、エスクァイアとの間での、原稿の二重売りを解消するためという事情があったことが知られています。であるにしても、ミステリ・リーグにこれを書く方も書く方なら、載せる方も載せる方というものです。そして、真の小説読みの鑑賞に堪えるミステリを創ろう根づかせようとする一点で、ハメットとクイーンという異質な才能が共通理解を持ったのではないかと、楽天的に夢想することも可能でしょう。しかしながら、当時、ニューヨーカーをはじめとする雑誌に掲載されたシックな短編のひとつと考えるなら、「夜陰」がその中でそれほど抜きん出たものだとは私には思えません。もっとも、この作品は、英語で読むと――つまり、そのスタイル如何によって――ワンランク上の作品である可能性もあるので、その点は留意しておきましょう。ただし、かりに原文に目を通したところで、その判定が私に出来るわけではないので、意味のないことですが。

ハメットの死んだ一九六一年に、エラリイ・クイーンは、未発表の短編を発掘し、ＥＱＭＭに掲載しました。「不調和のイメージ」というその短編は、「ケイタラー氏の打たれた釘」に出てきた詩人探偵が出てくる、凡庸なディテクションの小説で、三人目のシリーズ探偵が存在したというだけのものでした。

ミステリマガジンの二〇一一年八月号が、没後五十周年として「なぜハメットが今も愛されるのか」と題した特集を組んでいます。特集の題名は、はったりでつけただけのように見えますが、「チューリップ」などそれまで未訳だった三編を訳出し、ヒッチコックマガジンに載った田中小実昌訳の「深夜の天使」を再録していて、ファンにはありがたい。拾い物だったのが*「拳銃が怖い」で、二四年の作品だから、初期のものですが、ハメットの中でも類似作や同傾向のものがありません。異色作と呼んでいいでしょう。

評論やエッセイでは、諏訪部浩一の文章が、ハメット論のレジュメさながらです。『マルタの鷹』講義の次はダシール・ハメット講読で、通年二単位五年がかりくらいの演習が待っていそうです。それよりも短かい法月綸太郎の「水と油」というエッセイは、より、本書に関連しています。『デイン家の呪い』を取り上げて、「パルプ本格のコアモデルとして、後続の作家たちからひそかにリスペクトされているのではないか」という、らしい推論をするものです。題名の「水と油」は石上三登志の「俺を『名』探偵と呼ぶな――ダシール・ハメット」（『名探偵たちのユートピア』所収）が出典で、法月綸太郎は、水と油をタフ・ガイノヴェルと知的パズルととらえて、その融合が「アメリカ探偵小説の様式のひとつ」と指摘しています。もっとも、石上三登志の使った「水と油」という言葉が同じものを指しているのかは、ちょっと分からない。微妙に違っている気もします。法月綸太郎の指摘は、ある意味もっともなもので、イザベル・B・マイヤーズとの類似を言う一方、「はるかに展開が早く」と書くことを忘れないのが、さすがです。ディテクションの小説に速度をもたらしたという、前段の話題を思い出してください。ただし、あくまで、水と油の融合という考え方が起きる——実際に起きたとしても——のは、後年のことでしょう。法月綸太郎の言う「知的パズル」がシャーロック・ホームズを指すのか、ヴァン・ダインやエラリイ・クイーンを指すのか、この文章からだけでは、よく分かりませんが、常識的には後者でしょうし、それなら、その発生はタフ・ガイノヴェルと同時進行です。『デイン家の呪い』がヴァン・ダインを意識しているのは明らかだと思われます。あそこに出てくる作家は、ヴァン・ダインとファイロ・ヴァンスを足して二で割ったというか、ふたりまとめてあてこすったというか、そういう存在ですからね。しかし、ハメットがやったことは、ディテクションの小説の現代的な書き方を模索することではあっても、出来あいのなにかを融合させることではなかったはずです。ハメットがそんなことをやったと、法月綸太郎が主張しているとは思いませんが、法月エッセイを読んで、そう誤解する人が出そうなので、書いておくことにしました。

ハメットの遺作「チューリップ」は、その後、小鷹信光訳による最後のハメットの短編集の表題作となりました。ハメットを思わせるバップという男の一人称です。連邦刑務所に服役した経験のある、しばらく新作のない作家ということなので、私小説とみまがうばかりです。彼のところへ旧知のチューリップという男が訪ねてくる。チューリップは、バップに書くべき題材を提供できると言いますが、バップは聞く耳を持たず、会話ははぐらかされるばかりです。チューリップというのは、ニックネイムとしても奇妙ですが、それだけに、象徴的な存在——小鷹信光も指摘するとおり、バップとは対極にあるハメットの自我——としても読めて、私小説とか自己の心境の切り売りといった即断は許さないものがある。にもかかわらず、作中で唯一言及される過去の作品が「休日」——かなりの出来だが狙いのはっきりしない小品というのが自己評価——でもあって、ハメットにとっては、その「休日」と同様に、自身の体験のうちで小説化したいという欲求を持った、数少ない題材のひとつだったのでしょう。ただし、リリアン・ヘルマンのように、この遺作が結末を書き終えられていたと主張するのは、さすがにムチャだと思います。「最終的評価としては、この作品は一人の小説家の叫びでしかない」というウィリアム・F・ノーランの言に賛成するしかありません。

ダイアン・ジョンスンがほのめかしているように、ハメットはミステリを書くのが、本当は嫌いだったとは、私は考えてはいません。しかし、同時に、ハメットは、ミステリを書きたいという欲求よりは、小説を書きたいという欲求の方が、比べものにならないくらい強かったのだろうと考えてはいます。ハメットはミステリを愛していただろうかと問われれば、それほど愛していなかったのではないかと答えると思います。ブラック・マスクに所を得て、ミステリを書き始めたのは、偶然の産物に近いのでしょうが、それでも、自分が書くかぎりは、このように書いていきたいという、作家としての野心を、それらの条件が否定するはずもありません。ハメットの出現によって、ブラック・マスクという雑誌は、ハメット化の方向へ舵をきったとされ、その結果花開いたのが、ハードボイルドミステリだと考えられています。しかし、一人称のコンティネンタル・オプは自らを表現できないというジレンマを、ハメット自身が納得のいく形で解消しえたとは、私には思えません。ダイアン・ジョンスンによると、ハメットは、オプものの短編のいくつかを利用して、三作目のオプものの長編を書くことを目論んでいたとありますますので、ハメットのことですから、それが完成していれば、読む価値のあるものになったでしょうが、それを完成させたハメットを思い浮かべることは、残念ながら出来ません。

『マルタの鷹』は素晴らしいミステリであり、そして、素晴らしい小説ですが、一人称でもなければ、厳密には三人称一視点でもありません。そして、学ぶべきは、そんな形式的分類的なところにあるのではなく、スペイドの台詞と彼の行為の間に絶妙な差異を設けることで、抜群に陰影のある主人公を描いたことでしょう。そして『マルタの鷹』は、他の何物でもない、ディテクションの小説でした。捜査の小説であるという一事を抜きにしては、この小説は成立しません。ですが、ハメットは『マルタの鷹』に到るまでに、ディテクションの小説を書く上での様々な試行錯誤をくり返しています。その多くは失敗していますし、むしろ、ディテクションの小説を抜け出すことで、生き生きとしたアメリカ人の探偵が主人公として活躍する小説を、育んでいったように見えます。

『血の収穫』は強烈な魅力を持っています。『マルタの鷹』は名工の技の冴えを発揮していま
す。そして、それらの作品でハメットという作家が評価されるのは、当然のことです。ですが、
同じように、ごくわずかな期間のうちに、短編ミステリで試行錯誤をくり返し、迷路に迷いな
がら新しいミステリの基礎を築いていったそのプロセスも――失敗も含めて――私には大切な
ものに思えます。その試行錯誤をも含めてもらえるのであれば、私は以下の小鷹信光のハメッ
ト評に全面的に賛成します。
「みわたしてみれば、ハメットのように書くことのできる物書きはひとりもいない。（中略）
だれもハメットのようには書けない」

5　追随者たち1――ラウール・ホイットフィールド、ホレス・マッコイ

ハメットや、それを手本としたブラック・マスクの小説を読むとき、しかも、それをパズル
ストーリイとの対比で考えるとき、あるいは、ミステリ全体の中で考えるとき、どうしても、
私は、ディテクションの小説という言い方にこだわらざるをえません。ハメットと同時代やそ
の後のブラック・マスクの作家が、多くはディテクションの小説を手がけ、そして、ぎごちな
いままに成果をあげることなく終わることが多いからです。もっとも、淘汰されていく小説は
数多あるわけで、シャーロック・ホームズのライヴァルたちにも、そうしたものは多くあり、

黄金期のパズルストーリイも、また同様です。ただ、失敗例からも学べることはあるはずです。ラウール・ホイットフィールドの名は、まったく忘れ去られたというわけでは、ないかもしれません。ただ、日本語版EQMMやミステリマガジンに訳された「青い殺人」「チャイナ」といった作品や、『ブラック・マスクの世界』に収録された「内部の犯行」を読むかぎり、ディテクションの小説はうまくない。「青い殺人」など、前半部分の探偵への依頼と人間関係の描写はハードボイルド、後半の殺人事件は謎解きと、まさに水と油に分かれていて、そのどちらにもひらめきがない。「内部の犯行」の内部ぶりたるや、無理な話を作ったとしか言いようがありません。そもそも、ディテクションの小説の手際以前の問題として、この作家はくり返しが多くて、はなはだ鈍重な短編小説を書きます。最大限好意的に考えたとしても、幼稚な読者を想定しているのでしょう。

これらディテクションの小説を、今回初めて読んだのですが、その拙さは、私には少し意外でした。というのも、以前EQで読んだ**「ミストラル」**という短編の印象が良かったからでした(もっとも、作者名は忘れていましたが)。主人公のおれは、アメリカの探偵社のヨーロッパ支局員らしくて、ジェノヴァのレストランで奇妙なアメリカ人を見つけます。地中海に沿ってフランスからモナコへ動くその男に、半ば偶然、半ば意図して、主人公はついていくことになる。スパゲティをナイフで切るとか、カジノへ入るのにパスポートの提示が必要なことを知らなくて、偽名を用いていることが分かるとか、些細なことで男の怪しさが露見していく手順からして、巧妙なものです。男の本名が判明したところで、パリ支局から連絡が入る。なんと、いま判明したばかりの名前の男の居所を調べろというのです。

ミストラルというのは、地中海沿岸で数日吹き続けるという強い季節風のことで、人間の力を超えた不気味さを醸し出します。男の居所をパリに連絡する一方、おれは掟破りの挙に出ます。男に接触するのです。パリ支局からは調査の打ち切りが指示され、ということは、あとは依頼人がかたをつけるのだと、判断できる。強風は止まず、その風をおして、依頼人を乗せた飛行機がやって来ます。

再読してみると、この小説にもくり返しのしつこさはあって、この作家の癖なのでしょうが、それでも、不穏さが最後までゆるまない、見事な短編でした。おそらく小鷹信光の筆であろうEQの解説は「ヘミングウェイの『殺人者』を思わせる抑制のきいたスタイルが光っている」と結んでいますが、それはさすがに過褒というものでしょう。それでも、簡潔さやその中に秘められた奥行の点で、「殺人者」や、ハメットの「帰路」の足許には迫っています。こういう好短編も書いていることは確かなのです。

ホレス・マッコイは、不遇な作家だと思いますが、ホイットフィールドよりは名を残したと言えるでしょう。ホレス・マッコイの紹介は『彼らは廃馬を撃つ』(この作品は、近年リプリントされましたから、新たな読者を開拓したかもしれません)の映画化がきっかけでしたが、ヒロインの造形が巧みで、女を描くという点ではハメットを上回るのではないかと思います。『明日に別れの接吻を』が、これまた素晴らしいクライムストーリイです。『廃馬』から『明日に別れの』に到るまでの約十年間、紹介されるたびに、ホレス・マッコイはファンの中になにかを残していったようです。その間の小鷹信光による評価は、大切な指標のひとつで、マッコイに興味のある人は必読です。

それでも短編となると話は別です。「黒い手帳」「テキサスを駆ける翼」といった、テキサス航空警備隊長フロストものは、設定の甘い冒険小説だし、ミステリマガジンに載った「マーダー・イン・エラー」は、コンティネンタル・オプの下手なイミテイションにすぎません。サラリーマン探偵が刑事を殴りかえすシーンをハメットが読んだら、絵空事だと呟くのではないでしょうか。それでも、他のブラック・マスクの作家と比べると、小説の構えと見ているところが違います。その良さが出たのが、ミステリマガジンに掲載された「グランドスタンド・コンプレックス」*という二輪レーサーの小説です。ナンバーワンレーサーの主人公が、ナンバーツーの男から、次のレースで負けた方が自殺する、つまり命を賭けたレースをやろうと持ちかけられる。無茶な話なのですが、それに説得力を与える巧さと、レース場面の緊迫感があって、なにより見事なのは、その緊迫した試合が終わったのちの主人公の態度の変化を、あっさりとした描写ながらくっきりと示したところです。

「ハリウッドに死す」は、ハリウッドで休暇中のインタナショナル探偵社のオプ（本社勤務らしい）が、電報を受け取ります。西海岸の支社のチーフのもとへ行けというのは、仕事に戻れの命令です。大金持ちと結婚することで引退した女優が、行方不明になったのでした。地元の警察と張り合い（こちらの支社のチーフが、そのたびにヒヤヒヤするのが面白い）、新聞記者が写真を写そうとするたびに顔をそむける、このパーマーという（名前が一箇所だけ出てきます）探偵は、おなじみの、金さえ払えば仕事はするんだろうと言わんばかりに非協力的な依頼人を恫喝しながら、捜査を進めます。この作品は三三年に書かれたもののようですが、未発表に終わり、マッコイの死後、トーマス・スチュラックが発掘したそうです。マッコイ自身の推敲のあとがあり、削除を予定した部分も分かっていて、なおかつ、カッコつきながら、その部分も訳されています。削除の部分は当然の推敲のように思えますが、作家を志しながら探偵稼業にはげむ男が、映画の都でホンモノとニセモノの芸術家に取り巻かれた女の失踪を追う。名和立行＝小鷹信光の解説を待つまでもなく、ハメットを意識したであろうことは確か（作家になりすました探偵は「ハメットは知ってるかい」と訊ねられる）ですし、ある種のコンプレックスを抱えた主人公という点で『明日に別れの接吻を』をも思い起こさせます。しかし、一人称の語り口にしろ（この点は、チャンドラーのフィリップ・マーロウと比較すべきでしょう）、題材を切り取る手つきにしろ、注目する必要はあっても、習作というべき作品です。

ラウール・ホイットフィールドの**「ミストラル」**といい、ホレス・マッコイの「グランドスタンド・コンプレックス」といい、掬すべき逸品ですが、両者の作家としての資質のためか、ともに、ディテクションの小説ではありません。ハメットも、ディテクションの小説はどちらかというと下手でした。確かに『マルタの鷹』はディテクションの小説であり、それを抜きにしては成立しないものでしたが、その魅力は、ディテクションそのものというより、ディテクションをしているスペイドの人間像によるものでした。

6　追随者たち2――E・S・ガードナー、フレデリック・ネベル

アール・スタンリイ・ガードナーのパルプ時代の作品は、書かれたはずの量のわりには、それほど翻訳されていないのですが、ミステリマガジンが一九六七年十二月号で〈幻のクラシック・マガジン〉を特集したときに、ガードナーの「怪盗エナメル小僧」を発掘しています。とはいえ、三四年の作品で、すでに『ビロードの爪』で大作家への道を歩み始めています。パルプ作家としては最末期の作品でしょう。

ブレイム警部を含めた紳士連が、クラブで座談に興じているところから、小説は始まります。最近の事件に話題は向かいますが、ブレイム警部は、その事件がすっかり解決したものの、しゃくにさわるのだと言います。なぜなら、事件の陰にエナメル小僧がいることは分かっているのに、尻尾を捕まえることが出来ないからでした。そんな座談のメンバーの中のひとり、大金持ちのドラ息子で遊び暮らしているように見えるダン・セラーが、実は、エナメル小僧その人であることを明かして、事件が描かれていきます。

事件は、複雑な手続きでしか解除できない警報装置に守られた宝石を、守衛を用いて盗んだもので、その途中、守衛は警官を射殺したのでした。事件の背後には名うてのギャング、ディック・マローンがいて、暗黒街の生き字引からの情報で、彼が自分を狙っていることを知った

エナメル小僧は、一計を案じます。禁酒法が廃止になって、それまで酒で大儲けしていたギャングが、他の方面に手を伸ばすといったディテイルに触れながら、複雑なからくりをテンポよくさばいていくのは、ガードナーのもっとも得意とするところですが、こういう話は、ある種の愛嬌(あいきょう)と単純さが最大の魅力となるもので、その点、レスター・リースほどの面白さはありませんでした。

ガードナーのパルプ時代の作品から、『地獄の扉を打ち破れ』という、日本オリジナルの短編集が編まれています。一九三二年の後半にブラック・マスクに発表された五編を集めたものです。やはり、長編作家への道を歩み始めていたころのものです。

最初の二編「あらごと」と「ブラック・アンド・ホワイト」は、エド・ジェンキンスものです。「あらごと」は、開巻早々、女を連れた「私」が弁護士を訪れます。悪徳警官の手になる殺人を、彼女が目撃したので、生命を狙われる前に、正式な宣誓供述書を作っておきたいという依頼です。女の口上は入念に練習を重ねたもので、話そのものが胡散臭い。やがて、「私」がエド・ジェンキンスだと明らかになり、この弁護士を狙い撃ちにした罠だと分かります。しかも、実際の標的は、弁護士の背後にいる、この町のボスであるギャングのバッフィ・ベルチャーなのでした。クラリオン新聞の社長ロドニー・スティーリと警察のマルヴァニー警視が組んで、腐敗一掃を目論み、エド・ジェンキンスがそれに一枚嚙んでの罠でした。ジェンキンスの作戦は、金で利用しただけの女の裏切りから、敵に看破されることとなり、狙った弁護士が殺されるという事件に到ります。罠が露見したことから起きた、その弁護士殺しを、ジェンキンスが解決して、「あらごと」は終わりますが、その続編が「ブラック・アンド・ホワイト」です。前作でジェンキンスを裏切った女が、またも、事件をかき回しますが、ジェンキンスはバッフィ・ベルチャーの脱税の証拠を手に入れ、スティーリが自社の新聞でそれを公表しようとします。ベルチャーは反撃としてスティーリの娘を誘拐し、自らクラリオン新聞に乗り込んで、取引を持ちかけます。

作品発表前年の一九三一年には、アル・カポネが告発を受けていました。それを取り入れての作品であるのは明らかです。ジェンキンスを裏切る女の不穏な動きを、ジェンキンスが放置するところが、いかにも不自然（ジェンキンスの一人称ですから、むしろ、何も気づかずに不意打ちにすべきなのでしょうが、それだと、主人公が出し抜かれることになるのを嫌ったのでしょうか）という、連続した弱点がありますが、ギャングに法の手を伸ばすことは可能である――脱税で告発可能である――という、明快な主張に基づく娯楽の一編は、時宜を得たものだったにちがいありません。

「二本の脚で立て」は、メキシコとの国境付近で、麻薬密売人を追う、元マジシャンの潜入捜査員ボブ・ラーキンの活躍を描き、「浄い金」*「地獄の扉を打ち破れ」*は、弁護士ケン・コーニングと秘書のヘレン・ヴェイルのコンビが主人公です。初めのエド・ジェンキンスもの二編も含めて、こうして並んでみると、ガードナーがペリイ・メイスンのシリーズで名を成したことが、納得できます。

「二本の脚で立て」は、主人公の一人称で語られる、国境付近の誰が味方で誰が敵やら分からない無法地帯での活劇ですが、これみよがしのアクションと、もってまわっただけの展開が退屈な一編です。都会的でスピーディな会話に長け、アクションの描写が下手という、ガードナーの資質には、もっとも合わない作品でしょう。そのことはエド・ジェンキンスものと比べても分かるのですが、もっとハッキリするのは、弁護士コンビの二編と比較したときです。

ケン・コーニングは、この街で開業したばかりの弁護士ですが、コネもなく、たったひとりのスタッフである秘書への給料の支払いも、ままなりません。「浄い金」は、夫婦でやっているレストランが手入れを受け（禁酒法が、まだ生きているのです）、妻が逮捕されてしまったと、男が助けを求めます。やって来た警官の前で、男は客の食べ残した皿の前に座って、客のふりをすることで、逮捕をまぬがれたというのです。なんともマヌケな手入れですが、調べてみると、妻は贈賄に問われている。警官に金を差し出したらしい。賄賂は日常茶飯とはいえ、露見すると重罪なのでした。コーニングは弁護に乗り出しますが、お定まりの腐敗した市政を背景にして、手を握っている一味を敵に回します。続く「地獄の扉を打ち破れ」は、名前を名乗らない若い美女が、依頼人です。どうやら、自分の結婚指輪を質入れした金を持って依頼に来たらしいと、秘書のヘレンと話し合うのが、まずゴキゲンです。依頼はつい最近新聞沙汰になった殺人事件でした。公にはなっていないけど、逮捕された犯人の動機は妻の不貞を知ったためで、彼はそれを隠しているために、有利に進むはずの裁判が難しいものになっているというのです。女は自分の存在は隠して、その真の動機を世に知らしめてほしいと言います。奇妙な依頼ですが、不貞の妻というのが、その女だろうというのは、読者にも簡単に分かって、しかも、コーニングの事務所には、男が乱入してきてカメラのフラッシュをたく。古典的な妻の不貞の証拠写真撮影です。コーニングが、この最初の危機を脱して、担当検事に連絡をとると、「浄い金」で相対した腐敗検事が相手と分かります。

あざといまでに奇妙で、しかも分かりやすい奇妙さに満ちた、冒頭の依頼人の登場は、ペリイ・メイスンを有名にした最大の要因のひとつですが、ケン・コーニングの短編にも、それはあてはまります。しかも、弁護士事務所という、ガードナーの手の内の世界を描くことが、どれほどのアドヴァンテージを持っていたかは、おそらく、書いているガードナー本人も気づかなかったのではないでしょうか。「二本の脚で立て」はもちろん、エド・ジェンキンスものと比べても、伸び伸びした過不足ない筆が、心地よく走っています。冒頭の写真撮影の場面でのアクション描写は、やはりぎごちないものですが、それさえも、大きな瑕にはなっていません。『地獄の扉を打ち破れ』は、寄せ集めの短編集ではあると思いますが、ガードナーが直後に歩み始めることで成功する道筋を、明確に示したものとなっていました。

〈幻のクラシック・マガジン〉特集号のミステリマガジンには、ジェイムズ・ロースンの「保釈金はダイヤだ」も収録されていました。スパイシイ・ディテクティヴに載った四二年の作品です。「ガタ車のラジエーターをリンフロからストニーに向けたとき、おれの頭のなかには殺しのことがあった」という書き出しで、一応、私立探偵のようですが、犯罪も辞さないトラブルシューターのおれが、道すがら、美女を拾うと、これが、これから介入しようとする事件で、逮捕され保釈（金）を待っている男の姪です。以前書いたように、ブラック・マスクに代表される、犯罪を題材とした小説群の混沌の一翼を担った、いかにもな作品でした。

フレデリック・ネベル（表記はニーベルとネベルのふたつがありますが、ネベルを採っておきます）は、ハメットとポール・ケインを除くと、『ブラック・マスクの世界』でもっとも厚遇された作家です。第二巻の「ボストンから来た女」は、マクブライド警部と新聞記者のケネディが活躍します。街でクラブを経営する良心的なボスが、引退を決意し、クラブを売りに出します。良心的らしからぬ買い手はみんな拒絶し、信頼できる旧友に売ることにしますが、その友人が街に着いた瞬間、ケネディの目の前で射殺されてしまう。以後、事件に次ぐ事件がめまぐるしく展開しますが、そのわりに魅力がない。相次ぐ事件が、解決までの退屈な段取りに見えるのです。私が本格的にミステリを読み始めた一九七〇年代には、パズルストーリイでくり返される各人への訊問を、退屈な段取りと批判する人がいて、その批判があたっている場合もあるのですが、では、その間に事件がなにか起きていれば退屈でないかというと、そんなことはないわけです。謎が解明に向かっていく足どりや、反対に謎が深まっていく感覚。そういうものがあれば、退屈どころではなくなるのです。大切なのは、訊問がくり返されるか、主人公のアクションが中心となるかといったことではなく、小説が駆動していく感覚が与えられているかということのはずです。第三巻の「殺人狂想曲」に到っては、主人公の動きは一向に解決に結びつかず、事件は勝手に解決してしまう。ヒラリー・ウォーの『失踪当時の服装は』やヘニング・マンケルの『殺人者の顔』のように、警察の組織的な捜査を壮大な徒労の果ての成果として描くことが、ひとつの方法であることもありますが、その場合でも合理性をないがしろにすることはありません。ひとつひとつ可能性を塗りつぶしていくことと、意味のない無駄走りをすることとは、同じではないのです。

　このほか、名前はあげませんが、『ブラック・マスクの世界』には収められたものの、忘れられるべくして忘れ去られたであろう作品を読むうちに、フランク・グルーバーの人間百科事典オリヴァー・クエイドものにぶつかると、さすがにホッとします。第三巻に収められた**「死のストライキ」**（「ストライキ殺人事件」）は、ストライキの妨害工作をかいくぐっていく、きびきびした展開が生命で、殺人事件とその謎解きは、つけ足しと言って悪ければ、その困難のうちのひとつです。だから、厳密には、ディテクションの小説とは言えないかもしれません。労組にロックアウトされた工場内部で殺人事件が起き、組合側はそれを隠蔽したまま、いつ州兵が介入するかもしれないなか、労使交渉を進めていく。セールスに来たところ、どういうわけか中に閉じ込められたクエイドが、最初は経営者側のスパイと疑われながら、小さな貢献を積み重ねることで信用を得ていき、最後には事件を解決します。グルーバーは、のちに、改めて取り上げる予定ですが、残る作家は、腕前が違うことを実作で証明しています。

〈幻のクラシック・マガジン〉特集で、ブラック・マスクから取り上げられていたのは、フレデリック・ネベルの「ウィンター・キル」でした。酒場の一景から話は始まり、どうやら借金で首がまわらないらしい金持ちの息子が、新年早々（一月三日なのです）酔ってくだをまいている。新聞記者のケネディが、そこに来合わせ、店から連れ出して一杯つきあうことになる。

チャンドラーが書きそうだと言ってしまえば、それまでですが、中編の多いネベルには、ゆったりと話を始める余裕があります。翌朝、雪になります。そして、雪の中で凍死した金持ちの息子の死体を、巡査が発見し、マクブライド警部とケネディが現場に現われる。水を浴びせて雪の中に放置するという、残酷な殺し方のようです。しかも、父親に連絡を取ると、息子は誘拐されていたと言うのです。

このコンビの作品は、もう一編「死ぬには若すぎる」という、やはり長めの作品が、日本語版ＥＱＭＭに掲載されています。ホテル住まいの歌手が絞殺されて、現場にマクブライドとケネディがやって来ます。被害者は十九歳の若さで、ラジオでの歌が人気となり、週に二千ドルを稼ぐというスターなのでした。恋人だったらしい男が怪しく取り乱したり、指紋と目撃者からギャングが浮かび上がったりと、容疑者は現われますが、どれも反証があがったり、決め手に欠けるのです。

先に、このコンビの作品を、めまぐるしい展開のわりに魅力がないと評しましたが、プロットを進める際に綾がない。読者の興味をそそっていく手管に欠けるので、事件の展開が段取りに見えるのです。ここでの二編も、同じ欠点を持っていました。警官とブン屋のコンビというのは、ありそうでないというか、ありていに言えば、少々説得力には欠けるのですが、それでも、このふたりの対比とやりとりに、作家は力を入れ、そこで読ませようとしているのでしょう。しかし、クレイグ・ライスやレックス・スタウトを思い出してください。登場人物の性格や愉快なやりとりに心を砕く一方で、読者を巧妙に釣っていくプロットの巧さがそこにはありました。

これが、私立探偵ダネヒューが登場する「カタをつけろ」になると、やや話が違います。冒頭の場面が、まず凝っていて、ダネヒューが酒場にやって来ると、配置転換になって、いままでは担当区域外のはずの警官が、店にいる。ダネヒューはここで人と会う約束なのですが、相手と会うことを、この警官には知られたくないらしい。居座る警官をしり目に、こっそり約束の相手と会おうとする駆け引きが細かくて、渋いけれど良い出だしです。しかも、密かに店を抜け出て、車で待つよう伝言した相手の女に接触すると、彼女は殺されている。彼女は売春組織の内部告発をしようとしていたのです。

ダネヒューが地方検事のために動いていたというのは、突飛だけれど、ナニワブシ的な魅力もあって、警官と記者のコンビよりは面白いと思います。中終盤の展開は、冒頭ほど巧みではありませんが、手堅くまとめています、ただし、冒頭で避けた警官との対立が、結末で活きていないのが、少々甘い気がします。

こうして見てくると、フレデリック・ネベルという作家は、行動的なディテクションの小説という、ハードボイルドの典型的な行き方を、少々不器用に歩んでいったように思えます。しかし、戦後になってEQMMに「干し草の中の針」*という、毛色の異なった佳作を書いています。

主人公は妻とふたりで、カリフォルニアの人口一万二千の街へ引っ越して来ました。そこで測量事務所を開き、人も使えば、取引先も確保できている。地元の週刊新聞の〈新しい隣人〉

のコーナーには、妻とも子ども紹介されました。ところが、この記事のおかげで、不気味な電話がかかってくる。あなたとは会ったことがあり、あなたも会えば私が分かるだろう。あなたに街にいてもらっては困るから、事務所をたたんで出ていってほしい。そうしないと、あなたを殺さなければならなくなる。相手の男は、一方的にそう要求するのです。主人公はまともに取り合う気になれませんが、電話の終わりごろには気味が悪くなり、電話を置くと、もう少し真面目に相手の言葉を聞いておく方がよかったのではないかと思い始めます。さらに、事務所の部下にも、同様の脅迫電話がかかって来ていることが分かり、翌日の渓谷の測量（人気のないところへ遠出しないといけないのです）には行きたくないと言われます。

なんとも魅力的な出だしではないですか。さらに事務所に爆弾を仕掛けたという電話がかかってきて、ビルの持ち主からは、事務所を閉めるよう頼まれる。しかも、警察に連絡すると、似たような事件がかつて一度起きており、実際、脅迫を受けた男は狙撃され、誤って使用人が殺されているのです。

強烈な謎の提示による不可思議なサスペンスストーリイとして、かなりわくわくする出来栄えです。解決がもう少し手際よければ、傑作になっていたかもしれませんが、決して腰砕けにはなっていませんし、ゆうに一読に値する佳作でしょう。ブラック・マスクのカラーに染まりきった作家だとばかり思っていたフレデリック・ネベルに、こんな作品があったということは、作家は媒体で変わりうるということの、憶えておきたいひとつの事例です。このフレデリック・ネベルの変化やトマス・ウォルシュの在り方といったものを、私たちは頭の片隅に置く必要がありそうです。雑誌の時代の短編ミステリには、そんな在りようが起こりうるということを。

ここで、おさらいをしておきましょう。

ダシール・ハメットとキャロル・ジョン・デイリーによって、一九二二〜二三年ごろにその書き方が生まれた、のちにハードボイルドミステリと称されるものは、あっという間に多くの模倣者が登場します。二六年に、原稿料の問題で、ハメットは一度ブラック・マスクから離れますが、その秋に編集長に就任したジョゼフ・T・ショウは、ハメットこそが、ブラック・マスクの作家の手本となるべきだと認識し、同誌に戻り、長編を書くことをハメットに奨めます。二〇年代の初頭から作家稼業に足を突っ込んでいたアール・スタンリイ・ガードナーは、このとき、自分の原稿料を一語一セント削って、それをハメットにまわすよう進言しています。ともあれ、そこから『血の収穫』が産まれ『マルタの鷹』が産まれました。前者は二七年から翌年にかけて連載され二九年に本になり、後者は二九年に連載され三〇年に本になりました。『マルタの鷹』が決定打となって、ハメットは売れっ子の作家となります。

一方、ジョセフ・フォン・スタンバーグが一九二七年に「暗黒街」という映画を撮ります。定説によれば、これがギャング映画の嚆矢ということです。この映画の原案を書いたのがベン・ヘクト。舞台、映画、小説をまたにかけた才人作家ですが、もっとも有名なのは、のちに何度となく映画化された二八年の舞台劇「フロント・ページ」(シカゴ時代の記者仲間チャールズ・マッカーサーとの共作）でしょう。その少し前の二四年、シカゴで起きた殺人事件の女性被告の裁判が狂騒的な様相を呈していました。それを追いかけた新聞記者が出来事の劇化を試み、二六年にやはり大成功を収めます。半世紀後、芝居はミュージカル化され、ボブ・フォッシーの「シカゴ」という奇跡のような舞台となりました。そのシカゴのみすぼらしいホテルに勤めていた男が、二九年に書いた小説が三一年に映画化されました。映画の名は「犯罪王リコ」。原作はW・R・バーネットのデビュー作でした。同じ三一年には「民衆の敵」も公開され、このあたりから、ギャング映画の隆盛が始まったというのが、これまた定説です。二〇年代――とくに、後半――のシカゴは、三一年に脱税その他で告発を受けるまで、アル・カポネが牛耳っていました。シカゴはアメリカの典型的な都市とされますが、その典型が示すように、犯罪組織は、都市生活とは不可分であったのです。もちろん、カポネが収監されたからといって、ギャングがいなくなったわけではありませんでした。また、ニューヨークを舞台にして、デイモン・ラニアンが滑稽なアウトローを描き始めたのも、三〇年代に入ってからでした。

ダシール・ハメットの商業誌デビューが一九二二年。翌二三年からコンティネンタル・オプものを書き始めます。以前にも書きましたが、フェアプレイをモットーとする黄金期の謎解きミステリに対するアンチテーゼとして、ハメットはディテクションの小説の書き方を模索したのではありえません。ハメットと黄金期の謎解きミステリの作家は、ともに、シャーロック・ホームズの模倣者たち（の、おそらくは堕落した姿）を反面教師としたと思われます。かくして、二〇年代の後半を通じて、ハメットがハードボイルドミステリを確立することで、アメリカ流のディテクションの小説の道を開き、同じころ、英米双方に優秀なタレントが出そろった謎解きミステリは、まず長編で開花し、三〇年代に入って、短編においても、技法的に洗練を加えていきます。これについては第三章で詳述します。

アール・スタンリイ・ガードナーが、初めて短編をパルプマガジンに売ったのは、一九二一年のことでした。ハメットの一年先輩。まあ、同期生と言っていいでしょう。ハメットの成功を、どの程度意識したのかは分かりませんが、三〇年ごろから長編を書こうとしています。のちに『ビロードの爪』として発表される小説の第一稿が仕上がったのが、三二年の九月。それが世に出るまでの経緯というか、売り込みの経緯というかは、ドロシイ・B・ヒューズの『E・S・ガードナー伝』に詳しく書かれています。その中には、ストークスに持ち込んで断られた真の理由——エラリイ・クイーンという新人のミステリ作家を売り出すことに決めたので、競合しそうな作家は取らなかった。実際、この三二年は『ギリシャ棺の謎』と『エジプト十字架の謎』の二作を出すという勝負の年でした——が後日に判明したという愉快な暴露もあります。ガードナーは、まず、同じ主人公の中編三編を一冊にまとめることを、エイジェントに勧められています。のちにチャンドラーが行い、カニバライズと呼んだものですね。誰でも考えることは同じということでしょうか。原稿はブラック・マスクのショウ編集長も読んだようですが、同誌に載せるのに消極的だったらしく、必ずしも向いているとは言えないスリックマガジンへの売り込みが選択されます。いくつもの雑誌と出版社に断られ、最終的にウィリアム・モローに拾われますが、その過程でたびたび言われるのが、ハードボイルドタッチを薄めること、冷酷非情な主人公を、もっと読者の共感を得られる人間にすることでした。ガードナー自身は、主人公が悪と戦う闘争的な物語と、知的な謎解きの物語の、ふたつの道を試み、前者を意識的に選びます。こうして一九三三年三月、ハメットに遅れること四年で、ガードナーは、その処女長編が世に出ました。マガジンライターではなく、本の著者となったガードナーは、その後も、長編のスリックマガジン掲載を目ざしての闘いが続きますが、大作家への道を歩み始めたことは、間違いありませんでした。

『ビロードの爪』が世に出た一九三三年の秋、前年に、傑作ばかり四作の長編を送り出して地歩を固めたエラリイ・クイーンは、雑誌創刊の挙に出ます。しかし、その雑誌ミステリ・リーグは短命に終わります。ミステリ・リーグ創刊の直後に、ブラック・マスクに「ゆすり屋は撃たない」(「脅迫者は射たない」)という新人作家の中編が掲載されました。作者の名はレイモンド・チャンドラー。ブラック・マスクに蒔かれたハメットという種子から、果実が収穫されようとしていました——ガードナーが『ビロードの爪』を世に問い、ベストセラー作家の道を歩むためには、ハードボイルドタッチを薄めることを、迫られたにもかかわらず。

この年、フランクリン・ルーズベルトが大統領に就任しましたが、アメリカは不況のどん底にあり、日本に続いて、ヒットラーが政権を手にしたドイツも、国際連盟を脱退します。行く手には戦争が待ち構えているのでした。

タフなヒーロー、客観描写、口語表現、スピーディな展開、アメリカ社会のリアルな背景といった、ハメットのもたらした、おおざっぱな共通項のうちの全部あるいはいくつかを満たしながら、ハードボイルドミステリは書かれていくことになります。それは依然として、大きな混沌でした。

7　フィリップ・マーロウ登場

レイモンド・チャンドラーは、ミステリの歴史の中でも逃すことの出来ない名前ですが、どうも、私は相性がよろしくない。最初に読んだ「ヌーン街で拾ったもの」は、子ども向けの翻訳だったので、勘定に入れないにしても、私がミステリを読み始めた一九六〇年代の終わりから七〇年代にかけては、長編の紹介が終わり、チャンドラーの短編を網羅的に訳してしまおうという時期だったので、ミステリマガジンに訳されたものを、いくつも読んでいるのです。「トライ・ザ・ガール」(「女を試めせ」)「シラノの拳銃」(「シラノ酒場の射合い」)「スペインの血」「レイディ・イン・ザ・レイク」(「湖中の女」)「翡翠」(「支那の宝玉」)といったあたりですが、どれも見事に中身を憶えていません。良かったという記憶がないどころか、つまらなかった印象だけが残っていて、それがために長編に手をつけるのがずいぶん遅れ、いまだにたいして読んでいません。

意識が変わったのは、十数年前に、きっかけがあって「待っている」を読んだときです。その後、村上春樹が長編をいくつか訳して評判になり(二十世紀の終わりごろ雑談の席で、早川と創元の編集者に、それぞれ個別に、来たるチャンドラーの著作権消滅のアカツキに、御社はいかなる対応をとる心づもりなるやと訊ねてみたことを思い出します。うかつにしていると、文春文庫が村上春樹訳で全部出すぞと、冗談で脅かしたものです。両人とも他人ごとみたいな顔してましたね）、ハヤカワ・ミステリ文庫からは、全四巻の短篇全集が刊行されました。これは初出順に配列されていて、この連載には向いているのです。邦訳題名も、この短篇全集版を用いることにします。

しかしながら、本稿のための読み返しにあたっては、まず、手元にあった本から、無造作に読み始めたので、チャンドラーの処女作「ゆすり屋は撃たない」（「脅迫者は射たない」）は、創元推理文庫の稲葉明雄訳で、読むことになりました。読み始めてすぐに、これは、ブラック・マスクの他の作家とは違うと、気づくことになります。描写の意欲が格段に違うのです。登場人物の服装はもちろん、動植物（チャンドラー初期の短編では、植物が多い）の名は、他の作家では滅多にお目にかかりません。各務三郎が、人物事典に続いて動植物事典をやった（一冊にまとめなければなりませんね）のも、よく分かるというものです。

ただし、では、すぐれた短編かというと、そうではない。「ゆすり屋は撃たない」は、説明的な文章を排して、出来事また出来事と事件の連続で進んでいきますが、そのわりには、きびきびとした感じがしない。ひとつには、凝った言い回しや描写が、小説を鈍重にしている。志は分かるけれど、技術がついていっていないのでしょう。日本語になりにくい、あるいは、日本語にすると言葉数が増える類の文章なのかもしれません。いまひとつには、構成が巧くない。

「ゆすり屋は撃たない」に即して言えば、冒頭のマロリーが女優に接触する仕方が、どうにも理解しがたい。つまり、マロリーが目的を達成するために選ぶ手段とは考えがたい。場面の面白さにひきずられて、構成がないがしろにされているように見えるのです。

この二点は、初期の短編の多くに共通する弱点のように思えます。たとえば「シラノの拳銃」の中に、こんな文章があります。「ハンカチーフの端を噛み、左手でそれを引っぱり、まるまる太った右手を空気を押すように前方へ突き出した」。とても、なにか意味のある動作には思えません。おしなべて言えることですが、チャンドラーは行動の描写があまり巧くない。複数の人間の動きを伴った場面を三人称で描くというのが、もっとも苦手なのではないでしょうか。

二作目の「スマートアレック・キル」(「殺しに鵜のまねは通用しない」)は、映画会社に雇われた主人公の探偵が、守るべき映画監督の協力を得られないという話ですが、場面の積み重ね、すなわち、出来事の積み重ねが、もたついていて、構成下手を露呈しています。次の「フィンガー・マン」(「指さす男」)は一人称を採用し、マーロウ初登場(初出時は名なしの探偵でしたが、のちに、事務所のドアにフィリップ・マーロウの名がついたそうです)で、やや見どころがある。ルーレットのいかさまで大金を稼いだ男の護衛の途中で、マーロウが襲われ、意識を失っている間に、男が殺されてしまう。狙われていたのが実は……という話なので、悪くないアイデアなのですが、矢継ぎ早に事件を起こすことに熱心なあまり、読後、一連の事件が本当に起きる必要があったのかと、首を傾げることになる。パズルストーリイに対する批判のひとつのパターンとして、そんな大げさな犯行方法をとる必要があったのかという論法がありますが、チャンドラーを読んでいると、しばしば似たような感じをもつことがあります。

それでも、四作目の「キラー・イン・ザ・レイン」*（「雨の殺人者」）にたどり着いて、ようやくホッとしました。一人称の探偵のところに、自分の放蕩な娘が悪い男にひっかかっているのを助けてくれと依頼人が来る。相手の男は金持ち向けにエロ本を貸すのが商売で、探偵が男の家に行くと、問題の娘が全裸でラリっていて、男は撃ち殺されている。広く知られているように、後年、この短編は『大いなる眠り』にカニバライズ（チャンドラーの造語）されますが、冒頭の展開はミステリのお手本といってよいほどです。依頼にやって来るドラヴェックは、スターンウッド将軍よりは大鹿マロイに似ていますが、娘とはなさぬ仲で、秘かに想っているという、カニバライズドされなかった設定も生きていて、なにより、降り続く雨のイメージが効果的です。雨の中、嬌声をあげる娘たちを楽しみながら助ける警官の姿を描く（ここもカニバライズドされました）のが、パターナリズムはそこらにころがっているのだという伏線も兼ねていて、いかにもチャンドラーでしょう。

こうして初期のチャンドラーの短編を読んでいって、結局、良いと思ったのは、まず「カーテン」*で、次に「キラー・イン・ザ・レイン」でした。なんのことはない。『大いなる眠り』を構成した二編だったのです。

大ざっぱに言ってしまえば、『大いなる眠り』は、「カーテン」の人物関係を基本にして「キラー・イン・ザ・レイン」の冒頭を組み込んだと言えます。「キラー・イン・ザ・レイン」では、放蕩娘が依頼人の義理の娘で、エロ本屋にひっかかっていますが、「カーテン」では、依頼人である将軍は実の娘がひとりきりで、これが『大いなる眠り』の姉娘にあたり、妹のかわりに息子がいる。娘の婿の元闇屋と、将軍は心を通わせていて、その男がギャングの女房と駆け落ちしているらしいというのも、カニバライズされたとおりです。

『大いなる眠り』は、まず「キラー・イン・ザ・レイン」のプロットが進み、なぜ一度死体が消えてしまうのかという疑問は残したまま（これは解決になってないんじゃないかな）ですが、一応の解決をみたのちに、「カーテン」のプロットへと流れていきます。もっとも大きな改変は、「カーテン」の息子の役割を、妹に担わせたことでしょう。これには、小説のテーマに関わる積極的な意味が、もちろん、見てとれますが、同時に、ふたつの消極的な意味も考えられます。ひとつには、「キラー・イン・ザ・レイン」のプロットに放蕩娘が必要で、「カーテン」のプロットには夫が失踪した娘が必要であることからです。もうひとつは、「カーテン」のままだと、ある著名なミステリの二番煎じに見られるからです。もっとも、「カーテン」の結末における、主人公の「ヨーロッパへ送るんだ」という台詞には、その著名なミステリの結末と比較するとき、なかなかの含蓄があるように思いますが。

「カーテン」には、冒頭部分が『ロング・グッドバイ』（『長いお別れ』）の冒頭と似ているという、いまとなっては、ちょっとしたオマケもあります。また『大いなる眠り』のルーレットの場面は、「フィンガー・マン」を連想させます。

では、「カーテン」と『大いなる眠り』では、どちらが成功しているのでしょう?

前者の方が、将軍と失踪した婿との関係を、将軍の口を通じて、より直截に描いています。こういう〈男心が通いあう〉部分は、チャンドラーがくり返し描いたものですが、処女長編に関して言えば、描き方がぎごちないようです。また、ふたつのプロットをつなぐ部分になると、会話が突然増えて、小説が単調になっているのは否めませんし、「カーテン」ではテリー・レノックスに似た男を描くついでに、小説の始めで手際よく語ってしまう、ギャングたちと将軍一家の関係を、小説の半ばで説明しなければならなくなっています。殺し屋キャニノは、突然ラッシュと呼ばれる（ファーストネイムなのかもしれませんが、なにしろ、「カーテン」の殺し屋の名前ですから）しで、いささか混乱がないとは言えない。ラスティ・リーガンの失踪人ファイルの名は、テレンス・リーガンとなっているようですしね。やっつけ仕事を疑う材料は充分です。

にもかかわらず、「カーテン」よりも『大いなる眠り』を私が買うのは、失踪した夫を媒介として描き出された、ヴィヴィアンとカーメンと将軍の悲劇的な親子像に迫力を感じるからです。ここでロス・マクドナルドと比較したくなった人は、石上三登志『男たちのための寓話』の第六章を参照してください。

もっとも、おそらく大半の人が「カーテン」よりも『大いなる眠り』を好むであろう理由は、はっきりしています。それがフィリップ・マーロウの物語だからです。

ミもフタもない言い方をすれば、長編を書くことを迫られたチャンドラーは、比較的デキのいい中編を組み合わせて長編を構成しうるプロットをたて、フィリップ・マーロウという主人公を事件に向かわせました。同様のやり方で『さらば愛しき女よ』(『さよなら、愛しい人』)と『湖中の女』(『水底の女』)も書かれました。そして、チャンドラーの成功は、フィリップ・マーロウを創造したことにつきました。一般的にはそれほど理解されていないことかもしれませんが、マーロウは私立探偵のリアリズムからは逸脱した私立探偵です。あるいは、理解されていたとしても、理想の私立探偵ないしは腐敗した街を生きるヒーローであるという点において、現実からは逸脱した存在と考えられているようです。チャンドラー自身もそう考えたかったみたいですね。しかし、私に言わせれば、それよりも何よりも、フィリップ・マーロウとは小説家が探偵になってしまったような男です。こんなに凝ったものの見方や言い方をする探偵が、現実にいるわけがありません。そして、なにかの間違いで、作家が探偵になってしまえた男が、一人称で、ロサンゼルスの現実を切り取る。その時のものの見方が、おそらくは、多くの読者を獲得したのでしょう。

チャンドラーは、マーロウを腐敗した社会に立ち向かう存在として描きました。それはハメットと比べれば一目瞭然です。チャンドラーの小説では、政治家(知事、検事、判事も含めて)は、非常にしばしばギャングと手を組んでいますし、警官をはじめ官吏は裏で金を得ています。ギャングも探偵も、アメリカの上流階級(ハメットにはほとんど出て来ない)が、しぶしぶではあっても、金で動かす駒として存在を認めているという、抜きがたい認識があります。その結果、チャンドラーの描く世界では、殺人を含めて、悪事は政治家なり富豪なりが、あるいはその両者が、許しを与える犯罪となっています。ハメットの場合、『血の収穫』においてさえ、州の政治家は首をすげかえられる存在として軽く描かれただけであり、唯一の「官」はヌーナンですが、この男は、悪党どもの中で、もっとも哀れな役回りでした。チャンドラーの小説では、暴力沙汰の起こる頻度、殺人の起こる頻度は、ハメットをはるかに凌ぎます。チャンドラーに拮抗しているのは『血の収穫』くらいでしょう。その背景となっているのは、警察による抑止力のなさなのです。そのことは、ひとつの社会認識であり、同時に、そういう街だからこそ、マーロウの騎士ぶりが生きるということもあるでしょう。けれど、それがどの程度現実に即したものであったかは、私には分かりません。

私がチャンドラーの一人称小説に、時として、ある種のいかがわしさを感じるのは、自己讃美の匂いを嗅ぎ取ってしまうからでしょう。これが、チャンドラーのエピゴーネンになると、さらに、その比ではありません。また、フィリップ・マーロウはいやしい街を行くヒーローかもしれませんが、マーロウの精神の気高さを謳われれば謳われるほど、「スペインの血」における、スペイン系探偵とフィリピン人の殺し屋の対決に、それを描く作家のアングロサクソン剝き出しの精神を見ないではいられないのです。

一九三三年に「ゆすり屋は撃たない」でデビューしたレイモンド・チャンドラーは、以後、一年に二～四編の中編（ないしは長い短編と呼ぶべきもの）を書いていきます。三七年の「トライ・ザ・ガール」までの十二編は、ブラック・マスクが発表の舞台（例外は「ヌーン街で拾ったもの」）であり、ショウ編集長が同誌を去ったのち、三七年秋の「翡翠」から三九年夏の

「トラブル・イズ・マイ・ビジネス」（「事件屋稼業」）までは、ダイム・ディテクティヴに掲載の場を移しました。この間、三八年に執筆した『大いなる眠り』が、三九年に刊行されます。「トラブル・イズ・マイ・ビジネス」が世に出た直後、三九年九月にはヨーロッパで戦争が始まりました。そして、チャンドラーはパルプマガジンライターを卒業します。次に発表した「待っている」はサタデー・イヴニング・ポストに掲載され、そこには、ヨーロッパの戦争が影を落としていました。以後、わずかな例外を除いて、短編は書かれなくなり、翌四〇年に第二長編『さらば愛しき女よ』が刊行されます。以後、チャンドラーの執筆活動は、フィリップ・マーロウの活躍する長編小説が、中心となります。

先に、初期の中編を概観し、カニバライズ（中編の長編への再利用）について書きました。チャンドラーのプロットの持ち数の少なさは、長編を中心に論じられる際にも、たびたび言われたことです。カニバライズをやること自体、それを如実に示しているというわけです。しかし、パルプマガジン時代の中編を読むだけで、展開や中盤での事件の起こし方のパターンが少ないことは、簡単に分かります。主人公が頭を殴られ気絶し、気がつくと死体がある。通俗ハードボイルドで手垢にまみれたこの展開を、最初に誰が用いたのか、もっとも多用したのが誰か、私は知りませんが、パルプマガジン時代のチャンドラーが、ほとんど手癖と言えるほどに用いたことは、間違いありません。これを〈探偵が気絶する〉と〈死体に出くわす〉のふたつに分けると、使用頻度はさらに上がります。事件の解決が公にされず、多くは警察の力を利用して、表面上の辻褄を合わせただけの解決が世の中には知らされるというのも、多く出てきます。作品数も少ないのですが、作品のヴァラエティ、発想の広さという点では、ハメットとは比べものになりません。ハメットが多くの失敗を含みながらも、コンティネンタル・オプの小説の様々な可能性を模索していったのとは、対照的とすら言えます。これは私の邪推ととっていただいて構いませんが、チャンドラーは、読者を引きつけるミステリを書こうとしたとき、こうしたプロット——殴り殴られ死体が出て来て、最後には警察が表面上辻褄を合わせる——しか思いつかなかった、つまり、現実的なミステリとはこのようなものだとしか考えられなかったのではないでしょうか。

稲葉明雄は、ミステリマガジンに「女を試めせ」(「トライ・ザ・ガール」)を訳出したときに、こう書きました。

「ここで強調しておきたいのは、先に書かれたにもかかわらず、おおむね中篇のほうが出来がよいらしいという事実だ。彼の長篇はストーリイが錯綜をきわめているため、どうも読後感がはっきりしないという非難があるが、その点では、中篇は筋が単一なために、すっきりした効果を上げているものが多い」

のちに創元推理文庫のチャンドラー短編全集に結実する、稲葉明雄の仕事の始まりとはいえ、この意見には賛成できません。中編だって、すっきりしていないし、凝った書き方が、人物描写には功を奏しても、行動描写やストーリイ展開の面では作品を鈍重にしていて、多くの作品はとても褒められない。しかしながら、自分が翻訳の第一線に立ったときには、惚れ込んだチャンドラーの長編は、年長の翻訳者がすべて手がけていて、中編にまわらざるをえなかった、稲葉明雄の無念を、この文章の背後には見ずにいられません。

『さらば愛しき女よ』は「トライ・ザ・ガール」「犬が好きだった男」「翡翠」をカニバライズしたものです。三編のどれを取っても、長編にはとてもかなわないと私は思いますが、それでも、チャンドラーの特徴を示す手がかりは、いくつも残されています。

三編のうち、もっとも秀れていると私が考えるのは「トライ・ザ・ガール」です。それは、のちに『さらば愛しき女よ』の冒頭にカニバライズされた、スティーヴ・スカラの破天荒な登場シーンのおかげです。スカラはのちに大鹿マロイとして人々の心に残る登場人物となりました。比較してみても、長編の方が、よく出来ていると考えますが、それでも、ぶん殴るような、この大男の登場（というか、本当に、ぶん殴っているのだけど）は、たまらなく魅力的です。けれど、「トライ・ザ・ガール」にヴェルマはいませんでした。ここに出てくるビューラとヴェルマの差は、あまりに明らかで、これでは、比べても勝負になりません。また、「翡翠」には、長編のアンに相当する若い女性が登場しますが、ダルマス探偵とのやりとりなど、まるでトミーとタペンスのようです。これらの少し前に書かれた「金魚」は、マーロウがドートマンダーすれすれのところまで下りてきていて、ユーモラスなクライムストーリイとまでは言いきれないにしても、かなり接近しています。ここで、マーロウにネタを持ってくる女性（つまりケルプですね）とのやりとりは、貧乏な分だけ、もう一歩危険な側に踏み込んだジャスタス夫妻といった感さえあります。そして、どちらも、トミーとタペンスの明るい快活さや、ジャスタス夫妻のにぎやかな活気に欠けるのです。

パルプマガジン時代の中編には、不思議なことに、魅力的な女性の登場人物が出て来ません。そこには作家としての成熟の問題があるように感じますが、それはここでは触れません。ただし、脇役を描く巧さはこのころから持っていて、その代表例が「トライ・ザ・ガール」の、居眠りをする黒人コンシェルジェでしょう。「犬が好きだった男」のクライマックスに突然現われて場面をさらうのが、主人公を賭博船に送り込む、レッドという好漢です。前にも書きましたが、こういう男心が通じ合うところを短かい場面で描かせたら、チャンドラーは巧いものです。得意という点では、酒を呑んではいけない酒びたりを描くのも、チャンドラーの十八番です。とくに女のだらしない酒呑みを描くのは巧い。さきほど、魅力的な女性が少ないと書きましたが、女性の魅力的な描写はあるのです。ただし、それは決まって、関わり合いになりたくない女性を描いたものなのです。

各務三郎はチャンドラーのマーロウものの特徴的な長所として「〈表情〉への偏愛ぶり」(「ガラハッドの都市」)をあげています。人物描写に冴えを見せるのは、その点が与っているのかもしれません。一方で、「反覆が多い」文章の「リズムが独特の感傷性を作り出す」ことで、チャンドラーは権田萬治を虜にしました(「感傷の効用」)。それらは、マーロウという作家的な視線を持った探偵の一人称であるがゆえに、成立したものでしょう。そして、その萌芽は、マーロウ登場以前のパルプマガジン時代の中編(厳密には、探偵の名がフィリップ・マーロウとして書かれたものは、ひとつもない)にも見られます。ですが、それらの特徴ゆえに、重たくて、もたついた描写になってしまうこともありました。「車をおり、ゲートをあけ、車を乗り入れてから、ゲートを閉めた」(「レイディ・イン・ザ・レイク」)と、なぜ、いちいち書かなければ気がすまないのでしょう。「それが高価なこわれ物ででもあるかのように、慎重にその手を下ろした」という文章を自分の行動の描写に用いる(「トライ・ザ・ガール」)のは、気障な文章とはいえ、まだ、愛嬌があると考えられるかもしれません。しかし、凝った言い回しは、しばしば空振りするものです。水を飲むと「コレラ培養菌の味がした」(「金魚」)り、「ナポレオンとジョセフィーヌを演ずる二人の変人のように見つめ合って」(「トライ・ザ・ガール」)みたりしますが、こうした表現で、なにかが伝わるとは思えない。洒落てみようとする、一人称の話者のわざとらしさが透けるだけです。

そういうふうに言い回しに凝るわりに、事件の展開上、重要な場所であるクラブへ、主人公が行くにあたって「ここでなにをしたらいいのか、自分でもよくわかっていないのだが、来なければならない場所のひとつだと思ったのだ」という理由で、彼はそこに赴くのです(「ベイシティ・ブルース」)。なんたる無造作。

パルプマガジン時代のチャンドラーで、ひとつとなると、私は少し考え込んで*「赤い風」を採ることになるでしょう。『大いなる眠り』を構成した「キラー・イン・ザ・レイン」と「カーテン」もいいし、『湖中の女』にカニバライズされた「ベイシティ・ブルース」や「レイディ・イン・ザ・レイク」を読むと、チャンドラーがミステリを書く技量を上げていることが分かります。先に書いたように「トライ・ザ・ガール」のスカラの登場は、大鹿マロイの登場がそうであったように魅力的でした。しかし、ミステリとしての展開と文章ともに、バランスよく工夫されて、それが最後までゆるまない点で、「赤い風」はハードボイルドミステリのひとつの標準点になっていると、私は考えています。

「赤い風」は、砂漠を吹き下ろす熱い風の吹く夜、マーロウがアパートの向かいにある開店早早の酒場に入るところから始まります。マーロウはビールに喉を潤します。「この孤独な男はスコッチやギムレットを飲むが、ビールは飲まない」というわけでは必ずしもないのです。店には酔っぱらった男がひとり。そこに、もうひとりの男がやって来て、女の服装をこと細かに説明して、その女が来なかったかと、緊迫した声（が、マーロウには気にいらなかった）で訊ねます。誰も女のことは知らず、男がスコッチをせっかちにひっかけて、店を出ようとした刹那、酔っぱらいだったはずの男が、突然見事なガンマンに変身し、後から来た男を撃ち殺し、彼の車で逃げ去ります。マーロウと店の男は警察に通報します。マーロウは殺された男がやった、女の服装の描写が詳しすぎることに疑問を抱く。「青い縮緬のシルクのドレスの上にプリント地のボレロ。私はボレロが何かさえ知らない。それに、青いドレス、よくて青いシルクのドレスぐらいなら言うかもしれないが、青い縮緬のシルクのドレスとはぜったいに言わない」どうです。ミステリの冒頭には、こういうものがなくちゃ。

マーロウが自分のアパートに戻ると、エレヴェーターのところに、死んだ男が描いた服装そのままの女がいる。その姿で出ていくと、警察に見つかると、言葉巧みにプリント地のボレロは脱がせて、自分の部屋へ連れていく。しかも、この女の挙動にも怪しいところがある。三階に住んでいるというものの、いたのは四階で、どうも、このアパートの住人だというのは嘘らしい。

以下、殺人者の来襲とその返り討ち（ここ、サスペンスもあり、展開も意表をつきます。「いまでも拳を握りしめると、あのときの感触が甦る」ような一撃で倒すのです）あり、警官との談合と、その裏切りありと、事件が納得のいく形で短かい時間の間に連鎖していくところ、ハードボイルドミステリはこう書くんだと言わんばかりです。その短かい時間の間じゅう、熱くて強い風が吹いているのが、当然ながら、これまた好手。「あなたも読んだことがあるでしょう（中略）妻が本物の真珠を持っていて、夫には偽物だと言う話」と言われ、「モームだ」と答える。気障もここでは効果的です。

「赤い風」はハードボイルドミステリとして間然するところがありません。ハメットの「ターク通りの家」がそうだったように、探偵が心ならずも事件に巻き込まれる形をとっていて、「ターク通りの家」ほどではありませんが、純粋なディテクションの小説からは少々逸脱しています。それはともかく、チャンドラーが、こんなに端正なミステリを書いたというのは、奇跡的な偶然ではなかったかと、私は考えています。「赤い風」は、ハードボイルドミステリの、ある種のプロトタイプとして、その地位を要求できると考えますが、同時に、その出来栄えは、頭抜けたものではありません。たとえば、長編を書くことにウェイトを置き、パルプマガジンに中編を書き続けることを止めたチャンドラーが、唯一書いた短編小説に比べれば。サタデー・イヴニング・ポストに掲載されたその短編は**「待っている」**でした。

8　レイモンド・チャンドラーの到達したところ

レイモンド・チャンドラーの「待っている」は、慎重に読み進むことを要求する短編小説です。私は一九九六年に稲葉明雄訳で読みました。それから十年ほど経って、田口俊樹訳（現在は『トラブル・イズ・マイ・ビジネス』に入っています）が出て、これが事件だったのですが、そのことは後述します。本書には、深町眞理子による新訳を収録することが出来ましたが、ここでの引用は、基本的に――本書の基本方針とは異なって――稲葉訳によります。その理由は後述しますが、みなさんには、ここで、まず深町訳を読んでから、以下の文章を読むことをお勧めします。

ホテル探偵のトニー・リゼックは、深夜、ラジオ室で、最上階に投宿する女、ミス・クレッシーに声をかけます。彼女はある男を待っている。かつて彼女が「汚い真似」をしたために、男は「暗いところへ入れられ」たのですが、彼女はよりを戻したいと考えている。そんなところへ、旧知の間柄のアルというギャングから、トニーは呼び出される。アルは彼女が待っているジョニーという男を、組織の金の拐帯者だと考えて狙っています。アルはトニーに、クレッシーをホテルの外に出すよう要求します。トニーがホテルに戻ると、すでにアルとジョニーは偽名で宿泊している。トニーは彼と対面し、警告を発して逃がしますが、すぐにアルとジョニーが射合いになったという報せが入ります。
小説で起こる表面上の出来事は、これだけなのですが、これでは、トニーがなぜジョニーを逃がしたのかが、理解できないでしょう。以下、少し長くなりますが、以前初読のときに「待っている」について書いた文章を再録します。

アルとトニーとは、旧知の間柄と書いたが、ふたりの会話が緊張感の中にも親密さを持つ一方、トニーはアルを「やくざだよ」と明言し、烈しい軽蔑をこめて「阿呆の集まり」「低能ばかりだ」と酷しい。ふたりの間には、強い感情が隠されている。会話の途中で、アルが母親の様子をトニーに訊ねるところがあり、ふたりを兄弟ととるのが、あるいは、自然かもしれない。しかし、ラスト近くの、トニーとフロント係の会話には、トニーが同性愛者であることが、示されている。だから、むしろ、愛する男の母親の面倒をみながら、おそらく厄介事とともにしか現われない、その男アルを、トニーも待っている。そして、愛している男だからこそ、その男に殺人をさせてはならないと、トニーは考えた。そう解釈したい誘惑にかられる。もちろん、そんなことは、直接、この小説には書かれていない。けれど、ホテルのラジオ室で、待っている男と、待っている女がいて、一方の待っている男が、他方の待っている男を殺してしまうというシンメトリカルな結末は、いかにも小説として、きれいではないか。

トニーを同性愛者だと読んだ一番の理由は、結末で射合いがあったことを知らせる電話をトニーが受け、居合わせたフロント係をはずさせるという一場があって、その後のフロント係の台詞にあります。

「衝立のかげから戻ってきたフロント係は、目をかがやかせてトニーの方を見た。

『おれは金曜が非番なんですよ。いまの電話の主をちょいと拝借できないかな』」

小説の初めの方で、フロント係がトニーに早く戻ってきてくれと頼む描写があり、その願いが叶えられないところへかかってきたギャングからの電話を、自分に知られたくない男がいる(だから、その場をはずさせられた)と勘違いした。そんなふうに考えたわけです。トニーはチビでデブな中年男と描かれていますが、一方で細くてしなやかな指がきれいだと、いささか女性的に描写されてもいます。冒頭、深夜のラジオ室がトニーの専用だとあるのは、時代的にもヨーロッパの戦況が気になっていると考えられて(のどかに音楽を流していることに、かすかながら嫌悪感があるのは、そのせいでしょう)、トニーはポーランド人と称していますが、ユダヤ人と並んでナチに忌避されたのは共産主義者と同性愛者でした。そもそも、ウィンダミア・ホテルという名前は、オスカー・ワイルドを連想させますから、そういうふうに読みたくもなるというものです。

とはいえ、手がかりは、この程度のわずかな暗示だけですから、さすがに断定は出来ない。私の書き方が控えめだったのはそのせいです。しかも「慎重に読み進むことを要求する」なんて書いておきながら(そう、今回の冒頭も、以前書いたものをカニバライズしたのです。もとの文章は拙著『本の窓から』に収めてありますから、興味のある方はどうぞ)、ちょっと、タ力をくっていたところもあって、反省しているのです。

フロント係の台詞の原文は次のとおりです。"I'm off Friday. How about lending me that phone number?" 電話番号を「電話の主」と訳していて、この程度は意訳のうちに入らないのかもしれませんが、では「その電話番号をちょいと拝借できないかな」と稲葉明雄が訳していたら、この解釈を私が採れていたかどうか？ もっとも、この部分の訳は翻訳家を悩ませているようで、田口訳では「さっきの大金は私があんたから借りたってことでいいかな？」となっていますからね。

さて、私のこの文章を慎重に読み進んでこられた方は、もうお分かりでしょうが、これまでに記した私の解釈は、アルとトニーが兄弟であっても、ほぼ、そのままあてはめることが可能です。恋人に対する愛情ゆえが、兄弟に対する愛情ゆえに変わるだけです。そして、それは、どちらともとれるという解釈もありうることを示しています。

二〇〇七年に田口俊樹訳が発表されたとき、それが事件となったのは、事実関係の部分で従来の訳――とくに、一番普及していた稲葉訳――とは異なる解釈のもと、訳されていたからでした。ありていに言えば、それまでの訳は誤訳であると主張しているようなものでした。

もっとも重大な部分は、結末でトニーにかかってくる電話（フロント係をはずさせたアレです）の内容です。従来、アルがジョニーに殺されたと、トニーは知らされるのですが、田口訳は、反対にアルがジョニーを殺したという内容になっているのです。

問題の部分は原文では The guy stopped the big one. Cold. です。稲葉訳では「野郎、うちの大将をやっちまった。冷たくしちまったんだ」となっているところを、田口俊樹は「その野郎、どでかい一発を食らって冷たくなった」と訳したのです。さて、どちらが正しいのでしょう。ご覧のとおりの原文は、正直、私の手にはあまります。ただし、どちらが死んだかは、確かに重要な問題ですが、同時に、どちらでも構わないとも言える。〈一方の待っている男が、他方の待っている男を殺してしまうというシンメトリカルな結末〉という構図は、どちらが殺していようと生きているからです。ただ、チャンドラーの意図がどうあれ、トニーにとって一番回避したいのは、アルが人を殺すことのはずですから、そうなってしまうというのが、結末としてドラマティックであることは確かです。

もうひとつは、トニーがジョニーに逃げるようすすめるくだりです。彼女を連れていけるかと問うジョニーに、トニーが答えます。ここも原文を示します。"You could take a ride in a basket too."稲葉訳は「洗濯ものの籠にかくれて降りることもできる」と肯定的なのに対して、田口訳は「真っ逆さまに地獄に堕ちてもいいのなら」と否定的な訳になっています。文章の流れから言うと、続いて「どっちみち、彼女には逢えるな。逃らかるまえに」（稲葉訳）というジョニーの台詞があるので、トニーはジョニーだけを逃がそうとしたのではないかと思われます。ただし、ふたりを逃がそうとしたからこそ、荷物用エレヴェーターで一仕事したトニーがロビーに下りてみると、そこにクレッシーがいるということ自体が、どこかで行き違いが生じてしまったという驚きを読者に与えて、それはそれで捨てがたい。チャンドラーの意図がどこにあったかは脇に置いて、小説としてのあるべき姿を求めた場合、どちらが良いのか。そう考えてみても、簡単には判断がつきません。

さらに、田口訳には重大な補い訳があります。アルとトニーの会話中のアルの台詞を「弟のおまえは慎重派で、兄貴のおれはせっかち派だ」と訳しているのです。原文はYou take it slow, Tony. I'll take it fast. です。途中でbrotherと呼びかけている箇所もあるのですが、それを考慮に入れても、この補い訳はいただけません。先に書いたとおり、どうも兄弟らしいけれど、そうではないかもしれないから、**「待っている」**は素晴らしいのです。それに、補い訳というのは、もともと、あまりやらない方がいいものです。

こうして見てくると、**「待っている」**の特徴は、ある種の曖昧さ、両義性にあることがお分かりでしょう。チャンドラーは決め手を与えない曖昧さの上に、この小説を組み立てたのかもしれません。したがって、結末の射合いにしても、考えうる翻訳の選択肢は、〈アルが殺された〉と〈アルが殺した〉のふたつではありません。どちらなのか読者には曖昧なままという選択肢もあるはずです。**「待っている」**は切り詰めた文章で書かれていて、パルプマガジン時代よりも、むしろ贅肉の落ちた文章だと思います。凝った言い回しもそれほどありません。しかも、トニーを中心として、登場人物の内面は慎重に覗きこまれることを拒否しています。拒否してはいるが、おそらく愛情であるだろう強い感情が、各人に秘められている。村上春樹が『ロング・グッドバイ』の訳者あとがきで指摘した「ブラックボックスとして設定された自我」は、三人称のこの短編において、ひとつの結晶を見たのではないかと考えることが、私にはあります。

と、ここまで書いた上で、私も深町訳を楽しみに「待っている」。

「**待っている**」を、チャンドラーは三九年の私信の中で「どこかにとりえがあるのかどうか、よくわかりません」と書く一方で、四八年に書いた手紙では、中短編の中で、すぐれていると思う作品のひとつに入れています（『レイモンド・チャンドラー語る』）。「**待っている**」ののち、ふたつの幻想譚（「青銅の扉」「ビンゴ教授の嗅ぎ薬」）と、一編のハードボイルド（『湖中の女』にカニバライズされることになる「山には犯罪なし」）を書き、そして、チャンドラーは『ロング・グッドバイ』に到達しました。その後、最初からフィリップ・マーロウの登場する話として書かれた唯一の短編「マーロウ最後の事件」が死後発表され、七〇年代には「イギリスの夏」が発掘されました。

「**待っている**」は非常にすぐれた短編小説ですが、チャンドラー自身は、商業誌におもねった作品だと書いたこともあるようです。もしも、それが本気なら、もう少しおもねってみた方が良かったと、私は思いますが、こうした作品を書き続けたとすると、チャンドラーはミステリからは離れていったかもしれません。もちろん、ミステリがそれを追いかけていったかもしれません。もしも、そうなっていたら、私たちは素晴らしい短編をさらにいくつか読めたかもしれませんが、レイモンド・チャンドラーがこれほど大きな名前になっていたかどうかは疑問です。なぜなら、フィリップ・マーロウという私立探偵の長編小説を書き続けることで、ということは、ミステリ作家であり続けることで、チャンドラーは『ロング・グッドバイ』に到達したからです。私立探偵の物語という、少なくとも当時は、ミステリ以外に引き受け手のなかった小説を書くことで、作家チャンドラーはユニークな地位を築き、『ロング・グッドバイ』という決定的な果実を実らせたからです。

短編小説では「待っている」、長編小説では『ロング・グッドバイ』。このふたつに到る道筋こそが、チャンドラーという作家の存在意義のように、私には見えます。そして、ハメットとは、また別の意味で、その道筋を真似ることは、誰にも出来ないでしょう。ハメットを真似ることはそもそも不可能です。なぜなら、ひとつのプロトタイプを創造することは、天与の才を持ったトップバッターの特権だからです。チャンドラーを真似ることは失敗への道に続きます。なぜなら、ミステリのアウトサイダーがミステリを書くことで、ミステリであると同時にストレイトノヴェルを書いてしまったのが、チャンドラーだからです。多くのストレイトノヴェリストが、それはそれとして、ミステリのインサイダーとしてミステリを書いたのとは、はなはだ対照的なことでした。レイモンド・チャンドラーは偉大なアウトサイダーだったというのが、この作家と相性の悪かった私の結論です。

9 パルプマガジン出身の成功例——フランク・グルーバー

ハメット、チャンドラーという、ハードボイルドのビッグネイムは、その影響力が大きかったことは否定できませんが、では、偉大な作家の軌跡を、凡人が追いかけていけるかというと、それは疑問ではないでしょうか。少なくとも、その模倣は誤解や変質を伴うのが当然でしょう。シャーロック・ホームズのライヴァルたちは、シャーロック・ホームズとは異なり、さらに、ライヴァルにさえなれなかった小説群があったのです。ブラック・マスクにも同様なことは言えるはずです。ブラック・マスクのマジョリティ。その良質な代表例がフランク・グルーバーです。

フランク・グルーバーは、パルプマガジン出身のミステリ作家の中で、おそらく二番目に成功した作家でしょう。一番は、アール・スタンリイ・ガードナーです。もちろん、これは商業的な意味においてです。グルーバーの人間百科事典ことオリヴァー・クエイドものは、ひところ、各務三郎が肩入れしていて、邦訳の短編集『探偵 人間百科事典』（のち文庫化され『グルーバー 殺しの名曲5連弾』）が存在するのは、氏の孤軍奮闘の賜物と言っていいでしょう。かれこれ四十年ミステリを読んでいますが、グルーバーを積極的に評価している日本人を、他に見たことがありません。丸谷才一が「マイ・スィン」で取り上げたことはありますが、あれは積極的な評価と言えるものやら。

ハメット以後のブラック・マスクについて書いたところで、グルーバーを相対評価しておきましたが、そこで読んだ「**死のストライキ**」も、オリヴァー・クエイドものでした。そのとき「厳密には、ディテクションの小説とは言えないかもしれません」と書きましたが、それはオリヴァー・クエイドもの全般にあてはまることです。

一度読んだ活字は絶対忘れないというクエイドは、百科事典を読破することで雑学知識を身につけ、その知識をセールストーク（どんな質問を出されても必ず正解してみせます！）に、相棒のチャーリー（シリーズ当初は存在していなかったようですが）と簡易版の百科事典を売り歩く、実演販売（と言うんでしょうね、これも）のセールスマンです。クエイドの初登場は一九三六年。「古今の人間の知識の要約。ありとあらゆる質問への解答。完璧な大学教育が一冊の本に集約」を、二ドル九十五セントで売り歩くクエイドは、大不況下の申し子でしょう。各務三郎の解説によれば、グルーバーはジョゼフ・T・ショウとそりが合わなかったらしく、ブラック・マスクにオリヴァー・クエイドが登場するのは、ショウが編集長をおりた翌三七年からになります。また、ブラック・マスク時代のオリヴァー・クエイドもの十編は、なんらかの形ですべて邦訳されていますし、六六年にオリヴァー・クエイドものの短編集がアメリカで編まれたときにつけられた序文も、「パルプ小説の生命と時代」という題名で、ミステリマガジン六七年十二月〜六八年二月号に訳されています。

オリヴァー・クエイドは百科事典売りですから、毎回、事件に巻き込まれる形をとることになります。もともと商売としては見るからに胡散臭く、クエイド自身もはったりの強い性格に描かれていますから、余儀なく事件に巻き込まれ、それに立ち向かっていく姿が自然に物語を駆動していく。巻き込まれ型のプロットとシリーズキャラクターという、一見矛盾するような組み合わせは、後年、ローレンス・ブロックがバーニー・ローデンバーもので、ひとつの代表例を作ったと思いますが、オリヴァー・クエイドは、バーニーほど完全なアウトローではないにしても、その先駆者としての地位は主張できるでしょう。

私の読んだ範囲では、工場のロックアウトに巻き込まれたところ、その工場内で連続殺人が起きる**「死のストライキ」**が、巻き込まれ方も、その後の展開も申し分なく、もっとも面白い作品でした。冒頭の手が込んでいるのが「不時着」です。雪の山中に飛行機が不時着し、乗員が命からがら脱出してみると、パイロットが殺されている。一方で、クエイドとチャーリーも雪山で自動車の故障にみまわれ、それら全員が助けを求めたのが、高価な毛皮用キツネの飼育で財を成した老人の家で、そこに、毛皮目当てのギャングが乱入します。『探偵人間百科事典』の巻頭を飾った「鷲の巣荘殺人事件」にもあてはまりますが、ある閉ざされた状況で、殺人が起こり、そこからいかに脱するかが、クエイドものの眼目になっています。危機からの脱出がポイントなのに注意してください。そこでは事件の解決ないしは犯人の指摘は、危機からの脱出のための手段ではあっても、目的ではありません。グルーバーは、クエイドの陥る危機について、様々な工夫を凝らすことはあっても、読者を引きつける魅力的な謎を、事件に与えることはありません。ミステリマガジンに載った*「クエイド、馬券を買う」や、EQのビッグ・ボーナスとなった*「ソング・ライターの死」は、シリーズとしてもおしまいに近く、長編作家として打って出る時期の作品です。この二編をシリーズ中の佳編とすることに躊躇（ちゅうちょ）しませんが、それでも、謎とその解決には、ありきたりの域を出るものがありません。スピーディに危機を脱出する疾走感が、クエイドものの最大の美点なのです。

グルーバーについて言及されるときに、必ず出てくるのが、ミステリのプロットを作るための十一か条です。これは「パルプ小説の生命と時代」に出てくるものですが、その十一番目は「感情」となっていて「主人公は、ある程度、個人的に事件に関係している必要がある。彼の行動は義務以上のものでなければならない。あるいは彼がうける報酬以上でなければならない」としています。この十一か条は、すべてを満たせというのではなく、その条件にあてはまることが多ければ多いほどいいとしていますが、それにしても、この考え方でいくならば、しろうと探偵が好奇心から事件に乗り出すという型が忌避されることは、容易に想像がつくところです。しかも、一番目の「主人公」のところでは、「正規の警官や刑事は、はなやかではない」と否定的なのです。グルーバーの法則は、パルプマガジンの読者にウケるため、実戦的に編み出されたものでしょう。しかし、こうなると、ウールリッチあたりに似たサスペンス小説を志向することに、どうしてもなってしまいます。実際、オリヴァー・クエイドもの以外で翻訳された短編は、そうしたものが多いのです。

たとえば、日本語版EQMMに最初に紹介されたグルーバーは、「お金を千倍にする法」でした。これは、グルーバーのシリーズキャラクターであるジョニー・フレッチャーの相棒サム・クラッグが、単独で登場するという珍品です。サムは月賦販売の代金回収をしていますが、死亡記事の喪主の欄をチェックして夜逃げした債務者を見つけるという、気の利いた出だしで読者を釣っておいて、債務者に取り立てにいくと、彼は殺されている。そのまま、あれよあれよという間に、詐欺グループの事件を解決するはめに陥るのですが、登場人物の面白さに比して、事件の謎や解決には魅力がありません。

それに比べると、「おれをクビにできない」[*]は、はるかに魅力があります。主人公の「おれ」は、金庫の錠前の会社の職工ですが、賭けボーリングで金をすってしまう浪費家でもある。間違って開かなくなってしまった金庫があると、派遣されて開けたりするのですが、その手際が新聞に少々過大に報じられたために、ギャングに腕前を狙われることになります。金庫破り談義をしている(というのが、そもそも、おかしいのですが)うちに、実際に企んでいるであろう強盗計画の細部に、主人公が意見をすると、それに基づいて、ギャングは計画を修正しなければならなくなる。しかも、コトが終わるまでは身柄を拘束され、強盗が完了すれば、今度は、警察から共犯を疑われる。解決では、一応、さらにひとひねりしてみせますし、ニヤリとさせる最後のオチまで、愉快な一編でした。

『ブラック・マスクの世界』第五巻に載った「指」は、日本語版EQMMに掲載された「ねずみと猫」と同一作品ですが、アパートをシェアする同居人が殺人者ではないかという疑いを持った主人公のサスペンス小説で、これなどは、同時代にパルプマガジンで過ごしたウールリッチと比べたくなるような短編です。ウールリッチほど雰囲気を出すのが巧くない——というより、そんなことに目もくれませんが、破綻することもない。同傾向で、さらに面白いのが「過去のある花嫁」[*]という作品です。結婚直前の主人公に、見知らぬ女から結婚を取りやめるよう電報が来る。無視してハネムーンに出ると、女はそこまで追ってくる。新婦はもともと主人公の親友の妻で、親友の死をきっかけに愛しあうようになったのですが、その親友の前には、電報の女の兄と結婚していて、みんな不審死をとげているというのです。疑問を持った女は、私立探偵を雇って、新妻の過去を洗わせますが、何人かの夫が死んでいて、過去を偽った形跡もある。しかし、一方で、相続した莫大な遺産をつぎ込んで探偵を雇い、兄殺しを立証しようとする女の姿もエキセントリックに見えてくる（彼女の耳に心地よい情報を出すほど、私立探偵は金になる！）。これもウールリッチが書きそうな話ですが、ふたりのうち、どちらを信じていいのか、読者に決め手を与えないまま、結末になだれ込むのは、グルーバーの職人の腕前というものでしょう。

グルーバーにはミステリ作家以外の顔もあって、中でも日本で知られているのが「十三階」（「十三階の女」）という怪談でしょう。別冊宝石に訳された「黄金のカップ」も怪談ですが、「十三階」には及びません。「十三階」は、「13階のエレベーター」という題で学研の雑誌、学習の付録の小冊子で読んだきり（クイーンの「神の灯」*も「消えた黒い家」という題のこれで、まず読みました）でしたが、今回読み返して、シカゴのデパートというモダンな背景が、新奇な怪談としてアピールしただろうことは分かりましたが、いまとなっては、達者に書かれた怪奇小説という以上のものではないでしょう。

もうひとつの顔は、西部小説の作家としてのそれです。ここまで来ると、短編ミステリの話からは逸脱してしまいますが、日本語版ＥＱＭＭの西部小説特集に掲載された「硝煙の町」*には、触れておかねばなりません。

舞台となるブロークン・ランスの町は、「テキサスの牧牛業者が、カンザスの鉄道へ牛の群れを追って来」るカンザスの町ですが、主人公のトムキンズが保安官として着任する直前は、二か月の間に四人の保安官が（おそらくは銃弾に）倒れていたのです。敵役は、四人の前任者のうち二人を葬ったディック・セラーズという男。衆人環視の中で相手を挑発し、先に拳銃を抜かせてから、自慢の早撃ちで倒すので、何人撃ち殺しても、必ず正当防衛になるのです。最後にふたりの対決に到るのは、西部劇の典型的なパターンと言えます。ありきたりかもしれません。トムキンズは東部の男（ヒロインを連れてイリノイに帰りたがっている）、セラーズはもちろん西部テキサスの牧童ですが、時は一八七四年、すなわち「リー将軍がエパマタックスで降伏してから九年の歳月が流れていた。だがテキサスは決して降参してはいなかった」という状況・時代設定なのです。しかも、テキサスで一頭三ドルの牛を、カンザスまで運ぶと二十ドルになるのですが「その値段の差がテキサス男たちは気に入っていた。しかし同時に、北部の金ということで憎んでもいた」のです。保安官と牧童の対立は、西部と東部の対立であり、それは、実は南北戦争での対立であって、なおかつ南北問題でもある。私の西部小説・西部劇についての知識は皆無に近いものですから、もしかしたら、これらは常識に類することなのかもしれません。しかし、この設定の背景への踏み込み方は、ミステリ作家グルーバーからは考えられないシャープなものだと思いました。

先に触れた「パルプ小説の生命と時代」は、のちに出る自伝エッセイ *The Pulp Jungle*（本書第一巻での門野集さんとのお喋りに出てきましたね）の原型となったようです。具体的な原稿料を出しつつ、売り込みに奔走する自画像を描いたものですから、どうしたって、あけすけになってしまいます。それを嫌味に感じさせない明るさが、グルーバーにはあるのですが、それでも、ミステリマガジンでの連載第一回目につけられたリードにはこうあります。「外国人作家がお金についてフランクに喋るとは聞いていますが、これを読むと、フランク・クルクルパーじゃないかと思われるくらいです。自己の作品の良し悪しより、まず一語何セント一篇何ドルとソロバンをはじいてしまうのですから驚きです」一九六七年の日本の常識からすると、グルーバーの姿は、金に汚く軽佻浮薄に映ったかもしれません。そもそも、いまだにこの国は、原稿依頼のときに原稿料が提示されるとはかぎりませんからね。しかし、それ以上に、大不況下のアメリカで、なんの伝手もない男が、作家として暮らしをたてていくということに対する決定的な無理解、あるいは、その無理解を生んでいる溝のようなものを感じます。

一語一セント。グルーバーが世に出るきっかけとなる一晩で書いた短編が、五千五百語でした。原稿料は五十五ドル。この五十五ドルがどのくらいの価値かは、そう簡単には分かりませんが、一語一セントを二セントにするために、グルーバーは涙ぐましい苦労を重ねます。一セントを二セントにしたと考えるべきか、原稿料を倍にしたと考えるべきか、難しいところでしょう。そうして、パルプマガジンの売れっ子になり、スリックマガジンは性にあわず（狙って果たせなかったのかもしれません）、ハリウッドへ行くと、そこではマガジンライターは尊敬されていないらしいと気づく。作家は本を出していないといけないのです。本になる長編を書くことにしたグルーバーは、西部小説よりもライヴァルは多いけれど、西部小説よりは成功の可能性が高そうな、ミステリの作家を目ざしました。ミステリのプロットを作るための十一か条とともに、グルーバーの発言でよく引き合いに出される「ガードナーの小説の複雑なプロットとテンポに、ジョナサン・ラティマーのユーモアを加えようと考えた」という言葉も、「パルプ小説の生命と時代」に出てくるものですが、これは長編ミステリの作家として立とうと考えたときの言葉なのです。

どうしたら編集者に受け入れられ、読者に喜ばれるかを、慎重に作戦をたてて考え、パルプマガジンの大家となったグルーバーが書いた短編ミステリは、魅力的な謎と魅力的な解決は乏しいものでした。そんなところに読者の興味はない。少なくとも、もっと大切なこと優先しなければならないことがある。グルーバーはそう判断したのでしょう。同時期のウールリッチが、魅力的な謎を志向しながら破綻し続けたことと、きわめて対照的なように、私には思えます。

10 追随者たち3――J・M・ケイン、ブレット・ハリデイ

レイモンド・チャンドラーの同時代で、ハメットの影響下に作品を発表した作家のうち、もっともチャンドラーに迫ったのは、ジェイムズ・M・ケインでしょう。ただし、ふたりの関係は微妙で、ケインの原作をチャンドラーが脚色した映画「深夜の告白」は、アカデミー賞にノミネートまでされましたが、互いの関係が良好とは、あまり思えない。チャンドラーがケインを悪しざまに言っているのは、ほうぼうで引用されますから、ご存じの方も多いでしょう。「汚いことを汚く書く」という、例のあれです。ケインの方には、チャンドラーについての目

立った言及がありませんが、ケインが死んだときに書かれた小鷹信光の追悼文には「標的をハメットとヘミングウェイ、ことに後者のほうにはっきりとしぼっている」とあります。チャンドラーと同列はもちろん、ハードボイルド派と括られることも嫌ったというのは、本音だったにちがいありません。

先に、チャンドラーの同時代と書きましたが、一八九二年生まれのケインは、チャンドラーより年下ではあるものの、作家としてのキャリアは、やや先輩にあたります。第一次大戦に従軍後、H・L・メンケンの知遇を得て小説を書き始めました。本人の弁によれば（「私の文章読本」ミステリマガジン一九七八年二月号の追悼特集に訳出されています）、二十代の前半に作家を志し、三十歳近くになって実際に取り組んだそうですが、当初は、話をどう進めていいのかも分からず、三人称の長編が書けなかったと言います。しかし、短編は話が違う。以下、引用すると「ある特定の人物の口を借りて語られる短篇小説のほうは、三人称のときのようによろめいたり、つまずいたりせずにまっすぐ進んでくれる。一人称で語られる私の主人公たちは、自分がいうべきことを完全に知りぬいていた」のです。ただし、彼らは「長篇小説にはまったく不適応な、ひねくれた、醜悪な方言をしゃべる」のでした。こうしたジレンマを抱えて、三二年にケインはハリウッドに行きます。作家がハリウッドに行くのは、珍しくありませんが、ケインの場合は、大きな転機となりました。翌三三年秋に――奇しくもチャンドラーの処女作が世に出たのと前後して――『郵便配達は二度ベルを鳴らす』を書き上げたのです。この一人称で書かれたクライムストーリイは、三四年に刊行され、ケインは流行作家となりました。

ジェイムズ・M・ケインの初めて邦訳された短編は「冷蔵庫の中の赤ん坊」でした。レストラン兼宿屋にガソリンスタンドを付けた店を、夫婦でやっている。そこに客がやってきて、女とあやしい仲になる。『郵便配達』を想起させるというより、同じと言ってしまえるようなシチュエーションですが、語り手が異なる。ガソリンスタンドには使用人がいて、その男が語り手なのです。三角関係の末に放火殺人に到る顚末を手際よく語って、しかも、夫が怯える猛獣を妻がまったく怖がっていない(ことにも夫は気づいていない)という、夫婦間の綾も巧いものです。にもかかわらず、どう見ても、この語り手は不必要な傍観者にしか見えません。「牧歌」は、犯罪の顚末を抑制の効いた語り口で描いてみせますが、やはり一人称の語り手が、なんのためにいるのか分かりません。「おれが賭けた女」の語り手は、主人公の資格がありますが、中身は他愛ないアウトロー版ボーイ・ミーツ・ガールでした。「山火事」「殺した男」のような三人称の作品もあって、とくに「山火事」は消火活動のさなかに起きた事件という短かい時間を描いて、ちょっと読ませますが、おそらく、これ以上に複雑な出来事を、このころのケインは、三人称で描くことが出来なかったのかもしれません。

ケインは、人間の内面にしか興味がなく、その人間の内面を表すものとして文体があり、描写というものには無関心であることを、「私の文章読本」で公言しています。そうした意識が、事件の連鎖と、それを語る語り方そのものが、運命に翻弄される主人公を描いていた『郵便配達』を産み出したのでしょう。同時に、その小説観の狭さが、短編を習作の域に留めているように、私には思えます。

ブレット・ハリデイの初期作品には、メキシコを舞台にした土木技師を描いた作品群があり、それはハリデイの過去の経験を生かしたもので、質的にはマイケル・シェーンものを上回ると、細君のヘレン・マクロイが指摘していました。

「数枚の銀貨」は、アメリカで教育を受けたメキシコ人が語り手を務めます。横柄なグリンゴのサーストンが、金にものを言わせて、現地に暮らすアメリカ人のシンプソンを使って、メキシコ人たちを荷運びに雇う。シンプソンはメキシコ人の妻を娶って、この地に住んでいるのでした。サーストンはメキシコ人を侮辱することも厭わず、金とピストルで彼らを沈黙させるのでした。目的地めざして、シンプソンの家に着いたところで、シンプソンの娘がサーストンの目にとまる。好色なサーストンの視線と、それになびきそうな娘に、にわかに危機感が漂います。シンプソンはすでに決まっていた娘と現地の部族の酋長の息子との婚約の儀を急がせますが、その席での情熱的な娘の踊りが、サーストンをさらに引きつけてしまう。語り手の喋る相手は、アメリカの保険会社の人間だと明かされていて、聞き手は、サーストンの生死の確認のために、事情を聞いているのです。サーストンは死んでいて、それは踊りの場での侮蔑的なふるまいのせいだったのですが、実は……という話。

メキシコというすぐ隣りとはいえ異国を舞台に、現地の人間が物語るという手法は、よほど土地鑑を持っていないと難しいものです。以前にも書きましたが、南や西になかなか目がいかないのが、そもそもアメリカの文芸でした。そんな行き方を手の内にしたブレット・ハリデイの作品の中で、「逃亡犯罪人引渡し法」が第三回EQMMコンテストで第二席に入りました。そして、もっとも評価が高いのが「死刑前夜」*でしょう。早川書房の世界ミステリ全集第十八巻に入った、著名なアンソロジー『37の短篇』にも採られたこの作品を、私も傑作の名に恥じないと評価します。

「死刑前夜」の語り手は、アメリカ人の土木技師です。ある事件の死刑執行を明日に控えて、新聞記者に、その事件の内幕話を語って聞かせているのです。彼はメキシコに流れて来た土木技師で、大陸横断鉄道の工事の監督の仕事にありつきます。前任者が病気にかかった替わりなのですが、間の悪いことに、助手だった男が女関係のいざこざから死んでしまい、メキシコ人ばかりの工事現場をひとりで仕切ることになる。てんてこまいのところに、ひとりのアメリカ人が職を求めてきます。経験者と知ると、サムとだけ名乗るその男を即決し、仕事をやらせてみると頼りになる。助かったと思ったその夜、ラジオからニュースが流れます。国境付近では名うての嫌われ者の技師が、口論の末殺され、その犯人が国境を越えてメキシコへ逃げたというのです。彼はすぐにラジオのスイッチを切ります。雨期がやって来るまでの五週間で、どうあっても仕事を終わらせなければならないのです。

困難な仕事に立ち向かうために、とりあえず殺人事件には目をつぶる。サムが帯びていたショルダーホルスターの拳銃の使い方の巧みなこともあって、一編の見事な短編ミステリになっていました。『37の短篇』の巻末座談会によれば、この作品は、生島治郎の推薦で選ばれたようですが、小鷹信光は、ハードボイルドではなく人情噺だと指摘しています。生島治郎がハードボイルドとして推薦したかどうかは不明ですが、ミステリでしか描けない人情噺として、見事な作品であるのは確かでした。同時代のトマス・ウォルシュが、コリアーズに書いていた警察官の話を思い出してください。犯罪をモチーフにした人情噺ないしは世話物のうち、構成の巧みなものや技巧的なものは、容易にミステリに接近する。あるいは、逆に、そうしたミステリは、容易に大衆誌の読物に接近する。「死刑前夜」は、その秀れた前例となって、戦後のアメリカの短編ミステリのある方向性を予見していたのでした。

「死刑前夜」は一九三八年の作品で、ブレット・ハリデイのミステリ作品の中でも、最初期の短編と言えます。翌三九年にマイケル・シェーンものの第一作『死の配当』が世に出ますが、ガードナー同様、いくつもの出版社に断られたあげくのことだったようです。技師もののシリーズは、私の読んだ範囲でも、いささか同工異曲の気味はあるものの、ヘレン・マクロイも指摘するとおりの佳作ぞろいでした。「大立者」*は、やはり死刑の直前に、荒くれ者だらけのメキシコの鉱山技師の中でも、頭よし度胸よしのある男について、語り手が回想します。「死刑前夜」のように、構成全体に作為をほどこしてはいませんが、ここでは、技師という職人的なプロフェッショナル——であると同時に、野盗の跋扈と革命騒ぎのドサクサに、盗掘に近い形で、メキシコから金を掘り出してしまおうという不埒な輩——の人情噺と見せかけることで、展開そのものに起伏を持たせています。その結果、意外な結末のあとに、喰えない男同士の関係がさりげなく描かれていました。

技師ものには、メキシコに流れていったというか、流されていったというか、その結果、法の及ばない土地に在って、自身の腕と頭だけで生きているという男たちの感覚があります。ハリデイは西部小説も書いているようですが、そういう感覚には西部劇に近いものがあります。そんな感覚と、ミステリ仕立ての意外性が交差したのが「女には毒がある」（「女は魔もの」）という一編です。若い小悪党が、ふとしたはずみで殺人を犯し、ホーボーにまぎれて逃げ延びるうちに、開拓農民の父娘に助けられて……という話ですが、全体のバランスを見ると、前半の男の転落の過程が詳細です。終盤の意外性は、むしろ、つけ足しに近い。ハリデイにあっては辺境で生きていかざるをえない男たちを描くことが第一義で、また、そこが達者であるがゆえに「死刑前夜」や「大立者」のミステリ風味が生きている。そのことは「二度目の蜜月」といった警察小説ふうの短編が、一向に冴えないことからも、うかがうことが出来ます。しかし、メキシコに流れた技師たちを描くかぎり、ハリデイには長編を書くチャンスも、売れっ子になる機会も訪れなかったでしょう。マイケル・シェーンというキャラクターを見つけたハリデイが、彼を描くことに傾斜していったのは、ごく当然の成り行きでした。

マイケル・シェーンは、マイアミの私立探偵と紹介されますが、実際はある時期ニューオリンズに居を移しますし、私立探偵というよりは、自ら事件に介入しては金にしてしまうこともある、悪党すれすれのパルプヒーローです。いや、パルプヒーローの中でも、自己の行動の言い訳が少ない部類ではないでしょうか。シェーンものは、まず映画化され、四〇年代から五〇年代にかけてラジオドラマとなり、六〇年代にはテレビ化されます。ハリデイはコンスタントに長編を書いていきますが、それでもコンテンツが足りないことが判明します。レックス・スタウトのネロ・ウルフ同様、マイケル・シェーンも、映像化されることで広く人気を得たのです。

マイケル・シェーンものは中編もいくつか訳されていますが、それほど良い出来のものはありません。「死人の日記」は、深夜、秘書の電話でシェーンが呼び出されるところから始まります。戦争末期（第二次大戦です）に魚雷攻撃を受けた商船の生き残り三人が漂流しますが、中のひとりは助けられる前に死んでしまう。残ったふたりのうち、ひとりは真面目な人柄で、漂流中に死んだ男の世話をし、その間のことを日記に詳述したといいます。その真面目な男が行方不明になったので、妻が隣人であるシェーンの秘書に相談したのでした。漂流中に死んだ男はその地の大金持ちの相続人で、日記の男は、その家へ行こうとしていたらしく、しかも、日記をつけていた男が連絡を取ろうとした婦人——夫が大金持ちの家で庭師をしていた——が彼を訪ねてくる。そんな中、日記の男は殺され、大金持ちも死んでいて、その資産の行方は、大金持ちが死んだ日と漂流中の相続人の死との後先が、左右することになっているのが分かります。生き残った三人目の男の証言と、殺された男の日記が、その決定的な証拠となるのです。

事件に次ぐ事件で、各人の思惑が交錯する中を行動するシェーンは、動きながら考え、解決にたどり着きますが、解決のための辻褄はあっていても、この手順では、意外性の中核を成す真相は、初めから読者にマル分かりでしょう。殺人犯が誰かは、簡単に気づかれないようになっていますが、一番のサプライズがこれでは興ざめです。それに、シェーンの考えや行動は、合理的かもしれませんが、そこには推理の面白さはありません。

「死人の日記」は、それでも依頼人がいるという点で、定型的な始まりですが、「死の払い戻し」は、美貌の女が質屋で工面した金を競馬に突っ込むところを目撃したところから、騎手の事故死を、シェーンは殺人とにらみます。「コニャックの味」は街の酒場で安物のコニャック――しか、昨今は手に入らない――を頼むと、それが高級品だったことから、禁酒法時代に密輸されて眠っていたコニャックをめぐる殺人事件を、シェーンが嗅ぎつけます。後年、ハリデイは、シェーンにモデルとなる人物がいたことを書いていますし、自分の腕と頭を頼りに活躍する男を描くことに作家の興味は、まずあったのでしょう。事件や謎の面白さは二の次であるように思えます。それでも、ハリデイのマイケル・シェーンものは、マスメディアの波に乗り、マイケル・シェーン・ミステリ・マガジンを一九五六年に創刊して、毎号中編を載せるという量産態勢に入ります。

アール・スタンリイ・ガードナー、ブレット・ハリデイ、フランク・グルーバーといった作家は、ブラック・マスクに代表されるパルプマガジンから世に出て、長編作家として名を成しました。注意してほしいのは、例としてあげたこの三人のうち、長編デビューがチャンドラーよりも遅いのはグルーバーだけだということです。それさえも一年の差でしかありません。ハメットの行き方を受け継いだのがチャンドラーだったという通説――俗に言う正統派ハードボイルドスクールつまりハメット・チャンドラー・マクドナルドスクールですね――を受け入れるにしても、チャンドラーが現われる以前に、ペリイ・メイスンやマイケル・シェーンは活躍を開始していたのです。これらの小説はディテクションの小説から出発しながら、謎解きや推理の面白さよりも、謎に立ち向かう主人公を描くことを重視して、スピードと面白さを追求することになりました。では、彼らとハメットやチャンドラーはどこが異なるのか？ 同じハードボイルドなのか？ そういえば、通俗ハードボイルドという言葉もありましたね。私には小説としての厚みが違うとしか言いようがありません。しかし、では一方で、同じディテクションの小説でありながら、エラリイ・クイーンとは、どう異なっているのか？ エラリイ・クイーンとははっきり違うじゃないかとおっしゃるなら、では、レックス・スタウトとは？ クレイグ・ライスとは？

こうしたブラック・マスクを中心とした混沌は、戦争が終わって、ひとりの作家が登場することによって、強引に押し流されてしまいます。その作家はミッキー・スピレイン。探偵でありながら、犯罪者と同等のふるまいをする主人公。暴力による私的な正義の遂行が、読者に支持されるという楽観性に基づいた小説がそこにはありました。マイク・ハマーには、ダシール・ハメットやレイモンド・チャンドラーの描いた探偵が持つ、騎士道のありえない時代を生きる騎士の生きづらさも、ジェイムズ・M・ケインやホレス・マッコイの描いた犯罪者が持つ、言葉に出来ない屈託もありませんでした。ガードナーやハリデイが、ブラック・マスクの混沌を自己流に消化し、広く大衆化したのと並行して、スピレインはセックスと暴力を広く大衆化したのでした。

他方、三〇年代後半からアメリカのラジオドラマが隆盛を迎え（三八年には、例のオーソン・ウェルズの火星人襲来事件が起きます）四〇年代を通して黄金時代を過ごします。マイケル・シェーンやネロ・ウルフ、セイントことサイモン・テンプラーを有名にしたのは、映画とラジオの力でした。ハメットやチャンドラーがハリウッドに関わったことは常識の部類に属しますし、エラリイ・クイーンやディクスン・カーに多くのラジオドラマがあることも、いまでは有名な事実でしょう。四一年の第二次大戦参戦を契機として、反枢軸に染まることはあっても、それはごく短かい期間でした。

戦争が終わり、映画とラジオに代わる、そして、より強力なメディアが登場します。テレビでした。テレビがアメリカ社会にもたらした変化というテーマは、とてつもなく巨大で、ひとつの学問領域になるものでしょう。ことミステリに関しても、それはたいへんなマグニチュードでしょう。短編ミステリとの関わりで言うなら、少なくとも、これだけはすぐに指摘できます。EQMMの後続雑誌のいくつかは、明らかにテレビの力を背景にしていました。アルフレッド・ヒッチコック・ミステリ・マガジン、セイント・ミステリ・マガジン、マイケル（マイク）・シェーン・ミステリ・マガジン、エド・マクベイン・ミステリ・ブック。いずれもそうです。それはポップカルチュアと呼ぶにふさわしいものでした。五〇年代から六〇年代のアメリカミステリ。それは、もっとも幸せなポップカルチュアの在り方を身をもって体現したものなのでした。

第三章　英米ディテクティヴストーリイの展開

1　小説家エラリイ・クイーンの冒険

第一次大戦の戦勝に沸き、都市を中心に新しい文化の発揚が顕著だった一九二〇年代のアメリカでは、それまで大部分が、イギリスのものか、そのイミテイションであったミステリを、自分たちのものに取り戻そうとする動きが起きました。そのひとつは、ダシール・ハメットを先頭として、ブラック・マスクを中心に発生したハードボイルドミステリでした。そして、その動きとほぼ並行して登場した彗星が、ヴァン・ダインという作家でした。

ヴァン・ダインについては、ジョン・ラフリーによる評伝『別名S・S・ヴァン・ダイン』も翻訳されて、その経歴や、ミステリについての意識が、修正を余儀なくされました。有名な謎解き小説六冊限界説も、なんらかの根拠があってというよりは、そのあたりで本人が金稼ぎを打ち止めにする予定だったという気配が濃厚です。ハメットもヴァン・ダインもともに、アメリカの現実を背景にしたミステリを書いたというと、同じものを背景にしながら、その両者の違いに戸惑うことになるかもしれません。しかし、このころのアメリカが、矛盾と不平等に満ちた、それも剝き出しのままに満ちた社会であったことを、忘れてはなりません。ある面で所得配分政策でもある、アメリカ史上画期的な政策ニューディールが始まるのは、ふたりの登場から十年近くの時を待たなければなりません。

もちろん、ハメットとヴァン・ダインとでは、作家としての実力に雲泥の差があります。ハメットはワン・アンド・オンリーのパイオニアですが、ヴァン・ダインは後続の才能あふれる作家に、すぐに追い抜かれることになりました。大不況の始まる一九二九年に登場し、ヴァン・ダインの凋落と入れ替わるようにして、謎解きミステリのスタンダードを確立した作家、エラリイ・クイーンです。

クイーンの処女作『ローマ帽子の謎』の新訳が出たので、四十年ぶりで再読してみました。最後に謎解きをするのが、父親の警視であることなど、すっかり忘れていて、微笑ましかったのですが、この小説が苦しいのは、警視が難しい事件だとくり返すわりには、その難しさが伝わってこないところにあります。処女作には往々にしてあることですが、読者に真相を見破られることを過度に恐れているのでしょう。小説の進行とともに、謎が深まったり、解けていったりすることがないのです。読者への挑戦をはさむということは、単なる趣向を超えて、ファアプレイというパズルストーリイに特徴的な概念を強調することになりました（ついでに言えば、この概念を文学的に評価したところが、評論家・笠井潔のもっとも大きな貢献だと、私は考えています）。しかし、一方で、謎解きミステリを問題編と解答編に分けてしまう弊害もあって、問題編を妙にスタティックにしてしまう傾きがある。ヴァン・ダインの『ベンスン殺人事件』にも、そういうところがありますから、謎解きミステリが全般的に陥りやすい穴と言えるかもしれません。ヴァン・ダインは連続殺人を導入することで、それを解消しました。ただ、それは抜本的な解決ではありませんでした。そのことは、同じ行き方をしたように見える、クイーンの『エジプト十字架の謎』を見れば明らかでしょう。『エジプト十字架の謎』の中盤以降を支えているものは、不気味な連続殺人でもなく、ラスト近くの追跡劇でもなく、首なし死体が増えていくことで、容疑者の範囲に変化が起き、謎解きの状況が刻々変わっていくその一点なのです。そして、ヴァン・ダインに決定的に欠けていたもの――鮮やかな推論の魅力が、『エジプト十字架の謎』にはあります。そう、たったひとつのヨードチンキ瓶から展開されるクイーンの推理です。

ヴァン・ダインやクイーンが長編小説で世に出たのは、謎解きミステリが長編の時代に入っていたということのほかに、ふたりが短編でデビューできる適当な雑誌媒体がなかったという事実があります。パルプマガジンに行くには、ふたりの狙った読者層は、やや教養が高めだったのでしょう。あるいは、ハメットやグルーバーのように、切羽詰まってはいなかったと言えるかもしれません。ヴァン・ダインには、そもそも、自身に啓蒙家としての自覚と、啓蒙することで支持が得られ、その支持が経済的な成功につながるという楽観的な思想があったようです。それに、ミステリを書くこと自体、恥じていたようなので、パルプマガジンに書くなど論外でしょう。ヴァン・ダインよりは現実的なクイーンは、デビューしてまもなく、スリックマガジンに短編を売り込もうと考えました。クイーンの生涯の活動については、フランシス・

M・ネヴィンズの『エラリー・クイーン 推理の芸術』が、詳しく書かれていて、もっとも信頼できるはずですが、このあたりに関しては、同じ著者の前著『エラリイ・クイーンの世界』の方が、参考になります。すなわち、「エージェントに唆されて」となってはいますが、売り込みを試みたところ、結局、成功とは言えず「エラリイが活躍する最初の短篇はあまり続かなかったパルプ・マガジン（ドロシー・セイヤーズ、アール・デル・ビガーズ、それにサックス・ローマーの短篇もいっしょに載っていた）に掲載されただけで、わずか三十五ドルの収入にしかならなかった。これをダネイとリー、それにエージェントで分けたのである」とあります。一九三三年のことでした。その短編は「一ペニー黒切手の冒険」。のちに『エラリー・クイーンの冒険』に収められることになります。

ネヴィンズの著書によると、『エラリー・クイーンの冒険』に収められた短編は、おそらく三二年から三四年にかけて書かれ、大部分はパルプマガジンが初出となりました。短編集の刊行も三四年ですから、すぐに本になったわけです。アガサ・クリスティも、このころまでに大半の短編を書いていて、とくに、謎解きミステリは多くを二〇年代に書いてしまっていますから、比べると、クイーンの方が細かな工夫が見られます。『ポワロの事件簿』の刊行が二四年。この十年の差がいかに大きいかということです。

たとえば「首吊りアクロバットの冒険」の導入部などは、小手先の技（わざ）かもしれませんが、ありきたりを排そうとしています。「アフリカ旅商人の冒険」（これだけは雑誌掲載がないようです）は、エラリイが大学のゼミの授業として学生たちに事件を推理させるという話で、アントニイ・バークリーの『毒入りチョコレート事件』ふうのやり方です。「一ペニー黒切手の冒険」は、ある一冊の本が盗まれたり買い占められたりするという事件から入っていって、遡って、本題の貴重な切手の強奪事件とその隠し場所の謎が、後から登場します。「チークのたばこ入れの冒険」も、ある大きなアパートで起きた連続盗難の捜査を依頼されているところに、そこの一部屋で殺人が起こります。

エラリイ・クイーンといえば、ダイイング・メッセイジがつきものですが、すでに第一短編集において二編書かれています。しかし『Xの悲劇』がそうであったように、まだ、このころのダイイング・メッセイジの取り扱いは、慎重をきわめていて、単なる人当て問題とは一線を画すように工夫がなされています。「ひげのある女の冒険」は、いまとなってはこの答えは、読者の第一観、誰しも言い当ててしまうでしょう。ですが、事件の前日に子どもが髭をいたずら描きしたというエピソードが配置されています。つまり、難解なダイイング・メッセイジを被害者が残すという、ある種不自然な事態に、心理的な補強を与えようとしているのです。さらに「ガラスの丸天井付き時計の冒険」*は、死の直前の被害者がふたつのものを摑んでいるという複雑さの上に、それをわざわざ選んで摑んだという論証も丁寧（きっちり伏線を張っていて）で、さらに、メッセイジの内容もかなり複雑なものです。しかも、そのメッセイジそのものが、実は……と一ひねり加えていて、通常ここまでやると、不自然なものになってしまうのですが、それを救っているのが、犯人の書いた手紙が示している彼の性格です。心理的あるいは文学的な伏線なので、エラリイの解決には用いられていません（あるいは作者も気づいていないのかもしれません）が、この手紙を書くような男だからこそ、この犯行があったのです。

　こうした工夫の多くは、導入から中盤にかけて、いかに読者を惹きつけ、かつ同時に結末を効果的に出来るかという点に、問題意識があるように見えます。ただし、それらの工夫が、いつも功を奏しているかというと、必ずしもそうは言いきれません。

「首吊りアクロバットの冒険」は、雰囲気を出すという枝葉の工夫が露骨なため、かえって謎解きの興を削いでいる。解決そのものも平凡ですしね。「見えない恋人の冒険」は絶対に人など殺さないと町じゅうの人が思っている男の拳銃が、明らかに犯行の凶器であり、しかも、その本人が拳銃は絶対に盗まれたりしていないと断言している。この不可能興味はちょっとしたものですが、犯行現場にエラリイが抱く違和感から、真犯人の犯行を解明するプロセスが複雑にすぎて、不可能興味はそこそこに、プロセスの解明に進まざるをえない。犯行方法さえ解明すれば犯人が分かるような、極端なハウダニットの弱点がここにあります。これが長編だったら、また違ったかもしれません。ちなみに、この犯人の設定は「古畑任三郎」に同じものがあり、古畑が犯人を怪しむきっかけに巧いアイデアが使ってありました。この犯人の設定はもともと、どちらかというと倒叙向きだと思いますが、見えない恋人というアイデアは倒叙には不向きでした。巧緻をきわめた「ガラスの丸天井付き時計の冒険」の論証にしても、精巧さに感心はしても感動は薄い。『Xの悲劇』のようなある種の単純さが、ダイイング・メッセイジには必要なのかとも考えますが、どうも、それだけのことではないように思います。ここでの巧妙さは、所詮、段取りの精密さではないのかと、読者に思わせてしまう何かが、クイーンにはあるように思うのです。その点を払拭し、読者を圧倒する中編を、数年後にクイーンは書くのですが、その前に、クイーンは待望のスリックマガジン進出を果たします。『エラリー・クイーンの冒険』の掉尾を飾っている「いかれたお茶会の冒険」(「は茶め茶会の冒険」「キ印ぞろいのお茶の会の冒険」)です。少し脱線すると、従来、この作品は『エラリー・クイーンの冒険』の邦訳書には未収録でした。『世界短編傑作集』に入っていたからです。こういう例はいくつかあり、出来れば改善した方が良い(両方に入っていて、いいじゃないか)と、多くの人が指摘していました。近年、逐次、改善されているようです。

さて、『エラリー・クイーンの冒険』の中で、語り口の工夫が生きていて、構成とも嚙みあっているものは「双頭の犬の冒険」*と「いかれたお茶会の冒険」だと考えます。前者の初出はミステリというパルプマガジン。そして後者がレッドブック。ネヴィンズの『エラリー・クイーン 推理の芸術』によると、第一短編集収録作の初出誌の中で「唯一、高い原稿料を払ってくれる」雑誌でした。

「双頭の犬の冒険」はニューイングランドの海沿いの宿における、炉辺の怪談噺から始まります。エラリイが部屋を求めたその宿は、半年ほど前に、犬を連れた怪しい泊まり客があって、それが有名な宝石泥棒だと分かる。男を追跡してきた探偵が深夜現われたのです。しかし、彼らが捕まえたのは犬だけだった。そして、その夜から、男の泊まったキャビンに客が入ると怪しい音が聞こえるようになる。偶然の暗号か、怪談噺のメンバーは捕り物の当夜以来の顔合わせがそろっていて、各人が部屋に戻ると、その夜、かつて男の泊まった部屋をとっていた男が、喉を掻き切られて殺される。

「いかれたお茶会の冒険」は、雨の中、エラリイがロングアイランドの知人宅を訪ねるところから始まります。高名な女優（に、エラリイは会いたかった）が、当地で「不思議の国のアリス」の舞台をかけていて、エラリイの知人（女優の後援者でもある）の息子の誕生日祝いに、彼の家で友人たちを役者にして、ワンステージだけアリスをやろうとしています。着いてみると、人間関係に不穏な感じがあり、エラリイは寝つけぬ夜を過ごします。案の定、翌朝になると、家の主人が行方不明になっています。

二作に共通するのは、エラリイが乗り込んでいった場所で事件が始まるというところです。事件が起きたところへ行って、エラリイが過去について訊問するのではなく、事件の渦中にエラリイがいるのです。ある意味、巻き込まれ型と言っていいかもしれません。同時に、クロノロジカルな展開が基本になっているのです。ただし、この二編の出来には差があって、「いかれたお茶会の冒険」は、ありていに言えばインチキでしょう。アリスにちなんだ趣向にあふれ、居合わせた人々に、次から次へと贈り物が届くという明るいサスペンスが見事なだけに、解決は肩透かしとしか言いようがない。すっきりとしたパズルストーリイに仕上がった「双頭の犬の冒険」の方が数倍勝っていると思います。

小説家エラリイ・クイーンの、三〇年代における、こうした短編ミステリでの試行錯誤が、輝かしく実を結んだのが、中編「神の灯」（「神の燈火」）であることとは、どこからも異論が出ないのではないでしょうか。偏屈な老人がどこかに全財産を隠したらしい古い屋敷。そこに外国からやって来た女性の相続人。彼女を快く思わない屋敷の人々。不穏な空気に弁護士からクイーンが同道を求められ、乗り込んだところに事件が起きます。離れの屋敷「黒い家」が一夜にして消え失せるのです。ディクスン・カーばりのはなれわざですが、トリックの作家ではなく手がかりの作家であるエラリイ・クイーンは、作家が一生に一度だけ思いつけるような見事な伏線一発で、このマジックを成立させてみせます。

ポーの「モルグ街の殺人」*が、密室殺人であることよりも、周囲の人々の食い違う奇妙な証言（どこの言葉だか分からないが、外国の言葉だと、皆が皆言う）の解明に、現代でも通用する美点があったように、「神の灯」も、家屋消失トリックではなく、解明に到る伏線の美しさにこそ、より大きな価値があると私は考えます。

「神の灯」は一九四〇年の『エラリー・クイーンの新冒険』の劈頭を飾りました。この短編集は、宝捜しゲームの展開に犯人の心理を織り込んだ「宝捜しの冒険」*という佳作を含んでいますが、一方で、トリックのためのトリックでしかない「暗黒の家の冒険」や、まるでクリスティみたいに事件がなかなか起きない、しかし、クリスティならもっと巧くやっただろうなと思わせる「血をふく肖像画の冒険」といった作品も入っています。クリスティならもっと巧くというのは、クイーンに対して、いささか公平ではなくて、クリスティでも、そうした行き方が成功するのは長編の場合でした。

冒険と新冒険の短編が書かれたのは、時期的には、国名シリーズからハリウッドものに移るころです。ここでのクイーンの試みは、価値のある試みだったと思います。しかし、第二次大戦とライツヴィルものの執筆を経て、第二次大戦後のクイーンの短編には、ほとんど見るべきものはないように思います。むしろ、三〇年代における自らの試みからも後退していると感じさせることの方が多い。そのあたりについては、ネヴィンズの『エラリー・クイーン 推理の芸術』が、クイーンの他媒体への進出とからめて、詳述しています。

しかし、この時期、小説家クイーンの短編ミステリでの試みよりも、はるかに短編ミステリの進歩と発展に寄与する活動を、エラリイ・クイーンは開始します。ミステリ専門の雑誌を創刊するのです。

2 編集者エラリイ・クイーンの冒険

こと短編に話をかぎるならば、小説家エラリイ・クイーンよりも、編集者エラリイ・クイーンの方が、ミステリの世界に貢献した度合は、比べものにならないほど大きいでしょう。そして、編集者としてのクイーンの仕事は、フレデリック・ダネイひとりのものであること（彼のミステリに関する膨大な書物のコレクションが、その源泉であること）も、知られています。

もっとも、編集者クイーンの初期においては、マンフレッド・リーも関わっていたようです。一九三三年に創刊し、わずか四号で、一年もたずに廃刊の憂き目にあったミステリ・リーグについての評価は、長らく〈幻の雑誌〉の域を超えることはありませんでした――少なくとも日本においては。しかし、二〇〇七年に上下二巻の『ミステリ・リーグ傑作選』が論創社より刊行されて、その中身のかなりの部分——小説のみならず、クイーンのエッセイや作家紹介——が翻訳され、総目次が資料として掲載されました。

しかしながら、ミステリ・リーグの売りは、毎回の長編ミステリ一挙掲載（コンデンス版ではなく完全掲載）にあったようです。創刊号に『レーン最後の事件』が一挙掲載されたことは有名ですが、『エラリー・クイーン 推理の芸術』には、この一挙掲載がもたらしたヴァイキング社（レーン四部作の版元）との関係悪化が、ユーモラスなゴシップとして語られています。長編一挙掲載は四号まで毎号続いていました。いきおい、短編ミステリの掲載数は少なくなり、毎号二〜三編程度になります。ただし、創刊号の中身は凄いの一言です。連作短編連載のジョン・マーヴェルを除くと、ダシール・ハメットの「夜陰」、ドロシー・L・セイヤーズの「疑惑」＊、エラリイ・クイーンの「ガラスの丸天井付き時計の冒険」の三編なのです。客観的な事実として、八十年以上を経て、創刊号に掲載されたこれらの小説（長編の『レーン最後の事件』を含めてもいいです）が、日本語で容易に読めるというのは、ちょっとした奇跡と言っていいでしょう。そして、そのクォリティは、どれも、七十年の時の重みに耐えていると、私は考えます。

『ミステリ・リーグ傑作選』には、クイーンの編集前記である「姿見を通して」が全編収められています。その創刊号の文章は、編集者クイーンのマニュフェストとして重要です。単行本で五ページ、イラストスペースを考えると、実質四ページ相当の短かい文章で、本当は、ここに全文引用したいくらいです。さすがに、そうはいきませんが、それでも少し長くなることは恐れずに、核心部分を引いておきましょう。

「われらが大衆雑誌の編集者連中は、一般読者の好みについて過小評価しすぎなのです。一般大衆が一つの型にはまった小説しか受け入れないという考えは、断固として否定させてもらいます」

「ありていに言えば、本誌は、私の手による一つの実験なのです――知的で楽しめる行が並ぶ印刷物という旗の下に、一般の雑誌購読者が大勢集まってくれるか否か、という。これは『知識人向けの小説対一般大衆向けの小説』の問題とは異なります。知識人か一般大衆かは問題ではありませんし、そのことは百も承知です。この雑誌には、『～向け』といった制限を加えるつもりはありません」

『ミステリ・リーグ傑作選』の解説で、編者である飯城勇三は、当時のアメリカのミステリとその読者を次のように分析しています。長編の読者は比較的高価な単行本を読み「好みは本格ミステリ寄りで、古典も読んでおり、作品の質にこだわ」るが、他方で、短編の読者は安価なパルプマガジンを読み「好みはハードボイルド寄りで、新作しか読まず、作品の質よりキャラクターに惹かれ」ると。そして「今までの評論・研究では、この二者は別々に扱われてきた。本格ミステリ長編の黄金時代と『ブラック・マスク』の黄金時代は重なっているにもかかわらず、お互いを無視し続けてきたのだ」と指摘しています。加えて、ミステリ・リーグはその「双方に足を置くことになった」と。

編集者クイーンの特徴は、本人が主張する〈品質第一〉を愚直なまでに守ったことです。たとえば、当時のハメットは、たかだか『マルタの鷹』が評価された、あるいは売れたにすぎない、有象無象のミステリ作家のひとりでしかなかったでしょう。パルプマガジンに書くことはなんの経歴にもならず、本を出せたとして、そして売れたとしても、それがミステリでは、後世に残るかどころか、十年後に人々が憶えてくれているか否かも怪しいものです（ヴァン・ダインを見てください）。そんなハメットに、売れた長編に登場した主人公は出てくるものの、通り一遍な短編を書かせたスリックマガジンと、「夜陰」を書かせて「ミステリ作家によるノンミステリも時にはお届けしよう」と読者に向けたクイーンの、どちらが文学的に優秀かは、いまとなっては、誰の目にも明らかです。

ミステリ・リーグに載った短編で、翻訳のあるものを書きだしておきましょう。もっとも、短編で未訳なのは、ジョン・マーヴェルの連作の第二号、第三号分だけです。

「夜陰」ダシール・ハメット
「疑惑」ドロシー・L・セイヤーズ
「偉大なるバーリンゲーム氏」ジョン・マーヴェル
「ガラスの丸天井付き時計の冒険」エラリイ・クイーン（以上創刊号）
「窓のふくろう」G・D・H・コール&M・I・コール

「完全なる償い」ヘンリー・ウェイド（以上第二号）
「ガネットの銃」トマス・ウォルシュ
「蠅」ジェラルド・アズウェル（以上第三号）
「マッケンジー事件」ヴァイオラ・ブラザーズ・ショア
「蘭の女」チャールズ・G・ブース（以上第四号）

創刊号に載ったのは最初の四編ですが、ジョン・マーヴェルはコンゲームの短編で、ハメットとセイヤーズはご存じのとおりクライムストーリイです。ハメットはクライムストーリイかどうかも、ちょっと怪しい。クイーン自らの作品を載せることで、かろうじてディテクションの小説が加わった恰好です。

第二号の短編はともに、イギリス作家の再録です。ディテクションの小説は「窓のふくろう」ですが、いかにも旧式なトリック小説で、ヘンリー・ウェイドの、少々トリッキイなひねり（そこが「窓のふくろう」同様、二〇年代の匂いを残しているとも言えますが）のあるクライムストーリイの前には、いささか古めかしく見えます。ディテクションの小説とクライムストーリイの比較では、好みの問題ととらえられるならば、「窓のふくろう」とクイーンの「ガラスの丸天井付き時計の冒険」を比べてみてください。その謎を提出していく手際や、論証の細密さ伏線の巧さをです。

第三号の「蠅」は、凡庸なショートショートでした。もう一編のトマス・ウォルシュと第四号のヴァイオラ・ブラザーズ・ショアは、ともに、ブラック・マスク流とシャーロック・ホームズのライヴァルふうのディテクションの小説ですが、当時のアメリカ作家の実力がどの程度かを示す結果となりました。第四号の誘拐事件を進行形で描いたディテクションの小説「蘭の女」も、ブラック・マスクの影響下にありますが、この三編と、創刊号の三編を比べると、その差は歴然としています。

ミステリ・リーグは四号で廃刊となりました。定説では、マニアックないしはハイブラウすぎて売れなかったとされていますが、どうでしょうか。『ミステリ・リーグ傑作選』の解説では、「売れなかった」ための廃刊に否定的な考えも書かれていますが、説得力に欠けるように思います。『エラリー・クイーン 推理の芸術』には、はっきり「商業的には失敗した」とあります。一方で、掲載された短編に関するかぎりは、クイーンの志はともかく、どんどん質が落ちていることが分かります。しかし、「ガネットの銃」や「蘭の女」が、かりに『ブラック・マスクの世界』に入っていたとしたら、面白い部類の作品だったでしょう。相対的にはましな方なのです。それでもヘンリー・ウェイドの「完全なる償い」に比べると見劣りがする。ここらが、平均より少し上の、当時のアメリカのミステリ作家の実力なのでしょう。また、一挙掲載の長編がどの程度の作品なのかは分かりませんが、長編掲載に頼る雑誌は失敗するとしたものです（委細は省略しますが、長編小説は書籍として売るものなのです）。事実、高価な単行本を広い読者層へとつなぐのに、雑誌以上に優秀な媒体であるペイパーバックが登場し席巻するのは、目の前に迫っていました。やがて、ペイパーバックは書き下ろしに進出し、パルプマガジンが果たした作家養成まで担うようになるのです。

ミステリ・リーグの挫折により、雑誌から一時撤退した編集者クイーンは、アンソロジーを編むことに精力的になります。*101 Years Entertainment* を代表とするその仕事は、晩年まで続き、作家の個人短編集編纂も含めて、過去の作品に光をあてることに、独特の才能があることを遺憾なく示しました。また、〈クイーンの定員〉と〈黄金の十二〉のふたつの仕事も特記に値します。〈クイーンの定員〉は、短編ミステリの歴史を記述しながら、短編集の評価顕彰をしていくという、いまだに類例・追随を許さない作業ですし、〈黄金の十二〉は、十二人の評者の投票による短編ミステリのベスト選出です。とくに、後者の日本への影響は、一般に意識されている以上に大きいと私は見ています。というのは、江戸川乱歩を中心にした戦後第一波の翻訳ミステリ紹介に、この投票の結果（選出された十二編のみならず、なんらかの票を得た作品も含めて）が与えた影響が大きいからです。

ミステリ・リーグから八年後、編集者クイーンはリターンマッチを挑みました。それがエラリイ・クイーンズ・ミステリ・マガジン、すなわちEQMMです。一九四一年創刊のこの雑誌が成功を収めたことは、すでに、みなさんご存じのとおりです。『ミステリ・リーグ傑作選』の解説は、「EQMMでは、『作品の質の高さを優先するという方針』と、『けばけばしくない上品な表紙』は受け継がれているが、長編一挙掲載は行わず、一号の分量も減らしている。また、ニューススタンドの販売よりも、定期購読者、すなわち熱心なファンを主なターゲットにしている」と、ミステリ・リーグとの比較を要領よくまとめています。これに、EQMMのスタートが再録雑誌だった（後述するアントニー・バウチャーの文章によると、新作が載るようになったのは、翌年五月の第四号からとあります）ことと、判型をダイジェスト版にしたことをつけ加えれば、改善点は網羅されるのではないでしょうか。この二点と、解説の後段部分とをあわせて考えると、アメリカでもっとも当たった雑誌であるリーダーズ・ダイジェストを研究した気配があり、それはクイーンの方針を支持する読者層が、まず最初にどのあたりにあったかを示しているように思います。

ＥＱＭＭは成功し、創刊二十年にあたる一九六一年には、二十周年に寄せる文章を、アントニー・バウチャーが、ニューヨーク・タイムズに執筆するに到ります。日本語版ＥＱＭＭ一九六一年十月号に「輝かしきEQMMの歴史」と題して訳されたこの文章（原題は *There was no mystery in what the crime editor was after*）も、初期ＥＱＭＭの姿を伝える貴重なもので、全文をここに引用したいのですが、またまた、さすがに、そうもいきません。

ＥＱＭＭ創刊時のアメリカの短編ミステリの状況から、バウチャーは筆を起こします。「すぐれた短篇集はイギリスからわたってきたのであり、アンソロジイも、アメリカ人が編んだものまで、イギリスの短篇小説によって占められていた。そして、犯罪ものに力を入れているアメリカの雑誌は、わざわざ上品な読者が敬遠するような意匠をわざわざ凝らしていたのである（作家の立場からいえば、もっと悪いことには、原稿料が悪かった）」

二十年後、アメリカの短編ミステリは大きな花を咲かせていました。バウチャーは、ブラック・マスクを中心とするパルプマガジンの果たした役割を評価したうえで、「みずから小説をひとつの型にはめこんでしまった」と批判します。EQMMへの評価は、その反対の方向、つまりミステリの持つ多様性と幅広さを編集の前面に打ち出したことにあるというのです。その多様性と幅広さは、ミステリのジャンルの中だけのことではありません。バウチャーはいささかユーモラスに「クイーンに弱味があるとすれば、どんなえらい作家でも、探偵小説のカテゴリイに入れてさしつかえない短篇を少くとも一篇は書いたことを証明しようとする熱望である」と書いています。直接的には、本書第一巻でも触れた『犯罪文学傑作選』となって結実した、クイーンの探求を指しているように思われます。しかし、大切なのは、その背後にあるクイーンの考えでしょう。ミステリの短編も、他の一般の短編、ストレイトノヴェルの短編と、同じ眼差しで読まれるべきだという。日本ふうに言うなら、ミステリが純文学である必要はありませんが、純文学を読む人々の目をも楽しませる品質でありたい。モームふうにひねくれるなら「インテリでも品格をおとさずにミーハーになれるような小説」ということです。

『ミステリ・リーグ傑作選』に収められたエッセイ「クイーン好み」の第二回に書かれた「バンカーヒル」は、そのあたりをクイーンが率直に語った、三たび、ここで全文を引用したい文章です。「イギリスにおいては、作家がその名前を探偵小説の背表紙に載せたからといって、零落(れいらく)することはありません。それにひきかえ、アメリカ文学界(リテラティ)においては、探偵小説を書く作家は、文壇の戦士のうしろをコソコソついて行く軍用犬にすぎないのです」と判断するクイーンは「こちらの国では、ミステリ小説の作者は、決してインテリ階級に属することはありません。おそらくは、それが悩みの種なのです」と嘆きます。

実際は、モームでさえ自分が正当に評価されていないと考え続け、マイケル・イネスはオックスフォード時代に、君も『宝島』や『誘拐されて』を書くんじゃないかと、牽制されるわけです。そもそも、小説／大衆小説という区分以前に、散文は韻文よりも下という抜きがたい意識がありますからね。しかも、このころのアメリカのインテリ（がいたとして）が、ヨーロッパでインテリでございという顔が出来たものかどうか、ちょっと怪しい。むしろ、ヨーロッパのインテリが惹かれたのは、アメリカの俗にまみれた部分（ジャズとかハードボイルドとかスラップスティック・コメディとか）でしょう。

しかし、それでも、クイーンの状況判断は、基本的には間違っていなかったし、編集者として進んだ方向は、正しかったと言えます。それが証拠に、四〇年代に入り、それまで眠っていたかのようだったアメリカの短編ミステリの進歩は、加速度をつけ始めます。そして、その原動力のもっとも大きな部分を担ったのがＥＱＭＭであったことは、まぎれもない事実でした。

3　ディテクティヴストーリイの曲がり角――Ｊ・Ｄ・カーを例に

エラリイ・クイーンの後を追うようにして、アメリカに奇妙なミステリ作家が現われました。アメリカ生まれでアメリカ育ちであるにもかかわらず、生涯の大部分をイギリス――せいぜい広げても西ヨーロッパ――を舞台にしたミステリばかり書くことに費やし、その多くは謎解きミステリでした。自身もイギリスに住むことが多く、そのグレートブリテンに対する偏愛には、微笑ましいものがある。ジョン・ディクスン・カーまたの名を、カーター・ディクスン。

森英俊『世界ミステリ作家事典［本格派篇］』で、今回、その経歴を改めて確認してみたのですが、大学在学中に文筆に手を染め、ヨーロッパ遊学を機に本格的に執筆を開始します。処女作の『夜歩く』は、大学の同人誌に連載したものを改稿して、ハーパー・アンド・ブラザーズに持ち込んだと言いますから、京大ミステリ研の同人誌に書いた犯人当て小説を書きなおして、講談社から出すようなものでしょう。これが一九三〇年、大不況の始まった翌年の話です。その十年ほど前には、アメリカ産のミステリには読むべきものがないというのが、実態だったのですから、イギリス流のミステリをお手本にするのは、ごく自然なことではあります。もちろん、カーの初期の作品は、フランスを舞台にして、フランス人の探偵アンリ・バンコランが活躍するのですが、そこには自身の遊学体験に基づいた異国趣味を武器にしようという商魂以上のものは見られません。落ち着いて考えてみれば、ロンドン塔を舞台に殺人事件を書こうというのは、一見イギリス人ぽく見えて、実は、観光客の発想とも言えます。イギリスという所詮は外国である場所と人への偏愛と、他の職業経験のないことが、カーというもともとがブッキッシュな作家に、さらに強く側面から影響していたのではないかと、私は考えています。カーのミステリを読んで、ほとんどいつも感じるのは、その涙ぐましさです。クイーン、クリスティ、カーと、よく三人並べますが、小説を事件の連鎖と考え、その連鎖を描写しようとすることに、もっとも心を砕いているのは、カーだと思います。しかし、悲しいかな、ここぞというときに見せるクイーンの精密さもなければ、簡単な言葉で確実に意味やイメージを伝えてしまうクリスティの巧さも、この作家は持ち合わせていません。謎めいた状況を作り上げる力に比して、それを描く力に欠ける。伏線を張っていながら、解決の場面で、しばしば読者に効果的に想起させせられない。このあたりは、訳者に恵まれなかった不幸も与っているかもしれませんが、この作家の非力なところに思えてならないのです。

カーの短編ミステリは数も少なくはないのですが、一九三〇年代の後半から四〇年代に集中して書かれました。クイーンの定員に選ばれているのが『不可能犯罪捜査課』です。この短編集と、クイーンの『冒険』・『新冒険』という、三〇年代の試みが、短編における謎解きミステリのひとつの区切りになったと、私は考えています。

『不可能犯罪捜査課』は、その名のとおりの架空の課をスコットランドヤードに設定し、その課長で軍人あがりのマーチ大佐を主人公にしています。十一編のうち七編がマーチ大佐もので、それ以外の四編とで一冊になっています。マーチ大佐もの七編のうち「見知らぬ部屋の犯罪」は旧版の『世界短編傑作集5』に入っているために、創元推理文庫の訳書では、それを除いた六編プラス四編で一冊となっています。クイーンの「いかれたお茶会の冒険」と同じく、改善が求められていた例で、とくに新版の『世界推理短編傑作集5』では、収録作品が「妖魔の森の家」*に差し替えられたために、「見知らぬ部屋の犯罪」は読めない状態になっています。このシリーズは、他に「ウィリアム・ウィルソンの職業」「空部屋」の二編があって、邦訳は『パリから来た紳士』で読めますが、無視してしまって構わないでしょう。

『不可能犯罪捜査課』は「新透明人間」から始まります。ある不可解な状況を提示して、それがいかにして起きたかを明らかにして解決とする、典型的なハウダニットのミステリです。この作品をとくに名指してではありませんが、中島河太郎は解説で「千番に一番のかねあい式の窮屈な説明を押しつけないわけにはいかない」と、遠回しに批判しています。私は、解決が千番に一番のかねあいでも、ミステリとして成立しうると思っていますが、そのためには、それが千番に一番のかねあいであることを、著者が充分に意識して、それを前提にして、どう成立させるかが問題になるでしょう。カーを読んでいると、千番に一番のかねあいでいいと思っているフシがある。あるいは、そこは巧くいくものと楽天的に考えているフシがある。「新透明人間」もその例に漏れません。ここでのトリックは、大仕掛けなステージマジックを、たったひとりの観客に向けて仕掛けたようなものですが、ターゲットの観客から本当にそう見える保証を犯人が得られるとは、とても思えない。もっとも、全体が気軽ないたずら気分ですから、そうそう気難しくならなくてもいいのかもしれません。ただ、先に私が書いたカーの弱点は、ここでも見られて、ターゲットの観客の目撃したことが、彼の驚きとともには読者に伝わらないのは、問題でしょう。ステージ上の怪異を描く描写力に欠けているのです。

マーチ大佐のシリーズはおおむねハウダニットで、初読時は犯行がシンプルな「暁の出来事」が良かったという記憶があるのですが、読み返すと、そうでもない。無理の多い犯行だと思います。「楽屋の死」は手がかりの提示の仕方がいささか強引ですが、それ以上に、たとえばクリスチアナ・ブランドの『ジェゼベルの死』と比べると、謎そのものや解決の持つ閃きの点で、一歩も二歩も及ばない。つまり、不可解な状況があって、それが解決されるというだけでは、物足りないのです。

カーの事件の描き方は、クイーン同様、それまでのミステリの反省に立ったであろう、一九三〇年代のものです。それが証拠に、冒頭からマーチ大佐が出てくる作品がほとんどなくて、謎めいた状況が、まず一目散に提示されます。悠長なことは言っていられない。読者を素早く摑まえなければならないのです。ただし、謎そのものが、ハウダニットに的を絞られている上に、謎の状況を描写していく腕前がついていかないことが、話を単調にし、作品を大味にしていることは否めません。

むしろ、今回読み直して感心したのは、後半のノンシリーズの四編の語り口でした。「もう一人の絞刑吏」[*]は珍しくアメリカの話ですが、死刑執行にまつわる歴史怪異譚と見せかけて……という話で、私は法月綸太郎の「死刑囚パズル」[*]を思い出しました。ただし、この話は探偵役が謎解きをする話、つまりディテクションの小説ではありません。他の三編も過去の話が多く、謎めいた状況があったり、ハウダニットであったりはしますが、ディテクションの小説とは必ずしも言えない。むしろ、それがプラスに働いているように思います。

もう一度『エラリー・クイーンの冒険』を思い出してください。「双頭の犬の冒険」や「いかれたお茶会の冒険」といった作品が、緊密な構成を持っていたのは、ひとえに、探偵クイーンが事件の渦中に巻き込まれる形をとっていたからでした。マーチ大佐のシリーズも、まず事件が描かれ、マーチ大佐は解決に現われるだけでした。それが名探偵としてのマーチ大佐を描きこむことを犠牲にしたとしてもです。長編ならいざ知らず、短編の謎解きミステリで、殺人が起きました、乗り込んで訊問を始めましょうでは、まだるっこしいものになる。このころのクイーンやカーは、その点を乗り越えようとしているように、私には思えます。同時期のコーネル・ウールリッチが、なんらかの形で、被害者（殺されそうになったり、やってもいない殺人の犯人にされかけるといった）が事件に巻き込まれるという形を、好んで採ったことと、それは軌を一にしています。

あるいは、E・S・ガードナーのペリイ・メイスンものを思い出してください。まず奇妙なひっかかりのある依頼があって、殺人事件はその後に（メイスンが関わりを持った後に）起こるのです。後年の、ロス・マクドナルドを典型とする私立探偵小説を思い出してください。たいていは失踪人を探すという依頼（そもそも、殺人事件を私立探偵に依頼するということ自体にリアリティが保てなくなっています）で、探偵が関わりを持った後で、殺人が起こるのです。

本来、ディテクションの小説とはかぎらない、様々なヴァリエイションを持ったホームズの冒険譚の冒頭として、依頼人がベーカー街を訪れるというのは、ひとつの定石となりました。しかし、ディテクションの小説に特化し、対象となる事件が複雑になったとき、その約束事は負担となったのではないでしょうか。

名探偵が事件に巻き込まれる。その行き方でカー＝ディクスンがあげたひとつの成果が「妖魔の森の家」です。日本語版ＥＱＭＭ創刊号の巻頭を江戸川乱歩訳（名前だけだったという話ですが）で飾ったことでも有名な、この短編は、かつて神隠しにあい、しばらくして還ってきた少女が、長じて十数年後、再び密室状態の森の家から消え失せてしまいます。巧みな雰囲気の中で生じた、不可解な人間消失の謎が、これほど魅力的なのは、事件のシンプルさとともに、そもそもH・M卿が事件に立ち会うという設定が生きているからでしょう。また、そのこと自体が、犯人のある性格を示してもいます。登場人物の少なさは、常識的には犯人を隠す難しさに直結しますが、そこを回避するミスディレクションも巧いものです。今回三読目で、小さな瑕に気がつきましたが（家捜しをしたときに、使ったばかりの食器に気がつかないものでしょうか？）、それでも、カー＝ディクスンの短編ミステリの佳品として推奨できます。

「妖魔の森の家」はシンプルですっきりとした短編ですが、それでも、短かいものではありません。謎解きミステリが長編志向となるのは、無理からぬものがあります。三〇年代から四〇年代にかけての短編の謎解きミステリでひとつと言われれば、私はクイーンの「神の灯」を選ぶでしょうが、これは明らかに中編です。

カーにも「第三の銃弾」*という佳品があって、これもあつかいに困ります。本来は書き下ろしの短かい長編としてイギリスで発表されました、邦訳で二百ページを超えます。ハヤカワ・ミステリ文庫に入った完全版がそれです。アメリカでは二割ほど縮めた（森英俊の計算です）ものがEQMMに載り、短編集の表題作として、その短縮版が収録されました。邦訳は『妖魔の森の家』に収録されています。「神の灯」が百二十ページ前後ですから、短縮版で比べても、それよりもかなり長い。だから長編あつかいがふさわしいのかもしれません。

ダネイが縮めた部分については、今回が初読の私でも、ここを切るかねと首を傾げるところがいくつかありました。詳しくは、森英俊の完全版解説に譲りますし、比較すれば完全版の方が良いということになるのですが、それでも、まず短縮版を読んだ私は、その前半が面白くて仕方がありませんでした。小説は前日起きた事件の報告を、主人公のマーキス大佐が受ける場面から始まります。余談ですが、このマーキス大佐は、翌年始まる不可能犯罪捜査課のマーチ大佐の、あまり似ていない前身だそうです。前日の事件に入る前に、容疑者の動機となる過去の事件を説明する必要がありますから、この書き出しは妥当でしょう。しかし、その過去の経緯から、前日の事件までを描いていく手つきは、カーらしからぬ手際の良さです。短かい長編という依頼が功を奏したのかもしれません。警察官ふたりが取り囲んだ鍵のかかった離れ家で、被害者とふたりきりの容疑者が一発と、他の何者か（と容疑者は主張している）が撃った一発の合計二発の銃声がする。拳銃は、容疑者の手にひとつ、部屋の花瓶の中にひとつ。それぞれ口径が異なっています。ところが、被害者の身体から出てきたのは、その二挺ともと異なる口径の弾丸だったのです。

著者名を伏せて読まされても、こりゃカーだろうと思わせる状況設定です。しかし、この小説がどきどきするほど面白いのは、中盤の捜査が進んでいくところで、マーキス大佐が証言を得るたびに、状況が刻々変化して、謎が深まったり、解けかけたりするからです。とくに、被害者の執事など、ヘタをすると単なる便利屋になるところを、人物造形に逆利用してしまう強かさです。「第三の銃弾」は、愛すべきミステリですが、傑作とは言えません。ひとつには、もう少し丁寧な伏線の張り方をすればと思わせるところがあって、それは長さが少しだけ足りなかったのかもしれません。もうひとつは、温厚なはずの被害者の判事が容疑者に対してだけは、異様に厳しい判決をくだしたというくだりが冒頭にあって、都筑道夫流に言えば、モダーン・ディテクティヴ・ストーリイとしてはもっとも魅力的な謎であるにもかかわらず、まったく顧みられていないことです。それは、被害者がそもそも容疑者の過去に詳しかったというディテイルが、生かされていないことを示しています（だから、クイーンは容疑者の過去の写真のエピソードを切ったのでしょうが、そこは私が首を傾げた箇所のひとつです）。そんなことを書いていたら、この枚数で収まらないよ。というのは正論です。だから、切るなら、最初の過酷な判決の部分から切るべきでしょう。しかし、そうすると、容疑者は単なるエキセントリックな逆恨み男になってしまう。その心配も正論です。けれど、そこを切らなくても、すでに『第三の銃弾』は、その欠点を露呈しています。単なる〈主義者〉と保守的な判事の対立では、説得力を持ちえないのは当然なのです。結局は長さと工夫がもう少し必要なのでした。

チャーミングな中編「第三の銃弾」ないしは、チャーミングな短かい長編の『第三の銃弾』でさえ、すでに、こうした限界を示してしまっている。アメリカが戦争に突入する（ヨーロッパと日本はすでに突入していました）一九四〇年代を迎えて、短編の謎解きミステリが曲がり角に来ていたのは、この点を見ても明らかでしょう。

4　アメリカン・ディテクティヴストーリイの展開1
——レックス・スタウトの場合

いまは消滅してしまいましたが、かつてユーゴスラヴィアという国だった地域で、彼は生まれました。ユーゴスラヴィアはバルカン半島周辺の国家の例に漏れず、多民族国家でしたが、それゆえの悲劇的な経験を経て、彼は、生まれた土地とは遠く離れた異国で暮らすことになりました。彼にはわが身を助けるほどに秀でた、人並みはずれた才能があったため、それが可能だったのです。はたからは、その一〇〇キロを超える巨体を、いささか持て余し気味に見え、また、屈折した知性の持ち主に共通する、言葉の過度な緻密さ精密さゆえに、しばしば、他人からはひねくれた受け答えをすると思われているようです。すぐれた才能から来る自負心や自尊心が、その点に拍車をかけたこともあるでしょう。ですが、彼の片腕ともいうべき立場にあった人間の書き綴ったものから分かるのは、彼の仕事上の才能のみならず、彼が食を愛し、生きることを愛しているということでした。

エラリイ・クイーン、ディクスン・カーと書いてきた、本書の流れから、上のように描いてみた彼を、ネロ・ウルフと考えた人は、どれくらいいたでしょう。こういう怪しげな書き方には、きっと何か裏があるぞと考えた人は、もっといたでしょうか。正解は——イビツァ・オシム。彼の片腕というのは、むろん、アーチー・グッドウィンではなくて、『オシムの伝言』を書いた通訳の千田善のことです。

モンテネグロとボスニア・ヘルツェゴビナの違いはありますが、旧ユーゴ圏に生まれ（ただし、ウルフはユーゴスラヴィア成立以前に生まれ、オシムはユーゴスラヴィア成立以後に生まれています）、矛盾をはらんだ故国を（おそらくは）心ならずも離れ、亡命すれすれといった外国暮らしを強いられている。そして、そのことが彼の言動を大きく規制しているように見える。イビツァ・オシムという人の存在を知って以来、オシムを見るたびにウルフを、ウルフを読むたびにオシムを、私は連想してしまいます。

ネロ・ウルフの初登場は、一九三四年の長編『毒蛇』です。アメリカでの人気は非常に高く、しかも安定しているようですが、それに比べると、日本ではあまり読まれていないようです。森英俊の『世界ミステリ作家事典［本格派篇］』では「そのわかりやすさとユーモア、ネロ・ウルフという強烈な個性をもったシリーズ探偵の存在」が、人気の理由としてあげられています。確かに、このシリーズは、ウルフとアーチーのふたり組の個性の魅力で読ませているところ大です。とくに、アーチー・グッドウィンは、ワトスン役＝一人称の語り手としては、元祖ワトスン以降、もっとも個性的で記憶に残る人物となりました。ときとして、主人公の探偵に逆らい、口論に到るのですから、そんな場面は、およそ、他のホームズ＆ワトスンたちでは見ることが出来ません。

スタウトの小説に描かれたふたりの個性を、もう少し注意深く見てみると、彼らの欲望がかなりしつこく描かれていることに気がつきます。ウルフの食への欲求と、アーチーの恋愛への欲求です。探偵業による成功で大金を摑んだウルフは、蘭と食事に贅をつくします。彼に雇われたアーチーは、満足な給料と誇りの持てる仕事を得て、お話に若い女性が出てくるたびに品定めをし、しばしばデートに誘うか、誘うことを考えます。そこには、おそらくアメリカ人が日常で想像できる範囲の欲望を充足させた幸福があるのでしょう。デュパンにしろホームズにしろ、そして、彼らのライヴァルだか亜流だかたちにしろ、おしなべて、ミステリの探偵とは、事件を解決する機械でした。ハードボイルドの探偵も、その点は同じです。彼らは、事件の渦中にあってこそ、その個性が発揮できる存在であり、その点に比べれば、ホームズのコカインへの嗜好さえ、飾りのようなものでした。ウルフとアーチーはそこが違います。とくに、初期の作品を読むと、スタウトが懸命にそこを描こうとしているのが見てとれます。事件の解決は、このふたりにとって天職であると同時に、欲望を満たすための収入を保証してくれる行為なのです。

一九五〇年のEQMMで、クイーンがフランク・グルーバーの短編につけた解説で、短編に登場していない著名な名探偵を幾人かあげていますが、その中にスタウトのネロ・ウルフが入っています。スタウトは短編も書いているのですが、ネロ・ウルフものは中編と呼ぶべきものばかりで、たいていは二編で一冊、多くても四編程度で一冊になっています。英語版ウィキペディアのレックス・スタウトのページは、著作リストがついているのみならず、収録中編の初出まで分かるようになっていて、このあたりにも、スタウトのアメリカでのポピュラリティを感じます。一九四二年刊行の第一中編集*Black Orchids*に入っているのは「黒い蘭」と「死の招待」の二作で、それぞれ四一年八月号と四二年の四月号にアメリカンマガジンに、アブリッジ版が掲載されたようです。アメリカンマガジンは『毒蛇』のアブリッジ版も掲載していて、縁が深いのか、一九五六年に同誌が廃刊になるまで、ウルフものの中編は、この雑誌に掲載されて、あまり時をおかずに本になるというのが基本パターンになりました。四四年の第二中編集*Not Quite Dead Enough*は「まだ死にきってはいない」「ブービー・トラップ」の二編収録、初出が四二年十二月号と四四年八月号。「ブービー・トラップ」はabridgedの文字がとれていますから、短縮版でない、完全な初出ということなのでしょう。

*Black Orchids*は、表題作でその題名にもなった黒い蘭を、ウルフが手に入れるために、事件に介入し、「死の招待」では、その黒い蘭が、話の中で重要なアクセサリとなります。*Not Quite Dead Enough*は、真珠湾攻撃をきっかけに枢軸国との戦争が始まっていて、アーチーは出征し陸軍情報部の少佐となっています。ウルフまでもがコックのフリッツと一緒に軍事教練に精を出している。情報部では、ある事件にウルフの手助けが欲しいのだけれど、ただでさえアーチー抜きのところに、教練に夢中のウルフとは連絡を取ることさえ出来ないのです。「まだ死にきってはいない」は、上司の命（めい）を受けたアーチーが、殺人事件をきっかけに、犯行現場を細工して、わざと自分をクレイマー警部に逮捕させることで、ウルフを探偵稼業に無理やり引き戻します。そして、陸軍情報部の依頼で事件を調べ始めたところに、新たな殺人が起きるのが「ブービー・トラップ」なのです。といった具合で、ふたつの話は独立しているもの

の、連作ふうになっているのです。

この四編の中では、「死の招待」が、犯行方法も派手で、いかにもミステリミステリしています。なんたって破傷風に感染させて殺すんですからね。ただし、同時に、スタウトの特質と弱点もよく表しています。依頼人はパーティプランナーとして著名な女性ですが、かつて、大胆にも、ウルフを犯人あてゲームパーティの探偵役に仕立てて、一儲けしようと試みたことがある。彼女の周囲に中傷の匿名の手紙がばらまかれ、手紙に共通するのは、いかにも彼女が真相を知っているかのようなほのめかしで、文章が結んであることです。見るからに彼女を陥れる意図があって、しかも、タイプの文字や用箋から彼女の周囲に差出人がいると推測される。彼女自身は秘書が怪しいと目星もつけているのです。過去のいきさつから、彼女に好感を持っていないウルフは、乗り気になれないままに、容疑者たちに会うことにします。ところが、事件に手をつけるまもなく、彼女は破傷風で死んでしまうのです。

ウルフを辟易(へきえき)させる、やり手のパーティプランナーは、分かりやすい性格もあって、スタウトの登場人物の中では、個性的に描かれている部類でしょう。しかし、破傷風菌を取り出して満たした溶液をヨードチンキにすり替えるというのは、いかにも机上の犯行方法です。簡単に言うけど、そこらの人にそれが出来るのか考えると、はなはだ心もとない。『Xの悲劇』の第一の殺人の凶器ならば、作れるかもしれない。『ローマ帽子の謎』の毒薬は、方法さえ知っていれば、誰にでも抽出できる毒であることが、懸命に強調されていました。そうした先行例に比べれば、これはあまりに無造作です。しかも、それは単にパズルストーリイの作り方の問題だけではないように、私は思います。
たとえば、ウルフやアーチーが犯人だったとしたら、彼らならば、百科事典かなにかを読みながら、この犯行を行うことは考えられるでしょう。また、この比較的突飛な毒殺方法に対する、ウルフたちの態度とクレイマーの態度にも差がありません。つまり、スタウトのミステリに出てくる人物たちは、基本的に価値観に変化がないのです。

パズルストーリイとしては、解決の辻褄はあっているものの、推理の面白さが乏しいというか、推理そのものが平板なので、解決はしても、さして印象に残りません。むしろ、気に入らなかった依頼者を死なせてしまったウルフが、黒い蘭の花を葬儀に送るエピソードに、通俗小説的な巧さを感じさせて、スタウトの力が入るのは、ウルフやアーチーを描くときなのだと、再確認させてくれます。

レックス・スタウトのミステリは、読後にウルフとアーチーの印象しか残らない、奇妙なミステリです。しかも、そのふたりの印象たるや、どのように事件を解決したかとか、どんな推理をしたかといったところにあるのではなく、もっぱら、ふたりの欲望の在りように左右されているのです。もっとも、当時は、この行き方は画期的だったでしょう。探偵コンビが、飲み食いし、不平を言い、我を張る。ウルフは明快に女嫌いとして描かれていますが、女の子に興味津々のアーチーでさえ、ソール・パンザーたち外部スタッフに重要な仕事を与えられると、疎外感を感じ嫉妬する。結婚とウルフの家での生活のどちらかを選べと迫られたら、結婚をとるとはとても思えません。ウルフの家は男だけの世界で、そこに居心地よく住んでいること自体が、彼らの欲望の発露に見えます。

しかしながら、そうした部分は、本来、推理や事件の解決とは無関係に存在しているものでした。ミステリであるかぎり、事件とその解決は必要ですが、本当にスタウトが勝負をしているのは、その他の部分なのでした。事件以外の私的な部分を描き込む必要がある以上、ウルフものが中編になってしまうのは当然のことのように、私は思います。とくに、初期の作品では、ウルフとアーチーを丁寧に描いている。というより、その部分が新味なのですから。これが戦後の佳作と言われる「探偵が多すぎる」（アメリカンマガジン廃刊後すぐの作品で、コリアーズに載りました）などと比べると、それがよく分かります。このころには、ウルフとアーチーの個性は読者に了解済みのものとして、そのぶん、事件とその解決を描くことに筆が割けるのです。

他方で、他の登場人物は、それほど魅力的には描かれません。ウルフたちと対立する存在感や価値観もなければ、ウルフたちのように自己の欲望を満たす生活ぶりが描かれることもないからです。スタウトは、脇役を描くのが、あまり巧くないのは、登場人物の欲望を通してしか、彼や彼女を描く術がないからではないでしょうか。もっとも、事件に関連した行為を通して、あるいは探偵の推理を通して、登場人物をくっきりと描くというのは、その後に登場した、いわばミステリの進歩とともに意識されてきた描き方（散発的な実例はあったにせよ。たとえばアイリーン・アドラーとか）です。スタウトが、まずもって、人間的個性を持った探偵を描いたことは、貴重な一歩だったのです。

デビュー作の『毒蛇』において、すでに、ネロ・ウルフは成功した超一流の私立探偵で、当然ギャラも高いことになっていました。一流レストランが引き抜きを図るほどのコックを個人で抱え、おそらくはコックと同じくらいの腕前のプロフェッショナルな園芸家を、蘭のコレクション（が、そもそも高価な上に、それを維持する温室も必要です）のためにひとり抱え、その上にアーチーを雇っている。生半可な収入で出来ることではありません。しかも、全米でも指折りらしいソール・パンザーをはじめとする、フリーランスの私立探偵を、事件の解決のためにしばしば雇います。経費込みでも、相当な額を取っていなければなりません。「証拠のかわりに」では、ウルフは五千ドルの報酬を提示されますが、今期の収入を考えると、そのうち四千五百ドルは税金に持っていかれると、難色を示してみせます。すでに、それだけの収入があり、さらには、実質五百ドルでは、見合わないというわけです。税金云々は断るための口実（結果的に断らなかったので、あるいは駆け引きと言うほうがいいかもしれませんが）だとしても、三桁の報酬では成立しない稼業とは言えるでしょう。

『赤い鰊のいる海』に入っている「故スタウトに寄せる脚注」で、各務三郎は、ウルフの最低料金一万ドルを「たいした金額」と書いています。この文章は、もともと、スタウトの追悼特集にミステリマガジンに寄せられたものですが、他のハードボイルド私立探偵たちが「一日百ドルプラス経費で満足せねばならない」のを「アクチュアリティのために」とするのが、らしい指摘でしょう。ウルフの稼業は一種の夢物語。むろん、人件費が安い発展途上国から脱しようとしている、一応きちんとした法治国家で、成功者イコール金持ちが実在する資本主義社会であるという、当時のアメリカでなら、夢物語ではあっても、希望的観測にも基づいて、そういう探偵の在り方に、いくばくかの説得力もあったことでしょう。とはいえ、ウルフの奇矯さともあいまって、私立探偵としての設定のファンタスティックなことは、シャーロック・ホームズとそのライヴァルたちに近いものがあります。

にもかかわらず、各務三郎をしてハードボイルドの探偵とギャラを比較させたのは、そもそも、報酬の額が問題になることが、シャーロック・ホームズ時代にはなかったことであり、一方で、職業人としての探偵のリアリティを考えるなら、そこを避けては通れないからです。とはいえ、ハードボイルドの初期、たとえば、ハメットのミステリに、ではギャラの話が出てくるかというと、そうでもなくて、ブラック・マスクの短編を読んでいたときにも、ほぼ出て来なかったわけです。ギャラの話の有無だけで、一目散にリアリズムを云々するのは乱暴ですが、象徴的な事例だとは言えるでしょう。元祖のハメットはともかく、ハードボイルドミステリが初めからリアリズムを意識して書かれていたとは、私には思えません。むしろ、徐々に現実面を意識していった結果、アメリカ流のヒーローの物語が、リアリズムの小説になっていかざるをえなかった過程を、ハードボイルド小説を通して見ていく。そうした方が、現実に即しているように思えます。

スタウトに話を戻すと、たとえファンタスティックとはいえ、ウルフは報酬を得て働いているのだと、スタウトははっきり書いたのです。はっきり書くことによって、シャーロック・ホームズたちと決別しているとも言えるでしょう。同様のことは、ほぼ同じころに登場した、

E・S・ガードナーのペリイ・メイスンにもあてはまります。メイスンは、弁護士の仕事を、職業としてよりはスポーツとして見ているように思えることも珍しくありませんが、それでも、ガードナーはメイスンを弁護士で食っている人間だと意識しているにちがいありません。職業人として成功することは、たいていのアメリカ人にとっては、人生の目標であり、その目標が理想的にかなった姿がヒーローとして描かれるのは、自然なことでしょう。スタウトが珍しく、また、そこに個性が現われているのは、探偵としての成功によって、経済的に恵まれることで、ウルフが、蘭と美食という純粋な快楽を手にしていることです。後述しますが、スタウトには不思議とアメリカ人ばなれしたところがあって、この点に見られる、貴族的ないしはヨーロッパ的な発想（たとえば、ヴァン・ダインには逆立ちしても出て来ない）が、ウルフの存在をシャーロック・ホームズに近づけているとも言えるのです。

しかしながら、ウルフは金のためにしか働かないのでしょうか？　もちろん、ギャラが高いからといって、金のためだけに働いているとはかぎりません。そして、ウルフの活躍するミステリには、案外、依頼人がいないケースや、金にならないケースが多いのです。

料理人のフリッツが病気になり、出来あいのレバーパテを食べたところ、無差別毒薬混入事件に巻き込まれてしまう「苦いパテ」。ウルフとアーチーの行きつけの理髪店で殺人事件が起こり、密入国してその店で働いていた夫婦が、アーチーを好人物と見込んで、助けを求めてくる「巡査殺し」*。検察側の証人として出廷し、証言の順番を待つばかりのところで、被告の無罪に気づいたウルフが、法廷侮辱罪で訴追されるのもかまわず、召喚から逃げ回りながら事件を解決する「法廷のウルフ」。盗聴行為に関する査問に私立探偵たち（ウルフも事情あって中のひとりに入っている）が呼び出され、そこで殺人が起こる「探偵が多すぎる」。頼まれて、食通の集まりにフリッツをコックとして差し向けた席で、フリッツの作った料理に、何者かが砒素を盛った殺人が起きる「ポイズン・ア・ラ・カルト」。

こうした作品でも、ウルフは事件を解決するのですが、それで大金を掴んだとはとても思えません。むろん、「証拠のかわりに」のように、依頼人があって、大金を手にする場合もありますが、そうでない場合もかなり多いのです。そもそも、金にならない仕事はしないと、殺人事件が起きても知らぬふりを決め込む（「独立記念日の殺人」）こともあれば、そのときの財政状態いかんや相手次第では、気に食わない仕事は断ることも珍しくなくて、ウルフという人はあまり仕事をしたがらない。むしろ、ウルフが事件に乗り出すのは、自尊心を傷つけられたためだったり、親しい人に対する義務からだったり、早くニューヨークの家に帰りたい一心からだったりするのです。

実際問題として、ウルフの優雅な生活は夢物語に近いでしょうから、それを成り立たせるだけの高額な支払可能な依頼人が、そうそう現われるとは思えません。書く立場からすると負担の多い設定でしょう。いきおい、なんらかの形でウルフが事件に巻き込まれることになる。ここでも探偵が事件に巻き込まれる形が、増えているのです。

それは単に、高額のギャラという設定だけの問題ではありません。読者を惹き込む技法上の要請でもあるのです。その好例を「巡査殺し」に見ることが出来ます。さきほどは、はしょった書き方をしましたが、正確には、こんな始まり方をするのです。外出から戻ったアーチーは、玄関の前で男女ふたり組に呼び止められる。ふたりは行きつけの理髪店の店員ですが、それほど懇意にしていたつもりはない。ふたりは自分たちが夫婦だと明かし、実はロシアからの不法入国者で、今朝、突然、店に刑事がやって来て、店の人間をかたっぱしから訊問したというのです。正規のパスポートを持たないふたりは、風をくらって逃げてきたのです。ニューヨークを離れて逃走したいが、どうしたらいいか。異国で相談する相手のいないふたりは、藁をもすがる思いで、客のなかから、信頼できそうな人間としてアーチーを選んだのでした。そして、なけなしの五十ドルを差し出します。アーチーはふたりを家には入れますが、ウルフには知らせず（仕事として引き受ける気にはアーチーでさえなれないのです）、それでも理髪店に偵察に行きます。ところが、店では、捜査にやってきた刑事が殺されていて、姿を消したことで、ふたりは一番の容疑者というより唯一の容疑者になっていたのです。戻ってみると、ウルフの食事の時間にぶつかったふたりは、ウルフから食事に招待されている。他の作品にも出てきますが、ウルフは食事時に自分の家にいる人に食べ物を分け与えないことなど考えられないのです（こうした性格や、ウルフの巨体は、餓えを経験した人のものではないかと、私は推測しています）が、ますます、ふたりを外に出しづらくなっている。といった具合に、手の込んだ導入で、読者の興味を惹きながら、実は、密入国者が依頼人の事件をウルフが手がけても自然なように組み立てられているのです。

「巡査殺し」は、アメリカンマガジンに発表されたのち、ＥＱＭＭに再録されましたが、ＥＱ

MMにあつらえたかのような話です。もしかしたら、仕立て直したのかもしれません。その後、エドマンド・クリスピン選のアンソロジーにも入っているようなので、評価は高い方なのでしょう。しかしながら、事件への導入に比べて、事件そのものも解決にも、さして魅力はありません。私の読んだ範囲では、事件の設定それ自体に手がかりを埋め込んで、その一点から犯人を指摘してみせる「**探偵が多すぎる**」が、謎解きとして魅力があるくらいで、あとは謎も解決もぱっとしない。「法廷のウルフ」は、検事を巧く利用するアイデアは良いものの、ここでも解決は平凡なものでした。

思い返してみれば、長編においても、私は『毒蛇』や『腰ぬけ連盟』などよりも『料理長が多すぎる』や『我が屍を乗り越えよ』『黒い山』といった作品の方が、すぐれていると考えています。スタウトのミステリの面白さは、ウルフの推理にあるのではなく、ウルフが巻き込まれた事件を切り抜けるところにあって、さらには、それはウルフの個性や欲望に根ざした事件の方が魅力を発揮すると思っているのです。フランク・グルーバーのミステリのプロットを作るための十一か条の十一番目「感情」を思い出してみましょう。「主人公は、ある程度、個人的に事件に関係している必要がある。彼の行動は義務以上のものでなければならない。あるいは彼がうける報酬以上でなければならない」

ネオハードボイルド以降のアメリカのミステリで大勢を占めるようになった、主人公の私生活を描き込むタイプの小説の、スタウトは走りと言えるでしょう。ただ、それがそうは見えないのは、ウルフの個性が奇矯で珍しいものであるのに対して、のちの主人公たちのそれが、読者と等身大であることを目ざしたからです。それはミステリがリアリズムを目ざしたひとつの結果でもありました。しかし、それらのミステリが、主人公の個性と遭遇する事件が乖離していたり、私人として個性が描かれることと、職業人として事件に対決する姿が描かれることとに分裂している（そのあたりを、巧く切り抜けているのは、ジョゼフ・ハンセンやS・J・ローザンといったわずかな例外だけではないでしょうか）のを見るにつけ、ウルフの欲望や出自を事件の背景に積極的に用いたスタウトには、一日の長があるように、私には思えるのです。

そもそも、モンテネグロ移民（オーストリア＝ハンガリーの警察官僚だったみたいですが）を主人公に据えるというのが、アメリカの小説、とりわけ娯楽小説としては型破りと言えます。そのことが原因となって、ウルフの個性が形作られているといったことは、まったく書かれていませんが、しかし異形の人としてウルフ（という名前は、おそらく生まれたときの名ではなく、帰化した際に自らつけたものでしょう）が描かれていることも、また、間違いのないところです。

『ラバー・バンド』の輪ゴム団のエピソードなど、シャーロック・ホームズの長編における第二部そこのけで、そうしたことを自国の側から書けてしまうというのは、実は珍しいことではないでしょうか。また、『料理長が多すぎる』における、黒人ウェイターたちのあつかいを見てください。ウルフの彼らに対する態度はもちろん、それ以前の警察を代表とする他の人々の、彼らに対する態度と、それが表面に出て来ないところ。スタウトは当時ニューディール支持者だったそうですが、リベラルにもほどがあります。いや、リベラルという主義主張以前に、小説家としてのリアリストの目がここにはあります。

レックス・スタウトは、謎とその解決、つまり事件主体のミステリを書いた、同時代のクイーンやカーとは異なり、探偵主体のミステリを書くことで、ベストセラー作家になりました。この二筋の道は、それぞれ行き方は異なっていましたが、主人公の探偵が事件に巻き込まれることが多いことや、短編の分量では息苦しくなりつつあるところなど、共通する部分もありました。ディテクションの小説としてのミステリは、どんどん複雑になりスピーディになっていったのです。

5　アメリカン・ディテクティヴストーリイの展開2
――クレイグ・ライスの場合

レックス・スタウトから、やや遅れて登場し、第二次大戦をはさんでアメリカで活躍したのが、クレイグ・ライスです。スタウトのネロ・ウルフものが、ワトスン役である助手のアーチーの一人称であったのに対し、ライスの酔いどれ弁護士ジョン・J・マローンのシリーズは、三人称の小説ですが、このふたつのシリーズには似通ったところが多々あります。ウルフのミステリが、ウルフと彼のおなじみのチームの魅力で読ませるように、マローンのミステリも、天使のジョー（とその一族）やジェイクとヘレンのジャスタス夫妻といった常連たちの魅力が、面白さのかなりの部分を担っています。ウルフにクレイマー警部がいるように、マローンにもフォン・フラナガン警部がいます。そういうおなじみのメンバーによる掛け合いの楽しさやユーモアが特徴なのも、共通したところでしょう。ストーリイが、次々に起きる事件とともに、なんらかのアクションを伴いながら、スピーディに進行していくところも似ています。ディテクションの小説ではあっても、解決の推理に魅力のあるものが少ないところもそっくりです。ハードボイルドに分類されることがある――近年は、そうした例はあまり見かけませんが、かつてはしばしばありました――のも同じです。E・S・ガードナーを含めた三人は、ハードボイルドミステリの洗礼を受けたのちの、アメリカのパズルストーリイと見られることもありました。ガードナーは両者の中間とか混淆とされることもありましたからね。そのほかに、長編主体で、短編も書かれてはいるけれど、中編や長めの短編が多いというのも同じですが、これは、ディテクションの小説自体が、そういう流れにあったので、スタウトとライスの共通点とはいえないかもしれません。

クレイグ・ライスには根強いファンがいます。かつて孤軍奮闘のライスファンといった趣さえあった小泉喜美子を筆頭に、短編集『マローン殺し』に解説を寄せている近藤史恵の狂いっぷりも微笑ましい。けれど、同時に、多数のファンを持つことは、ついに日本ではなかったようでした。ライスの魅力は、ユーモアとか都会的なしゃれたセンスといった説明をされて、そういった要素は、日本においては多数派を形成しないと理解されているのかもしれません。ただ、そうした特徴の正体は、もう少し突っ込んで考えてみることが必要でしょう。

マローンものの短編集は、創元推理文庫に〈マローン弁護士の事件簿Ｉ〉と副題のついた『マローン殺し』が入っています。その中の十編のうち、比較的有名なのは、「胸が張り裂ける」でしょうか。従来、「うぶな心が張り裂ける」という邦題の小笠原豊樹訳があって、ハンス・Ｓ・サンテッスン編の『密室殺人傑作選』や、『37の短篇』に採られていました。

「胸が張り裂ける」はマローンが刑務所を訪れるところから始まります。殺人事件で有罪となった依頼人の再審を、少々インチキな方法で勝ち取ったらしく、彼を訪ねるためでした。ところが、マローンが到着するなり、依頼人は首吊り自殺してしまう。マローンの第一声は「わたしという弁護士がありながら?」です。再審が決まり、希望を持っているはずの囚人が、なぜ自殺したのか? ロープはいかにして入手したのか? 魅力的な謎ではあります（とくに前者）が、唸らせるような解決をつけるのが難しい謎でもあります。実は他殺だった、あるいは自殺に仕向けたものだったという解決は、まあ、誰しも頭に浮かぶところでしょう。クレイグ・ライスの弱点は、解決が手近で安直に終わってしまうところにあって、この作品でもそれは変わりません。しかも、提出された謎を深めたり、解いていく過程を見せることがないので、多くの場合、解決は唐突で、あっさりとついてしまうのです。「胸が張り裂ける」のように、シンプルな謎解きの興味の作品は、ライスには似合わないように私には思えます。なぜなら、ライスのミステリにおいて、ストーリイを駆動させるのは、謎の奇妙さや、それが解ける過程の面白さではなく、マローンをはじめとする登場人物たちのアクションであるからです。

たとえば「マローン殺し」*です。ロサンゼルスの空港で、マローンは飛行機を待ちながら酒を呑んでいます。依頼人のおばにあたる人が西海岸に住んでいたのですが、彼女が亡くなって、死因と遺言状の確認に、シカゴからやって来ていたのです。ところが、シカゴに戻るはずのマローンはサンフランシスコに着いてしまい、どういうわけか、ロスで休暇を与えた秘書のマギーがそこにはいて、彼女から手渡された新聞には、ジョン・J・マローンの死亡記事が載っているのです。ちょっと落語の「粗忽長屋」を思わせる導入で、これをきちんとした謎として設えることで読者を引っ張っていくと、都筑道夫の「そこつ長屋」になるのですが、「マローン殺し」は、そうではありません。いかにして、マローン死すという状況になったかは、読者にも簡単に察しがついて、しかし、なぜそんなことになったのか、背後にどんな事情があるのかが、読者にもマローンにも分からない。マローンは自分の名前で死んだ人間になりすまして、サンフランシスコのホテルに部屋をとり、接触してきた男と会います。「マローン殺し」は、ロサンゼルス空港でマローンと搭乗券を取り違えた男が、マローンの依頼された相続問題の関係者だったという点が、少々強引ですが、話そのものは、快適なテンポで終始します。けれど、不可解な状況に陥ったマローンが、そこから反撃に転じる面白さは、ディテクションの小説の魅力とは、異なるもののように思われます。

『マローン殺し』に収められている他の作品を見回しても、冒頭に不可解な状況があっても、それは解き明かされるべき謎として提出されているというより、マローンがくぐりぬける危地として存在しているのです。あるいは、謎とその解決として描かれるには、解決が手軽すぎたり、苦しまぎれなものや、ひねりのない平凡なものに終わっていたりします。「不運なブラッドリー」に到っては、この犯行が成立しないことを、訳者が注記で指摘せざるをえなくなったりします。このあたり、コーネル・ウールリッチに似たところがあって、冒頭に不可解な状況を持ってきながら、解決は苦しいことが多々ある。謎を仕掛けられる側から見て、状況が不可解であるようにのみ考えられていて、それを仕組む側（つまり犯人側）の合理性や計画性が等閑に付されているのです。都筑道夫の言葉を借りれば、表がわの論理は通っていても、裏の論理がなおざりにされているのです。

『マローン殺し』に入ってはいませんが、「マローンと消えた凶器」など、マローンが列車で乗り合わせた乗客が、奇妙な一団で、しかも、その列車がシカゴに向かっているのか西海岸に向かっているのか分からない（入り日の向きが違っているとマローンが感じる冒頭が見事）という、不条理な面白さです。「マローン殺し」の列車版とも言えますが、不条理さ不可解さが一段上です。クレイグ・ライスの短編に、しばしば、精神科医が登場し、狂気を疑われる話が出てくるのは、当時の流行もあるでしょうが、それにしても、この短編の冒頭は手ごたえ充分です。しかしながら、その解決は、凡庸な落としどころで手を打ったとしか思えず、列車内で殺人が起き、凶器が見つからないという、いかにもミステリ的な、しかし手垢のついた謎に、これまた凡庸な解決をつけて、小説は終わります。

クレイグ・ライスには、マローンの出てくる、ショートショートといった長さの、推理問題のような短編（エラリイ・クイーンも、この手の話をよく書いてますね）があります。「馬をのみこんだ男」や「煙の環」といった作品ですが、ここまで来ると、オチの軽さやばかばかしさが、ユーモアになって生きることになります。「煙の環」など、マローンが出て来なければ、ウィルスン・タッカーの短編といっても通るかもしれません。

もっとも、ライスの短編でも、謎とその解決がうまくいっているものが、ないわけではありません。「セールスメンの死」*は、同じ会社のセールスマンが次々と殺されていくという、ミッシングリンクテーマの短編ですが、なかなか巧く解決がつけてあります。一点気になる些細なことはありますが、『ホッグ連続殺人』なみとは言わないにしても、気のきいた短編パズルストーリイでしょう。と思っていたら、二〇一八年になって、この作品が、ローレンス・ブロックが代作したものと公表され、ブロックの短編集にブロックの作品として収録されてしまいました。確かに、ブロックはミッシングリンクテーマが達者でした。

あるいは『マローン殺し』に入っている「永遠にさよなら」です。あるフレーズが歌われると、人が死ぬという、ディクスン・カーばりの怪奇性をもった発端ですが、簡単なトリックと上手な手がかりで、読了してみると、佳作ではあるのですが、良質のパズルストーリイを読んだときの快感には乏しい。「マローン予言者になる」*は、アフリカ人の投げ槍で人が死ぬと、マローンがフォン・フラナガンをからかうつもりで冗談に言ったところ、本当にアフリカ人の投げ槍で人が死ぬという、これまた見事な冒頭の謎です。マローンが真相に気づくきっかけとなるエピソードの使い方が下手なので、損をしていますが、それを差し引いても、解決の仕方に推理の面白さが欠けている。このあたりに、クレイグ・ライスの特徴があるようです。

「永遠にさよなら」にはカーばりの怪奇性があると書きましたが、作者も登場人物も、そんな怪奇性に動じることはありません。そんな迷信は誰も信じない。そういう合理性が支配する世界であることは確かですが、ライスのミステリには、それ以上の特徴がある。マローンやジャスタス夫妻にもっとも顕著ですが、彼らは何事にも動じることがありません。「胸が張り裂ける」で、依頼人が首をつったと知ったマローンの第一声を、思い出してください。あるいは「マローン殺し」の自分の死亡記事を読んだマローンの反応を。あるいは、「恐怖の果て」で、依頼人の身代わりに、殺人容疑で監獄に入ってくれと、マローンに頼まれたヘレン・ジャスタスの態度を。マローンは、警察よりも早く犯罪の現場に立ち会おうとし、場合によっては、証拠の隠滅や偽装のアリバイ工作（「彼は家へ帰れない」）も厭いませんし、マローンたちにとって支障のある場所から死体を動かす（「恐ろしき哉、人生」）ことさえあります。そうした判断を即座にくだすマローンには、事件が動くたびにいちいち驚いたり、立ち止まって考えたりする暇はありません。せいぜいが、なにか重要なことを思い出せないと悩むくらいですが、それとても、動きながらのことです。また、ライスのミステリの魅力として、多くの人が指摘する、軽快でユーモラスなやりとりですが、その多くは、非常事態にあってものに動じず、冗談を忘れない登場人物たちの性格と姿勢から来るものです。

事件の展開と張り合うかのようにスピーディなマローンのアクションも、おなじみの登場人物たちのユーモラスな掛け合い——中村真一郎をして「煙草に火をつけるのに、地獄の炎でもってするところから起るもの」と言わしめたユーモア——も、彼らが、何事にも、いちいち動じないことから生じています。もちろん、何事にも絶対に動じない人などいませんから、そんな人だらけのライスの小説は、リアリスティックなものではありえません。一方で、そんな何事にも動じない人々という特徴は、ユーモラスなやりとりのために必要だとか、スピーディな進行のために必要だといった、技法上の要請だけから来るものではありません。それは、もう少し作家にとって切羽詰まった、それを抜きにしては、この作家が小説を書く意味がなくなるような、そんな必要から来ているように私には思えます。

しかし、そうした特徴は、ワン・アンド・オンリーのユーモアを作品にもたらす一方で、謎に驚き戦く人がいないという結果をももたらしました。謎めいた事態に怯えろとは言いませんが、どんなに不可解なことが起きても、それが対処可能な事態だとのみ考えられ、実際、即座に対処されたのでは、謎を謎として読者に強く提示できないし、同じように、解決を魅力的に見せることも出来ないのです。名探偵によって、どのような不可解な謎も必ず解かれる。謎解きミステリが打ちたてた、この神話は、それゆえに、どのような謎もいずれは解かれてしまい、不可解などこの世には存在しないという主張を裏側に秘めていました（この点を徹底的に突き詰めた果てに現われたのが、中井英夫の『虚無への供物』だと、私は考えています）。ミステリがジャンルとして成熟し洗練されていくにつれて生じた、これは大きなジレンマでしょう。ライスの登場人物の動じなさは、この問題とは少し異なる、ライスの特異性に、そもそも因っているように、私は感じていますが、似たような効果を作品にもたらした。あるいは、その点を剝き出しにした。そうは言えるでしょう。

クレイグ・ライスの小説は、説明的な文章を省いた、凝った書き方をしています。読者に未知の登場人物名が出てきて、その説明が遅れて書かれることも珍しくありません。もっとも、晩年の短編「月明かりの死」を読むと、登場人物の手短な紹介が、メモ書きのようになっていたりして、力が落ちたころにパルプマガジンに書いたものとはいえ、謎解きミステリのデータ部分と割り切ると、ライスでもこういう書き方になるのかと、私はため息をつきました。では、凝った文章とパズルストーリイとは相いれないものなのか？　この疑問を持った人は、ライスと同時代にイギリスでミステリを書き始めたクリスチアナ・ブランドに目を向ける必要がありますが、そこに到るまでには、まだまだ時間が必要です。

6　もうひとりのミステリの女王

ドロシー・L・セイヤーズの短編集は、二巻の『ピーター卿の事件簿』として創元推理文庫に入っています。第三巻も出るという話を以前耳にしましたが、いまだ二巻止まりです。三巻目が出れば、ピーター・ウィムジイものの短編は、おそらく全作収録されることになるのでしょう。『ピーター卿の事件簿』（現在の第一巻）は、七〇年代の後半に、東京創元社が力を入れていた、〈シャーロック・ホームズのライヴァルたち〉のひとつとして刊行されました。二〇年代半ばに登場し、四〇年代にミステリの実作から離れたセイヤーズを、ホームズのライヴァルと呼ぶのが適切なのかどうかは、異論もあるところでしょう。セイヤーズの短編集は、生前、三冊が出版されていて、刊行年はそれぞれ、二九年、三三年、三九年で、収録作品の半数ほどが、雑誌初出ではなく、短編集に書き下ろされているのが特徴です。イギリスにおいて、雑誌の時代は終わろうとしていたのです。

セイヤーズがミステリを書いていた時期に、アメリカではヴァン・ダインとエラリイ・クイーンによって、謎解きミステリの形が整い、それが短編においてどのような展開を見せたかは、これまでに見てきました。同時代のイギリスに目を転じると、かつて触れたクリスティとセイヤーズが目につくところです。ともに、パズルストーリイの作家ながら、『世界推理短編傑作集』には、クライムストーリイが選ばれている点も共通しています。

さきほど、ホームズのライヴァルと見ることは異論もあるだろうと書きましたが、長編はともかく、ピーター・ウィムジイものの短編を読むと、逆に、ライヴァルのひとりに数えたくなる気持ちは分かります。むしろ、ヴァン・ダインやクイーンと同時代にあって、あえて、ホームズ譚を（当時の）新しい革袋に盛ろうとしていたのではないかと、私などは考えてしまいました。たとえば「銅の指を持つ男の悲惨な話」は、クラブに集まった人々の間で奇譚が語られるという構成ですが、本書第一巻に収めたリチャード・ハーディング・デイヴィスの**「霧の中」**を思い出す人もいるでしょう。都市の影で、あるいは闇の中で進行する、グランギニョールそこのけの犯罪に、ピーター卿が解決を与える。大陸を旅行中のピーター卿が、フランスで突然、旅行を切り上げる「文法の問題」は、わずかな手がかりから犯罪の可能性を感じ取った卿が、それを未然に防ぐ物語でした。「趣味の問題」（「二人のウィムジイ卿」）に到っては、旅行中も人目につかないわけにはいかないイギリスの大貴族ウィムジイ卿が、これまた謎の青年（の正体は、丸わかりですが）の前に、ふたりも現われる。事件の背景には、欧州の軍事バランスを揺るがす兵器の開発と、その売買取引があって、本物のウィムジイ卿であることを証明するために、ワインの利き酒（卿は当代随一のワイン通なのです）が始まります。これなど、ホームズのライヴァルというよりは、イギリス版のルパンものではないかと私は考えました。

これらは、いずれも第一短編集から採られた、つまり二〇年代の作品ですが、その後の作品にも、そういった傾向のものは見られます。「ピーター・ウィムジイ卿の奇怪な失踪」がそうで、スペインのバスク地方に隠棲するアメリカ人夫婦の妻の方が、奇怪な呪いのために廃人となっているという話で、作品の前半、夫妻の友人であるイギリス人の民俗学者が、彼女の姿を見て愕然とする。村の人々は恐れて近づこうともしません。後半、登場する魔法使いの正体も、これまた丸わかりですが、秘められた陰謀をウィムジイ卿が阻止します。

ピーター・ウィムジイものの短編に特徴的なのは、作家の関心が、解決の推理の面白さで読ませるフェアなパズルストーリイを志向するというよりは、ウィムジイ卿の観察や知識が、誰も気づかない犯人の企みを白日の下にひきずり出す、その活躍の仕方の方に向かっていることです。この在り方はホームズ譚の直系といってもいいでしょう。そこに装いの新しさを加えるのがセイヤーズの行き方といってもよく、その好例が「鞄の中の猫」で、オートバイの追跡劇という、新奇なアクションを導入部に、切り取られた死体の発見、そこにウィムジイ卿が盗難の被害者として登場するというひねりもあって、良い意味でセイヤーズの新しもの好きな軽薄な面が活きています。「因業じじいの遺言」は、セイヤーズが流行のクロスワードパズルを作ってみせたという、そのことだけが取り柄のような話です（従僕のバンターがクロスワードパズルに凝っているというオマケが楽しい）。後述しますが、医学に代表される科学の専門知識に依拠することが多いのも、新しいもの（この場合は新しい知識）を取り入れることで、ミステリを書こうという姿勢の表れでしょう。あるいは、登場人物に、会社員（と名乗る人物）が目立つことも、都会人ピーターを主人公にしたミステリを書きたいというセイヤーズの嗜好が、期せずしてもたらしたものでしょう。

『ピーター卿の事件簿Ⅱ 顔のない男』の解説で、真田啓介は「セイヤーズ・ミステリの基本がハウダニットにある」と指摘しています。実際、ピーター卿の短編を見渡しても、それは当てはまっています。もっとも、そこにセイヤーズの弱点もあって、ハウダニットの陥りやすい罠がある。往々にして、方法に凝る作家の手つきのみが目立つのです。

「幽霊に憑かれた巡査」（「化かされた巡査」）は、郵便受けから覗き見た死体が、その家ごと消えてしまうという、不可能興味の横溢する短編です。ディクスン・カーが書いてもおかしくないような話で、クイーン、カー、クリスティの三人と並べると、セイヤーズはカーにもっとも近いでしょう。事件のすべてをある特定の人間に語らせるという設定を、しばしば好んでセイヤーズは使いますが、そのこともカーを連想させます（『盲目の理髪師』とか）。それはともかく、このトリックは、三、四十年前になるでしょうか、望月三起也だったと記憶するのですが、監禁された主人公が脱出するために同じ手を使っていたことがあって、漫画向きのトリックだと、そのときも思いました（セイヤーズのこの短編をパクったものかどうかは分かりません）。映画でもいけるかもしれません。小説で用いると、そんなにうまくいくものだろうかと、考えないではありません（漫画のときも、実はそう考えました）が、謎の深まっていく感じが巧く描けているので、佳品といってもいいでしょう。

「盗まれた胃袋」は、ハウダニットの手つきのみが目立つというのとは、ちょっと異なりますが、作家が思いつきに酔っているところは、そうしたハウダニットの陥穽に似たところがあります。そもそも、なぜ、こういうことをしたのか、実はよく分からない。奇を衒ったと言われても仕方がないでしょう。

「銅の指を持つ男の悲惨な話」は化学を用いた犯行でしたが、「白のクイーン」は、光学的なトリックというか、人に錯覚をもたらすような、あるシチュエーションが、光学的なメカニズムで発生してしまいます。トランプカードやチェスの駒といったゲームにちなんだ仮装をした舞踏会での殺人を描き、多数の、それも極端な仮装をした登場人物を、わずかな枚数でさばく困難は、乗り越えていますが、肝心のトリックが生じる状況に到るまでが複雑すぎるのは否めない。さらに、その点は譲るとしても、ピーター卿がふとしたことからある知識を得て謎を解決する、つまり、ピーター卿をもってしても知らなかった知識を、とっさにこの犯人が利用するというのは、さすがに、いささか不自然ではないでしょうか。

三〇年代に入ってからの「鏡の映像」「ピーター・ウィムジイ卿の奇怪な失踪」「証拠に歯向かって」[*]といった作品は、いずれも医学的な知見が作品の核となっています。この中では「証拠に歯向かって」が、注目に値しますが、犯行を解明するピーター卿には、もはや魅力があるとは言えないでしょう。むしろ、その強引な解決は、こじつけと紙一重です。この作品で目を向けたくなるのは、こういう犯行を行った犯人の方で、解説の真田啓介が「〈奇妙な味〉に通じる一種グロテスクな味わい」と書いているのは、そのことを指していると思われます。ハウダニットのハウが行きつくところまで行くと、こうした可能性が拓けるという意味で、現代にあっても示唆に富むと、私は考えますが、それは、この作品の強引な仕上がりのマイナス面とともに存在しています。

「ピーター・ウィムジイ卿の奇怪な失踪」は、「証拠に歯向かって」と、広い意味で同趣向と言えます。前者のウィムジイ卿が、ホームズ的な行動の人であるのに対し、後者がH・M卿的な解決の人であるという違いはあります。しかし、真の相違はそうした点ではなく、犯人の異常性の強弱でしょう。それくらい「証拠に歯向かって」の能動的な異常さは、際立っています。

このふたつに比べて「鏡の映像」は、かなり出来が落ちます。そもそも、根本の発想がすでに古びているというか、いまとなっては迷信としか言いようがないのですが、その点が「何かで読んだことがあるが、臓器の位置が入れちがっている者がいたら、一卵性双生児の片割れとみてまちがいないそうだ」という、当時にあっても、はなはだ頼りない根拠から決めつけられているだけなのです。細かいことを言えば、問題の右胸心の男が、子どものころに「プラーグの大学生」を見るのは不可能で、作り込み方が雑と言わざるを得ません。

こうしたハウダニットが陥りやすい、より危険な陥穽は、作家が犯人に対してもっとも肩入れするという危険性をはらんでいることです。なぜなら、作家が苦労し手間をかけたトリックを実行するのは、犯人だからです。高木彬光の『人形はなぜ殺される』を思い出してほしいのですが、見事なまでに構築された犯行があり、中盤には見事な論理のアクロバットがあり、最終的には解決の論理も鮮やかでありながら、とても神津恭介が名探偵には見えない。その一点で、どうしようもなく、いびつなパズルストーリイになってしまっている。誤解されると困るのですが、『人形はなぜ殺される』を、高木作品の中で、私はもっとも買っています。にもかかわらず、そのいびつさに目をつぶることは出来ません。

石上三登志が、犯人の築く犯罪世界の方が先に生まれ、名探偵はそこに同居する存在だと指摘し（『男たちのための寓話』）、都筑道夫が、明快に「探偵よりも、犯人を重視しがちな欠点も、ありました」と断言した（『黄色い部屋はいかに改装されたか？』）、日本の本格ミステリのある傾向が、もっとも端的に現われた例が『人形はなぜ殺される』だと、私は考えます。けれど、ハウダニットからついに抜け出すことのなかったセイヤーズには、そんな落とし穴に落ちる気配が、微塵もありません。理由は簡単です。セイヤーズは、ウィムジイ卿の活躍する物語を書くのだという大前提を、揺るがす気がまったくないからです。

しかし、貴族の次男坊というヒーローの設定は、当時でさえ、おそらくはロマンティックであり、すぐに時代遅れとなる運命でした。その他の部分で新奇なものを求めたセイヤーズは、この点だけは、すぐに古めかしくなることを受け入れざるをえませんでした。自らの探偵がロマンティックな存在だと気づいていたから、小説の中に、新しい風俗を求めたのかもしれません。少なくとも、第一次大戦を難民として潜り抜けたベルギー人と、どちらが、名探偵としてのちのちまで活躍できるかは明らかでした。私には、ウィムジイ卿が第一次大戦で特殊な経験をしたとは、どうしても思えないのですが、それは、そもそも、自分たちが代々そうである貴族というものが、ひとたび戦となれば生命をかけることが常態だったからではないかと、秘かに考えているのです。

それはともかく、五十歳を超え、子どもたちも成長したウィムジイ卿は、しかし、相変わらず、子どもに桃泥棒の疑いが生じると、自ら地べたを這いつくばって、犯行現場を調査します。「〈トールボーイズ〉余話」*（「桃泥棒」）は、有閑貴族が探偵として社会に出ていくことが無理になろうと、〈日常の謎〉は解くことが出来ることを示した、気持ちのよい小品です。セイヤーズが家庭人ピーター・ウィムジイを描いた、この作品は、当然のことながら、ハウダニットでした。

ドロシー・L・セイヤーズの短編は、ピーター・ウィムジイものだけではありません。ただ、彼女の短編集が創元推理文庫に入ったときに、〈シャーロック・ホームズのライヴァルたち〉のひとつとして、したがって、必然的に『ピーター卿の事件簿』と題して短編集が編まれたため、結果として、ピーター卿もの以外の短編は日本では冷遇されることになりました。戦前と戦後に『アリ・ババの呪文』という、同題名ながら中身の異なる短編集も出ていますが、いまや、ともに稀覯本と呼んで差し支えないでしょう。セイヤーズにはピーター卿のほかに、ワインのセールスマン、モンタギュー・エッグが探偵役をつとめる作品がありますが、いくつか読んでみても、改めて取り上げる価値があるようには思えません。むしろ、シリーズもの以外のクライムストーリイに、読むべきものがあるように思います。

「殺人法を知っていた男」は、ある意味で、セイヤーズの特徴がはっきりと出た短編と言えるでしょう。主人公が列車で奇妙な客と乗り合わせる。主人公がミステリを読んでいたことから、殺人の話題になり、半ば売り言葉に買い言葉から、その客は、自分は絶対確実な殺人の方法を知っていると言い、安く手に入り、痕跡を残さないという毒薬の名前をあげます。ただし、熱い湯が化学的に必要な条件なので、死体は浴槽で発見されることになる。男の言葉は妙に自信ありげですが、主人公は半信半疑のまま（男の言った毒薬の名前も失念しています）、男と別れます。ところが、翌日の新聞に、謎の客がここで片づけなければならない仕事があると列車を降りた街で、会社社長が風呂場で死んでいたという記事が出る。主人公は、新聞に、浴室での死亡事件の記事を探すようになっていき、彼自身の近所でも、ついにそれが起きる。そして、事件の翌日、主人公が、犬の散歩のおりに、被害者の家に足を向けると、件の乗り合い客とばったり出会うのです。

セイヤーズの短編での代表作とされる「疑惑」と、ある面で同一パターンの作品です。しかし、この手の話は、主人公の疑心が高まるのに比例して、話のオチはそこからはずれると読者が考えてしまうのを、避けることが出来ません。「殺人法を知っていた男」は、「疑惑」と違って、主人公の疑いが高まっていくところが、やや苦しい。というのは、謎の乗り合い客の態度に不自然なところがあるせいです。最後まで読めば、そもそも人を食ったところのある話として、成立してはいるのですが、前半部分で、不自然さか作為を感じさせてしまうのは、作者の計算違いというものでしょう。

「骨皮荘」は、題名となった不気味な屋敷にメイドの奉公に出ることになった主人公が、「傾いだ怒り肩の奇妙な建物」に到着するところから始まります。太った醜女のコック、顔の歪んだその夫、怒鳴りちらす主人と従順なその妻。前のメイドは姿を消したらしい。と、いささか紋切型の不気味さが型どおりに描かれていきます。そして、着いたその夜、早々に、彼女は庭を掘り返す音を聞き……。

「殺人法を知っていた男」や「骨皮荘」といった作品を読むと、セイヤーズがディレッタントであることが、よく分かります。才能はあるのかもしれないけれど、アマチュア的で甘さが残る。旦那芸に近いものを、私などは感じてしまいます。『EQMMアンソロジーⅡ』に採られた「豹の女」などは、その不気味さだけを見るならば、たいへんユニークな作品で、セイヤーズのクライムストーリイの中では、もっとも注目すべき作品でしょうが、それでも、ある種の甘さが残ります。

「豹の女」の一行目は、囁き声から始まります。「もしもその子が邪魔だったら、ラパロのところでスミス&スミスのことを尋ねるがいい」と。主人公はあたりを見回しますが、声の主は見当たりません。雑誌（ストランド）を買うと、「スミス&スミス　引越業」というカードがはさみ込んである。主人公は憑かれたように、スミス&スミスを探し始めます。彼には、自分が後見人となっている、莫大な相続権をもつ子ども、すなわち〈邪魔な子ども〉がいました。ようやく出会えたスミス&スミスの一党は「いらない人間をあの世に引越しさせる」組織だったのです。

「豹の女」はセイヤーズの個人短編集では、三九年のものに入っていますが、スミス&スミス引越業は幻想的な組織となっています。それが、後年の異色作家短篇集と、この作品を分かつところで、スタンリイ・エリンにしろ、リチャード・マシスンにしろ、そうした人たちが書いたなら、もっと現実的な存在として描いたでしょう。どこからともない声や、主人公が探すことをあてにするといった展開には、しなかったように思います。私には、セイヤーズの書き方は、単に幻想的なだけでなく、構成がいささか甘く感じられます。ただし、それが、作家としての資質ゆえか、時代的なものか、あるいは英米の違いなのか、私には分かりません。結末の手紙も、もっと、活きる使い方があったようにも思います。

こうしたクライムストーリイの背後には、読者に提出する犯罪には、それを企み実行する人間がいるという点を無視しないという考え、つまり犯人の人間性に着眼するという発想があります。ここまでで触れた、セイヤーズのクライムストーリイには、なんらかの形の意外性が設けられていましたが、「血の犠牲」*に到っては、そうした意外性も用意されていません。

ジョン・スケールズは小説家ですが、一本戯曲を書き、ヒット・メイカーである大物俳優兼プロデューサーの目に留まります。小説が始まった時点で、すでに芝居は当たりをとっていますが、そのためには、スケールズは通俗的な内容に書き直さねばならず、契約上からもそれを拒めないのでした。金銭的には潤ったが、スケールズはそのことを後悔している。仲間うちからは金に転んだと思われているのです。出来ることなら、大物俳優を殺してでも芝居を打ち切りたいくらいなのに、ロングランしているものを止める人はいません。そんなとき、目の前で大物俳優が事故に遭います。大量の血が流れ、居合わせたスケールズと大物俳優の付き人（ドレッサー）が、輸血できるかどうか調べられることになります。当時はABOといった呼び方はなかったようですが、二種類の血漿を凝固させることで型を判別するのは、現代と同じです。ありあわせの皿で、ふたりの血液が凝固するかどうか調べられます。結果は、一方が凝固し、一方は凝固しません。ドレッサーではなくスケールズが輸血に適していると出たのです。しかし、スケールズは、自分だけが気づいているあることが起きたのを知っていました。血液を垂らしたのち、皿が回転して、ふたりのサンプルが入れ替わってしまっていたのです。

小説の後半は、スケールズの心理描写で終始し、大物俳優は死んでしまいます。サンプルが動いたことを心の内（うち）に秘めることで、スケールズは完全犯罪を成しとげます。犯罪とは言えないかもしれませんが、殺したいと思った相手を死に到らしめたのです。しかし、葛藤のうちに沈黙を守るスケールズの頭は、次第に混乱して、本当はどちらの血液が血漿を凝固させたのか、自信がなくなってきます。もしかしたら、サンプルが回転したのは、血液を垂らす前だったかもしれない。そうした揺れをはらみつつ、それでも、彼は、自分は大切なことに気づいていて、それについて口を閉ざすことで、ひとりの男を殺そうとしている（その可能性に賭けている）と自覚しているのです。

消極的と言ってもいい犯罪ですが、その犯行の一部始終を、犯人の内側から描いた「血の犠牲」は、まぎれもないクライムストーリイでした。ここには、いかなる意味でも意外性というものがありません。しかし「殺人法を知っていた男」「骨皮荘」「豹の女」といった、なんらかの形で意外性を盛り込んだクライムストーリイにはないものが、ここにあったのも事実です。それは、セイヤーズがピーター卿もので何度となく用いた、最新の科学を利用した殺人方法です。凡庸なシャーロック・ホームズのライヴァルたちならば、剝き出しのトリック小説を書いたかもしれないアイデアで、セイヤーズはクライムストーリイも書けることを示して見せたのです。

ここで、前に書いた「証拠に歯向かって」の犯人の異常性について思い出してください。犯行方法が犯人の性格を映す鏡であるならば、ハウダニットは、ある領域に達することで、なによりも雄弁に犯人の人間性を描きうる。「証拠に歯向かって」には、そうしたパズルストーリイの方向性を示す萌芽があったように思います。逆に、ハウダニットを構成しうるアイデアを用いながら、パズルストーリイにしないことで、ミステリとしてのサスペンスを、より強烈にするという、クライムストーリイの方向性を、「血の犠牲」は示唆しているように、私には思えます。

こうした特徴は、実は、セイヤーズひとりのものではありません。同時代のアガサ・クリスティにも似たような面はあるのです。本書第一巻の序章において、クリスティについて書いたときに、短編集『検察側の証人』(『死の猟犬』)が、怪奇現象をあつかいながら、怪談とパズルストーリイを両端に、様々な料理の仕方をしていて、それらを一冊の短編集に混在させているると、指摘しておきました。とくに「赤信号」*の人物と事件の配置が、後年のクリスチアナ・ブランドの傑作「ジェミニイ・クリケット事件」*は、それ一作だけで、本書の中のかなりの分量を費やすことになるでしょうが、小説巧者のクリスティは、シリーズ探偵の単調さを、二〇年代から三〇年代にかけてのどこかで卒業していたと思われます。それを示すのが、クリスティの項で残しておいた『クィン氏の事件簿』です。

『クィン氏の事件簿』(『謎のクィン氏』)に顕著なのは、秘められた人間関係を解決の決め手に使おうとする意識です。巻頭の「クィン氏登場」は、以前、自殺した男の動機が謎となっていましたが、そこに大胆な偶然を持ち込むことで、集中随一のパズルストーリイに仕立てていました。しかし、やはり、大胆な偶然と隠された人間関係を、最後の決め手としながら、「ある賭場係(クルピエ)の真情」は、落語を思わせる人情噺となっていました。

「窓にうつる影」*は、密室ものの変形ですが、この作品が、いかにもパズルストーリイらしく仕上がったのは、密室ものであるためというより、ミスディレクションが巧みなためで、そのミスディレクションは、人間関係上のものでした。「空に描かれたしるし」*は、例外的に普通のパズルストーリイとなっていますが、題名となった「しるし」がチェスタトンの『木曜の男』ばりの視覚的イメージで、サタースウェイトがわざわざカナダへ赴くのが、お伽噺的雰囲気を助長していることもあって、浮き上がった感じは与えません。逆に、「海から来た男」になると、さすがに、偶然もここに極まれりという気がしないでもありませんが、パズルストーリイとしては難ありかもしれないものの、小説としては、必ずしもそうは感じさせないのは、読み手に、登場人物たちの過ごした時間の重みを意識させるからでしょう。

『クィン氏の事件簿』は、パズルストーリイとして間然するところのないものから、逸脱していそうなもの、パズルストーリイではないものまで、様々な作品を、クィン氏という風変わりな人物とサタースウェイトのコンビを出すことで成立させています。ただし、このふたりがいるために、クライムストーリイにはなりえないという縛(しば)りがかかっていることも確かです。また、これはクリスティの資質のためだと思いますが、ここでの行き方が真に開花するのは、『ゼロ時間へ』『葬儀を終えて』『愛国殺人』などの、後年の長編ミステリであったと思います。

ドロシー・L・セイヤーズとアガサ・クリスティという、大戦間のイギリスを代表するふたりの女流ミステリ作家は、短編においては、やや屈折した貢献をミステリ史に刻んだように、私には見えます。パズルストーリイの雄（女性ですが）と見られながら、『世界推理短編傑作集』にはそれぞれ「疑惑」「夜鶯荘」*という、クライムストーリイが選ばれたのは、そのことを象徴的に示しているように思うのです。

7　ブリティッシュ・ディテクティヴストーリイの停滞

アントニイ・バークリーは、誰もが認める傑作短編「偶然の審判」*があり、フランシス・アイルズ名義の長編ミステリが、クライムストーリイの金字塔として存在するにもかかわらず、いまひとつ作家としての評価が安定しないように思えます。作品の出来にばらつきが生じることは、誰にでもつきまとうことですが、バークリーの場合は、度を超しているというか、単に、ばらつきでは済ませられないようなところがある。

ロジャー・シェリンガムの登場する短編は、数が少ないのですが、一九三〇年代から四〇年代にかけて散発的に書かれています。

「瓶ちがい」は、ポケミスのアンソロジー『名探偵登場3』に入っています。田舎町で起きた女性の服毒死を、シェリンガムが調べることになります。被害者が口にしたもので毒薬の混入が疑われるのは、かかりつけの医師が処方した薬だけです。医師の家で調合され、持ち込まれるまでの過程では、毒を混ぜる機会がなく、調合ミスだったとすると、なにかと間違えて毒薬を調合したにしては、その場合、間違えられた薬は調合されていないはずなのに、すべての薬は調合されている。したがって、医師のミスとも言いきれないのです。不思議と言えば不思議ですが、この状況には説明がつきますよ、というだけの話であっては、典型的なハウダニットの小品です。セイヤーズのところで、彼女のことを、ハウダニット中心の作風と書きましたが、ウィムジイ卿の話は、さすがにもう少し凝っていますし、肉づけというか演出に工夫も凝らしています。

そういう意味では「ブルームズベリで会った女」には、小説的な工夫があります。戦争（第二次大戦です）が始まってまもなく、ブルームズベリで開かれた、ある退屈なパーティで、シェリンガムはひとりの女と出会う。わずかな会話から、彼女が夫に放っておかれ、それを埋め合わせるように、文学ジゴロの虜になっていることが分かります。二年後、偶然に、シェリンガムは死体の身元確認にきた彼女と再会します。席をはずそうとして彼女に気づいたシェリンガムが、改めて座ったところで、彼女が死体をろくに見もしないで夫だと確認するというのは、気の利いた展開と言えるでしょう。ただし、そのこと自体は読者を巧く釣り込むことの出来るアイデアと言えるものの、その先のことを考えると案外使い方が難しい。この短編でもオチというか解決というかはあるのですが、そこに到る名探偵の推理の面白さがないので、謎の解決というよりは、単なる話のオチになっています。その点は「瓶ちがい」もさして変わりがありません。

「完璧なアリバイ」は、パーティに集まった複数の登場人物全員にアリバイが成立するという設定を、読者に飲みこませるのに汲々としていて、犯人は出て来てまもなく、その人物の重要性が分かると同時に、正体が見えてしまうという苦しさです。これも、思いつき＝解決を段取りとして示すだけで、小説は終わってしまいます。

こうした、本来、話のオチにしかならないようなワンアイデアを、名探偵が解答として提出すると、推理の面白さがなくても、それだけミステリの型となる。どうもイギリス人は、そう考えているフシがあります。エリック・アンブラーでさえ、チサール博士という亡命チェコ人探偵の連作小品を書く始末です。「エメラルド色の空」が『37の短篇』に採られたとき、いくらなんでもこれを選ぶのはないだろうと、私は思ったものです。

バークリーに話を戻すと、「白い蝶」は、やはり田舎の村で弁護士夫人が行方不明になります。夫が殺したのではないかと噂になっていて、調べに行くなら紹介状を書こうと、シェリンガムは唆されます。シェリンガムが夫である弁護士に会うと、妻には愛人がいたことを知らされる。結局、その愛人にも会うのですが、どっちが怪しいのやら分からない。こういう白黒つかない状態をあつかうところを好むというバークリーファンは、いるのかもしれません。長編にもそういうものがありますからね。けれど、私には、それらが巧くミステリとして仕組まれていない、巧く小説として仕組まれていないようにしか思えません。「白い蝶」は「作者自身が不出来を恥じて二度と日の目を見せようとしない」ものだそうなので（『名探偵登場3』の田中潤司による解説）、批判的なことを言うのも野暮かもしれませんが、解決がきて、証拠がそのあとに来るという手順は、乱暴粗雑でしかありません。こういうところや、長編『地下室の殺人』でのシェリンガムの草稿の使い方など、出来不出来以前に、この人は、分かっていないのではないかと疑わせるところが、バークリーにはあります。

「偶然の審判」にしてからが、端正な謎解きミステリとして完結しているはずのものを、長編

『毒入りチョコレート事件』で、自ら壊しているようにも見えます。探偵の推理に絶対の論証はありえないというのは、一見知的な楽しみ方に見えますが、それにしたって、エラリイ・クイーンが間違うのと、ロジャー・シェリンガムが間違うのとでは、話が違うでしょう。シェリンガムのように、のべつ間違っていたり、強引だったりしていては、そもそも愚昧な探偵だというだけの話になってしまいます。そして、そういう探偵をミステリとして仕組んだ素晴らしい例ならば、のちのジョイス・ポーターに見ることが出来ます。

長編ミステリに関しては、アントニイ・バークリー名義の作品よりも、フランシス・アイルズ名義の作品の方が、質の面でも歴史的な意味の面でも、重きを置かれて当然と考えます。私は『レディに捧げる殺人物語』を最上としますが、それは好みの問題ととってもらっても構わない。

ただし、いくつか読んだアイルズ名義の短編や、バークリー名義ではあっても、シェリンガムものではない、つまり謎解きではない短編も、あまり買えません。「暗い旅路」は、弁護士として前途有望な青年が、事務所の先輩弁護士の娘との結婚話を控えて、つき合っている女が邪魔になる。青春の蹉跌というかアメリカの悲劇というか、まあ、よくある話でしょう。しかしながら、破滅に向かって走らざるを得ない人物を描かせると、アイルズは達者なところを見せます。もちろん、短編なので、長編のときのようなしつこさ掘り下げに欠けるのは、仕方のないところですし、展開のアイデアも手近なところで済ませています。ひとつだけ感心したのは、主人公がラスト近くで、どういうわけか、突然、スコットランドを目ざすくだりです。ナンセンスながら具体的な行き先が与えられたオートバイによる疾走には、その瞬間、コーネル・ウールリッチの「さらばニューヨーク」の電車の持つ疾走感を連想しました。あるいは、ジョージ・ロイ・ヒルの映画（というかウィリアム・ゴールドマン脚本の映画でしょうか）「明日に向って撃て！」のふたりが、ボリビアを目ざす感覚に近いでしょうか。

いくつか訳されている初期作品（ミステリを書き始める前のユーモアスケッチ作家のころのもの）を読むと、バークリーがこのころから、ミステリに関心があり、ミステリと呼んでもおかしくないようなものを書いていることが分かります。EQにショートショート二本立てで掲載された初期作品「成功の菓子」と「殺しの権利」は、ワンアイデアのスケッチながら、そこに、のちのミステリ作家バークリーやアイルズの姿を見ることが出来ます。前者は、売れない作家のところに〈毒入りチョコレート〉が送られてきて……という話で、愉快な冗談になっていました。後者は若い友人を手術中の麻酔医が、譫言(うわごと)で友人と妻との不倫を知ってしまい殺意をおぼえるという話です。執刀している外科医という第三者を介在させているのが凡手ではないところで、一瞬沸騰した殺意が次の瞬間冷めてしまうというのが、また巧い。これなど、凡庸な謎解き短編の書き手とは別人のようです。前者のユーモア、後者の意地悪な観察眼を両輪として、たとえば、晩年に『被告の女性に関しては』が書かれているように、私には思えます。

黄金期のパズルストーリイの作家で、短編ミステリで名を残している人となると、フィリップ・マクドナルドを落とすことは出来ません。なんたってMWA賞短編賞二回受賞ですからね。

もっとも、それは戦後も五〇年代の話で、そのころの作風は、黄金期の長編とは異なっています。ただし、アントニー・ゲスリンものの短編も書かれています。バークリーと同じく『名探偵登場3』に入っている「木を見て森を見ず」がそれで、ゲスリンものの初短編と解説にはあります。これが、ミッシングリンクものなのです。イングランド南西の村一帯で、連続殺人が起きる。容貌麗しからざる女性が、ふたり相次いで殺されたのです。ゲスリンは別の任務でアメリカに飛んでいて、そこから、ロンドンの我が家を素通りして、事件の起きた村に仕事上の手紙を届ける必要があったのです。アメリカにいたゲスリンは事件のことをまったく知らず、晩餐の席で話題になるや、事件のあらましに一番詳しい警察の嘱託医が詳細を話します。醜女殺しということで、被害者の美醜が問題になる（見苦しい女は死んで当然という極端な科学者が登場する）というひねったディスカッションになっていて、席上集まった人たちの個性も出しやすい。異常者の摑みどころのない殺人では、ゲスリンもその場で答えを出すことが出来ませんが、そのとき、嘱託医が呼び出される。第三の殺人が起きたのです。

フィリップ・マクドナルドは、ミッシングリンクと、犯人とは面識のない被害者への暴力に興味のあった作家で、そういう意味ではトマス・ハリスの先駆と言えないこともありません。「木を見て森を見ず」は、息子が口にした題名の一言から、ゲスリンが犯人の意図を察知し、同時に、偶然に知りえたことから、誰が犯人かに気がつきます。動機の面から犯人が絞れない、広域での連続殺人は、犯人をつめていく論理の立て方が難しいものです。この場合は、ゲスリンは偶然知りえたことになっていて、安直な感じはしませんが、晩餐の席に集まった人々の大半が、登場人物としては不必要な、あまり囮の役に立たない鰊といった存在であることの方に、無理を感じさせます。それでも、女彫刻家のような目立つ登場人物を並べて、にぎやかに見せる腕前は認める必要があります。

フィリップ・マクドナルドは一九五二年の短編集 *Something to Hide* でＭＷＡ賞の短編賞を得ますが、『エドガー賞全集（上）』に代表として収録されたのが「おそろしい愛」でした。ニューロティックサスペンスの書き方と、『幻の女』ふうのプロットと見せかけて……という話でしたが、発想の根本にあるのは、謎解きミステリ時代のマクドナルドと同じものでした。やはり、この短編集に入っている「殺意の家」（「殺意」）は、倦怠期にある夫婦間の殺意が形をとっていく話でした。つまらなくはありませんが、今となっては平凡な話で、むしろ、見ず知らずの暴力が突然降りかかるという点で、マクドナルドらしさを感じさせるのは、第二短編集に入っている「ずぶ濡れの男」*の方でしょう。大雨で道路が不通、家が陸の孤島となり、娘とふたりきりで自動車に閉じ込められたヒロインを、ひとりの男が助ける。家に避難し、やさしそうなその男に彼女は着替えを渡しますが、娘は直感的に男を嫌ってしまう。そうなると、逆に親切にせざるをえなくなり、他方、男はあつかましく粗暴な性格を徐々に露わにしていく。外界から閉ざされた家への凶暴な闖入者（ちんにゅうしゃ）という設定ひとつだけで書かれた小説でした。

こうした小説を経て、フィリップ・マクドナルドは「夢見るなかれ」*で、二度目のＭＷＡ賞を受賞します。母と息子と息子の友人（教師でもある）という変則的な三角関係から生じる殺意を淡々と描いた作品で、それとは一言も書かないものの、息子と友人の同性愛関係もありうる含みとして、「殺意の家」よりもさらに洗練したMalice Domestic（同時に息子の友人は母親にとって見ず知らずの闖入者でもある）を描いてみせました。それを、クライムストーリイ作家の誕生と呼ぶべきなのか、パズルストーリイ作家の転向と呼ぶべきなのか、私には判断がつきかねますが。

日本語版ＥＱＭＭ一九五六年十月号は、創刊第四号にあたりますが、本格中篇探偵小説特集と銘打って、四編を並べていました。クレイトン・ロースンの「天外消失」、ナイオ・マーシュの「出口はわかっている」、マイケル・イネスの「解剖学教程」、ニコラス・ブレイクの「白の研究」です。いずれも本邦初紹介か、それに近い作家の作品で、英米の最先端の作家を紹介するという、創刊当時の同誌のスタンスは、謎解きミステリに関しても守られていました。とは言っても、どれも四〇年代の作品で、おまけに、同じ号にはスタンリイ・エリンの「決断の時」*が掲載されていて、まあ、そちらの方に読者の目は行こうというものです。エリンにしても紹介二作目ですが、モノが違うし、前年のＥＱＭＭコンテストの第一席作品ですからね。

さて、この特集、ロースンはアメリカの作家（この作家に触れる必要があるかどうか、まだ決めかねていますが、私は「天外消失」も「この世の外から」もあまり買いません）ですが、彼の替わりにマージェリー・アリンガムを加えると、当時のイギリス（オーストラリアやニュージーランド在住といった点は、この場合は、無視して差し支えないでしょう）の謎解き小説における、モダンで有力な作家を網羅することになり、そういう意味でもオーソドックスな評価基準で選ばれていると言えます。ただし、作品そのものは、あまり芳しいとは言えません。

ナイオ・マーシュの「出口はわかっている」はロデリック・アレンもので、いくつかのアンソロジーにも採られていますが、アレンの家にかかってくる間違い電話から、事件に巻き込まれるという偶然もともかく、若い貴族の向こう見ずが事件を引き起こすというのを、いかにもイギリスふうととるか、強引ととるかが、まずは分かれ目でしょう。新作の舞台の裏側で起きたガスによる窒息死と、その解明は、これのどこに魅力があるのやら、さっぱり分かりません。その点は、マイケル・イネスの、やはりアプルビイものの「解剖学教程」も同じで、名物教授の年度末の講義プラス解剖実習中に、突然、教室の電気が消え、明かりが点くと、解剖すべき死体の替わりに、教授自身が殺されて解剖台の上に乗っている。いまの目で見ると、なぜ死体が入れ替わったかが重要なポイントで、そこをイネスも意識しているものの、なんらかの伏線くらい張ってもらわないと、このままでは唐突というものでしょう。

結局、一番面白かったのは、ニコラス・ブレイクの「白の研究」ですが、ナイジェル・ストレンジウェイズは登場しなくて、エラリイ・クイーンばりのフェアプレイが目立つ作品です。むしろ、犯人あて小説といった方がよくて、その意味では非常に巧みに作られていますが、探偵役がぱっとしなくて、謎解きにしても、探偵による解決というよりも、正解の発表といった風情なので、犯人あて小説以上の域を出ません。

もっとも、では、ナイジェル・ストレンジウェイズが出れば、良くなるのかというと、そういうわけでもないのが、困ったところです。ブレイクの邦訳短編は少ないのですが、いくつか読んだところ、解決の辻褄あわせをしているだけといった作品ばかりでした。思い返せば、『野獣死すべし』でさえ、探偵にはさして魅力がありませんでした。それは『野獣死すべし』の特殊性のためばかりではないようです。

ナイオ・マーシュは、もう一編「章と節」を読んでみましたが、これも感心しません。アレンの不在中に、ニュージーランドからやってきた旧知の古本屋が訪ねてきます。奇妙な書き込みのある聖書を入手していて、どうも、アレンたちのいる村の旧家の蔵書だったらしい。奇妙な書き込みというのは、過去の誕生の記録なのですが、その書き込みに記された苗字は、旧家のものでもなく、また、その名の一族が村に住んでいたという記録もありません。その旧家は離散していて、家や土地は複数の人手に渡っています。最後のひとりが亡くなって、ずいぶん経つのです。そして、不在だったアレンが帰るのと入れ違うようにして、古本屋は謎の墜落死をとげます。

トリックめいたもののない、そういう意味で、当時モダンと評されたであろう作品で、それでも、書き込みの不可解さや、旧家の家や土地を購入した人々の人間関係の綾で、前半は身を乗り出させるものがあります。ただし、解決は肩透かしです。伏線は張ってあるのですが、エキゾティックな知識を要するもので、そういうものを利用することをアイデアだとでも考えているのでしょうか。

マージェリー・アリンガムは「ボーダーライン事件」[*]が有名ですが、書き出しの雰囲気から良く（しかも伏線になっている）、シンプルな解決が、人間の一面をすっぱり切り取っていて、こんなにアッサリした話が、なぜ、これほど味わい深いのかと、再読して改めて評価を上げました。この作品は一九三六年に書かれ『世界推理短編傑作集5』に収められていますが、旧版では二八年の作品として第三巻に入っていました。二〇年代の作品にしてはモダンに過ぎるというものでした。

「ボーダーライン事件」は、アルバート・キャンピオンものの初期の作品ですが、各務三郎編の『クイーンの定員Ⅲ』に入っている「綴られた名前」を読むと、そうそう傑作ばかり書いているわけではありません。キャンピオンが、深夜、路上に横転した車の前で逮捕されそうになるところから始まりますが、近所の貴族のパーティで起きた盗難事件を、拾った指輪ひとつから解決する話です。しかし、いくらなんでも、これはお手軽というものでしょう。ホームズならば「この指輪から分かるのは、持ち主の名前がジーナ・グレイだということだけだ」とワトスンを煙にまき、すぐに依頼人のジーナ嬢がやってくるという展開で、最初の二ページくらいで使いきってしまうアイデアです。

エレノア・サリヴァン編『世界ベスト・ミステリー50選』（実態は、EQMM五十年間の傑作選ですが、それでも凄いことは凄い）に選ばれた「札を燃やす男」は、戦後も五〇年代に入ってからの作品ですが、話に入っていくところは、なかなか読ませます。生まれ育った街に舞い戻って、自分のブティックを出した女性の語りで、幼なじみの女性が、家業のレストランを守っている。旧交をあたため、頻繁に彼女の店で食事をするようになると、どうも、彼女には借金があると分かる。貸し手は、やはり昔からあるレストランの経営者で、彼女たちが子どものころから、いけ好かない男でした。その男、分割払いの借金の返済を、面と向かってでなければ受け取らず、しかも、受け取った札を彼女の目の前で燃やすというのです。札を燃やすという異様さは興味をそそるものの、それ以上のものはありません。

アリンガムでもう一編読む価値があるのは**「真紅の文字」**（「赤い文字」）という作品です。キャンピオンが失恋した親友の舞台美術家をなぐさめています。街を歩くうちに、友人は少しずつ元気を取り戻し、たまたま、若くて貧乏だったころ住んでいた地区にさしかかり、何人もで間借りしていた下宿を見つけます。好奇心と懐かしさから入ってみると、鍵がかかっていない。ここの偶然は、いささか苦しい感じがしないでもありませんが、その後の展開が少々のことは帳消しにします。部屋でふたりは、壁の床に近いところに、赤い文字で「外に出してあ出して出して出して」とひたすら書いてあるのを見つけます。出してほしいのなら、なぜ、口に出さなかったのか、猿轡をされていたとしても、字がかけるなら猿轡をはずせるはずだという推理があって、ニヤリとさせます。文字を書くのに使った試供品の口紅棒が見つかり、そこからの推理がいささか強引なのが、この小説の珠に瑕ですが、いよいよ、口紅の主に会いに行くと、大きな錯覚をしていたことが分かる。ここが、また膝を打たせるもので、論理のアクロバットが軽快に決まります。後半の展開はボカしておきます（キャンピオンたちイギリス人と違い、会いに行った女性がアメリカ人で、祖国での勝手の違いに戸惑うのも面白いところ）が、この後は、一転してアクションになだれ込み、結末まで一直線です。ラストが謎解きで終わらないものの、中盤の膝を打たせるところに、アリンガムの実力が発揮されていると言えるでしょう。

『窓辺の老人』は、副題に「キャンピオン氏の事件簿Ⅰ」とつけた日本独自の短編集ですが、三〇年代の初期作品を集めています。「ボーダーライン事件」が頭ひとつ抜けていて、あとは、まあ、趣味のあう人が読めばよろしいといった作品でしょうか。たとえば「窓辺の老人」は、クラブの窓際にずっと座っている老人がいるという奇妙な出だしですが、解決の仕方がいかにも不格好です。もっとも、事件の説明が複雑になるようなアイデアではありますし、そのことを埋めるかのように、しろうと探偵とプロの警察組織が補い合うという点を、話の落としどころにしています。

「キャンピオン氏の事件簿Ⅱ」として二〇一六年に出た『幻の屋敷』は、『窓辺の老人』以後、戦後に到るまでの短編を集めています。この短編集の中では、「魔法の帽子*」「幻の屋敷*」が出色の出来です。どちらも、不可解極まりない謎の提出とその謎の深まり方が、抜群の面白さなのです。

「魔法の帽子」は、キャンピオンがさる老嬢から、掘り出し物だという帽子をもらったというエピソードから始まります。知人の青年の恋愛相談に乗るところから本題です。思いを寄せる娘の父親は、成り上がりの金持ちですが、指南役ふうに社交界に顔の利く怪しげな男がついている。その男が、青年の邪魔をしているらしい。ついては「公爵か何かのふりをするのは無理ですか?」とキャンピオンに頼むのが、まず笑わせます。父親に会うと、いきなり事業の話が始まり、指南役の男は伯爵夫人を見つけては挨拶に出向く。残された娘の父親と会食が進むうちに、ふと、もらった帽子を取り出すと、突然、父親の態度が変わる。のみならず、店の待遇が段違いに良くなり、あげく、お勘定はいただきませんと言われます。後日、青年からは、父親の彼に対する態度が激変したと喜ばれ、キャンピオンが別の用事で行った別の店で、帽子を取り出すと、またも最高のサーヴィスを受け、お勘定はいらないと言われます。まさに魔法の帽子なのでした。

「幻の屋敷」も奇妙な話です。キャンピオンの大伯母シャーロットは、一族の誰も逆らえない族長ですが、しばらく留守にしていた自宅に、何者かが忍び込んだと、キャンピオンに訴えたのでした。ただし、盗られたものはなく、ただ、正体不明のレターペイパーが残されている。せっかちな暴君の伯母は、レターペイパーに書かれた住所と〈灰色小孔雀荘〉という名を手がかりに、州を越えてキャンピオンたちを伴いますが、その住所には、そんな屋敷など見当たりません。キャンピオンが、少々だらしのないシャーロットの息子（といっても、キャンピオンのはるか年上です）と酒場にいる、そこへ娘が飛び込んできて、〈灰色小孔雀荘〉へはどう行ったらいいのかと、訊ねます。しかも、誰も知らないそのお屋敷を知っているという人物が登場し、何がおかしいのか、大笑いしながら、道案内を始めます。それもそのはず、〈灰色小孔雀荘〉は、何年も前に取り壊されていたのでした。ところが、娘はつい最近、その屋敷に行ったばかりか、そこを借りる手配さえしているというのです。

両作とも、こんなに魅力的な謎が設えてあれば、解決が、よほど無理やりだったり、インチキでさえなければ、成功は約束されたようなものです。アリンガムは、ともに、無理なく解決をつけてみせます。優劣をつけるなら、真相のシンプルさで「魔法の帽子」に軍配をあげます（ちょっと『やぶにらみの時計』を連想しました）が、どちらも秀作です。とくに「魔法の帽子」は、キャンピオン自身に不可解な事態が降りかかるという意味でも、いささか破格です。「幻の屋敷」も身内の事件で、キャンピオンも安閑としていられませんが、それでも謎を解けと命令されて、その場にいるのです。この二編、強いて不満を述べるというか、肩透かしめいた感じを受けるのは、どちらも、キャンピオンの立場が、もっとも事態が不可解に見える位置にあるところです。とりわけ「魔法の帽子」はキャンピオンの立ち位置に合わせて、書割のように謎が組み立てられていて、しかも、問題の帽子がキャンピオンの手に渡ったのは、偶然のことでした。ただ、これを純粋に偶然と見るかは、いささか微妙な問題でもあって、上流階級の狭い範囲内であることを考えれば、キャンピオンの手に帽子が渡る確率は、案外高いとも言えます。

この他、新聞が初出の「見えないドア」「キャンピオン氏の幸運な一日」「面子の問題」「クリスマスの朝に」*といった作品は、後述するイギリス特有の短かいパズルストーリイでした。この中では、真相の背後に老女の孤独を浮かびあがらせた「クリスマスの朝に」が出色ですが、解決のパターンに「ボーダーライン事件」を連想させるものがありました。

『窓辺の老人』にとくに顕著で、『幻の屋敷』にあっても「魔法の帽子」などにあてはまることですが、キャンピオンが相対するのは、プロの犯罪者であることが多い。そもそも「ボーダーライン事件」にしてからがそうです。デビュー当時、スリラー作品を書いていたアリンガムですから、当然と言えば当然なのでしょう。つまり、三〇年代の作品集ではあるものの、中身は名探偵キャンピオンの探偵譚。むしろ、シャーロック・ホームズのライヴァルというか末裔でしょう。アメリカのディテクションの小説が、三〇年代を境に、つまりクイーンとハメットの登場を境にして、プロットを展開させるにあたって、事件を論理的にフェアに解決することを重視する一派と、探偵の行動を追うことを主眼にする一派に二分したのに対し（注意してほしいのは、それがパズルストーリイとハードボイルドの二派ではないことです。後者には、ある種のパズルストーリイが含まれていました。同時に、両派ともに、展開の速度に腐心するという共通項がありました）、イギリスのそれは、ずっと伝統的な探偵の物語であり続けたようです。代表はセイヤーズでしょう。アリンガムの短編集は、そのことの読み取りやすい好例となっています。

イギリスのミステリのこういった保守性は、四〇年代あたりまでは、アメリカのミステリのモダンな先進性の前に一部の例外を除いて（たとえば『野獣死すべし』）、作品に古めかしさをたたえたものにしたことは、否定できません。しかし、プロの犯罪者に対することが多かったキャンピオンの「ボーダーライン事件」は、二十一世紀でも読むに堪えるパズルストーリイでした。あるいは、『幻の屋敷』に収められていますが、キャンピオンを主人公に、アリンガムが戦後になってＥＱＭＭコンテストに投じて第二席を得た短編「ある朝、絞首台に」は、金持ちの伯母と貧乏な甥との間の事件という、古式ゆかしいながらも端正なパズルストーリイでした。このあたり、アメリカのミステリが、結局のところ、ディテクションの小説であることの魅力を失っていくのと入れ違うように、イギリスのミステリが、名探偵の活躍する物語であり続けることで、ディテクションの小説として息を吹き返すという、六〇年代以後の状況を引き起こしたのではないか？　というのが、私の推測です。この点については、これからの読み返しで、明らかになっていくことでしょう。

マイケル・イネスは、この四人のうちで、いつのまにか、もっとも日本で翻訳されている作家になってしまいました。話を短編にかぎっても、それは変わりません。イネスの短編を、私はまったく読んだことがなくて、今回が初読のものばかりでした。創元推理文庫の『アプルビイの事件簿』を中心に読んだのですが、中で目立つのは、文庫の解説で戸川安宣が「文字通りAppleby Talkingというタイトルにぴったり」と評した、〈私〉にアプルビイが語って聞かせる短かい手柄話です。戸川が指摘するように、ショートショートといってもいい。『アプルビイの事件簿』には「本物のモートン」*「ロンバード卿の蔵書」のふたつが入っていますが、他にも「エメラルド」「魔法の絵」など、いくつもあります。この中では「ロンバード卿の蔵書」の犯人の企みが持つ毒が出色です。「魔法の絵」はブリューゲルの絵から発想したものでしょうが、各人の思惑が少しずつズレているのが工夫でしょう。これが「エメラルド」になると、名探偵の解決という形が、負担になっているように思います。「影の影」にも、そういうところはあります。ちょっとした話のオチにしかならないものは、話のオチとして使うのが、むしろ、自然で適切なように思います。これはイネスだけにかぎったことではなくて、イギリスの名探偵ものには、しばしば見られることです。また、昔、瀬戸川猛資が鮎川哲也の倒叙小説集『七つの死角』を、「時によると、単にスレッサー風のオチにすぎないのもある」（ミステリマガジン七一年十一月号）と評したことも思い出しました。

　イネスの本業がシェイクスピアの研究だったことは広く知られていますが、「ベラリアスの洞窟」や「ハンカチーフの悲劇」や「罠」は、シェイクスピア研究家の側面が与っています。このうち「ベラリアスの洞窟」は先にあげたショートショートに近い短かい話でした。「罠」はハムレットを使った問題そのものが愉快でした。しかし、シェイクスピアものでひとつ採るなら「*ハムレット異聞」でしょう。これは一言で言えば。ジェイムズ・サーバー「マクベス殺人事件」の『ハムレット』版です。『ハムレット』ラストの剣戟のあと、なぜ死体をすぐに片づけてしまったのかという疑問をたてるのが、まず愉快で、以下、真面目くさって一連の殺人（が『ハムレット』に多いことは常識ですね）が計画的であることを考証していくのです。

『アプルビイの事件簿』には中編と呼ぶべき作品も入っていますが、あまり良い出来とは思えません。巻頭の「死者の靴」は、列車の中で左右の色違いの靴を履いた男がいるという謎めいた状況を口走る女性が現われ、他方、その列車の停車駅付近で、左右色違いの靴を履いた死体が見つかるという、一級品の発端です。おまけに死んだ男には尾行がついていて、最初は自殺としか見えません。解決はきちんとつけてあるのですが、手近ですませた感がなきにしもあらずなのと、仕掛けが大きいのが難点だと私には思えます。「家霊（いえだま）の所業」も中編といっていい長さですが、会話の多い進行がいささか鈍重で買えません。むしろ「テープの謎」「ヘリテージ卿の肖像画」くらいの長さのものが、出来は良くて、とくに「ヘリテージ卿の肖像画」は、まわりくどいイネスの書き方が珍しく邪魔になっていなくて、翻訳がユーモアを少し殺しているのではないかという疑いは残りますが、まずは佳品といっていいでしょう。

巻末の「終わりの終わり」も中編ですが、唯一、第三短編集から採られたものです。ここにおいて、イネスは悠然とした筆致で、アプルビイ夫妻が、雪のために宿を求めた貴族の古城での、伝説と殺人の一夜を描きました。居合わせた怪しい客人たち、伝説の井戸での殺人と、それを可能にしたトリック、ラストのアクション、そういったものを淀みなく語るイネスの筆は熟練のものでしょう。そこには、それ以前の短編にはない、落ち着きがあることは確かです。

しかし、時はすでに一九六六年になっていました。居城を観光客に開放せざるをえない貴族は、アップ・トゥ・デイトだったでしょうが、わずか三年後にはピーター・ディキンスンの『英雄の誇り』が出るのです。

イギリスの短編ミステリは、アメリカのそれとは異なり、ある時期にドラスティックに変化したものでは、どうもないようです。

『アップルビイ警部の事件簿』は第一短編集の中から六編を選んで一冊にしたもので、付録として、シャーロック・ホームズのエピゴーネンで、アプルビイ少年が読んでいたという（「アプルビイ最初の事件」）セクストン・ブレイクものの短編が収められています。アプルビイものの六編はいずれも短かいもので、やはり、アプルビイが手柄話を語ってきかせるタイプのシヨートショートです。

その中では、さる王家の紋章が不用意に飾りつけられたという事件が、あれよあれよというまに、王冠奪回を姫に誓ったふたりの騎士の対決の話へと展開していく「獅子と一角獣」が、奇譚の趣十二分で、異色の一編となっています。とても第二次大戦後の作品とは思えない。その大時代ぶりたるや、半世紀はズレていて、シャーロック・ホームズより、もうひとつ古い。スティーヴンスンの『自殺クラブ』とかアンソニー・ホープの『ゼンダ城の虜』(余談ですが、創元推理文庫版に抄訳が併録されている『ヘンツォ伯爵』という後日談の方が、隠れた傑作で面白いのです)とか、そういったあたりを懐かしんで、インテリが遊んでいる気配が濃厚です。

こうした遊びの感覚は、イネスにはしばしば見られるのですが、残念ながら、それが作家の芸の域に達していることは稀で、「ダービー出走馬の消失」のような作品が成功しないところに、この作家の限界を見てしまいます。

セイヤーズのところでも書きましたが、時代的には三〇年代以降であっても、シャーロック・ホームズのライヴァルと呼びたくなるところが、このイネスにもあって、フェアプレイを守ったパズルストーリイを書くことを第一義にするのではなくて、ヒーローとしての名探偵を書くことを主眼にしているところに、たとえばクイーンやカーとの違いが現われています。ともに堂々たるインテリで、冒険する貴族を探偵に据えたセイヤーズやイネスには、パズルストーリイの進化を実現するといった考えはなかったのかもしれません。少なくとも、短編においては。

もっとも、「獅子と一角獣」におけるアプルビイがヒーローかというと、一概にそうとも言えないものがあります。ここでのアプルビイは、単なる奇譚の語り手、あるいは狂言まわしとも思えるのです。この作品だけではなく「ペルシアからのニュース」や「トムとディックとハリー」といった短編も、同じような感じを与えます。前者では、犯人のトリックはありますが、それがなぜ露見したか、アプルビイが看破したのなら、それはいかにしてなのか、読者にはさっぱり分かりません。後者にも、犯人のトリックはありますが、それを見破ったのは、アプルビイではありませんでした。ふり返ってみれば、ホームズ譚にも、こうした例は見られて（そうした話でさえ、ホームズの冒険譚に見せてしまうだけの、腕力というか強引さが、ドイルにはあって、イネスには欠けていると思いますが、それこそ、時代の制約かもしれません）シャーロック・ホームズのもたらした物語パターンというものが、いかに根が深く、汎用性の高いものだったかに、いまさらながら気がつきます。

マイケル・イネスが短編に手を染めたのは、第二次大戦後になってから、EQMMに作品を投じたのが、始まりのようです。アプルビイというシリーズキャラクターを使うことで、遅れてやって来たシャーロック・ホームズのライヴァルたちの末席に、イネスのアプルビイものは座を占めましたが、同時に、数人の会話でアプルビイの過去の事件を描くという枠組みを多用する結果となりました。そして、短編で同じ行き方を多用した、イギリスのパズルストーリイ作家が、もうひとりいます。エドマンド・クリスピンです。

エドマンド・クリスピンは、ミステリの第一作『金蠅』が一九四四年の発表です。第二次大戦後の作家と言っていいでしょう。一般的には『消えた玩具屋』が代表作とされているようですが、私は『お楽しみの埋葬』の方が出来が良いと考えています。

クリスピンの短編の第一作は、一九四七年にEQMMに寄せた「デッドロック」のようですが、これには、ジャーヴァス・フェン教授は登場しません。川口近くの港に育つ、思春期の少年を語り手に、ある夜の殺人事件を回想し、誰も気づかなかった真相に、少年がたどり着いたこと、そして、それが遠因となって、イノセントな思春期の終わりを秘められた悲劇で迎えなければならなかった顚末が、静かに描かれていきます。お分かりのとおりの地味な話で、少年が気づく真相も、地味な（もっと言えば、面白みのない）推理の産物でした。「デッドロック」には、長編で見られる、いささか狂騒的なユーモアはありませんが、地味ではったりは利かないかもしれないけれど、しっかりした推理で事件を解決しようとする態度と、事件とその解決を通して登場人物の姿を浮かび上がらせようという野心があります。私は「デッドロック」は平凡な作品だと考えますが、しかし、この姿勢には注目すべきでしょう。ここまでに読んできたニコラス・ブレイク、ナイオ・マーシュ、マージェリー・アリンガム、マイケル・イネスといった作家（これに、のちに読むクリスチアナ・ブランドを加えてもいいでしょう）といった人々が、パズルストーリイで、ときとして成果をあげたのは、この点だと考えるからです。

もっとも、そうした行き方が短編で難しいのは、考えただけでも分かることで、上記四人の作家を読んでいても、そういう短編の成功例には、あまりお目にかかれません。しかも、クリスピンのジャーヴァス・フェン教授が登場する短編は、多くが相棒のハンブルビー警部が持ち込む事件を解決する、アームチェア・ディテクティヴの形をとっています。

　クリスピンの短編で代表作と目されているのは、第一短編集の表題作となった*「列車に御用心」（「列車にご用心」）でしょう。フェンの乗り合わせた列車が、大きな駅で客の大半を下ろしたその次の駅で、突然動かなくなります。運転手がいなくなったのです。おりから、この列車には強盗事件の有力容疑者が乗っているという情報があって、逮捕すべく問題の駅は警官たちが取り囲んで、水も漏らさぬ警戒をしていた。しかし、その包囲網をかいくぐって運転手は消え失せ、さらには、問題の強盗事件の容疑者が、走行中の列車から突き落とされたであろう死体となって見つかります。

　真正面から不可能興味をあつかって、納得させる解決を与えた、第二次大戦後の数少ない短編のひとつに、この「列車に御用心」は数えられます。ハウダニットのハウが、そのまま犯人を名指すという手順もチャーミングです。初めに提示した謎そのものに、詐術があるというのも、専門的には凝ったところで、クリスピンにはこういう手法を好むところがあります。代表例は、法月綸太郎がアンソロジーに採った「誰がベイカーを殺したか？」（ジェフリー・ブッシュとの共作）でしょう。あるいは「決め手」の犯人の登場のさせ方などにも、そういう趣味は現われています。

　似たような発想でいくつか短編を書いてしまうことは、クリスピンにはしばしばあって、たとえば、しばらく誰も入らなかったために埃の積もった部屋というパターンが、お好みのひとつです。さらに言えば、埃を余所から持ってくるという手が、好きなようです。また、前提そのものに詐術を仕掛けるパターンが人間に用いられると、AさんとBさんというふたりに見せかけて、Aさんが実はBさんで、Bさんが実はAさんだったという仕掛けも、いく度か見かけました。盲者や聾者を出すのも得意で、こちらは長編に代表例がありますね。

エドマンド・クリスピンには、クライムストーリイもいくつかあって、「執筆中につき危険」*は、短編では珍しくユーモアが前面に出ていますが、突然の来客に仕事中だと言えない、ミドルクラスの取り澄ました性格は、笑いの種として、ルーティーンに近いけれども、やはりユーモラスです。「堂々めぐり」もユーモアが特徴的ですし、「ペンシル」*はアメリカ作家が書くようなアイデアストーリイです。ただし、アメリカ産のアイデアストーリイ（たとえば、ヘンリイ・スレッサーとかジャック・リッチー）ほど切れ味に重きを置かないところが、微妙に異なる肌合いを見せていて、今回読み返して、拾いものだと思いました。

エドマンド・クリスピンの第一短編集『列車に御用心』は、二〇一三年に論創社から翻訳が出ました。巻末にEQMMに投じた「デッドロック」を据えて、それ以外は、新聞に掲載された短かいパズルストーリイを集めています。巻頭はもちろん「列車に御用心」です。マージェリー・アリンガムやマイケル・イネスのところで、イギリスのパズルストーリイに、新聞掲載の短かい作品が見られることは、指摘しておきました。適当な雑誌媒体がないため、そういうことになったものと思われますが、このあたりの制約が、イギリス流の名探偵+ワトスン役という流儀と結びつくことで、推理問題ふうの短編が書かれることになり、ひいては、アームチエア・ディテクティヴの短編を量産することになりました。もっとも、ワトスン役というものの、物語の語り手をつとめるとは限りません。クリスピンの場合は、この相棒が、ハンブルビー警部です。

「人生に涙あり」(恐喝の被害者が被害者になるという根本の不自然さが、気になります。アンブラーの『ディミトリオスの棺』と比べてください)や「小さな部屋」のように、犯人は指摘されるけれど、罪を逃れているもの(同様のカテゴリーに「三人の親族」を入れてもいいかもしれません)や、ドメスティック・ヴァイオレンスを事件の背景に据え、知的障碍者の献身というディテイルも加味した「エドガー・フォーリーの水難」といった作品から、クリスピンが単純な推理問題としてのみ、パズルストーリイを発想しているのではないことは、明らかでしょう。そして、そのような人間関係の綾が、見事に謎解きと結びついたのが「ここではないどこかで」という一編です。*

この作品には、少々複雑な経歴があります。初出はイヴニングスタンダードという夕刊紙で、改稿を経て *Overwhere* という原題で『列車に御用心』に入りました。既訳がふたつあり、そのひとつは原題が *All in the Way You Look at It* となっています。おそらくEQMMに再録されたときの題名なのでしょう。ところが、まったく同じ内容で、半分ほどの長さのものが、第二短編集 *Fen Country* に *Shot in the Dark* の題名で収録されたのです。邦訳はミステリマガジン八九年六月号に「**闇の一撃**」と題して掲載されました。そして、どうやら、これが初出版らしいのです。

ひとりの女をふたりの男が愛していて、しかも、片方の男には十歳あまり年上の姉がいるのですが、これが弟の恋敵に恋をした。恋敵の姉に好かれた方は、言い寄る彼女を口汚く罵り、その喧嘩を買ったのか、今度は弟が恋敵の喉を掻き切ると言い出す始末。ちょっと『夏の夜の夢』に出てくる若い恋人たちのグロテスクなもじりの趣もありますね。その直後、ひょんなことから、姉は怪我をして動けなくなり、弟が何者かに拳銃で撃たれて殺されるのです。明らかに、恋敵以外に犯人はいないのですが、姉の証言から弟の生きていた時間を割り出すと、恋敵にはアリバイが成立してしまうのです。言い寄った自分を悪しざまに振った相手のアリバイを偽証するとは思えないし、怪我をしている姉自身には、犯行も不可能です。第一、動機がありません。フェンは謎を解きますが、その直後に、犯人逮捕を難しくするような状況になった報せが入ります。この部分の展開が秀逸で、ハンブルビーは苦虫を嚙みつぶしますが、そこに投げかけるフェンの台詞が、また絶妙なサゲになっていて、その謎解き後の二段構えの構成が、このパズルストーリイを滋味のあるものにしました。

「闇の一撃」は「ここではないどこかで」に比べて、短かく手際が良い一方で、犯人あて小説としての骨格が露です。もっとも重要な改変はラストです。「闇の一撃」では、慣用句を用いた抽象的な指摘で終わったものを、「ここではないどこかで」では、フェンが具体的にかみ砕いて、ディテイルを執拗に言葉にしていました。このように推敲した気持ちはよく分かりますし、一方で、フェンに長広舌をふるわせたものの、すっきり終わっていない気もする。改めて、元版を第二短編集に入れたということは、双方捨てがたく、かつ、作品には自信を持っていた証拠でしょう。本巻に「闇の一撃」を収めたのは、クリスピンの試行錯誤を、読者のみなさんにも追体験してほしかったからです。

一九三〇年代以降に登場した、イギリスのパズルストーリイの作家群の、ひとつの到達点として、どうも、私はエドマンド・クリスピンを考えているようです。たとえば、都筑道夫は『黄色い部屋はいかに改装されたか?』において、フィリップ・マクドナルドより、エドマンド・クリスピンに、より紙数をさいて、モダーン・ディテクティヴ・ストーリイ論を展開すべきではなかったか? 『列車に御用心』には、「喪には黒」[*]という、やはり注目すべき作品があります。一本道で犯人が使ったはずの車が消えてしまうという不可能興味の上に、見事な論理のアクロバット(被害者はなぜ派手なジャケットに似合わぬブラックタイだったのか?)が決まる秀作です。ですが、この設定で思い出す秀作が、実はもうひとつあります。ヒュー・ペンティコーストの「子どもたちが消えた日」[*]です。そして、解決そのものは「喪には黒」の方がきれいで面白いにもかかわらず、ここには「子どもたちが消えた日」の、自動車が消えうせてしまうという謎と、その謎が深まっていく、ぞくぞくするような面白さがありませんでした。それどころか、これほど手際よく、状況と謎を説明しているにもかかわらず、それはクイズ問題の段取りのように見えてしまう。少なくとも「子どもたちが消えた日」に比べれば。

クリスピンの様々な試みや工夫にもかかわらず、アームチェア・ディテクティヴが短かい紙数しか与えられないとき、それは避けられない制約となっているようです。それが証拠に、この形式が完成形を見たジェイムズ・ヤッフェのママ・シリーズを思い出してください。長めの短編もしくは中編といったヴォリュームを、それは必要としていたのです。

8　ロイ・ヴィカーズと倒叙ミステリの変遷

ロイ・ヴィカーズの迷宮課シリーズは、短編倒叙ミステリのマイルストーンとなるものであるというのが、一般的な評価ですが、果たして、それは、本当に正しいことでしょうか？　そもそも、倒叙ミステリとはどのようなものだと、考えればよいのでしょうか？　倒叙ミステリに関しては、本書第一巻の序章で、フランシス・アイルズの長編を例にとって、それらを倒叙とは呼ばないという立場をとった上で、犯人側から描いた犯行の描写と、それを解明する探偵の積極的な存在が必要であると――正確には「探偵役が解決するということを、倒叙に必須の要件と考えている」と――書きました。その考えに変わりはないのですが、迷宮課シリーズは、この形式の持つ微妙な狭間を狙っている。あるいは、もしかしたら、作者は、意図せずに、その狭間に陥っているのではないか。そんなことを考えさせられる、厄介なシリーズなのです。

ヴィカーズの迷宮課シリーズは、第一作の「ゴムのラッパ」が一九三四年にイギリスの雑誌に掲載されます。それがエラリイ・クイーンの目にとまるところとなって、ＥＱＭＭに再録され、以後、クイーンによる精力的なアメリカでの紹介があり、同時に新作がＥＱＭＭの求めに応じて書かれていきます。エラリイ・クイーンが紹介した時点で、このシリーズの特徴は、次の二点に集約されていました。第一は、これが倒叙ミステリであること。第二は、犯罪実話を思わせるリアリスティックな書き方であること。確かに、このふたつは、シリーズの大きな特徴なのですが、本当は、もう少し立ち入った検討をしなければならないものなのです。それがどうも不十分なまま、ここまで来ているような気がしてならない。まず、手始めに、第一短編集の『迷宮課事件簿〔I〕』を読みながら、このふたつの特徴を点検していくことにしましょう。

ヴィカーズの *The Department of Dead Ends* という短編集は、一九四七年と四九年に出たものがあって、このふたつの間には、若干ですが、内容に相異があります。『迷宮課事件簿〔I〕』は後者を訳したものですが、まあ、第一短編集と呼んでおいて、差し支えはないでしょう。巻頭に置かれているのは、もちろん「ゴムのラッパ」です。

「ゴムのラッパ」はシリーズ第一作だけあって、迷宮課の説明がちゃんとあります。エドワード七世治下に創設とありますから、二十世紀の最初の十年に遡ります。在位期間こそ短かいのですが、現代英国史のキイポイントとなるような君主を戴いた時代です。それはともかく、迷宮課は「ほかの係や課がすてたあらゆるものを引きうけるのが役目」とされていて、しかも「いっさい記録され保存されていた」というのですから、さながら未解決事件資料の博物館の様相を呈します。ただ、それだけならば、さしたる特徴と言えなくて、使い勝手がよさそうで、誰しもが考えつきそうな設定にすぎません。迷宮課の迷宮課たる所以は、次のくだりに現われています。

「論理的にはなんのつながりもない人間や事件を結びつけるのが、この課の仕事であって、一言でいえば科学捜査の逆を行くものだった。頼むのはいつも幸運なまぐれ当りで——それによってしばしば警察の目をくらます犯人側のまぐれ当りを相殺しようというのである」

そして、この説明が過不足なく真実であるところに、迷宮課の大きな特徴があります。「ゴムのラッパ」は、ふたりの女性との二重生活を続けていた男が、その暮らしに破綻をきたしたときに、片方の女を殺す話ですが、題名になったゴムのラッパは、犯人の性格のある部分を象徴する小道具というか、犯人にとっては、コンプレックスに触れる小道具なのです。手がかりとなるラッパは、ハネムーンの帰りの列車の窓から捨てられてしまうのですが、殺人ののち、犯人の勤める店で、たまたま同じラッパを大量に売るようになるのです。そのラッパを始末してしまいたい気持ちが犯人に働くというのが、この話の眼目ですが、迷宮課のレイスン警部のところには、車窓から落ちて拾われたラッパが回ってきて、一方では、まぐれあたりから、犯人が自分の店のラッパを自分で買って始末していたことをつきとめます。もちろん、このラッパは何物をも証明しません。最終的な手がかりは、たいへんありきたりな方法で求められ、最後の二行で軽く示されるだけなのです。

これは倒叙ミステリとして破格です。ゴムのラッパにまつわる、犯人の奇妙なふるまいが目についたというだけで、一応疑ってみたら、当たったという話だからです。しかし、実際の捜査に、そういう局面が現われることは当然考えられて、そういう意味で、リアルな感じを与えるというのも確かでしょう。ただし、ここで注意しなければならないのは、それが迷宮課のやり方であると規定されていることです。つまり、最初から、論理性や必然性を放棄したところで、解決を求めようとしているのです。シリーズの最高作と見なされている一編の題名が「百万に一つの偶然」（これはクイーンがEQMM掲載時に改題してつけたものの直訳です）であるのは、それこそ偶然ではありません。偶然のまぐれあたりを、もっとも効果的に、この作品が用いたからでした。

さて、第二の点です。第三短編集『老女の深情け』の解説で杉江松恋は、事件の発生年が明示されていることを指摘して、「実話小説を模した形式で小説を書こうというヴィカーズの意志の表れ」としています。実話小説というより犯罪実話だと思いますが、その他にも、事件が過去のものであることを明示して語っているところや、捜査資料などの他の資料を参照しているかのような書き方を織り交ぜるところなどにも、その特徴を読み取ることが出来るでしょう。そうした見方は、特別なものではなくて、クイーンも「小説の形をとった犯罪事件実話集と思わざるを得ない」と書いています（「主義の女」のEQMM掲載時の解説）。ただし、そのスタイルが貫徹されているかという、やや次元の異なる文学的な完成度を云々しようとすると、ノンフィクションに許される文章の問題になって、ニュージャーナリズムまで含む大きな問題になりすぎます。ともあれ、『世界ミステリ作家事典［本格派篇］』によると、ヴィカーズには新聞の犯罪記者の経験もあったといいますから、こういうスタイルはお手のものだったはずです。

以上のようなことは、知識としては了解されているかもしれません。しかし、ヴィカーズの迷宮課シリーズの、圧倒的な、もっとも顕著な特徴というのは、この犯罪実話の文体によって、犯行に到る過程を細密に描いたことだという点は、それほど了解されていない。あるいは、軽視されているように、私には思えるのです。杉江松恋は、それでも「解決のユニークさ以上に、犯人が抱える動機の異常さの方に興味を覚える」と、はっきり書いています。それは当然のことで、その部分を描くことに、ヴィカーズは枚数をかけ、労力を注いでいるのですから。むしろ、解決はつけ足しに近く、枚数的にも圧倒的に少ないのです。

たとえば「ゴムのラッパ」は、いささか幼児性の残る男が、母親の死をきっかけに、彼女が営んでいた薬局をたたみ（彼は薬局を継ぐだけの力がなかったのです）、ロンドンに出て、ふたりの女と知り合うという過程を、丹念に描いていきます。このように書けば、もうお気づきでしょう。その過程は、アイルズの『殺意』や『レディに捧げる殺人物語』と、きわめて近しいのです。そして、その細かさ丹念さが、あてずっぽうな解決とコントラストを成すというからくりなのです。倒叙ミステリとはいえ、その解決は、あくまで軽い。それが証拠に、このシリーズを読んだことのある人は、事件を解決する探偵の名を思い出してみてください。迷宮課の名はみんな覚えていても、レイスンという警部の名を覚えている人は少ないのではないでしょうか。探偵役の存在も、それくらい軽い。そして、犯罪実話ふうの描き方というのは、たまたま選んだひとつのスタイルとは言えないでしょう。犯行に到るまでの、いや、そののちの逮捕や処刑に到るまでの、ひとりの人間の軌跡を描くには、おなじみのスタイルとして、慎重に選ばれたものなのです。

こうして描き出された殺人者の肖像は、簡単な理解の仕方を拒むような、人間の複雑な在りようを、それと語らずに示していました。いや、単に、殺人者その人ばかりではありません。殺人者とその被害者との関係性は、通り一遍な理解を超えていることを、私たちに教えてくれるのです。

二番目の作品「笑った夫人」の犯人は、著名な道化役者であり、被害者は彼のアシスタントから妻となった女性です。あるカクテルパーティの余興の途中で消え失せた夫人が、二日後、余興の道具のカーペット（ぐるぐる巻きになっている）から死体で発見されます。そこで章が変わると、犯人が、まず画家から出発し、画家としての奇妙な挫折を経ていることが描かれます。彼の絵筆からは対象への残虐さが自然に滲み出るのです、そのことに気づき、衝撃を受けた彼は自画像を描くことで、最高に残酷な形の自己確認をすると絵筆を折り、道化役者の道を歩むのです。彼は道化役者として成功し、やがて、女性のアシスタントを雇いますが、デビューの日、彼女が本番中に吹き出したことを咎めて、二度と笑うなと指示します。彼女はそれを忠実に守り、ふたりのショーは人気を集めます。やがて彼は彼女に求婚し、受け入れられます。公私ともに充実したパートナーであるはずのふたりの関係に、ある日、彼はいびつさを見出します。彼は彼女の笑顔を見たことがなかったのです。

少し長くなりましたが、それでも、まだ、この段階では彼は彼女への殺意を抱いていないのです。この後は省略しますが、微妙なすれ違いの末に彼はパーティでの出し物を使って、彼女の殺害を計画します。肝心の殺人のプランがいまひとつ信頼性に欠けているように思えて、この短編は竜頭蛇尾な気がしますが、前半の屈折した道化役者像は圧巻といっていいでしょう。

それに、つい「肝心の」と書きましたが、殺人の計画とその露見が、本当に「肝」であるのか、実は、私には自信がありません。

また、これに続く「ボートの青髭」*は、題名からも分かるとおり、次々と妻を殺していく男の話です。それも、手口がひとつで、乗っていたボートが転覆し、助けることが出来ないまま、妻を死なせてしまうというものです。この作品は、一種の法の盲点をついたアイデアがあって、法律的には犯人を罪に問えないようになっているのですが、中のひとつだけ、それが当てはまらない形になっていたことが判明するのです。ところが、裁判後にそれが判明したのでは、一事不再理の原則が働きますから、やはり犯人は逃れてしまう。そこを回避するために、構成に工夫していて、ミステリとしての技巧がこらされたという点ではシリーズ中でも一、二を争いますが、同時に、その特別なひとつの殺人は、衝動的であるとともに粘着質なもので、犯人の性格の不気味さを浮かび上がらせているのです。

迷宮課の事件は、そのひとつひとつが、どれも複雑な動機や、一筋縄ではいかない人間関係の綾に根ざしたものなので、具体的に説明するには手間がかかります。

「赤いカーネーション」*は「数ある死体処理方法のうち、おそらく最も危険で厄介なものは、一箇あるいは二箇以上の旅行用トランクに死体を詰めて駅留めにする手であろう」と、鮎川哲也が読んだら卒倒しそうな文章で始まります。しかし、いくつかの偶然の重なりから、かつて結婚しそこねた女性の悲惨な境遇を知り、さらに、その女性の死を経て、彼女の境遇に責任のある男を殺すに到る過程が、隙のない手順（これこそ運命というもので、どこかで、ひとつ、この手順が狂ってさえいたら、この殺人は起きなかったでしょう）で描かれます。赤いカーネーションは、確かに、犯行が露見するきっかけの小道具ではあります（だから題名になった）が、それ以上に、犯人の女性に対する、遅すぎた愛情を示すものでありました。

「黄色いジャンパー」*の犯人は、十六歳のときの些細ではあるけれど不幸な体験と、それについての継母の言葉に縛られる形で、自分の魅力に自信を失い、恋愛に過度な警戒心を抱くようになったオールド・ミス（ただし犯行時の年齢は三十六歳）です。彼女はある男に好意を抱きますが、それは恋愛へ発展せずに、彼女は教師を辞してパリの託児所で働く道を選びます。その後帰国し、教師に戻った彼女の前に同僚の教師として現われたのが、被害者の男ですが、「ロマンスとは全然関係のない一種の親密さが生れた」というのです。そして、その男が他の女と婚約し、その結婚相手と話をすることで、彼女の中に、その女にとって代わる必要が芽生えてきます。決め手となる証言が、男の側のある種の無関心さ無神経さと密接に関連しているのが、胸をうちます。最後の最後まで男心とすれ違わざるをえなかった犯人の、力のない微笑が目に浮かぶようではありませんか？

さきほど、杉江松恋が指摘した、犯行時が明示されていることに触れました。それはいずれも過去のことで、かなり時間が経っていることも珍しくない。迷宮課シリーズは、おおむね一九四〇年代に発表されていますが、事件の多くは二〇年代から三〇年代の、いわゆる戦間期です。そして、どうも、このことには意味がありそうです。ひとつには、犯人に代表される登場人物たちの行動を律するモラルが、いささか古めかしい。「赤いカーネーション」や「黄色いジャンパー」には、一種の純愛物語の側面がありますが、それを支えている奥ゆかしさ、慎み深さは、発表当時にあっても旧弊だったのではないか？　初期の作品に、しばしば登場する、登場人物の行動に過去の心理的な原因を求めるという発想も、この時代が、かつての時代を究明するための作法ではなかったでしょうか？　すなわち、犯人を主とする登場人物たちの過去を、つぶさに描くことは、ここでは、過去のある旧弊さの下にある人々を描くことになっていたのではないでしょうか？

ロイ・ヴィカーズの迷宮課シリーズの顕著な傾向のひとつに、事件の決め手となる、あるいは事件を象徴する小道具があって、それが題名になるというものがあります。思いつくままにあげてみても「ゴムのラッパ」に始まって「失われた二個のダイヤ」「赤いカーネーション」「黄色いジャンパー」「なかったはずのタイプライター」「絹糸編みのスカーフ」「ワニ皮の化粧ケース」といった具合です。その小道具は、単に解決の決め手というよりは、事件における犯人と犯行のある種の象徴でした。第一作目の「ゴムのラッパ」が物証としての決め手ではなく、証拠というミステリ的な小道具としてよりは、犯人の内面を映す小道具として存在していたことを思い出してください。中には、「なかったはずのタイプライター」のように、小道具の存在ではなく、小道具の不在を利用するという凝ったアイデアさえありますが、凝ったわりには、いまひとつ不発で、シンプルな「赤いカーネーション」という、小説的にはなんの変哲もない小道具の方が、深みを持って生きている。そういうことから見ても、解決の部分よりも、犯人が犯行に到る過程で重要性を持つ小道具として、これらは生きているように思います。

「なかったはずのタイプライター」の最初の章は、こんな終わり方をします。

「しかし、ハヴァーストンは、幸か不幸か、それと気づかなかったのだ、事件において、なんの役割も演じなかったタイプライター——いや、それどころか、それは存在もしていなかった。そのタイプライターが、事件が不適当な見出しのもとに印をつけられて、迷宮課のファイルにとじこまれたあとになって、危険な手がかりとなる可能性があるということに」

小説の始まりで、こんなふうに読者を釣りこむような書き方をするのも、ヴィカーズのよくやる手のひとつです。もっとも、この場合はさすがに趣向倒れで、タイプライターがなかったことが必要だったという形の解決ならまだしも、替わりに何があったのかという形になっていては、どうしても、インパクトが弱くなってしまいます。かといって、ネタばれになるので、その小道具を題名には出来ませんしね。それに、ヴィカーズの謎解きはシンプルさに欠けるというか、解決の部分が細かいディテイルに左右されることが多いわりに、その細かさを描く手立てが単調で、解決部分に面白みがないことがしばしばあって、この「なかったはずのタイプライター」も、その例に漏れません。

また「盲人の妄執」のように、殺害現場における被害者の行動に関して、細かく論理を展開しているように見えながら、結局、自殺・他殺どちらの場合にも当てはまるといった失敗作もあります。こうして見ていくと、推理の面白さ、解決の面白さが迷宮課シリーズには欠けていて、代表作とされることが多い「百万に一つの偶然」にしても、そこにあるのは、オチの鮮やかさではあっても、推理や機知の面白さではないのです。もっとも、この点は、クロフツの倒叙短編を読んでいても、感じることがあるので、倒叙ミステリが陥りやすいことなのかもしれません。

第二短編集『百万に一つの偶然』は、第一短編集の傾向を引き継いでいて、旧弊な登場人物のふるまいが、微妙に絡み合った人間関係を形作って、それが殺人事件に向かっていく様が描かれています。「絹糸編みのスカーフ」は、母性的な保護（その裏側には、女性は妻になることで、家庭に籠る以外に道がなくなるという社会の在り方が張り付いています）が、殺意の対象となるに到るまでを周到に描き、スカーフの象徴性は、平凡とはいえ効果的でした。「ワニ皮の化粧ケース」は、妻の暗黙の了解のうちにその夫を愛人が殺します。暗黙の了解というところに、女は愚かであるという社会の前提と男の思い込みを込めていて、たとえば『郵便配達は二度ベルを鳴らす』と英米の比較を試みてもいいでしょう。そして、それがあってこそ、この解決と、その後のオチが秀逸です。これらの作品が持つ女性観、あるいは、背景にある社会の持つ女性観や、「相場に賭ける男」の犯人の女性が、三十一歳で中年の美しさと描かれるところなどに、作品全体の基調となる古めかしさが出ています。

一方で、常識的に考えられる倒叙ミステリの書き方に、ヴィカーズがさほど拘泥していないことも見てとれます。「けちんぼの殺人」や「9ポンドの殺人」は、まず、犯人を伏せた中立的な（まるで事件報道のような）筆致で事件が描かれ、しかるのちに、犯人側が描かれます。邦訳は個人短編集には入っていませんが、おそらく同時期の執筆と思われる「ベッドに殺された男」*に到っては、ふたりの容疑者がいて、犯行を直接犯人側からは描かないことで、倒叙というよりもパズルストーリイに仕立てています。この手法を洗練させたのが、のちにEQMMコンテストで第一席を獲る「二重像」です。もっとも怪しい容疑者（彼には幼いときに死んだ双子の兄弟がいる）と、彼の周囲に出没する妻も取り違えるほどそっくりな男。常識的には、むろん、彼がなりすましての犯罪なのでしょうが、いわゆる倒叙を避けた書き方は、決め手が与えられないままに、謎めいた状況の霧は深まるばかりです。「二重像」を倒叙と呼ぶことに、私は賛成しかねます。作品の構造上もそうだし、そもそも、それはネタばらしではないでしょうか。また、ヴィカーズが「二重像」に到達するには、EQMMコンテストにおける流れに注目する必要がありますが、それは第四章にゆずります。

迷宮課シリーズは、第二次大戦後も、EQMMの求めに応じて書き継がれます。しかし、第三短編集の『老女の深情け』は、迷宮課シリーズではない作品も含まれていました。ヴィカーズの場合は、これをして、一冊作るための寄せ集めとだけは考えづらい。殺人に到るまでの殺人者の肖像を丹念に描くという一点は、どこも変わりがないからです。つけ足しのような捜査は、むしろ邪魔になる。シリーズ外の作品が増えたということは、パターンが時として書きづらさを生んだのかもしれません。そして、時代が進むにつれ、シリーズの持っていた古めかしさ旧弊さは、薄れていきます。もちろん、第三短編集にも「老女の深情け」*のような、古風な人間関係の綾の上に成り立った犯罪や、「いつも嘲笑う男の事件」*のような、人のコンプレックスが人間関係に影響を与えた事件を描いたもの（しかも、犯人ではなく、被害者のそれ）もあって、そうした作品が佳作となっているように思います。しかし、すでに第一短編集にみなぎっていた、そうした古めかしさと、そんな古めかしさの中にいる人間を心理（学）的に把握しようとする気概は、見当たりません。

いつの初出か分かりませんが「二人分の夕食」*（「最後の晩餐」「ふたりで夕食を」）のように、軽いジョークみたいな着眼が身上（フレッド・カサック『殺人交叉点』の冗談版とでも言いましょうか）のものも、それなりに面白いと言えますが、おそらくは最後の迷宮課と思われる「真実味」は、なんの変哲もない、そして面白みのない、倒叙の形式だけが残った作品でした。

迷宮課シリーズに先行するヴィカーズの作品『フィデリティ・ダヴの大仕事』が、二〇一一年に翻訳されました。私は「一四〇〇パーセント」や「評判第一」のような、作戦ものふうの、ニヤニヤ笑って読めるクライムストーリイが好きでしたが、一編の長さも短かく、作品としては軽量級です。それでも、尼僧のようなダヴを男どもがなめきっていて、そのおかげで痛いめにあうところに、迷宮課と底でつながっている古風さを感じます。同じ二〇年代に、アメリカのハードボイルドは、男を破滅させる女を見つけ始めましたが、そこにあるのは、男は女を守らねばならないという戒律に、自分たちは裏切られているという感覚（フェミニストのみなさんは、むろん、大きなお世話と言うでしょう）ではなかったでしょうか？

迷宮課シリーズの代表作を選ぶのは、私にはたいへん難しい。さしあたり「赤いカーネーション」「黄色いジャンパー」「ワニ皮の化粧ケース」「老女の深情け」といった作品が浮かびますが、どれも決定的ではありません。結局、ヴィカーズでひとつなら「二重像」ということになりそうです。解決に膝をうつような推理があれば、文句なしなのですが、中盤の決め手を与えずに引っ張っていくところが、抜群の面白さだからです。

ヴィカーズは迷宮課シリーズ（と、その他のいくつかの作品）で、注目すべき倒叙ミステリを書きました。ヴィカーズの倒叙ミステリは、クライムストーリイへの過渡的な形に思えてなりません。しかし、ヴィカーズのように「『倒叙』とはミステリ叙述にまだそれほど多様性がなかったころの、歴史的な呼称」と断言する気にはなれませんが、少なくとも、犯行動機を含めた、犯人が犯行に到る道筋を描くために、ヴィカーズがこの形を選んだことは間違いないでしょう。アイルズの長編が倒叙と呼ばれたのも、松本清張がヴィカーズを好んだのも、そのためだったにちがいありません。そして、倒叙ミステリは衰退期を迎えます。

先に触れたように、鮎川哲也が『七つの死角』という倒叙短編集を出したとき、瀬戸川猛資がミステリマガジンに書評を書きました。鮎川哲也は倒叙にはふたつの傾向があって、クロフツのそれとアイルズのそれで、自分は前者だと規定した上で倒叙ものを書くとしています。それに対し、瀬戸川猛資は、後者のサスペンスの上に前者の謎の解明はなされるべきで、倒叙の行き方はひとつしかないとして、例に江戸川乱歩の「心理試験」*をあげました。瀬戸川猛資のこの考え方は、その後くり返されたところを見ないので、瀬戸川猛資がその後もこの考えのままだったのかどうかは分かりません。しかし一九七〇年代初頭の日本では、あってもおかしくない考え方でしょう。

倒叙ミステリの決定的な転換を呼び起こしたのは、ひとつのテレビシリーズでした。そう。「刑事コロンボ」です。このシリーズがオンエアされ、評判になったとき、倒叙ミステリの面白いシリーズと言われていましたが、そのころ、すでに倒叙ミステリという形が廃れていたことは、あまり言われていませんでした。倒叙ミステリで名があがるのは、当時でさえ三十年から四十年前の作品だったのです。コロンボの新しさは、犯行動機やそこに到る経緯ではなく、犯人と探偵の一対一の対決を描くことで、クライムストーリイが吸収してしまったかに見えた倒叙ミステリに、謎を解明する面白さを持ち込んだところにあったのです。そこには映像というメディアの力、とりわけテレビドラマという器の影響も大きく与っていて、倒叙ミステリがこのテレビドラマというものに向いていることが大きかったと、私は考えています。

ひとつだけ例を出しておきましょう。マーチン・ランドーが犯人を演じた「二つの顔」です。これは財産目当ての殺人で、甥が叔父を殺す（殺害方法はカーター・ディクスンのある作品のそれで、すでにひとつのクリシェです）というものなのですが、この甥が仲の悪い双子なのです。なにしろ同じ顔かたち（当然ですね、どちらもマーチン・ランドーなんだから）だから、殺しのシーンが出て来ても、それがどっちだか、視聴者には分からないわけです。つまり、この回だけは、単純な倒叙ではなく、フーダニットにもなっているのです。もちろん、冒頭から伏線が張ってあって、だから真相が分かるがゆえにフーダニットではないという議論は成り立ちません。おれは犯人が分かったから、これは謎解きミステリではないなんて議論が成り立たないのと同じです。

この作品に、ヴィカーズの「ベッドに殺された男」と「二重像」を透かして見ることは、容易なことでしょう。そして、その上で、「二つの顔」の意外性としゃれた解明に、膝をうつミステリファンが多いのも納得できることです。その魅力は「二重像」のもつ魅力とは、やや異なります。「二重像」は、明らかに怪しい容疑者がいながらも、ほとんどありえない幻の男の怪しさとの、絶妙な揺らぎゆえに、サスペンスが盛り上がったのです。それに対して「二つの顔」は、犯行が画面で描かれながら、双子という設定ゆえに、どちらであるかが分からないという、きわめて単純ながら映像作品でなければ不可能な謎を設定し、そこに盲点となる解決を持ち込んだのです。この魅力の違いからも、「刑事コロンボ」が、倒叙という形式に、名探偵が謎を解くという魅力を持ち込んだことが理解されるでしょう。

しかも、この回にとくに顕著ではありますが、それは映像的な趣向に満ちていました。犯人に技巧派俳優のマーチン・ランドーを持ってきて、容疑者の二役をやらせるというのが、そもそも叙述トリックのようなもので（関連して、「スパイ大作戦」の「欺瞞作戦」も一見の価値ありです）、二役を演じるマーチン・ランドーは颯爽としています。また、そういう腕を撫ぶす感じは役者に伝染するのか、ピーター・フォークも、風呂場の場面で、事件が他殺であることをコロンボが疑い始めるくだりを、一言の台詞も言わずに、長いひとり芝居で見せてしまいます。

・

倒叙ミステリがクライムストーリイに流れ込む橋渡しとなったのがロイ・ヴィカーズであり、クライムストーリイとして戸棚の奥にしまわれた倒叙ミステリを、再度取り出して、埃を払ってみせたのが、「刑事コロンボ」だったのです。

【付記】

第二巻初版刊行後、レイモンド・チャンドラーの「待っている」について、翻訳家の門野集さんから、次のような指摘を受けた。

「How about lending me that phone number? は、ジョニーが短い時間ホテルの部屋にいた↓一時間後にこっそり出ていった↓トニーがそれに手を貸した↓部屋代も払った↓そのあとトニーに（部屋にいたのとは別の男の声で）電話がかかってきた。ということで、フロント係は、短い時間部屋にいた男がちょっとしたお楽しみのために呼ばれた男で、その男が帰ったあと元締めというか派遣元からトニーに後始末のために電話がかかってきたのだと考え、トニーに対してそのエスコートサービスみたいなやつの電話番号をおれにも教えてくれないか、ときいたのではと読みました」

ひとつの興味深い読み方として、ここに付記しておく。

（二〇二〇年三月三十一日）

訳者紹介

猪俣美江子（いのまた・みえこ）慶應義塾大学文学部卒。英米文学翻訳家。アリンガム《キャンピオン氏の事件簿》、ピーターズ『雪と毒杯』、ブランド『薔薇の輪』、ヘイヤー『紳士と月夜の晒し台』など訳書多数。

門野集（かどの・しゅう）一九六二年生まれ。一橋大学社会学部卒。英米文学翻訳家。訳書にウールリッチ《コーネル・ウールリッチ傑作短篇集》、クイーン『青の殺人』、ノックス『閘門の足跡』、ネヴィンズJr.『コーネル・ウールリッチの生涯』等がある。

白須清美（しらす・きよみ）一九六九年山梨県生まれ。早稲田大学第一文学部卒。英米文学翻訳家。訳書にディクスン『かくして殺人へ』、イネス『霧と雪』、クェンティン『俳優パズル』、イーリイ『タイムアウト』などがある。

直良和美（なおら・かずみ）東京生まれ。お茶の水女子大学理学部卒。英米文学翻訳家。訳書にローザン『チャイナタウン』、フレムリン『泣き声は聞こえない』、テイ『ロウソクのために一シリングを』、ワトスン『愚者たちの棺』などがある。

深町眞理子（ふかまち・まりこ）一九三一年生まれ。五一年、都立忍岡高校卒。英米文学翻訳家。ドイル『シャーロック・ホームズの冒険』、クリスティ『ABC殺人事件』、ブランド『招かれざる客たちのビュッフェ』など訳書多数。著書に『翻訳者の仕事部屋』がある。

藤村裕美（ふじむら・ひろみ）國學院大學文学部卒。英米文学翻訳家。訳書にアームストロング『始まりはギフトショップ』、ロラック『悪魔と警視庁』、リッチー『クライム・マシン』（共訳）などがある。

（五十音順）

り

れ

ろ

わ

原題・未訳作品

映像・演劇作品

ま

み

へ

ほ

ひ

ふ

な

に

ぬ

ね

の

は

つ

て

と

せ

そ

た

ち

す

さ

し

け

こ

き

く

お

か

い

う

え

索　引

・小森収「短編ミステリの二百年」第1章第5節から第3章第8節で言及されたもののうち、書籍は『　』、短編や章題は「　」で表した。**太字**（ゴシック体）のものは『短編ミステリの二百年1』および本書収録短編、末尾に「*」がついたものは編者のおすすめ短編である。

・人名は姓→名の順で、著作者に限り記載した。

・複数題名のある作品、複数表記のある人名は最も一般的と思われる表記のところにほかの表記で記載されたページもまとめて掲載した。

あ

検印
廃止

編者紹介 1958年福岡県生まれ。大阪大学人間科学部卒業。編集者、評論家、作家。著書・編書に『はじめて話すけど…』『本の窓から』『ミステリよりおもしろいベスト・ミステリ論18』等がある。また自らも謎解きミステリの短編集『土曜日の子ども』を書いている。

短編ミステリの二百年2

2020年3月19日 初版
2020年4月17日 再版

著者 チャンドラー、アリンガム他

編者 小森(こもり)収(おさむ)

発行所 (株)東京創元社
代表者 渋谷健太郎

162-0814/東京都新宿区新小川町1-5
電話 03・3268・8231-営業部
03・3268・8204-編集部
URL http://www.tsogen.co.jp

萩原印刷・本間製本

乱丁・落丁本は、ご面倒ですが小社までご送付ください。送料小社負担にてお取替えいたします。

ISBN978-4-488-29903-3 C0197